하이탑

과학 고수들의 필독서

자연계를 선택할 학생이라면, 단연 하이탑!!

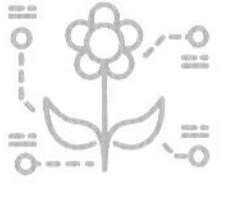

하이탑은 '과학'을 잘하고 싶고, '과학'으로 대학을 가려는 학생들이
30년 동안 변함없이 선택해 왔던 믿음직한 과학 전문 브랜드입니다.

동아출판 과학 전문서

HIGH TOP — 과학으로 대학 가려면 꼭 봐야 하는 30년 역사의 과학 전문 대표 브랜드

중 1~3 / 통합과학 / 물리학 I, II / 화학 I, II / 생명과학 I, II / 지구과학 I, II

싸플 — 과학을 어려워하는 이들을 위한 과학 내신 기본서!

중 1~3 / 통합과학

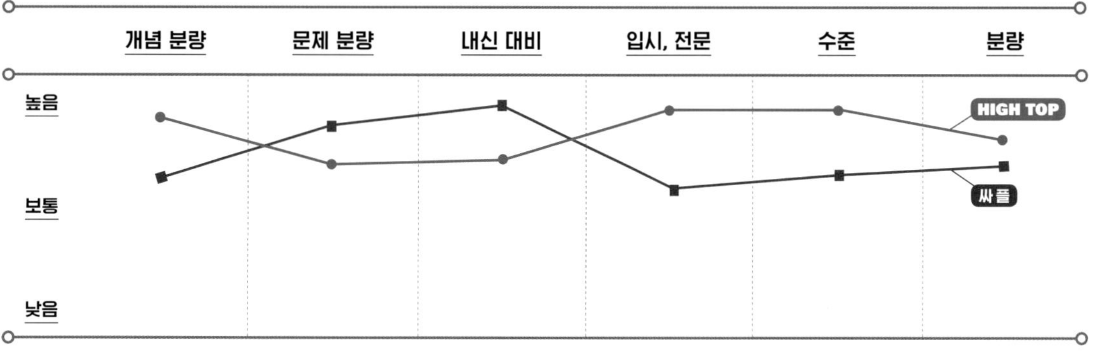

중학교 과학 2

HIGH TOP

Structure

HIGH TOP의 구성과 특징

" 지금부터 **HIGH TOP**이 이끄는 대로 한 단계 한 단계 따라와 보세요.
자신도 모르는 사이에 과학 우등생이 되어 있을 것입니다. "

1 단계

본문 개념 학습

- **학습 내용 설명** 학습 내용을 차근차근 설명하여 과학 원리를 체계적으로 이해할 수 있다.
- **자료 더하기** 개념 이해에 도움이 되는 추가 자료를 통해 더욱 정확하게 이해할 수 있다.
- **탐구 더하기** 5종 교과서에서 다루고 있는 다양한 탐구를 빠짐없이 학습할 수 있다.
- **학습 내용 CHECK** 학습한 내용 중 핵심만 바로바로 확인할 수 있다.

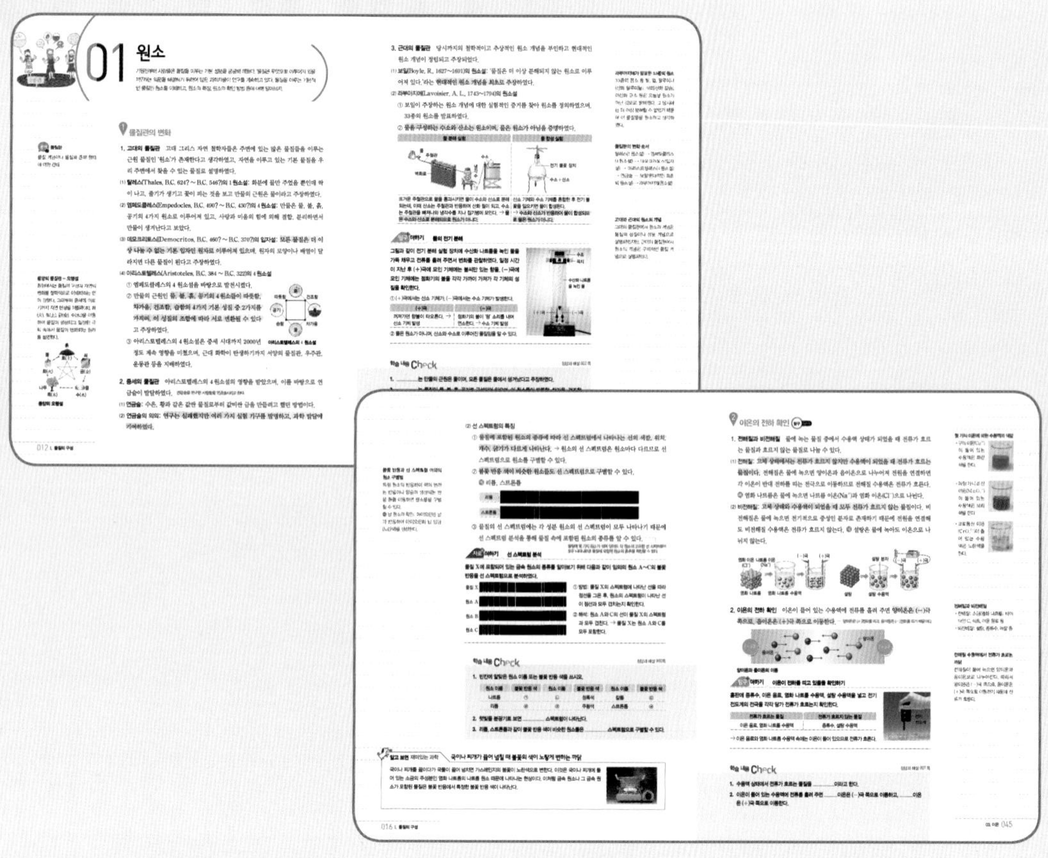

2 단계

탐구 실제로 활동을 하는 것처럼 자세한 과정과 정확한 분석으로 탐구 능력과 사고력을 기를 수 있다.

집중 분석 꼭 알아야 할 중요한 주제를 체계적으로 분석하여 내용을 더욱 완벽하게 이해할 수 있다.

심화 다른 교재에서는 접할 수 없는 높은 수준의 내용을 학습하여 과학 고수에 도전할 수 있다.

중단원 핵심 정리 본격적으로 문제를 풀기 전에 학습 내용을 핵심만 콕콕 집어 정리할 수 있다.

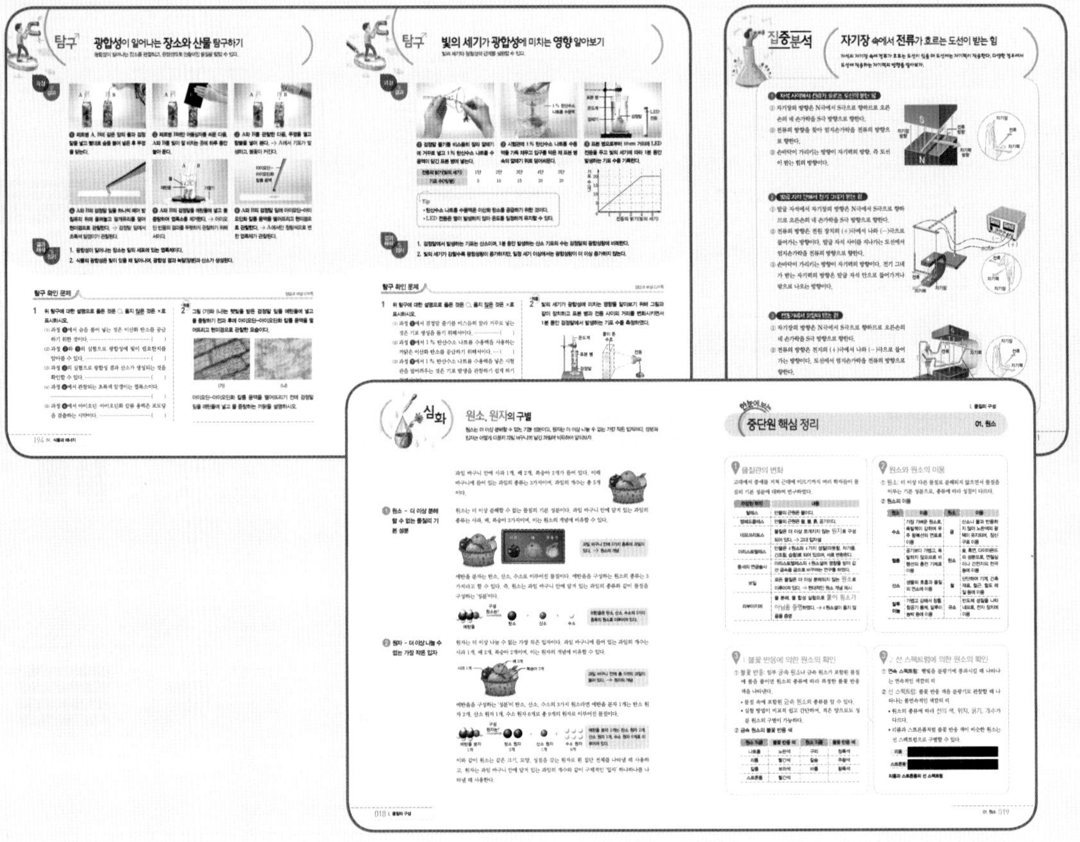

Structure HIGH TOP으로 공부하면 나도 과학 고수가 될 수 있다!

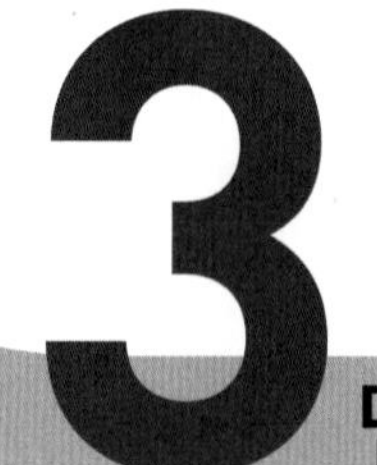

3 단계

개념 확인 문제 학교 시험에 자주 출제되는 문제로 구성하였으므로, 문제를 풀어 본 후 틀린 문제는 본문 개념 학습의 내용을 찾아 왜 틀렸는지 확실하게 알아 둔다.

실력 강화 문제 개념 확인 문제보다 수준 높은 문제로 구성하였으므로, 과학 고수라면 한 문제 한 문제 풀어 내야 한다.

서술형 문제 출제 의도에 따른 답변 전략을 Keyword로 정리한 후 논리적으로 서술할 수 있다.

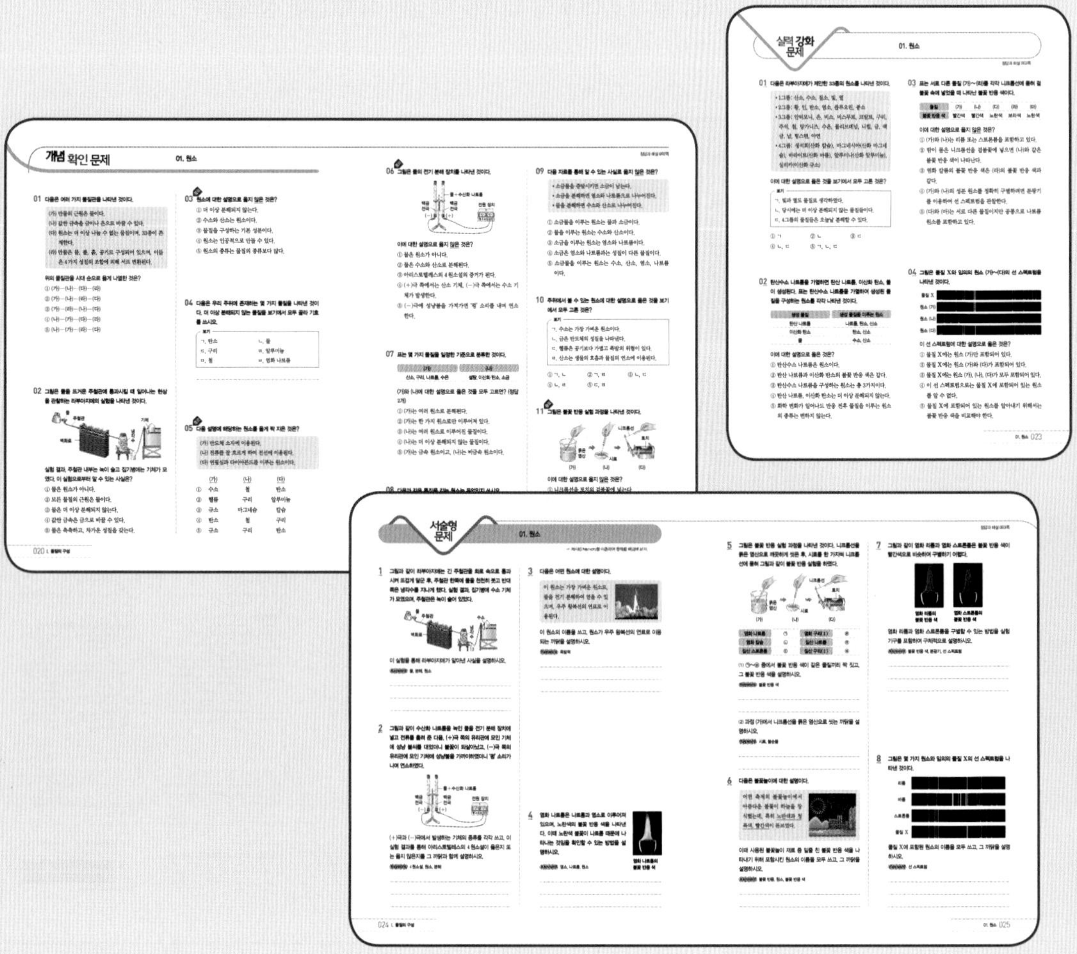

HIGH TOP만의 특별한 부록!
과학 용어 사전과 **찾아보기**가 수록되어 있습니다.

4 단계

최상위권 도전 문제 대단원 내의 학습 내용과 심화 내용을 응용하거나 융합한 문제로 구성하였다. 최상위권에 도전하기 위해 꼭 알아 두어야 할 수준 높은 문제를 풀어 보면서 진정한 과학 고수로 성장할 수 있다.

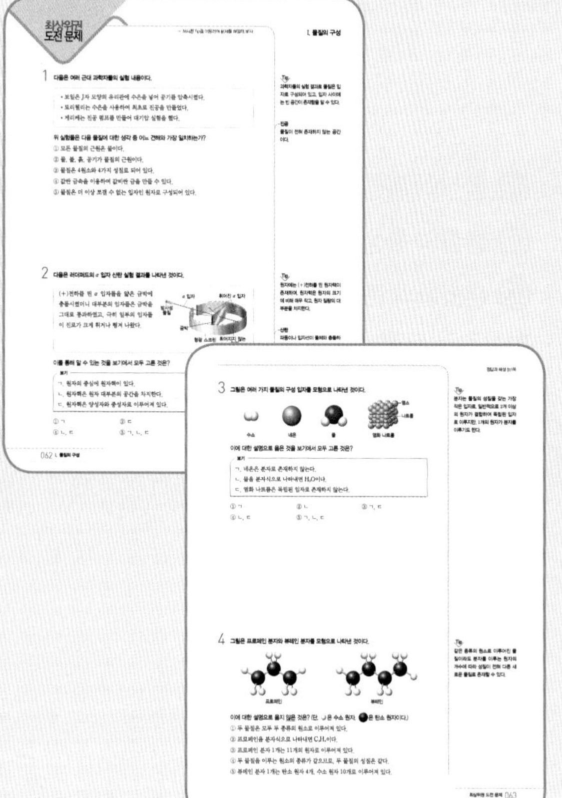

5 단계

창의·사고력 향상 문제 과학적 호기심을 충족시킬 수 있는 창의적인 문제, 과학적 사고력을 향상시킬 수 있는 문제로 구성하였다. 혼자서 문제를 해결하기 어려울 때에는 Tip과 Keyword를 참고할 수 있다.

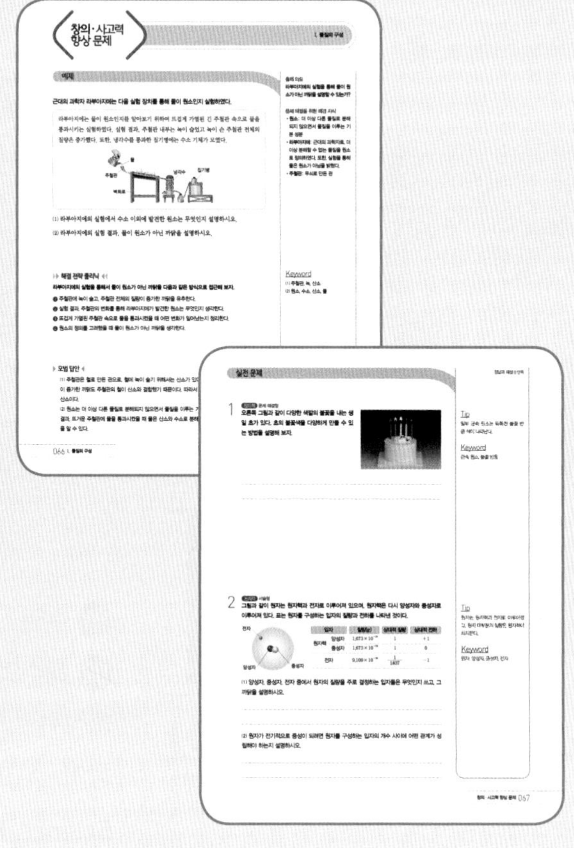

Contents

HIGH TOP의 차례 2권

V 동물과 에너지

VI 물질의 특성

VII 수권과 해수의 순환

VIII 열과 우리 생활

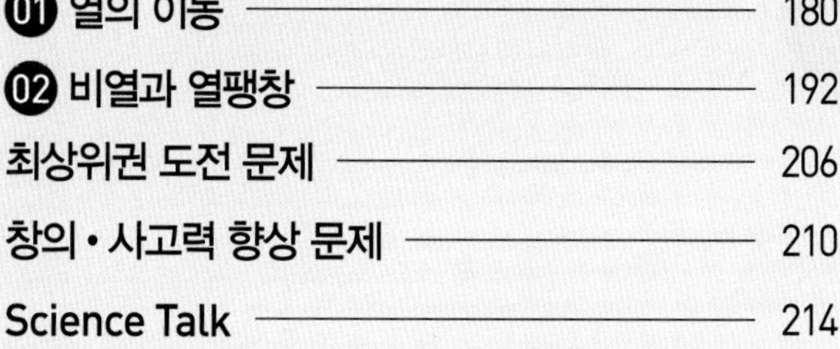

IX 재해 · 재난과 안전

부록

Ⅰ. 물질의 구성 / Ⅱ. 전기와 자기 / Ⅲ. 태양계 / Ⅳ. 식물과 에너지는 **1권**에 있습니다.

HIGH TOP과 내 교과서 비교하기

활용 방법

❶ 내가 배우는 교과서의 출판사 이름을 찾는다.

❷ 출판사 이름에서 아래쪽으로 내려가면서 공부할 내용과 해당하는 쪽수를 찾는다.

❸ 찾은 쪽수에 해당하는 **HIGH TOP**은 몇 쪽인지 확인한다.

대단원	중단원	HIGH TOP	동아출판	미래엔	비상교육
V. 동물과 에너지	01. 생물체의 구성 단계와 영양소	012~023	151~155	158~161	152~157
	02. 소화와 순환	024~045	156~166	162~173	158~171
	03. 호흡과 배설	046~075	169~180	174~185	176~191
VI. 물질의 특성	01. 물질의 특성 (1)	078~093	191~196	196~199, 204~207	200~205
	02. 물질의 특성 (2)	094~113	197~202	200~203, 208~213	206~213
	03. 혼합물의 분리	114~141	205~214	214~227	218~229
VII. 수권과 해수의 순환	01. 수권	144~157	225~232	238~249	238~253
	02. 해수의 순환	158~177	235~240	250~255	254~257
VIII. 열과 우리 생활	01. 열의 이동	180~191	251~260	266~275	266~275
	02. 비열과 열팽창	192~215	263~270	276~283	280~285
IX. 재해 · 재난과 안전	01. 재해 · 재난과 안전	218~227	280~291	294~305	294~301

HIGH TOP 학습 계획 활용 방법

① 나의 성적과 학습 방법에 따라 **HIGH TOP** 학습 계획을 세운다.
② 학습 계획에 따라 실천하고, 그 결과를 기록한다.
③ 계획을 달성하지 못한 경우에는 그 원인을 기록한다. 이때 계획을 수정하거나 보완할 것인지, 언제 보충하여 학습할 것인지 등을 특이 사항에 기록한다.

천재교육	YBM	HIGH TOP 중단원	HIGH TOP 학습 계획		
			학습 날짜	실천 결과	특이 사항
155~161	158~163	01. 생물체의 구성 단계와 영양소	월 일		
162~174	164~175	02. 소화와 순환	월 일		
177~188	178~189	03. 호흡과 배설	월 일		
197~200, 204~207	202~207	01. 물질의 특성 (1)	월 일		
201~203, 208~212	208~211	02. 물질의 특성 (2)	월 일		
215~226	214~225	03. 혼합물의 분리	월 일		
235~248	238~249	01. 수권	월 일		
249~254	250~253	02. 해수의 순환	월 일		
263~272	266~277	01. 열의 이동	월 일		
275~282	280~287	02. 비열과 열팽창	월 일		
290~301	298~307	01. 재해 · 재난과 안전	월 일		

V
동물과 에너지

01 생물체의 구성 단계와 영양소

02 소화와 순환

03 호흡과 배설

동물은 스스로 양분을 만들지 못하고 음식물을 섭취하여 에너지 생성에 필요한 양분을 얻는다. 양분을 얻는 방법이 다르기 때문에 동물의 몸은 식물과 다른 구조로 되어 있다.

동물의 몸 구조와 기능을 에너지를 얻는 과정과 관련지어 이해해 보자.

01 생물체의 구성 단계와 영양소

우리 몸은 세포들이 모여 유기적으로 조직된 정교한 구조로 되어 있으며, 다양한 기관계가 작동하여 생명 활동에 필요한 영양소를 얻는다. 우리 몸은 어떻게 구성되어 있으며, 다양한 영양소는 어떻게 쓰일까?

생물의 유기적 구성

1. 생물체의 구성 단계 다세포 생물에서 세포들은 단순히 모여 있는 것이 아니라 체계적으로 모여 조직을 이루고, 여러 조직이 모여 기관을 형성하며, 기관들이 모여 완전한 생물체인 개체를 이룬다. – 짚신벌레, 아메바 등 단세포 생물은 세포가 곧 개체이다.

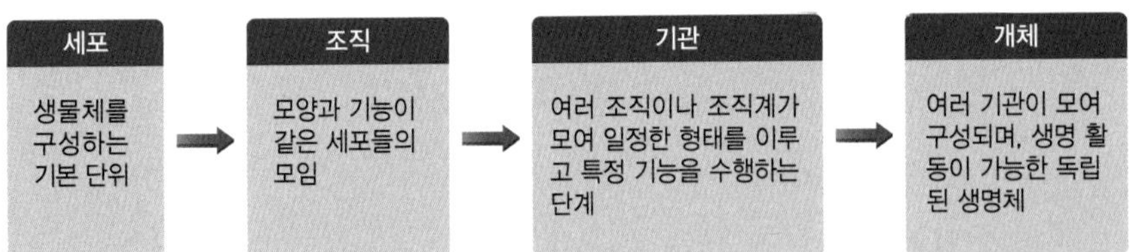

2. 식물체의 구성 단계 세포, 조직, 조직계, 기관의 단계를 거쳐 하나의 개체가 된다.

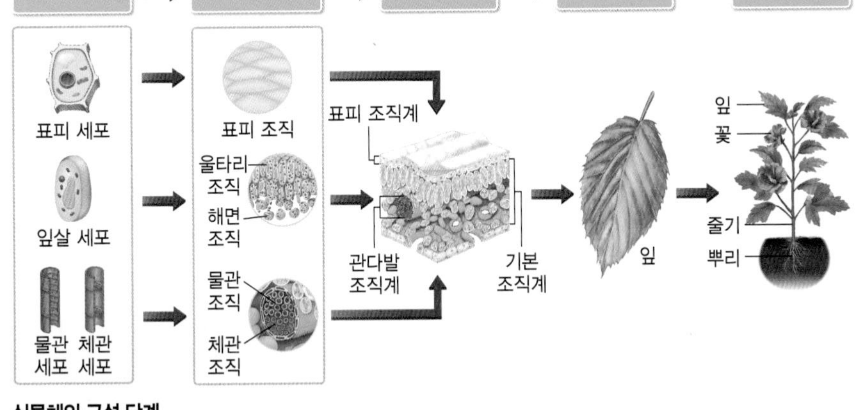

식물체의 구성 단계

(1) **세포:** 식물체를 구성하는 기본 단위로, 표피 세포, 잎살 세포, 물관 세포 등 다양한 모양과 기능의 세포들이 있다.

(2) **조직:** 모양과 기능이 같은 세포들이 모여 조직을 구성하며, 식물의 조직은 크게 분열 조직과 영구 조직으로 구분한다.

① 분열 조직: 세포 분열(세포의 수가 늘어나는 것)이 왕성하게 일어나는 조직이다. 예 생장점, 형성층 등

② 영구 조직: 세포 분열을 하지 않고 특정 기능을 수행하는 조직이다. 예 표피 조직, 울타리 조직, 해면 조직, 물관 조직, 체관 조직 등

세포의 발견

1665년, 영국의 로버트 훅은 코르크 조각을 현미경으로 관찰하고 코르크 조각이 수많은 세포로 이루어져 있는 것을 처음으로 발견하였다. 이후 모든 생물은 세포로 이루어져 있다는 것이 밝혀졌다.

생장점과 형성층

- 생장점: 줄기 끝이나 뿌리 끝에 있으며 길이 생장이 일어나는 곳이다.
- 형성층: 쌍떡잎식물과 겉씨식물의 물관과 체관 사이에 있으며 부피 생장이 일어나는 곳이다.

(3) 조직계: 여러 조직이 모여 몸 전체에서 공통의 기능을 하는 단계로, 식물체에만 있는 구성 단계이다. 예 표피 조직계, 관다발 조직계, 기본 조직계

(4) 기관: 조직계가 모여 일정한 형태의 기관을 이루며, 식물의 기관에는 뿌리, 줄기, 잎, 꽃, 열매 등이 있다.

(5) 개체: 식물의 기관들이 모여 완전한 식물체 즉, 개체가 된다. 풀 한 포기, 나무 한 그루 등이 개체에 해당한다.

3. 동물체의 구성 단계 세포, 조직, 기관, 기관계의 단계를 거쳐 하나의 개체가 된다.

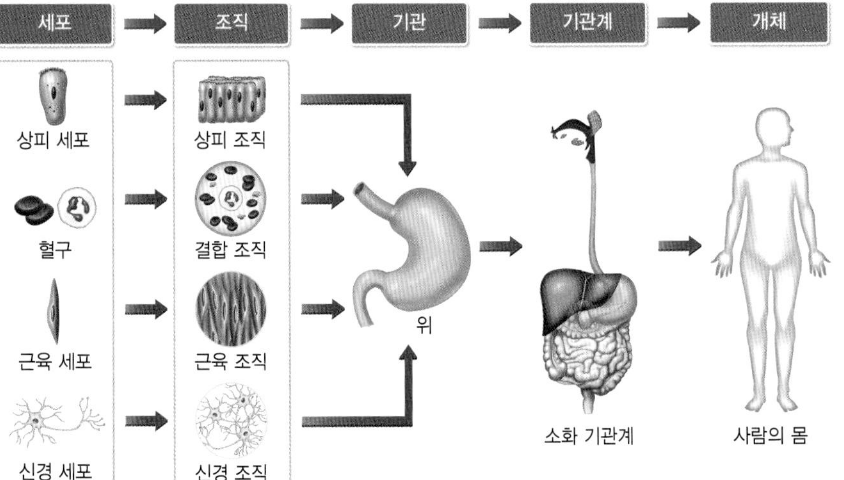

동물체의 구성 단계 동물은 식물과 달리 구성 단계에 조직계가 없고, 기관계가 있다.

(1) 세포: 동물체를 구성하는 기본 단위로, 상피 세포, 적혈구, 근육 세포, 신경 세포 등 다양한 모양과 기능을 가진 세포들이 있다.
(상피 세포: 몸의 표면이나 내장 기관의 안쪽 벽을 덮는 세포이다.)

(2) 조직: 모양과 기능이 같은 세포들이 모여 조직을 구성하며, 사람의 조직에는 상피 조직, 결합 조직, 근육 조직, 신경 조직이 있다.

① 상피 조직: 동물체의 표면이나 내벽을 덮어 몸을 보호하는 기능을 한다.

② 결합 조직: 조직이나 기관을 서로 연결하거나 지지하는 역할을 한다.

③ 근육 조직: 팔다리나 내장 기관의 근육을 구성하며, 운동을 담당한다.

④ 신경 조직: 자극의 전달을 담당한다.

(3) 기관: 여러 조직이 모여 일정한 형태를 이루고 특정 기능을 수행하는 단계로, 위, 간, 쓸개, 이자, 심장, 폐 등이 있다.

(4) 기관계: 연관된 기능을 수행하는 기관들이 모인 것으로, 식물체에는 없고 동물체에만 있는 구성 단계이다. 사람의 기관계에는 소화계, 순환계, 호흡계, 배설계, 신경계 등이 있다.

(5) 개체: 기관계가 모여 개체가 되는데, 사람 한 명, 동물 한 마리 등이 개체에 해당한다. 동물은 여러 기관계가 서로 밀접한 관계를 맺고 유기적으로 작용함으로써 생명을 유지하며 살아간다.

식물의 조직계

- 표피 조직계: 뿌리, 줄기, 잎의 표면을 감싸는 표피 조직이 모여 형성된 것으로 식물체의 표면을 덮어 내부를 보호하는 기능을 한다.
- 관다발 조직계: 물관과 체관 및 형성층이 모여 이루어진 것으로, 물과 양분이 이동하는 통로 역할을 한다.
- 기본 조직계: 표피 조직계와 관다발 조직계를 제외한 나머지 부분으로, 식물체의 대부분을 차지한다. 양분의 합성과 저장 등의 기능을 한다.

식물의 기관

식물의 기관은 양분의 합성과 저장을 담당하는 영양 기관과 번식을 담당하는 생식 기관으로 구분한다. 뿌리, 줄기, 잎은 영양 기관이고, 꽃과 열매는 생식 기관이다.

결합 조직

네 가지 조직 유형 중에서 가장 풍부하고 몸 전체에 걸쳐 넓게 퍼져 있다. 혈액, 림프, 뼈, 연골, 힘줄 등이 결합 조직에 속한다.

자료 더하기 사람의 기관계

기관계	구성 기관	기능
소화계	식도, 위, 소장, 대장, 간, 쓸개, 이자 등	영양소의 소화와 흡수
순환계	심장, 혈관 등	영양소, 산소, 노폐물 등을 운반
호흡계	폐, 기관, 기관지 등	기체 교환
배설계	콩팥, 오줌관, 방광, 요도 등	노폐물의 배설
신경계	뇌, 척수 등	자극을 전달하고 반응을 일으키는 과정에 관여
골격계	두개골, 척추, 갈비뼈 등	몸을 지탱하고 뇌, 심장, 폐 등을 보호

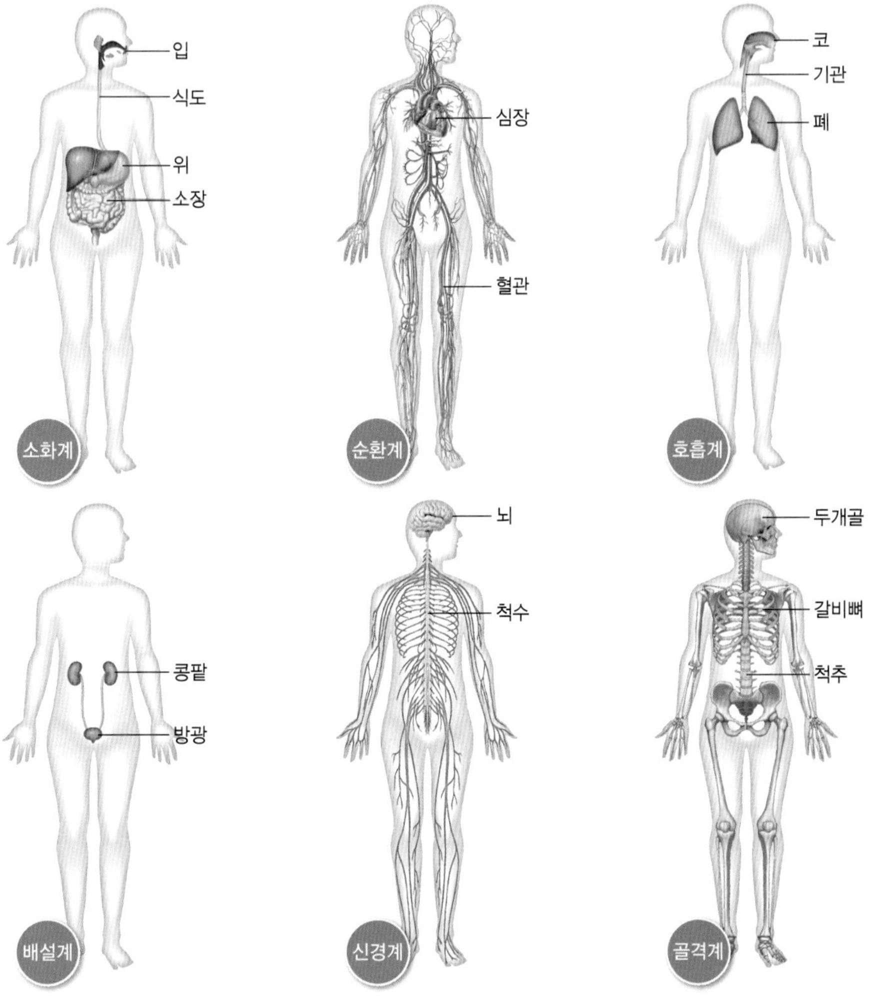

기타 사람의 기관계
- 근육계: 몸의 움직임, 심장 박동, 소화관의 운동 등에 관여한다.
- 면역계: 병원체로부터 몸을 보호한다.
- 내분비계: 호르몬을 분비한다.
- 생식계: 생식을 담당한다.

기관계의 유기적 작용
동물의 몸을 구성하는 세포에서 생명 활동이 원활하게 일어나기 위해서는 소화계에서 소화 · 흡수한 영양소와 호흡계에서 받아들인 산소가 순환계를 통해 세포로 공급되고, 세포의 생명 활동으로 생성된 노폐물이 순환계를 통해 배설계로 운반되어 배출되어야 한다. 이와 같이 동물이 생명 활동을 유지하며 살아가기 위해서는 기관계가 조화를 이루며 유기적으로 작용해야 한다.

학습 내용 Check

정답과 해설 050쪽

1. 여러 조직이 모여 일정한 형태와 기능을 나타내는 ________을 이룬다.
2. 식물체의 구성 단계는 세포 → 조직 → ________ → 기관 → 개체이다.
3. 동물체의 구성 단계는 세포 → 조직 → 기관 → ________ → 개체이다.
4. 노폐물을 몸 밖으로 배설하는 기능을 수행하는 기관계는 ________이다.

2 영양소

1. 영양소 생물이 생명 활동과 생장을 위해 외부에서 받아들여야 하는 물질이다. 영양소는 몸을 구성하는 성분, 에너지원, 생리 작용 조절 등에 쓰인다. (과학 용어 사전 230쪽)

생리 작용: 소화, 순환, 호흡, 배설, 생식 등과 같이 생물이 생명을 유지하기 위해 일어나는 모든 작용

2. 영양소의 종류 주영양소와 부영양소가 있다.

(1) **주영양소(3대 영양소)**: 탄수화물, 단백질, 지방의 세 가지 영양소로, 에너지원으로 사용되며, 몸을 구성하는 성분이기도 하다. 공통적으로 탄소(C), 수소(H), 산소(O)로 구성된다.

① 탄수화물: 구성 원소는 탄소(C), 수소(H), 산소(O)이며, 1 g당 약 4 kcal의 열량을 낸다. 단당류로 구성되며, 주로 에너지원으로 사용된다. 사용 후 남은 탄수화물은 지방으로 바뀌어 몸속에 저장되므로 섭취량에 비해 몸을 구성하는 비율은 매우 작다. 밥, 감자, 빵, 국수 등에 많다.

② 단백질: 구성 원소는 탄소(C), 수소(H), 산소(O), 질소(N) 등이며, 1 g당 약 4 kcal의 열량을 낸다. 단백질은 여러 종류의 아미노산이 결합하여 만들어진다. 근육과 머리카락 등 몸의 주요 구성 성분이며, 효소와 호르몬의 주성분으로 몸의 생리 작용을 조절하기도 한다. 탄수화물이나 지방이 부족한 경우 에너지원으로 사용된다. 세포의 주요 구성 성분이기 때문에 세포의 수가 크게 증가하는 성장기에 특히 많이 섭취해야 한다. 살코기, 생선, 달걀, 콩 등에 많다.

(등: 황(S)을 포함하기도 한다. / 아미노산: 약 20종류가 있다.)

③ 지방: 구성 원소는 탄소(C), 수소(H), 산소(O)이며, 1 g당 약 9 kcal의 열량을 낸다. 지방산과 글리세롤이 3 : 1로 결합되어 있다. 에너지원이며, 몸의 구성 성분으로 사용된다. 3대 영양소 중 1 g당 가장 많은 열량을 내기 때문에 에너지를 저장하는 데 효과적이어서 사용하고 남은 에너지는 주로 피부 아래나 내장에 지방 형태로 저장된다. 버터, 식용유, 땅콩 등에 많이 들어 있다. 지방이 체내에 지나치게 많이 축적되면 비만이 된다.

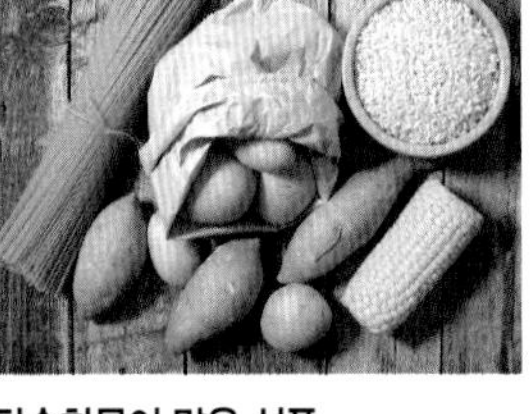
탄수화물이 많은 식품

단백질이 많은 식품

지방이 많은 식품

(2) **부영양소**: 에너지원은 아니지만, 몸을 구성하거나 생리 작용을 조절하는 영양소로, 무기염류, 비타민, 물 등이 있다.

① 무기염류: 뼈, 이, 혈액 등 몸을 구성하는 성분이며, 적은 양으로 몸의 생리 작용을 조절한다. 사람의 몸에서 만들어지지 않으므로 음식물을 통해 섭취해야 한다. 나트륨, 칼륨, 칼슘, 철, 인, 아이오딘 등이 있다. 우유, 멸치, 견과류, 해조류, 채소 등에 많다.

탄수화물의 종류

- 단당류: 탄수화물의 구성 단위로 포도당, 과당, 갈락토스 등이 있다.
- 이당류: 단당류 2개가 결합한 것으로 엿당(포도당+포도당), 설탕(포도당+과당), 젖당(포도당+갈락토스) 등이 있다.
- 다당류: 수많은 단당류가 결합한 것으로 녹말, 글리코젠 등이 있다.

피하 지방과 체온 유지

피하 지방은 피부 아래에 있는 지방이다. 지방은 열을 잘 전달하지 않으므로 피하 지방 층이 두꺼우면 몸 밖으로 열을 잘 빼앗기지 않아 체온 유지에 도움이 된다.

3대 영양소 비교

구분	특징
탄수화물	• 탄소, 수소, 산소 • 4 kcal/g • 주에너지원 • 몸의 구성 성분
단백질	• 탄소, 수소, 산소, 질소 등 • 4 kcal/g • 몸의 구성 성분 • 효소와 호르몬의 주성분(생리 작용 조절)
지방	• 탄소, 수소, 산소 • 9 kcal/g • 에너지 저장 물질 • 몸의 구성 성분 • 체온 유지

② 비타민: 몸을 구성하지는 않지만, 적은 양으로 몸의 생리 작용을 조절한다. 사람의 몸에서 만들어지지 않으므로 음식물을 통해 섭취해야 하며, 섭취량이 부족할 경우 그에 따른 결핍증이 나타난다. 수용성 비타민(B군, C)과 지용성 비타민(A, D, E, K)이 있다. 과일, 채소, 해조류 등에 많다.

(수용성 비타민: 물에 잘 녹는다. / 지용성 비타민: 물에 잘 녹지 않는다.)

③ 물: 사람 몸무게의 60~70 %를 차지할 정도로 몸의 구성 성분 중 비율이 가장 높다. 사람의 몸에서 영양소와 노폐물을 운반하고, 물질을 녹여 생리 작용이 잘 일어나도록 하며, 비열이 높아 체온을 일정하게 유지하는 데 도움이 된다.

무기염류가 풍부한 식품

비타민이 풍부한 식품

물

비타민과 결핍증

비타민		결핍증
수용성	B_1	각기병
	B_2	피부병
	C	괴혈병
지용성	A	야맹증
	D	구루병
	E	빈혈
	K	혈액 응고 지연

- 각기병: 다리 힘이 약해지고 저리거나 붓는 병
- 괴혈병: 잇몸이나 피하 점막 등에서 피가 나는 병
- 야맹증: 어두워지면 잘 보지 못하는 병
- 구루병: 뼈의 변형이나 성장 장애가 있는 병

3. 영양소 검출 방법 (탐구 017쪽)

(1) 녹말 검출(아이오딘 반응): 녹말 용액에 아이오딘-아이오딘화 칼륨 용액(옅은 갈색)을 넣으면 청람색으로 변한다.

(2) 포도당(당) 검출(베네딕트 반응): 포도당 용액에 베네딕트 용액(푸른색)을 넣고 가열하면 황적색으로 변한다. 가열하면 반응이 빠르게 일어나 색깔 변화가 빠르게 나타난다.

(3) 단백질 검출(뷰렛 반응): 단백질 용액에 뷰렛 용액(옅은 푸른색)을 넣으면 보라색으로 변한다.

(뷰렛 용액: 5 % 수산화 나트륨 수용액(무색)에 1 % 황산 구리 수용액(푸른색)을 섞어서 만든 용액)

(4) 지방 검출(수단 Ⅲ 반응): 지방 용액에 수단 Ⅲ 용액(붉은색)을 넣으면 선홍색으로 변한다. 수단 Ⅲ 반응 색은 수단 Ⅲ 용액의 색과 구분하기 어려우므로 증류수와 비교하기도 한다.

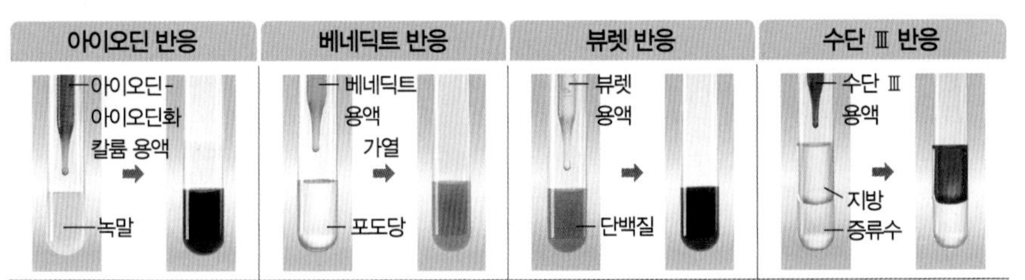

베네딕트 반응

베네딕트 반응은 포도당뿐 아니라 엿당, 젖당을 검출할 때도 사용한다. 그러나 이당류 중 설탕은 베네딕트 반응으로 검출되지 않는다.

학습 내용 Check

정답과 해설 050쪽

1. 3대 영양소 중 ________은 주에너지원이고, ________은 1 g당 가장 많은 열량을 낸다.
2. ________은 효소와 호르몬의 주성분이며, 구성 단위는 ________이다.
3. 포도당 용액에 ________ 용액을 넣고 가열하면 색깔이 ________으로 변한다.
4. ________ 용액에 아이오딘-아이오딘화 칼륨 용액을 첨가하면 ________으로 변한다.

탐구 영양소 검출하기

영양소 검출 반응을 통해 음식물 속에 포함된 여러 가지 영양소를 검출할 수 있다.

과정

❶ 24홈판의 첫 번째 세로줄 세 칸에 증류수를, 두 번째 세로줄 세 칸에 미음을, 세 번째 세로줄 세 칸에 양파즙을, 네 번째 세로줄 세 칸에 달걀흰자 희석액을, 다섯 번째 세로줄 세 칸에 식용유를 넣는다.

❷ 과정 ❶의 24홈판 첫 번째 가로줄 5칸에 아이오딘-아이오딘화 칼륨 용액을, 두 번째 가로줄 5칸에 뷰렛 용액을, 세 번째 가로줄 5칸에 수단 Ⅲ 용액을 두세 방울씩 떨어뜨린다.

❸ 시험관 5개에 증류수, 미음, 양파즙, 달걀흰자 희석액, 식용유를 각각 넣고 베네딕트 용액을 두세 방울씩 떨어뜨린 다음 가열한 후, 과정 ❷의 24홈판 네 번째 가로줄에 각각 꽂는다.

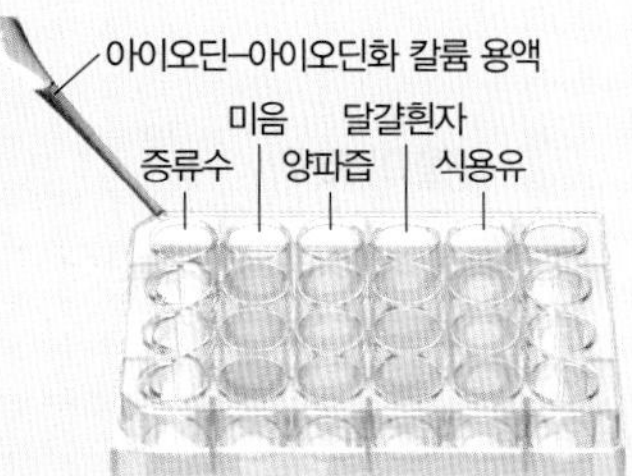

결과 및 정리

미음에는 녹말, 양파즙에는 포도당(당), 달걀흰자 희석액에는 단백질, 식용유에는 지방이 들어 있다.

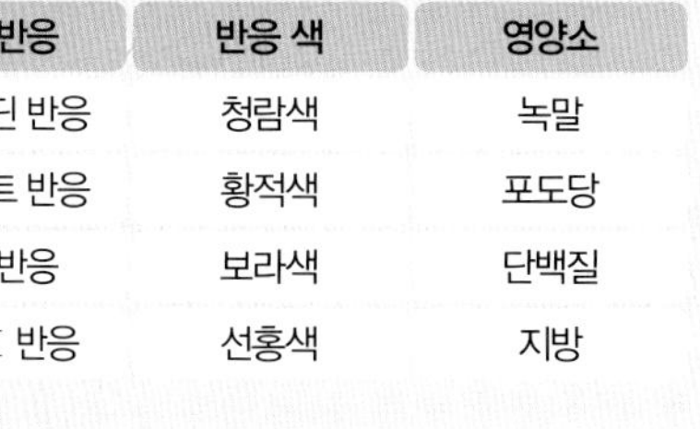

음식물	검출 반응	반응 색	영양소
미음	아이오딘 반응	청람색	녹말
양파즙	베네딕트 반응	황적색	포도당
달걀흰자	뷰렛 반응	보라색	단백질
식용유	수단 Ⅲ 반응	선홍색	지방

베네딕트 반응
수단 Ⅲ 반응
뷰렛 반응
아이오딘 반응
식용유 양파즙 증류수
달걀흰자 미음

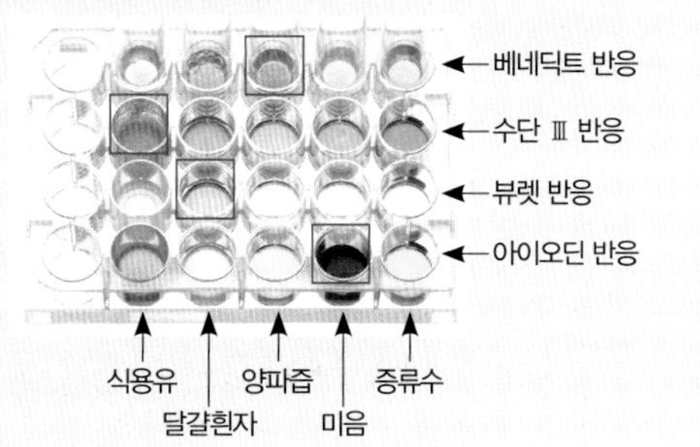

같은 주제 다른 탐구

과정 4개의 시험관 A~D에 우유를 담고 각각 아이오딘 반응, 베네딕트 반응, 뷰렛 반응, 수단 Ⅲ 반응이 나타나는지 실험한다.

결과 및 정리 베네딕트 반응, 뷰렛 반응, 수단 Ⅲ 반응이 나타났다.
→ 우유에는 당, 단백질, 지방이 들어 있다.

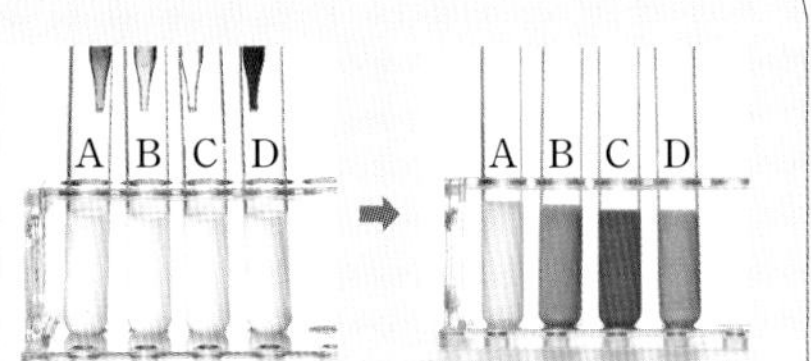

탐구 확인 문제

정답과 해설 050쪽

1 위 탐구에 대한 설명으로 옳은 것은 ○, 옳지 않은 것은 ×로 표시하시오.

(1) 아이오딘-아이오딘화 칼륨 용액을 넣었을 때 청람색이 되면 녹말이 있는 것이다. ………………………… (　　)

(2) 베네딕트 용액을 넣고 가열하는 까닭은 반응 속도를 빠르게 하기 위해서이다. ………………………… (　　)

(3) 영양소 검출 반응으로 음식물에 들어 있는 모든 영양소를 확인할 수 있다. ………………………… (　　)

2 적용 영양소 A, B, C가 섞인 혼합 용액에 검출 반응을 하여 다음과 같은 결과가 나왔다. (단, +는 검출 반응이 나타난 것이고, −는 검출 반응이 나타나지 않은 것이다.)

혼합 용액	뷰렛 반응	아이오딘 반응	수단 Ⅲ 반응
A+B	−	+	+
A+C	+	−	+

영양소 A~C는 무엇인지 쓰시오.

심화

식물과 동물의 조직

식물과 동물은 모양, 크기, 기능이 다양한 세포들이 모여 이루어진다. 그 중에서 모양과 기능이 같은 세포들의 모임을 조직이라고 하는데, 생활 방식이 서로 다른 식물과 동물의 몸을 구성하는 조직에는 어떤 것이 있는지 알아보자.

① 식물의 조직

생장점
형성층
체관
물관
생장점
뿌리 끝
줄기 끝
줄기의 단면

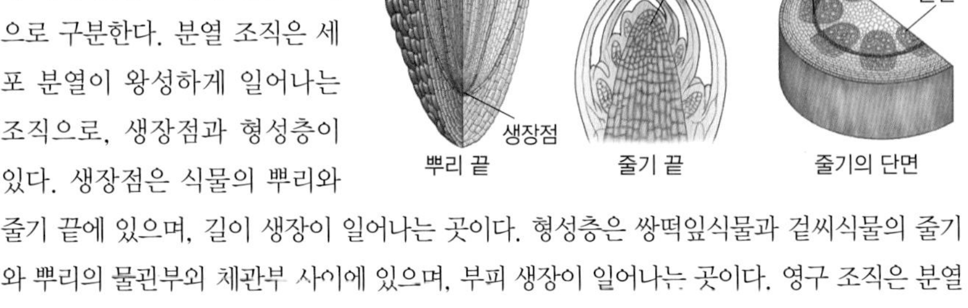

식물의 조직은 세포 분열 능력에 따라 분열 조직과 영구 조직으로 구분한다. 분열 조직은 세포 분열이 왕성하게 일어나는 조직으로, 생장점과 형성층이 있다. 생장점은 식물의 뿌리와 줄기 끝에 있으며, 길이 생장이 일어나는 곳이다. 형성층은 쌍떡잎식물과 겉씨식물의 줄기와 뿌리의 물관부와 체관부 사이에 있으며, 부피 생장이 일어나는 곳이다. 영구 조직은 분열 조직에서 만들어진 세포들이 분화한 것으로, 표피 조직, 유조직, 기계 조직, 통도 조직 등으로 구분된다. 표피 조직은 식물체의 표면을 덮는 조직으로 보통 한 층의 표피 세포로 되어 있으며, 유조직은 식물체의 대부분을 차지하는 조직으로 생명 활동이 활발한 살아 있는 세포로 구성되어 있다. 광합성, 호흡, 물질 저장, 분비 등의 작용을 하며 울타리 조직, 해면 조직, 선인장 줄기의 저수 조직 등이 유조직에 해당한다. 기계 조직은 식물체를 튼튼하게 지탱하는 조직이고, 통도 조직은 물이나 양분의 이동 통로가 되는 물관 조직, 헛물관 조직, 체관 조직으로, 뿌리와 줄기의 관다발과 잎의 잎맥에 있다.

② 동물의 조직

동물의 조직은 상피 조직, 결합 조직, 근육 조직, 신경 조직으로 구분된다. 상피 조직은 몸의 표면이나 기관의 안쪽 벽을 덮어서 보호하며, 분비샘을 형성한다. 입 안의 상피 조직, 눈의 망막, 융털 상피 조직, 침샘 등이 있다. 결합 조직은 몸속의 조직이나 기관을 서로 연결하고 몸을 지탱한다. 혈액, 림프, 뼈, 힘줄, 지방 조직 등이 있다. 근육 조직은 몸의 근육이나 내장 기관을 구성하는 조직으로, 골격과 내장의 운동을 담당하며, 골격근, 내장근, 심장근 등이 있다. 신경 조직은 흥분을 전달하는 세포들이 모인 조직으로, 자극을 받아들이고 전달하는 일을 담당한다. 감각 신경, 운동 신경 등이 있다.

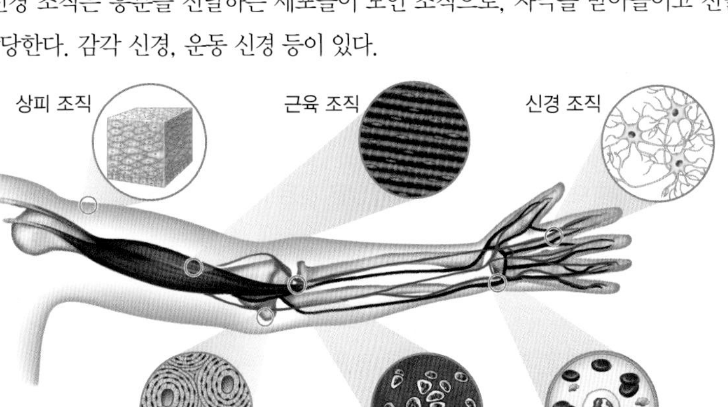

중단원 핵심 정리

01. 생물체의 구성 단계와 영양소

1 생물체의 구성 단계

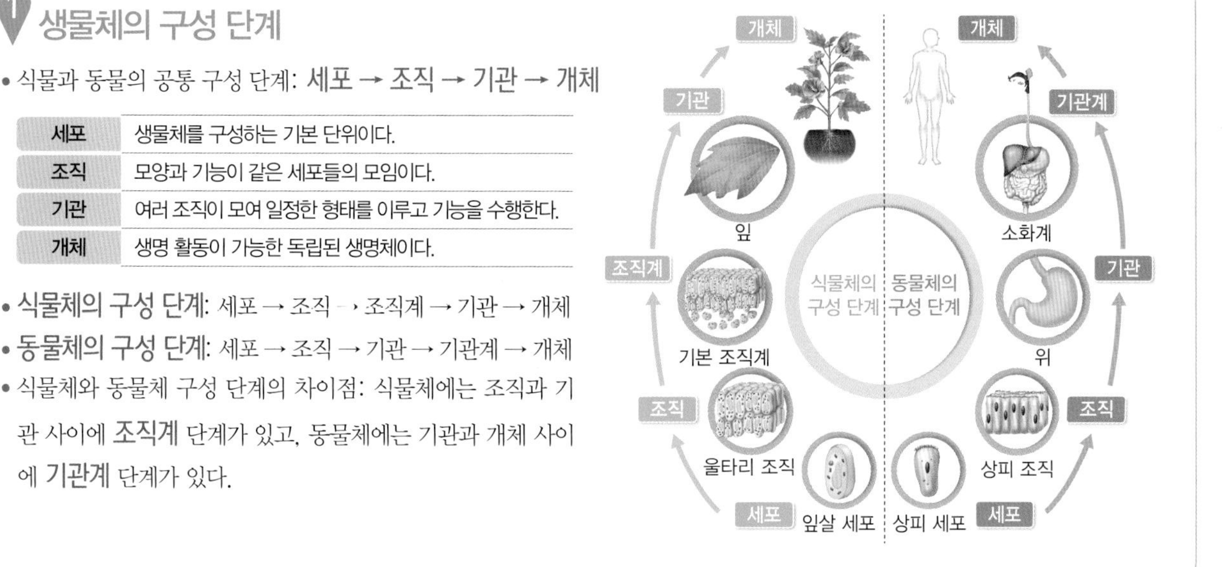

- 식물과 동물의 공통 구성 단계: **세포 → 조직 → 기관 → 개체**

세포	생물체를 구성하는 기본 단위이다.
조직	모양과 기능이 같은 세포들의 모임이다.
기관	여러 조직이 모여 일정한 형태를 이루고 기능을 수행한다.
개체	생명 활동이 가능한 독립된 생명체이다.

- **식물체의 구성 단계**: 세포 → 조직 → 조직계 → 기관 → 개체
- **동물체의 구성 단계**: 세포 → 조직 → 기관 → 기관계 → 개체
- 식물체와 동물체 구성 단계의 차이점: 식물체에는 조직과 기관 사이에 **조직계** 단계가 있고, 동물체에는 기관과 개체 사이에 **기관계** 단계가 있다.

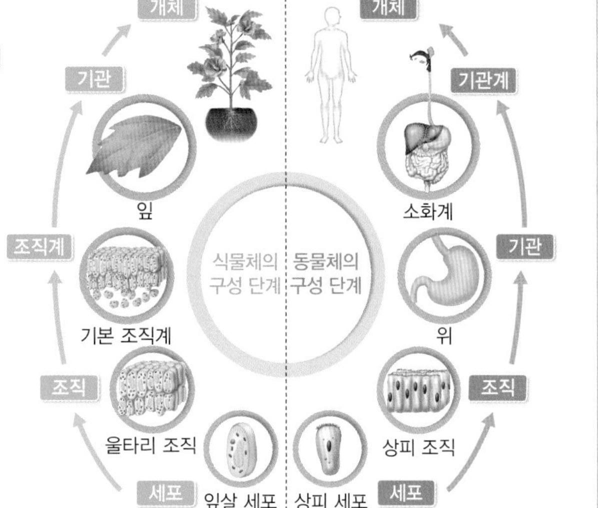

2-1 영양소의 종류

- 주영양소: **탄수화물, 단백질, 지방.** 몸의 구성 성분이며, **에너지원**이다.

영양소	탄수화물	단백질	지방
구성 원소	탄소, 수소, 산소	탄소, 수소, 산소, 질소 등	탄소, 수소, 산소
구성 단위	단당류	아미노산	지방산, 글리세롤
열량	4 kcal/g	4 kcal/g	9 kcal/g
기능 및 특성	주요 에너지원, 몸 구성 비율이 낮음	에너지원, 생리 작용 조절	저장 에너지원, 체온 유지에 중요

- 부영양소: **무기염류, 비타민, 물.** 에너지원이 아니다.

영양소	무기염류	비타민	물
종류 · 구성 원소	나트륨, 칼슘, 철 등	비타민 A, B군, C, D, E, K	수소(H)와 산소(O)로 구성
특징	• 적은 양으로 생리 작용 조절 • 체내에서 합성되지 않아 음식물로 섭취해야 한다.		물질 운반, 체온 유지에 관여, 몸의 60~70 % 차지

2-2 영양소 검출 반응

- **녹말**: 아이오딘 반응에 **청람색**을 띤다.
- **포도당(당)**: 베네딕트 반응에 **황적색**을 띤다.
- **단백질**: 뷰렛 반응에 **보라색**을 띤다.
- **지방**: 수단 Ⅲ 반응에 **선홍색**을 띤다.

아이오딘 반응	베네딕트 반응
아이오딘-아이오딘화 칼륨 용액, 녹말	베네딕트 용액, 가열, 포도당

뷰렛 반응	수단 Ⅲ 반응
뷰렛 용액, 단백질	수단 Ⅲ 용액, 지방, 증류수

개념 확인 문제

01. 생물체의 구성 단계와 영양소

01 중요 다음은 동물체의 구성 단계를 나타낸 것이다.

세포 → (㉠) → (㉡) → (㉢) → 개체

㉠~㉢을 바르게 짝 지은 것은?

	㉠	㉡	㉢
①	조직	조직계	기관
②	조직	기관	기관계
③	기관	조직계	기관계
④	기관	기관계	조직계
⑤	조직계	기관	기관계

02 동물의 구성 단계에 대한 설명으로 옳은 것을 보기에서 모두 고른 것은?

보기
ㄱ. 동물체를 구성하는 기본 단위는 세포이다.
ㄴ. 모양과 기능이 비슷한 세포들이 모여 조직을 이룬다.
ㄷ. 동물체를 구성하는 기관계는 다른 기관계와 관계없이 독립적으로 작용한다.

① ㄱ ② ㄴ ③ ㄱ, ㄴ
④ ㄴ, ㄷ ⑤ ㄱ, ㄴ, ㄷ

03 그림은 식물체의 구성 단계를 순서 없이 나타낸 것이다.

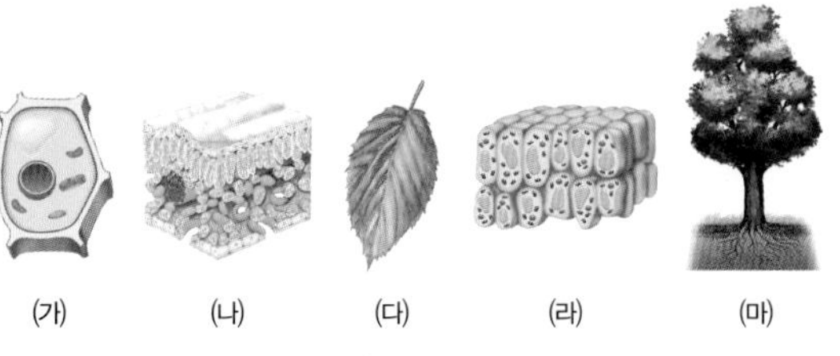

식물체의 구성 단계를 세포부터 순서대로 나열하시오.

04 중요 그림은 사람 몸의 구성 단계 중 일부를 순서 없이 나열한 것이다.

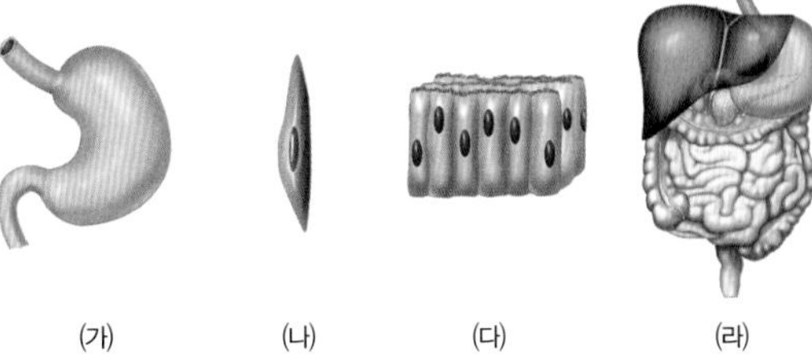

이에 대한 설명으로 옳은 것은?

① (가)는 모양과 기능이 유사한 세포들로만 이루어진다.
② 사람의 혈액은 (나)와 같은 단계에 속한다.
③ (다)는 모양과 기능이 다양한 조직으로 이루어진다.
④ (라)는 연관된 기능을 수행하는 기관들로 구성된다.
⑤ 구성 단계를 순서대로 나열하면 (다) − (나) − (라) − (가)이다.

05 그림은 사람의 기관계를 나타낸 것이다

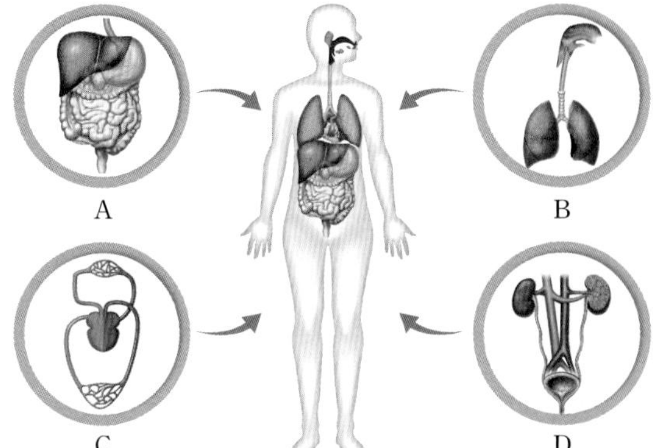

기체 교환을 담당하는 기관계(가)와 물질 운반을 담당하는 기관계(나)를 옳게 짝 지은 것은?

	(가)	(나)		(가)	(나)
①	A	D	②	B	C
③	B	D	④	C	B
⑤	C	D			

06 그림은 동물체와 식물체의 구성 단계를 함께 나타낸 것이다.

(다)
(가) (나) (라) 개체
(마)
식물
동물

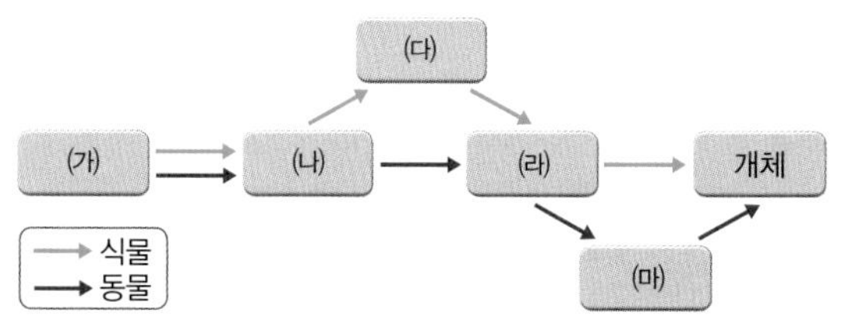

이에 대한 설명으로 옳은 것을 보기에서 모두 고른 것은?

> **보기**
> ㄱ. (가), (나), (라)는 공통 구성 단계이다.
> ㄴ. (라)의 예로는 동물의 심장, 식물의 잎이 있다.
> ㄷ. (다)는 연관된 기능을 하는 기관들로 이루어지며, (마)는 조직들이 모여 공통 기능을 하는 단계이다.

① ㄷ ② ㄱ, ㄴ ③ ㄱ, ㄷ
④ ㄴ, ㄷ ⑤ ㄱ, ㄴ, ㄷ

중요
07 영양소의 기능으로 옳은 것을 보기에서 모두 고른 것은?

> **보기**
> ㄱ. 몸을 구성하는 성분이 된다.
> ㄴ. 생명 활동에 필요한 에너지원이 된다.
> ㄷ. 생리 작용을 조절하여 몸의 기능을 유지시킨다.

① ㄱ ② ㄴ ③ ㄱ, ㄴ
④ ㄴ, ㄷ ⑤ ㄱ, ㄴ, ㄷ

08 에너지원으로 사용될 수 있는 영양소에 해당하지 않는 것은?

① 녹말 ② 지방 ③ 포도당
④ 비타민 ⑤ 단백질

09 다음에서 설명하고 있는 영양소 (가)~(다)는 각각 무엇인지 쓰시오.

영양소 (가)	• 세포를 구성하는 주요 성분이다. • 효소와 호르몬의 주성분이다.
영양소 (나)	• 1 g당 가장 많은 열량을 낸다. • 지방산과 글리세롤이 결합되어 있다.
영양소 (다)	• 사람의 몸에서 구성 비율이 가장 높다. • 물질을 운반하고 체온 유지에 관여한다.

중요
10 다음은 어떤 음식물 속에 들어 있는 영양소의 종류를 알아보기 위한 실험과 그 결과이다.

[실험 과정]
4개의 시험관 A~D에 음식물을 각각 넣고 그림과 같이 영양소 검출 반응을 실시하여 표와 같은 결과를 얻었다. (단, B는 시약을 넣은 후 가열하였다.)

5 % 수산화 나트륨 수용액 + 1 % 황산 구리 수용액
베네딕트 용액
수단 Ⅲ 용액
아이오딘-아이오딘화 칼륨 용액
A B C D

[실험 결과]

시험관	A	B	C	D
색깔	보라색	푸른색	붉은색	청람색

실험 결과 검출된 영양소를 모두 고른 것은?

① 지방, 녹말
② 지방, 포도당
③ 녹말, 단백질
④ 지방, 녹말, 단백질
⑤ 녹말, 포도당, 단백질

실력 강화 문제

01. 생물체의 구성 단계와 영양소

정답과 해설 051쪽

01 그림은 동물의 몸을 구성하는 네 종류의 조직 (가)~(라)를 나타낸 것이다.

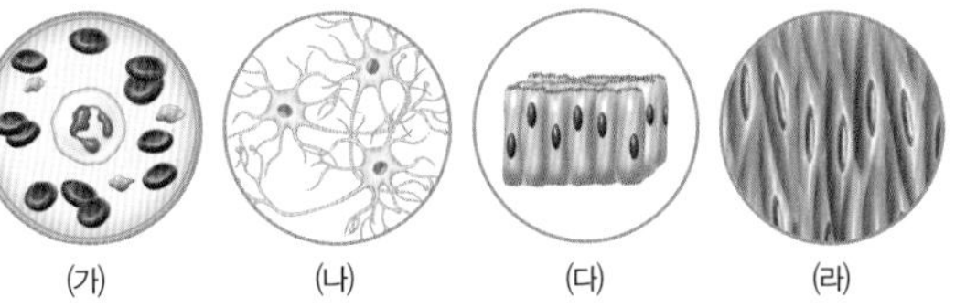

이에 대한 설명으로 옳은 것을 모두 고르면? (정답 2개)

① (가)는 결합 조직이다.
② (나)는 몸의 표면을 덮는다.
③ (다)는 자극의 전달을 담당한다.
④ (라)는 뼈나 연골과 같은 조직에 해당한다.
⑤ (라)는 수축하고 이완하는 세포로 구성된다.

02 그림은 사람의 몸을 구성하는 네 종류의 기관계를 나타낸 것이다.

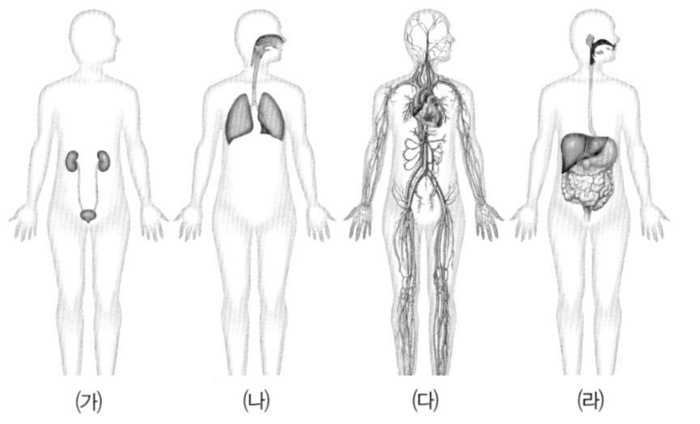

이에 대한 설명으로 옳은 것을 보기에서 모두 고른 것은?

보기
ㄱ. 세포에서 생성된 이산화 탄소는 주로 (가)를 통해 몸 밖으로 배출된다.
ㄴ. (나)를 통해 흡수한 물질은 (다)를 통해 몸속의 여러 세포로 운반된다.
ㄷ. (라)는 음식물 속의 영양소를 소화하여 흡수하는 역할을 한다.

① ㄱ ② ㄴ ③ ㄱ, ㄴ
④ ㄴ, ㄷ ⑤ ㄱ, ㄴ, ㄷ

03 그림은 영양소와 그 기능을 연결한 것이다. A~D는 지방, 비타민, 단백질, 무기염류 중 하나이다.

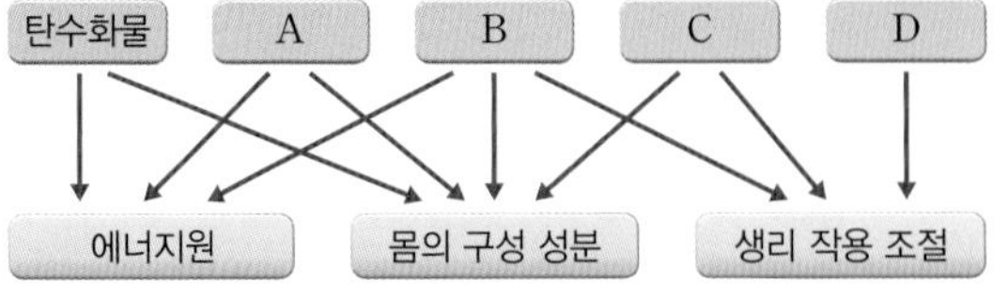

A~D에 해당하는 영양소를 옳게 짝 지은 것은?

	A	B	C	D
①	단백질	지방	비타민	무기염류
②	단백질	지방	무기염류	비타민
③	지방	단백질	비타민	무기염류
④	지방	단백질	무기염류	비타민
⑤	비타민	단백질	무기염류	지방

04 표는 음식 (가)~(라) 100 g에 들어 있는 영양소의 함량을 나타낸 것이다.

영양소 \ 음식	(가)	(나)	(다)	(라)
단백질(g)	24	1	0	2
지방(g)	1	75	0	1
탄수화물(g)	0	0	0	90
무기염류(mg)	4	12	57	5
비타민 A(μg)	2	0	2000	0

이에 대한 설명으로 옳은 것을 보기에서 모두 고른 것은?

보기
ㄱ. (가)에서는 뷰렛 반응이 나타난다.
ㄴ. 음식물 100 g당 열량은 (나)가 가장 높다.
ㄷ. (다)는 비타민 A가 많으므로 각기병 예방에 도움이 된다.
ㄹ. (라)를 많이 먹으면 근육을 강화하는 데 도움이 된다.

① ㄱ, ㄴ ② ㄱ, ㄹ ③ ㄴ, ㄷ
④ ㄱ, ㄴ, ㄹ ⑤ ㄴ, ㄷ, ㄹ

서술형 문제

01. 생물체의 구성 단계와 영양소

정답과 해설 052쪽

☞ 제시된 Keyword를 이용하여 문제를 해결해 보자.

1 동물인 사람과 식물인 무궁화는 많은 수의 세포가 체계적·단계적으로 모여 유기적으로 구성된다.

(1) 동물체와 식물체에서 공통적인 구성 단계를 쓰고, 각 구성 단계의 특징을 설명하시오.

Keyword 세포, 조직, 기관, 개체

(2) 식물체에는 없고 동물체에만 있는 구성 단계는 무엇인지 쓰고, 한 가지 예를 들어 설명하시오.

Keyword 기관, 기관계

2 다음은 어떤 사람에게 하루에 필요한 열량과 각 영양소로부터 섭취하는 열량의 비율을 나타낸 것이다.

- 하루에 필요한 열량: 2400 kcal
- 각 영양소로부터 섭취하는 열량의 비율
  탄수화물 : 단백질 : 지방=65 : 15 : 20

이 사람이 하루 동안 섭취해야 할 탄수화물, 단백질, 지방의 양을 구하시오. (단, 소수 둘째 자리에서 반올림한다.)

Keyword 탄수화물, 단백질, 지방, 4, 9

3 그림은 물, 단백질, 탄수화물을 기준에 따라 분류한 것이다.

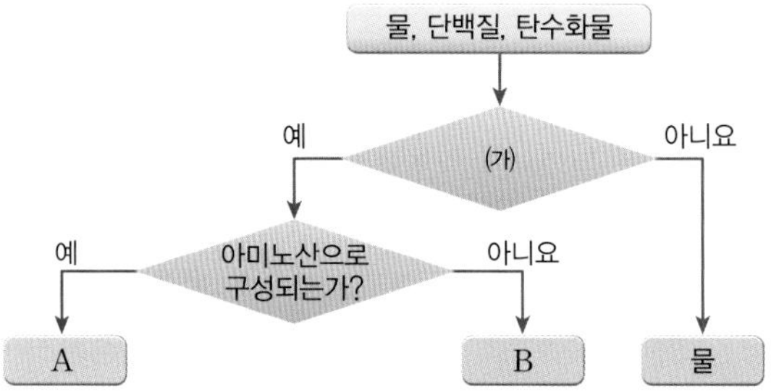

물, 단백질, 탄수화물
(가) — 예: 아미노산으로 구성되는가? (예: A / 아니요: B) — 아니요: 물

분류 기준 (가)로 적합한 특징과 물질 A와 B는 무엇인지를 설명하시오.

Keyword 단백질, 탄수화물, 에너지원

4 철수는 액체 상태의 어떤 음식물에 들어 있는 영양소를 검출하기 위해 시험관 A~D에 음식물을 5 mL씩 넣은 후 그림과 같이 시약을 넣었다.

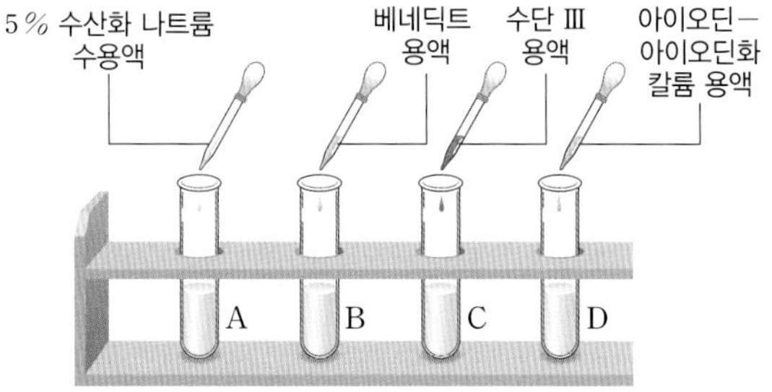

5 % 수산화 나트륨 수용액 → A
베네딕트 용액 → B
수단 Ⅲ 용액 → C
아이오딘-아이오딘화 칼륨 용액 → D

영양소 검출 반응 결과를 수업 시간 내에 확인하기 위해서는 두 가지를 수정하거나 보완해야 한다. 어떻게 수정하거나 보완해야 하는지를 설명하시오.

Keyword 베네딕트 반응, 가열, 뷰렛 반응, 황산 구리 수용액

02 소화와 순환

우리는 음식물 속의 영양소를 섭취하여 생명 활동에 필요한 에너지를 얻는다. 음식물에 있는 영양소 중 크기가 큰 것은 잘게 쪼개진 다음 흡수되어 몸을 구성하는 각 세포에서 사용되는데, 이러한 일이 어떤 과정으로 일어나는지 알아보자.

1 소화

1. 소화가 필요한 까닭 소화는 섭취한 영양소를 체내로 흡수할 수 있도록 잘게 분해하는 과정이다. 음식물 속에 들어 있는 녹말, 단백질, 지방과 같은 영양소는 분자의 크기가 커서 세포로 흡수될 수 있는 작은 크기로 분해하는 과정이 필요하다. 물, 비타민, 무기염류와 같이 크기가 작은 영양소는 소화 과정을 거칠 필요가 없다.

기계적 소화

- 저작 운동: 입에서 음식물을 이로 씹어 잘게 부수는 것을 저작 운동이라고 한다. 저작 운동으로 음식물의 크기가 작아지면 소화 효소가 음식물에 작용할 수 있는 표면적이 증가한다.
- 분절 운동: 소화관이 일정한 간격을 두고 수축과 이완을 반복하여 음식물과 소화액을 골고루 섞는 작용이다.

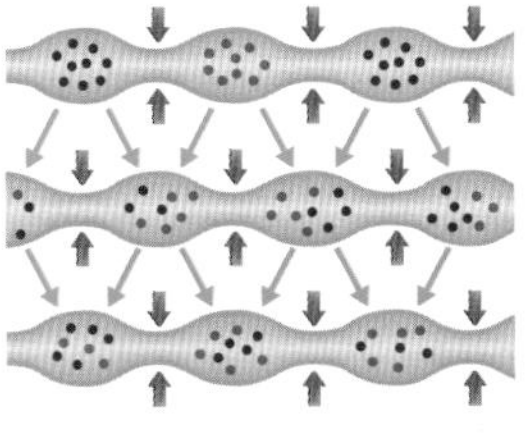

- 꿈틀 운동: 식도, 위, 소장, 대장에서 일어나는 근육 운동으로, 소화관이 연속적인 수축과 이완으로 굵어졌다 가늘어지는 운동과 길어졌다 짧아지는 운동을 반복하여 음식물과 소화액을 섞거나 음식물을 이동시킨다.

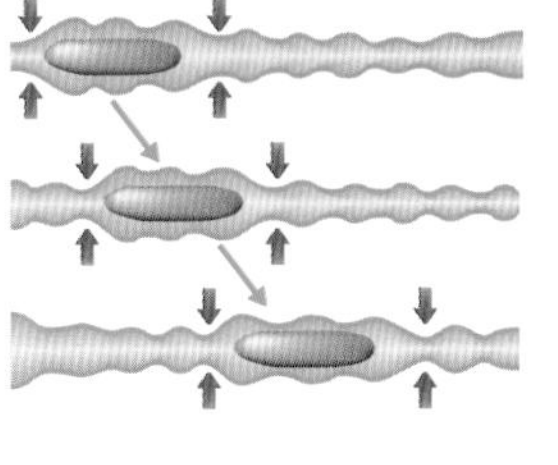

(1) **기계적 소화:** 소화 기관의 물리적인 운동으로 음식물을 잘게 부수고, 소화액과 음식물이 잘 섞이게 하거나 음식물을 이동시키는 작용이다.

(2) **화학적 소화:** 영양소가 소화 효소에 의해 화학적으로 쪼개져 다른 물질로 변화하는 작용을 화학적 소화라고 한다. 화학적 소화의 결과 영양소는 소장 벽에서 흡수될 수 있는 상태로 된다. 과학 용어 사전 230쪽

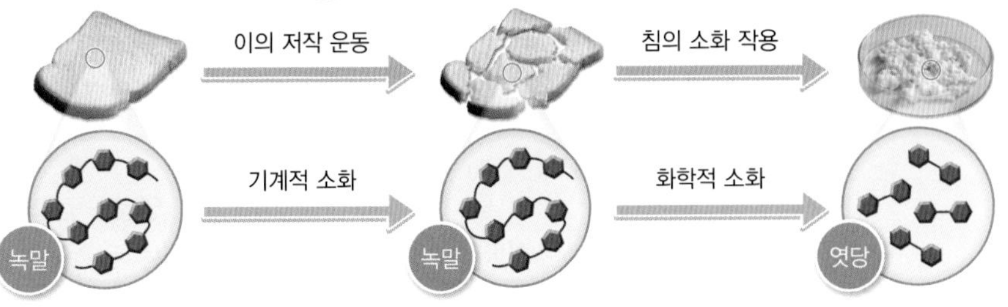

학습 내용 Check

정답과 해설 052쪽

1. 음식물을 물리적으로 부수거나 소화액과 잘 섞이도록 하는 작용을 ________ 소화라고 한다.
2. 분자의 크기가 큰 영양소가 화학적인 성질이 다르고 분자의 크기가 작은 영양소로 분해되는 작용을 ________ 소화라고 하며, 여기에는 ________가 관여한다.

2. 소화계와 소화 기관

(1) 소화계: 소화계는 음식물의 소화 및 흡수를 담당하는 기관들의 모임이다.

(2) 소화 기관: 사람의 소화 기관에는 음식물이 지나가는 입, 식도, 위, 소장, 대장, 항문 등 소화관과 음식물이 지나가지는 않지만 소화액을 분비하는 이자, 간 등 소화샘이 있다.

소화관과 소화샘
소화관은 음식물이 지나가는 통로로 입에서 항문까지 연결되어 있다. 소화샘은 침, 위액, 이자액, 쓸개즙 등 소화액을 분비하는 샘 조직이다.

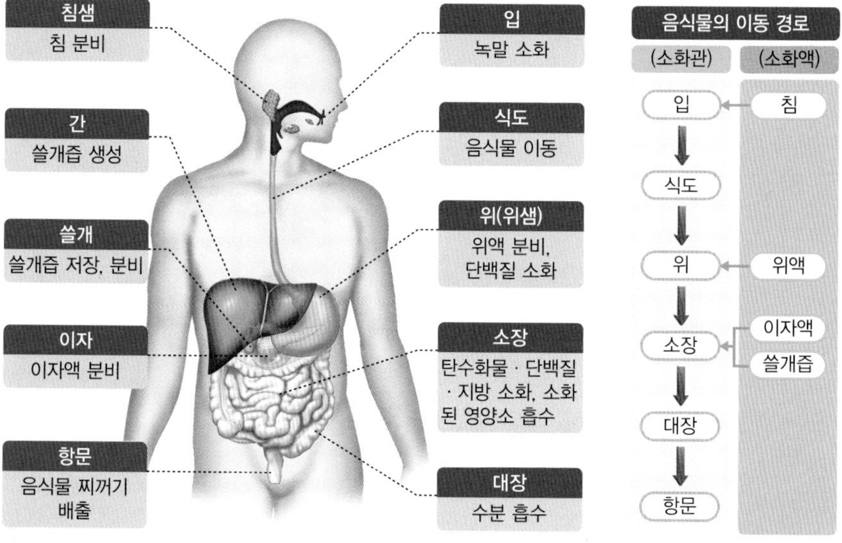

사람의 소화 기관 섭취한 음식물은 입 → 위 → 소장을 거치면서 소화 · 흡수되고, 소화되지 못하고 남은 찌꺼기는 대장에서 항문 쪽으로 이동한 후 몸 밖으로 배출된다.

3. 소화관에서의 소화 작용

(1) 입에서의 소화: 음식물은 입 속에서 이의 씹는 운동(저작 운동)으로 잘게 부서지고, 음식물을 씹는 동안 침샘에서 침이 분비된다. 침 속에는 아밀레이스라는 소화 효소가 들어 있어 녹말이 엿당으로 분해된다. 어느 정도 소화된 음식물은 삼켜져 식도로 이동한다. 탐구 034쪽

녹말 → 아밀레이스 → 엿당

- 음식물의 소화는 입에서 시작된다.
- 침 속의 아밀레이스에 의해 녹말이 엿당으로 분해된다.
- 음식물이 입 속에 머무는 시간이 짧아서 녹말의 일부만 입에서 소화된다.

침샘
침샘은 침이 생성되어 분비되는 샘 조직으로, 귀 밑, 혀 밑, 턱 밑에 한 쌍씩 있다. 침샘에서 하루에 분비되는 침의 양은 1.5~2.0 L이다.

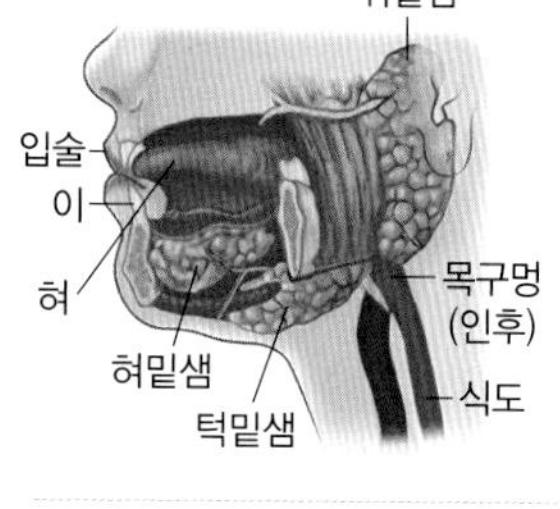

(2) 위에서의 소화: 음식물이 식도를 지나 위로 들어오면 위샘에서 위액이 분비되고, 위액과 음식물이 골고루 섞인다. 위액에는 펩신이라는 단백질 소화 효소와 염산이 있다. 펩신은 단백질을 구성하는 아미노산 사이의 결합을 끊어 단백질을 좀 더 작은 분자로 분해한다. 염산은 강한 산성 물질로, 펩신의 작용을 돕고 음식물 속의 세균을 죽여 음식물의 부패를 막는 역할을 한다. 위에서 소화된 음식물은 죽 같은 상태가 되어 소장으로 넘어간다.

위액
위액은 위샘에서 분비되는 소화액으로, 펩신과 염산이 들어 있다. 위액은 하루에 약 2 L가 분비된다.

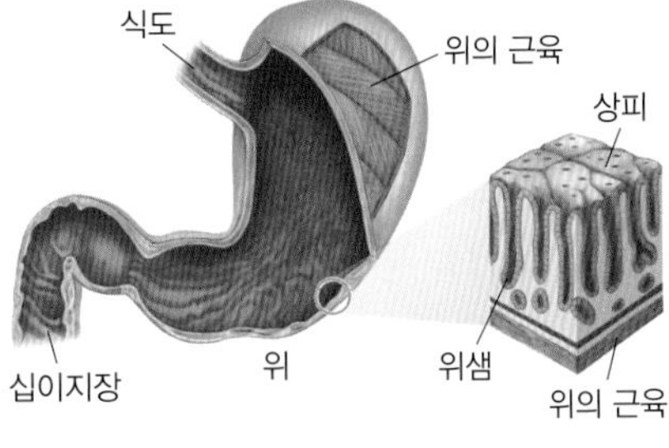

위의 내부 구조 위는 근육질 주머니 모양이며, 안쪽 벽에는 주름이 많고, 위액을 분비하는 위샘이 있다.

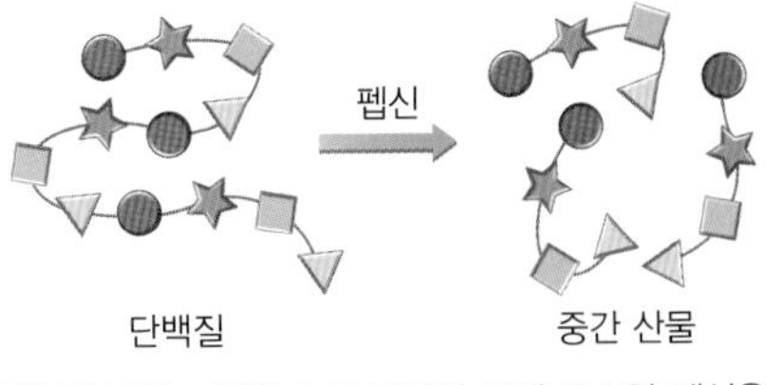

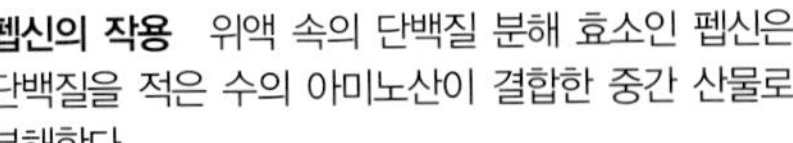
펩신의 작용 위액 속의 단백질 분해 효소인 펩신은 단백질을 적은 수의 아미노산이 결합한 중간 산물로 분해한다.

(3) 소장에서의 소화: 이자액과 쓸개즙은 소장의 앞부분인 십이지장으로 분비된다. 이자액에는 3대 영양소의 소화 효소가 모두 들어 있고, 염기성 물질도 들어 있어 위에서 넘어 온 산성 음식물을 중화하여 약한 염기성으로 바꾼다. 쓸개즙은 간에서 만들어져 쓸개에 저장되었다가 십이지장으로 분비된다. 쓸개즙은 소화 효소를 포함하고 있지 않지만, 지방의 소화를 돕는다.

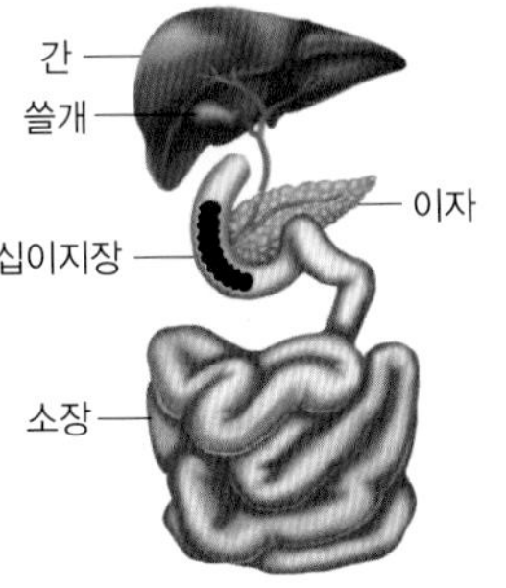

소화액	소화 효소	기능
이자액	아밀레이스	녹말을 엿당으로 분해한다.
	트립신	단백질을 중간 산물로 분해한다.
	라이페이스	지방을 지방산과 모노글리세리드로 분해한다.
쓸개즙	없음	지방을 잘게 쪼개어 이자액과 잘 섞이게 함으로써 지방이 빠르게 분해되도록 돕는다.

소장 안쪽 벽을 이루는 상피 세포의 막에는 탄수화물 소화 효소와 단백질 소화 효소가 있다. 이들 효소에 의해 중간 산물 형태의 탄수화물과 단백질이 각각 세포가 흡수할 수 있는 크기인 포도당과 아미노산으로 최종 분해된다.

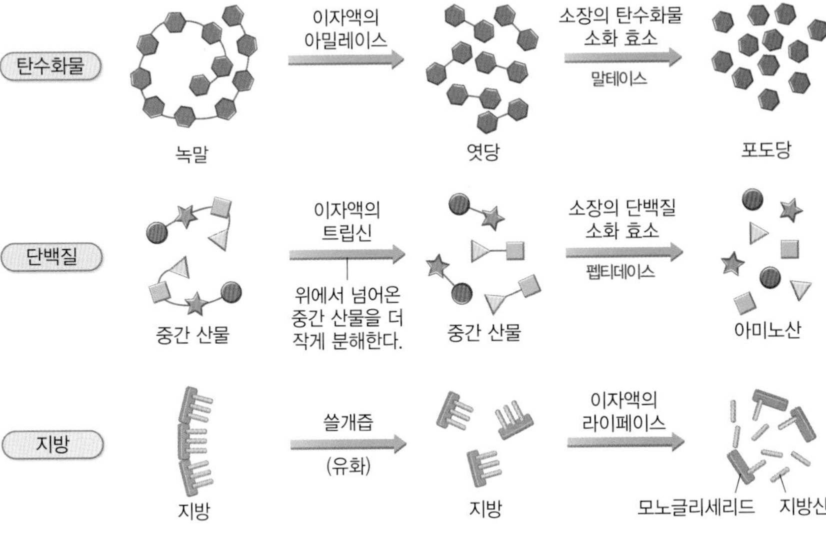

소장에서의 소화

소장
소장은 지름이 약 3 cm, 길이가 약 7 m인 긴 관이다. 이자와 쓸개에서 빠져나온 관이 소장의 앞부분인 십이지장과 연결되어 있다.

이자액
이자에서 생성되어 십이지장으로 분비되는 소화액이다. 이자액에는 녹말, 단백질, 지방을 분해하는 아밀레이스, 트립신, 라이페이스가 포함되어 있다. 또 이자액에는 염기성 물질인 탄산수소 나트륨이 포함되어 있어 소장 내부를 약한 염기성이 되게 한다.

쓸개즙
쓸개즙은 지방을 작은 방울로 만들어 물과 고루 섞이게 하는데, 이러한 현상을 유화라고 한다. 지방이 작은 기름방울이 되면 라이페이스가 작용할 수 있는 면적이 증가하므로 지방 소화 속도가 빨라진다.

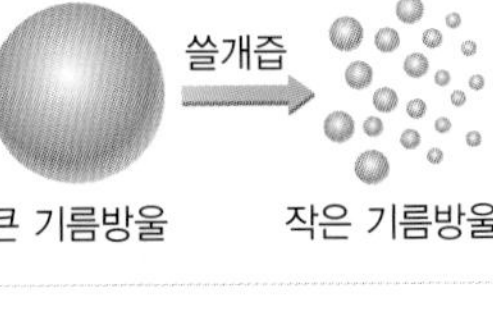

(4) **대장에서의 소화:** 대장은 소장의 끝에 연결된 굵은 소화관으로, 대장에서는 소화 효소에 의한 화학적 소화는 거의 일어나지 않는다. 대장에서는 소장에서 흡수되고 남은 물의 일부가 흡수되고, 나머지는 대변이 되어 항문으로 이동한 후 몸 밖으로 배출된다.

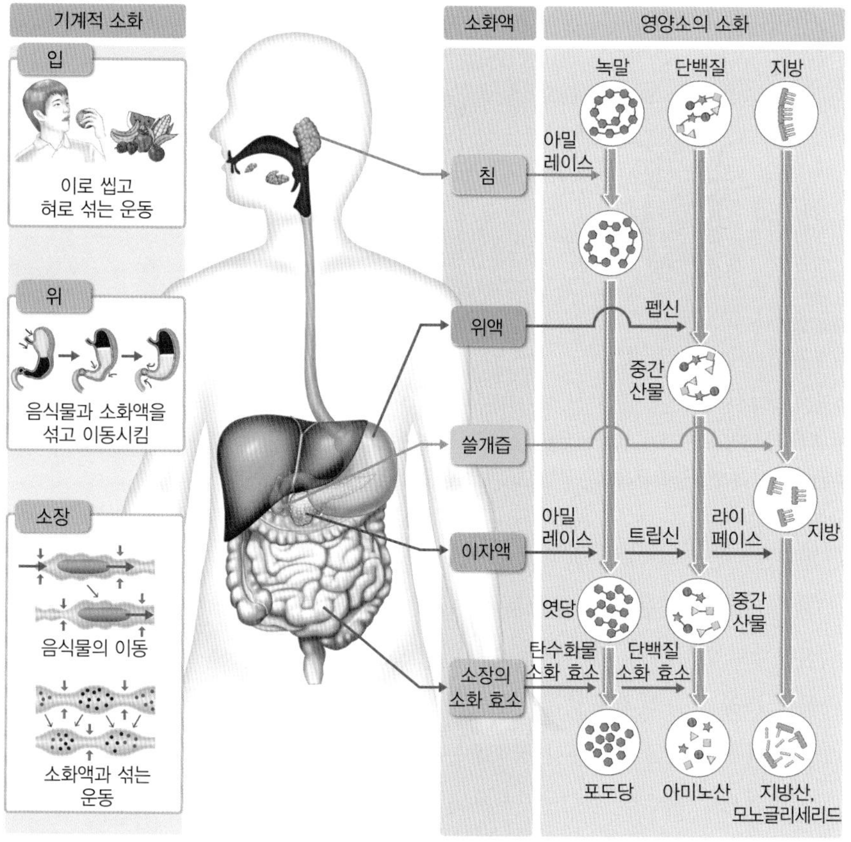

소화의 전 과정 입, 위, 소장에서의 소화에 의해 탄수화물, 단백질, 지방이 체내로 흡수될 수 있는 작은 크기의 분자로 완전히 분해된다.

소화의 전 과정
음식물 속에 들어 있는 녹말, 단백질, 지방은 입, 위, 소장을 거치면서 포도당, 아미노산, 지방산과 모노글리세리드로 분해된 후 소장 안쪽 벽의 융털 상피 세포로 흡수된다.

포도당 / 소화 / 흡수 / 녹말 / 아미노산 / 단백질 / 지방산 / 지방 / 모노글리세리드 / 융털 상피 세포

4. 영양소의 흡수와 이동

(1) **소장 안쪽 벽의 구조:** 소화된 영양소가 흡수되는 장소는 소장이다. 소장은 소화관 중에서 길이가 가장 길고 안쪽 벽에는 주름이 많다. 그리고 주름 표면에는 융털이라고 하는 작은 돌기가 무수히 많다. 이러한 구조로 소화된 영양소와 접촉할 수 있는 표면적을 증가하여 소화된 영양소를 효율적으로 흡수할 수 있게 된다. 과학 용어 사전 230쪽

주름 / 융털 / 암죽관 / 모세 혈관

소장의 단면 / 소장의 주름과 융털 / 융털의 단면

표면적과 물질 흡수의 효율성
막에 주름이나 돌기가 많으면 표면적이 증가하여 막을 통한 물질의 흡수가 효율적으로 일어난다. 소장 안쪽 벽에 주름이 많고 융털이 있는 것이나 폐가 수억 개의 폐포로 이루어진 것, 식물 뿌리에 수많은 뿌리털이 있는 것 등이 표면적을 넓혀 물질 흡수나 교환의 효율성을 증가시킨 예이다.

(2) **영양소의 흡수**: 소장에서 최종적으로 소화된 영양소는 융털 상피 세포의 세포막을 통과하여 융털 안쪽으로 흡수된다. 융털 안쪽에는 모세 혈관이 분포하고 있고 가운데에는 림프관의 일종인 암죽관이 있다. 물에 잘 녹는 수용성 영양소는 융털의 모세 혈관으로, 물에 잘 녹지 않는 지용성 영양소는 융털의 암죽관으로 흡수된다.

자료 더하기 **소장 융털에서의 영양소 흡수**

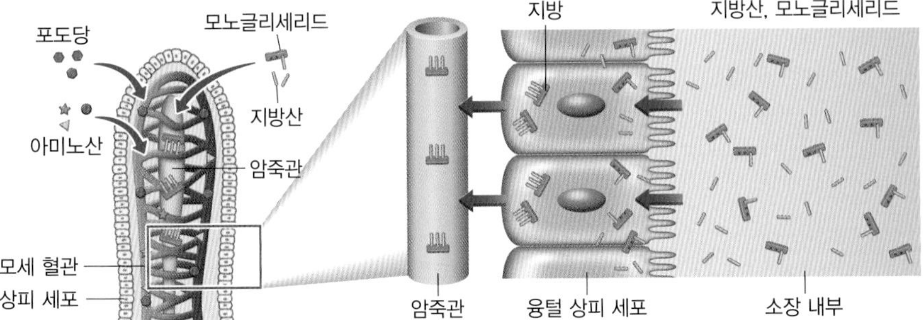

수용성 영양소인 포도당, 아미노산, 무기염류, 수용성 비타민(B군, C)은 융털의 모세 혈관으로 흡수된다. 한편, 지용성 영양소인 지방, 지용성 비타민(A, D, E, K)은 융털의 암죽관으로 흡수된다. 융털 상피 세포로 흡수된 지방산과 모노글리세리드는 지방으로 재합성된 후 암죽관으로 이동한다.

(3) **흡수된 영양소의 이동**: 소장의 융털로 흡수된 수용성 영양소와 지용성 영양소는 다른 경로를 거쳐 심장으로 이동한다. 심장으로 이동한 영양소는 혈액을 통해 온몸의 세포로 운반된다.

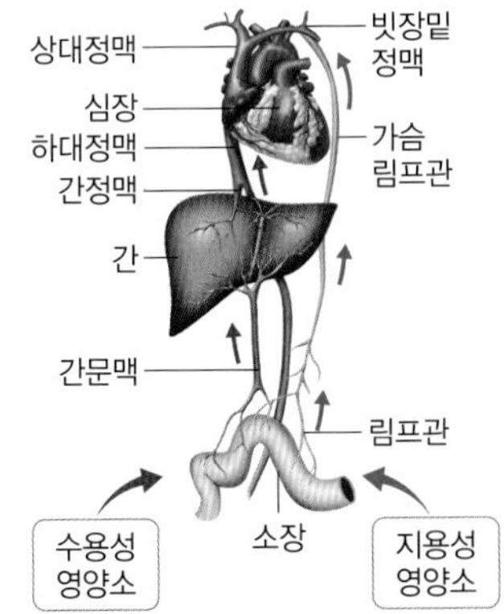

① 수용성 영양소: 수용성 영양소는 융털의 모세 혈관으로 흡수된 후 간을 거쳐 정맥을 통해 심장으로 이동한다.

② 지용성 영양소: 지용성 영양소는 융털의 암죽관으로 흡수된 후 림프관을 통해 이동하다가 정맥에서 혈액과 합류하여 심장으로 이동한다.

학습 내용 Check 정답과 해설 052쪽

1. 녹말은 침과 이자액에 들어 있는 ________에 의해 엿당으로 분해된 후 소장에서 ________으로 최종 분해되어 흡수된다.
2. 단백질은 위액에 들어 있는 ________과 이자액에 들어 있는 ________에 의해 중간 산물로 분해된 후 소장에서 ________으로 최종 분해되어 흡수된다.
3. 지방은 쓸개즙에 의해 작은 지방 덩어리로 유화된 후, 이자액에 들어 있는 ________에 의해 소장에서 지방산과 모노글리세리드로 분해된 후 흡수된다.
4. 대장에서는 소장에서 흡수되지 않은 음식물 찌꺼기로부터 ________을 흡수한다.
5. 영양소는 소장에서 흡수되는데 수용성 영양소는 융털의 ________으로 흡수된 후 간을 거쳐 심장으로 이동하고, 지용성 영양소는 융털의 ________으로 흡수된 후 심장으로 이동한다.

비타민과 무기염류의 흡수
분자의 크기가 작은 비타민과 무기염류는 소화 과정을 거치지 않고 소장의 융털을 통해 그대로 흡수된다.

물의 흡수
음식물이 소화관을 지나는 동안 분비되는 소화액의 물과 음식물 속의 물은 대부분 소장에서 흡수되며, 소장에서 흡수되지 않은 물의 일부가 대장에서 흡수된다.

간문맥
소장과 간을 연결하는 정맥의 일종으로, 융털의 모세 혈관으로 흡수된 수용성 영양소가 간으로 이동하는 혈관이다. 이 때문에 식사 후에 간문맥을 흐르는 혈액은 포도당 농도가 높다.

림프관과 암죽관
림프관은 림프가 흐르는 관으로, 정맥과 연결된다. 림프는 혈액의 성분 중 일부가 조직으로 나왔다가 혈관으로 들어가지 못하고 림프관으로 들어간 액체이다. 림프는 적혈구가 없어서 옅은 노란색을 띤다. 암죽관은 소장 융털에 있는 림프관을 말한다.

순환

1. 순환계와 순환 기관 순환계는 영양소, 산소, 노폐물 등의 물질을 운반하는 데 관여하는 기관들의 모임이다. 순환계를 구성하는 기관에는 심장, 혈관 등이 있으며, 영양소, 산소, 노폐물 등은 혈액에 의해 세포로 운반된다. 과학 용어 사전 231쪽

2. 혈액의 구성과 기능 과학 용어 사전 231쪽

(1) **혈액의 구성**: 혈액의 약 45 %는 혈액 속에 들어 있는 세포인 혈구이고, 나머지 약 55 %는 노란색의 액체 성분인 혈장이다. 혈구에는 적혈구, 백혈구, 혈소판이 있으며, 혈장은 대부분이 물이고 혈장 단백질이 일부 녹아 있다.

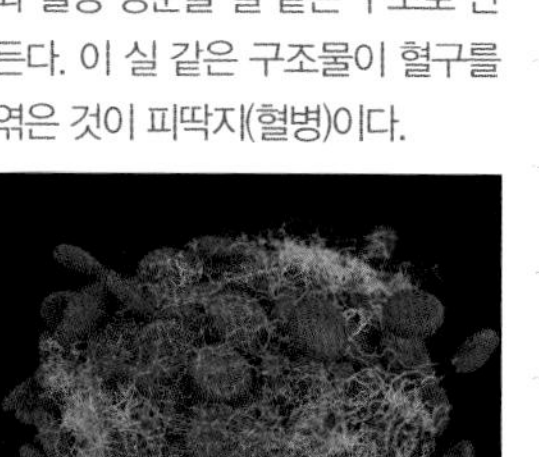

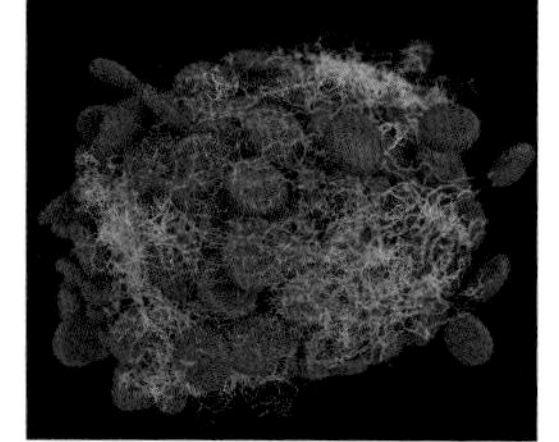

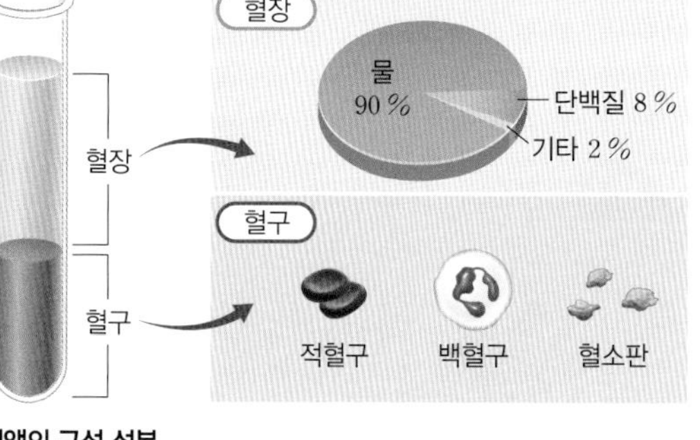

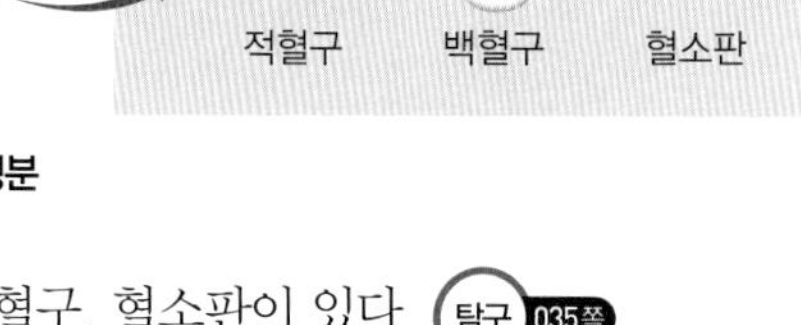

혈액의 구성 성분

① 혈구: 혈액의 세포 성분으로, 적혈구, 백혈구, 혈소판이 있다. 탐구 035쪽

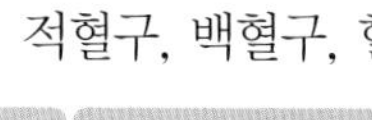

구분	적혈구	백혈구	혈소판
모양	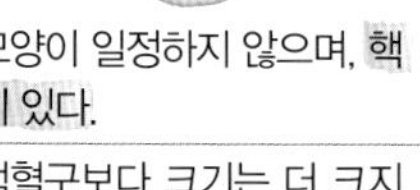 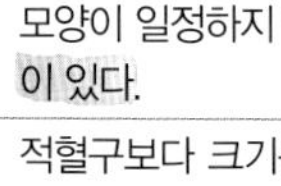 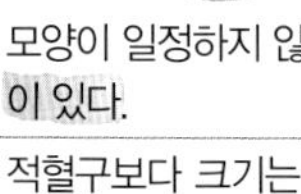 가운데가 오목한 원반 모양이며, 핵이 없다.	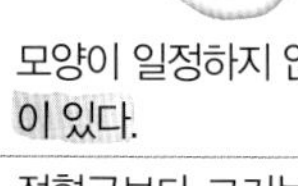    모양이 일정하지 않으며, 핵이 있다.	   모양이 일정하지 않으며, 핵이 없다.
특징	헤모글로빈이 있어 붉은색을 띠며, 혈구 중에 그 수가 가장 많다.	적혈구보다 크기는 더 크지만, 혈구 중에서 그 수가 가장 적다.	혈구 중에서 크기가 가장 작다.
기능	적혈구 속의 헤모글로빈이 산소와 결합하거나 분리될 수 있어 산소를 운반한다.	외부에서 침입한 세균을 잡아먹는 식균 작용과 항체 생성으로 몸을 방어한다.	상처가 나서 피가 났을 때 혈액을 응고시켜 과도한 출혈을 막는다.

② 혈장: 혈장은 포도당, 아미노산, 지방, 무기염류, 비타민 등의 영양소를 세포로 운반하여 전달하고, 세포에서 생성된 이산화 탄소와 노폐물을 받아서 운반한다. 또, 몸의 곳곳으로 열을 운반하여 체온이 고르게 유지되도록 하며, 혈액의 삼투압을 유지한다.

(2) **혈액의 기능**

① 운반 작용: 혈액은 심장 박동에 의해 온몸을 순환하면서 산소, 이산화 탄소, 영양소, 노폐물, 호르몬, 항체 등을 몸의 곳곳으로 운반한다. 적혈구는 산소와 이산화 탄소를 운반하고, 혈장은 이산화 탄소, 영양소, 노폐물, 호르몬, 항체 등을 운반한다.

② 방어 작용: 혈액 속의 백혈구는 식균 작용과 항체 생성으로 몸속에 침입한 세균으로부터 몸을 방어하고, 혈소판은 혈액 응고 작용으로 몸을 보호한다.

③ 조절 작용: 혈장은 혈액의 삼투압과 체온 등이 일정하게 유지되도록 조절하는 데 중요한 역할을 한다.

혈구의 크기와 수

혈구	크기 (μm)	수 (개/mm³)
적혈구	7~8	450만~500만
백혈구	9~12	6000~8000
혈소판	2~4	20만~30만

혈구의 수가 정상보다 부족하면 여러 가지 증상이 나타난다. 적혈구 수가 부족하면 빈혈이 나타나고, 혈소판 수가 부족하면 혈액 응고가 지연되어 과다 출혈의 위험이 있다. 한편, 세균에 감염되어 염증이 생기면 우리 몸에서는 몸을 방어하기 위해 백혈구 수가 증가한다.

용어 항체

세균과 같은 이물질(항원)이 몸 안으로 들어오면 이에 대항하는 물질이 생기는데, 이를 항체라고 한다.

혈액 응고

상처가 생겨 피가 나면 혈소판이 파괴되면서 혈액 응고 효소가 나와 혈장 성분을 실 같은 구조로 만든다. 이 실 같은 구조물이 혈구를 엮은 것이 피딱지(혈병)이다.

3. 심장의 구조와 기능

(1) **심장의 구조**: 사람의 심장은 주먹만 한 크기의 근육질 주머니로, 2개의 심방과 2개의 심실로 이루어져 있다. 심방과 심실은 두꺼운 벽을 경계로 각각 좌우 두 개로 나누어져 있다. 또한 심방과 심실 사이, 심실과 동맥 사이에는 혈액이 거꾸로 흐르는 것을 막는 판막이 있다. 과학 용어 사전 231쪽

① 심방: 심장으로 들어오는 혈액을 받아들이는 곳으로, 정맥과 연결된다.

② 심실: 심장에서 혈액을 내보내는 곳으로, 동맥과 연결되어 있다. 좌심실 벽이 우심실 벽보다 두껍다.

자료 더하기 심장의 구조

대정맥
대동맥
폐동맥
우심방
폐정맥
좌심방
판막
우심실
좌심실

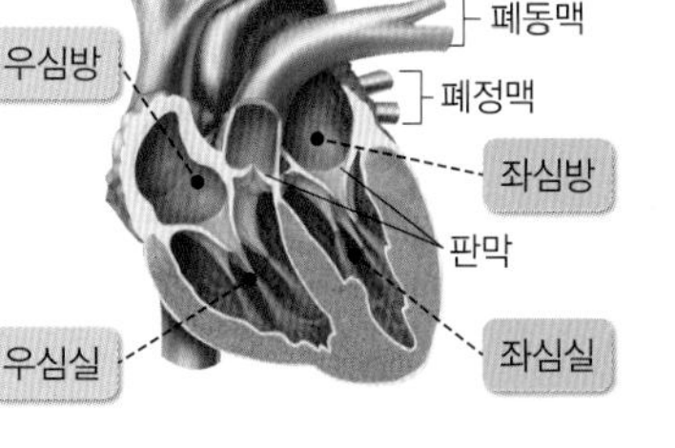

- 우심방: 대정맥과 연결되어 있으며, 수축하여 혈액을 우심실로 보낸다.
- 우심실: 폐동맥과 연결되어 있으며, 수축하여 혈액을 폐로 내보낸다.
- 좌심방: 폐정맥과 연결되어 있으며, 수축하여 혈액을 좌심실로 보낸다.
- 좌심실: 대동맥과 연결되어 있으며, 수축하여 혈액을 온몸으로 내보낸다.

- 판막: 심장의 수축과 이완 시 혈액이 거꾸로 흐르지 못하도록 막는 구조로, 심방과 심실 사이, 심실과 동맥 사이에 있다.

(2) **심장 박동**: 혈액은 심장의 주기적인 수축과 이완 운동에 의해 우리 몸을 순환한다. 심장의 규칙적인 수축과 이완 운동을 심장 박동이라고 한다.

① 심장 박동 과정: 심방과 심실은 동시에 수축하는 것이 아니라 교대로 수축한다.

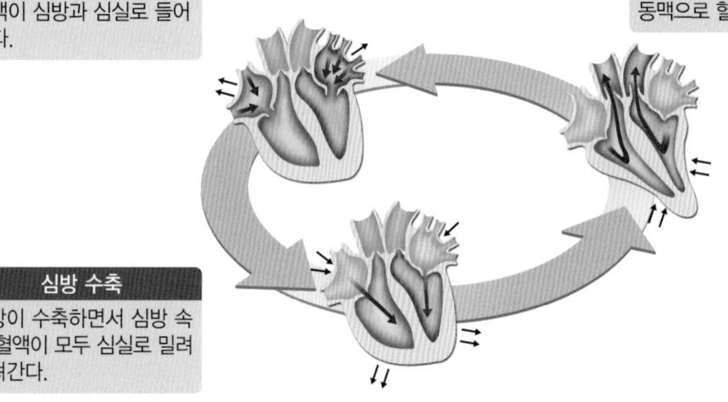

심장 박동 과정 심방 · 심실 이완 → 심방 수축 → 심실 수축 과정이 반복된다.

② 심장 박동의 자동성: 심장은 몸에서 떼어 놓더라도 일정 시간 동안 박동을 계속한다. 이는 심장 스스로 박동하기 때문인데, 심장의 이러한 특성을 심장 박동의 자동성이라고 한다.

심실의 벽이 두꺼운 까닭

심방은 심실로 혈액을 보내는 데 비해 심실은 수축하여 혈액을 동맥으로 내보내야 한다. 따라서 심방에 비해 심실을 이루는 근육 층이 두껍게 발달되어 있어 강한 수축으로 혈액을 내보낸다. 특히 온몸으로 혈액을 내보내는 좌심실의 벽이 우심실의 벽보다 더 두껍다.

심장의 판막

판막은 2~3개의 판으로 이루어져 있으며, 혈액의 흐름에 따라 한쪽 방향으로만 열리게 되어 있다. 판막이 있기 때문에 정맥을 통해 심장으로 들어온 혈액이 '심방 → 심실 → 동맥'의 한쪽 방향으로만 흐르게 된다.

폐동맥 판막
대동맥 판막
좌심방과 좌심실 사이의 판막
우심방과 우심실 사이의 판막

심장 박동 수와 1회 박출량

사람의 심장 박동 수는 보통 1분에 72회 정도이며, 1회 박동할 때 약 70 mL의 혈액을 내보낸다.

심장 박동 속도

심장은 스스로 박동하는 자동성이 있지만, 몸의 상태나 감정에 따라 신경의 조절을 받아 박동 속도가 달라진다. 예를 들어 운동할 때는 심장 박동이 빨라지고, 휴식을 취하면 심장 박동이 느려져 다시 원래의 안정 상태로 되돌아온다.

4. 혈관의 구조와 기능

(1) **혈관:** 혈관은 혈액이 흐르는 관으로, 동맥과 정맥 그리고 모세 혈관으로 구분된다. 심장에서 나온 혈액은 동맥 → 모세 혈관 → 정맥 방향으로만 흐른다.

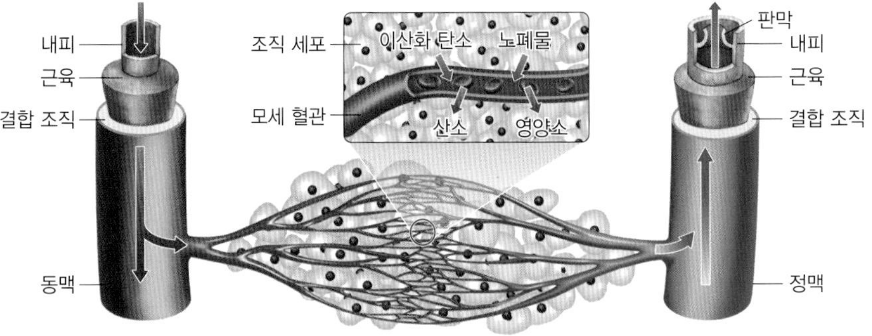

혈관의 종류 동맥과 정맥은 모세 혈관으로 연결되어 있다. 혈관 벽의 두께는 동맥이 가장 두껍고 모세 혈관이 가장 얇다.

① 동맥: 심장에서 나오는 혈액이 흐르는 혈관으로, 보통 피부 깊숙이 분포한다. 혈관 벽이 두껍고 탄력성이 커서 심실의 강한 수축에 의해 밀려나오는 혈액의 높은 압력을 견딜 수 있다. 동맥에서는 맥박을 느낄 수 있다.

② 모세 혈관: 동맥과 정맥을 이어 주는 혈관이다. 모세 혈관은 적혈구 몇 개가 겨우 지나갈 수 있을 정도로 가늘지만, 몸속에 그물처럼 퍼져 있어 총단면적이 가장 넓다. 조직 세포와 접하는 면적이 넓고, 혈액이 천천히 흘러 한 층의 세포로 된 혈관 벽을 통해 조직 세포와의 물질 교환이 효율적으로 일어난다.

③ 정맥: 심장으로 들어가는 혈액이 흐르는 혈관으로, 피부 가까이에 분포한다. 동맥보다 혈관 벽이 얇고 탄력성이 작다. 정맥에는 심장 박동에 의한 압력이 거의 미치지 않기 때문에 혈압이 매우 낮아 주변 근육의 수축으로 혈액이 이동하며, 혈액이 거꾸로 흐르는 것을 막기 위한 판막이 군데군데 있다.

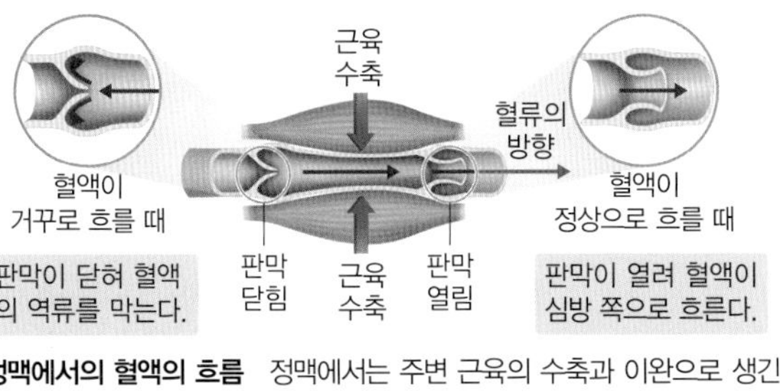

정맥에서의 혈액의 흐름 정맥에서는 주변 근육의 수축과 이완으로 생긴 압력과 판막에 의해 혈액이 심방 쪽으로 흐른다.

탐구 더하기 판막 관찰하기

① 팔에 고무줄을 감아 묶었을 때 불룩하게 튀어나온 혈관은 피부 가까이에 있는 정맥이다.

② 혈관 중간에 망울처럼 튀어나온 것은 정맥에 있는 판막이다. 고무줄의 압박으로 심장 쪽으로의 혈류가 막히고 혈액의 역류를 막기 위해 판막이 닫혀서 고무줄로 묶은 부분의 아래쪽 정맥에 혈액이 많이 고이기 때문에 망울처럼 볼록해진 것이다.

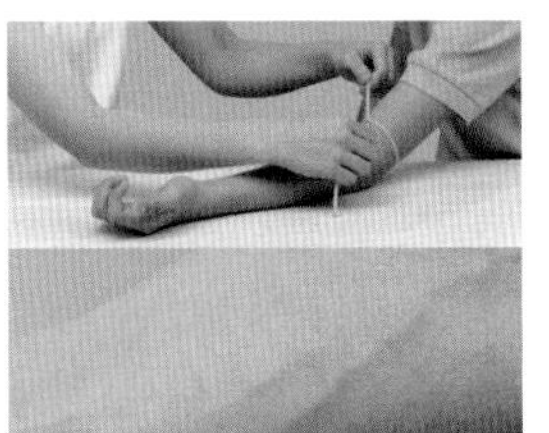

 **용어 맥박**

심장이 동맥으로 내보낸 혈액의 흐름에 의해 동맥이 팽창과 이완을 반복함으로써 혈관 벽에 파동이 생기는데, 이를 맥박이라고 한다. 맥박 수는 심장 박동 수와 거의 같다.

모세 혈관

모세 혈관의 지름은 8~20 μm 정도로, 지름이 7~8 μm인 적혈구 몇 개가 겨우 지나갈 수 있을 정도로 매우 가늘다.

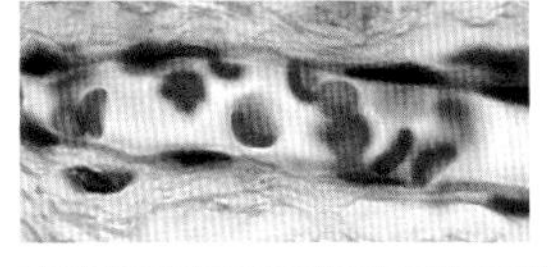

(2) 혈관의 특성

① 혈압: 동맥>모세 혈관>정맥 → 심실로부터 멀어질수록 혈압이 낮아진다.

② 혈관 총단면적: 모세 혈관>정맥>동맥 → 모세 혈관은 매우 가늘지만 분포하지 않는 조직이 없을 정도로 그 수가 많기 때문에 혈관 총단면적이 가장 크다.

③ 혈류 속도: 동맥>정맥>모세 혈관 → 혈류 속도는 혈관 총단면적에 반비례한다.

용어 혈압

혈압은 혈액이 혈관 벽에 미치는 압력이다. 혈압은 연령과 건강 상태에 따라 많은 차이를 보이지만, 건강한 사람의 최고 혈압은 (나이+90) mmHg, 최저 혈압은 나이에 관계없이 70~80 mmHg이다. 최고 혈압은 심실이 수축할 때 동맥에서의 혈압이고, 최저 혈압은 심실이 이완할 때 동맥에서의 혈압이다.

자료 더하기 혈관의 특성

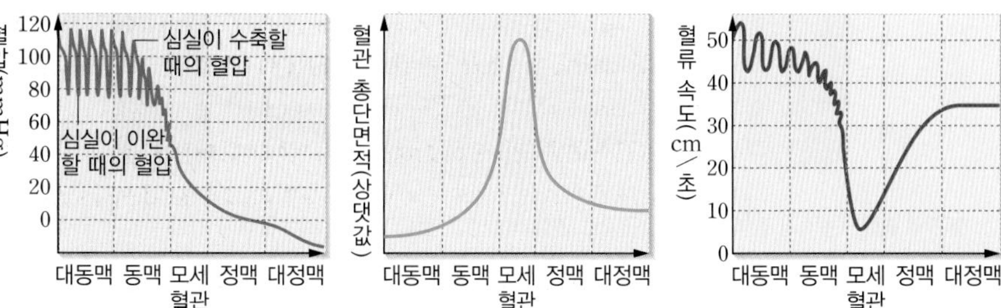

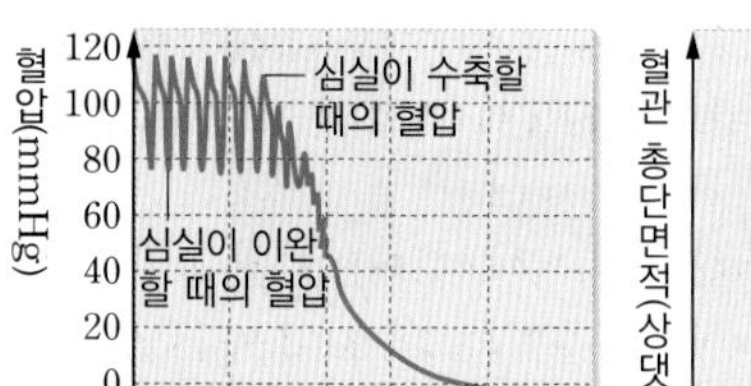

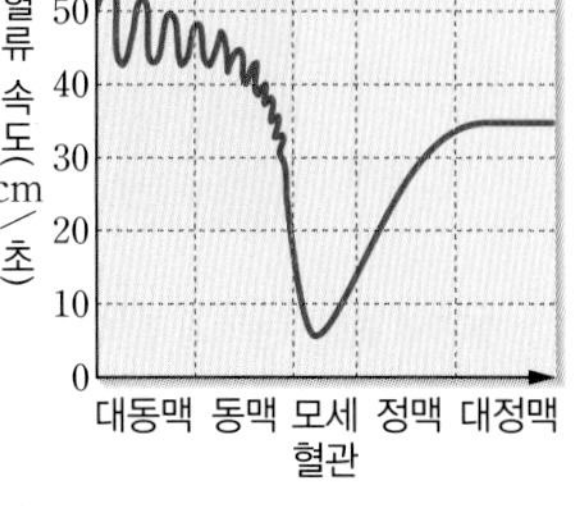

- 혈압은 좌심실에 연결된 대동맥에서 가장 높다. 대동맥과 동맥에서는 심실이 수축할 때 혈압이 높아지고 이완할 때 혈압이 낮아져서 혈압 곡선이 물결 모양으로 나타난다.
- 혈관 총단면적은 모세 혈관에서 가장 크고, 대동맥에서 가장 작다.
- 혈류 속도는 혈관 총단면적이 큰 모세 혈관에서 가장 느리다. 대동맥과 동맥에서 혈류 속도가 물결 모양을 나타내는 것은 대동맥과 동맥에서 혈압이 물결 모양을 나타내기 때문이다.

모세 혈관이 물질 교환에 적합한 까닭

- 총단면적이 넓어 많은 조직 세포와 접하고 있다.
- 혈류 속도가 느려 충분한 시간을 두고 물질 교환이 일어날 수 있다.
- 혈관 벽이 한 층의 세포로 되어 있어 혈관 벽을 통해 혈장과 조직액이 드나들 수 있다.

5. 혈액의 순환

(1) 혈액 순환: 심장 박동에 의해 심장을 떠난 혈액이 동맥, 모세 혈관, 정맥을 거쳐 다시 심장으로 돌아오는 것을 뜻하며, 온몸 순환과 폐순환으로 구분한다.

① 온몸 순환: 심장에서 나간 혈액이 온몸의 조직 세포에 산소와 영양소를 공급하고, 조직 세포에서 이산화 탄소와 노폐물을 받아 심장으로 돌아오는 순환이다.

좌심실 → 대동맥 → 온몸의 모세 혈관 → 대정맥 → 우심방

② 폐순환: 심장에서 나간 혈액이 폐에서 이산화 탄소를 내보내고 산소를 받아 심장으로 돌아오는 순환이다.

우심실 → 폐동맥 → 폐의 모세 혈관 → 폐정맥 → 좌심방

알고 보면 재미있는 과학 혈액이 순환하지 않는다면?

심장에서 나간 혈액이 온몸에 영양을 공급하고 사라진다면 어떻게 될까? 만일 그렇다면 혈액은 매일 얼마나 새로 만들어져야 하는지 하루 동안 심장에서 나가는 혈액의 양으로 계산해 보자. 박동 횟수가 1분에 72회이고, 1회 박동 시 70 mL의 혈액이 심장에서 나가며, 심장이 일정한 속도로 박동한다고 가정했을 때 하루 동안 심장에서 나가는 혈액의 양은 70 mL/회×72회/분×60분/시간×24시간=7257600 mL=7257.6 L이다. 만일 혈액이 순환하지 않는다면 하루에 생성해야 하는 혈액의 양이 몸무게의 100배 이상인 셈이다. 1628년, 하비는 혈액이 심장에서 나가서 사라지는 것이 아니라 다시 심장으로 돌아와 순환한다는 것을 처음으로 밝혔다.

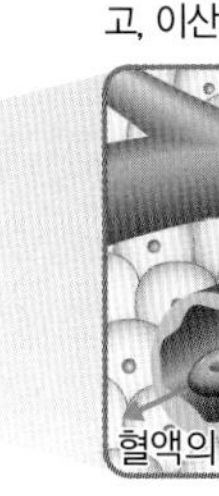

혈액은 폐의 모세 혈관을 지나면서 폐포로 이산화 탄소를 내보내고 산소를 받아온다.

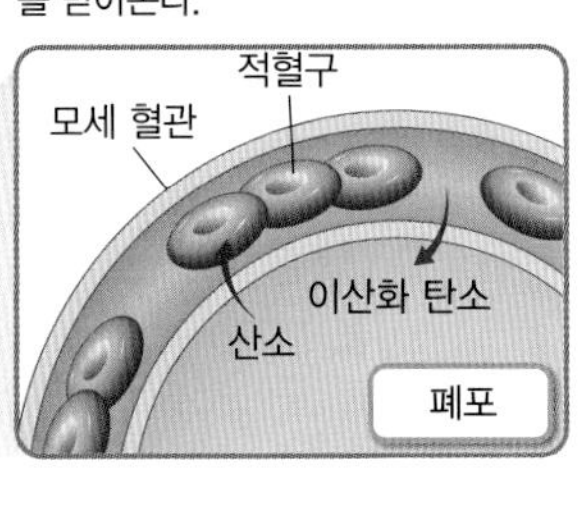

혈액은 온몸의 모세 혈관을 지나면서 조직 세포에 산소와 영양소를 공급하고, 이산화 탄소와 노폐물을 받아온다.

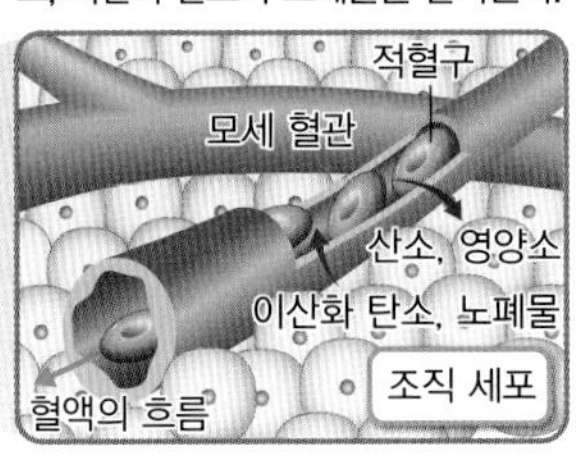

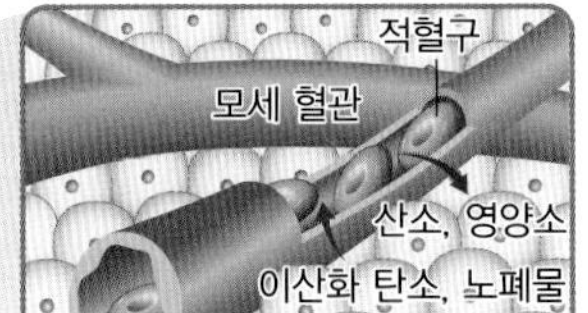
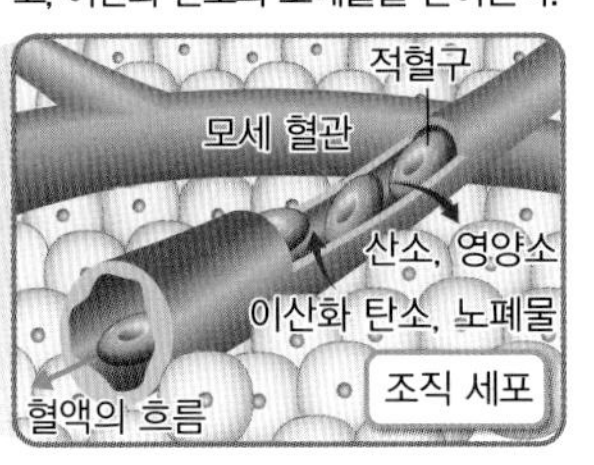

혈액의 순환 심장에서 나간 혈액은 온몸과 폐를 지나 다시 심장으로 돌아온다. 이러한 혈액 순환이 끊임없이 일어나야 조직 세포에서 세포 호흡이 정상적으로 일어날 수 있다.

(2) 동맥혈과 정맥혈

① 동맥혈: 폐순환을 거쳐 산소를 많이 포함하고 있는 혈액으로, 선홍색을 띤다. 폐포의 모세 혈관에서 온몸의 조직에 있는 모세 혈관에 이르기까지 흐르는 혈액은 동맥혈이다.

② 정맥혈: 온몸 순환을 거쳐 산소를 적게 포함하고 있는 혈액으로, 검붉은색(암적색)을 띤다. 온몸의 조직에 있는 모세 혈관에서 폐포의 모세 혈관에 이르기까지 흐르는 혈액은 정맥혈이다.

학습 내용 Check

정답과 해설 052쪽

1. 혈구 중 ________는 산소 운반, ________는 식균 작용, ________은 혈액 응고에 관여한다.

2. 심장에서 ________은 폐정맥과 연결되고, ________은 대동맥과 연결되며 벽이 가장 두껍다.

3. 혈관 중 ________은 혈압이 가장 높고, ________은 혈압이 가장 낮으며, ________에서는 물질 교환이 일어난다.

4. 온몸 순환은 심장의 ________에서 나간 혈액이 ________으로 돌아오는 경로이며, 이 과정에서 동맥혈이 정맥혈로 된다.

혈액 순환과 물질 교환
온몸 순환과 폐순환을 하는 동안 모세 혈관과 조직 사이에서 물질 교환이 일어난다. 동맥과 정맥은 혈관 벽이 여러 층으로 되어 있어 동맥과 정맥에서는 물질 교환이 일어나지 않는다.

동맥혈과 정맥혈이 흐르는 부위
심장에서 동맥혈이 흐르는 부위는 좌심방과 좌심실이고, 정맥혈이 흐르는 부위는 우심방과 우심실이다. 또 일반적으로 동맥에는 동맥혈이, 정맥에는 정맥혈이 흐르지만, 폐동맥에는 정맥혈이 흐르고, 폐정맥에는 동맥혈이 흐른다.

혈액 순환과 동맥혈, 정맥혈
온몸 순환은 동맥혈이 온몸을 지나면서 조직 세포에 산소를 공급하고 정맥혈이 되는 순환이고, 폐순환은 정맥혈이 폐에서 기체 교환을 하여 동맥혈이 되는 순환이다.

탐구 침의 소화 작용 실험하기

침 속의 효소에 의해 일어나는 소화 작용을 설명할 수 있다.

과정

❶ 시험관 A에는 녹말 용액과 증류수를 2 mL씩, 시험관 B에는 녹말 용액과 침 희석액을 2 mL씩 넣고, 두 시험관을 35~40 ℃의 물에 담근다.

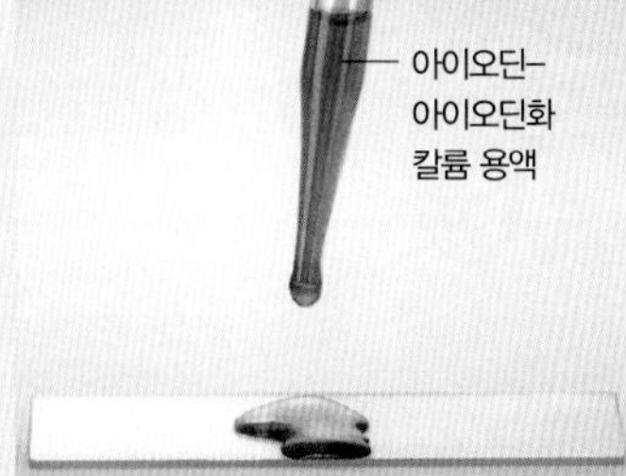

❷ 20분 후, 받침유리에 각 시험관 용액을 한 방울씩 떨어뜨린 다음, 아이오딘-아이오딘화 칼륨 용액을 한 방울씩 떨어뜨려 색깔 변화를 관찰한다.

❸ 시험관에 남아 있는 용액에 베네딕트 용액을 1 mL씩 넣고 물이 담긴 비커에 넣어 가열기로 가열한 다음, 색깔 변화를 관찰한다.

결과 및 정리

결과

시험관	용액	아이오딘 반응	베네딕트 반응
A	녹말 용액 2 mL+증류수 2 mL	청람색	변화 없음
B	녹말 용액 2 mL+침 희석액 2 mL	변화 없음	황적색

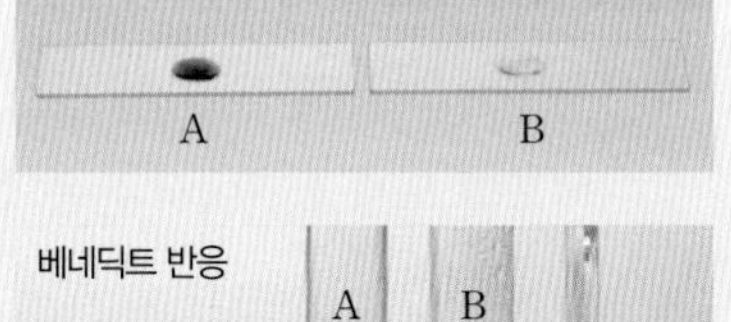

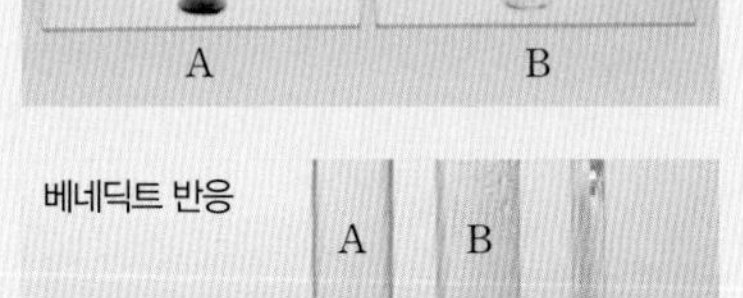

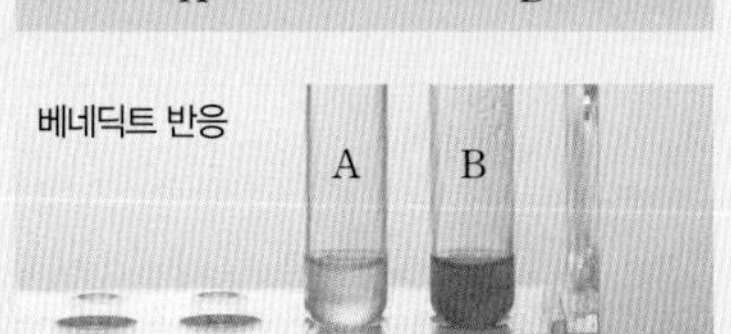

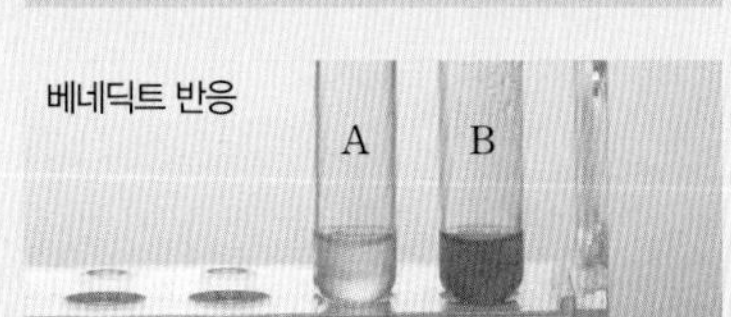

1 시험관 A에서 녹말은 검출되지만 당(엿당)은 검출되지 않는다. → 증류수에는 녹말 소화 효소가 없어 녹말이 분해되지 않기 때문이다.

2 시험관 B에서 녹말은 검출되지 않지만 당(엿당)은 검출된다. → 침에는 녹말 소화 효소가 있어 녹말을 당(엿당)으로 분해하기 때문이다.

정리 침 속에는 녹말을 엿당으로 분해하는 소화 효소(아밀레이스)가 들어 있다.

탐구 확인 문제

정답과 해설 053쪽

1 위 탐구에 대한 설명으로 옳은 것은 ○, 옳지 않은 것은 ×로 표시하시오.

(1) 과정 ❶에서 시험관 A는 시험관 B의 결과와 비교하기 위한 대조군이다. ························ (　　)

(2) 과정 ❶에서 시험관을 35~40 ℃의 물에 담그는 것은 침 속의 효소의 작용을 억제하기 위해서이다. ··· (　　)

(3) 과정 ❷를 통해 시험관 A와 B의 용액에서 녹말이 검출되는지를 확인할 수 있다. ························ (　　)

(4) 과정 ❸은 침 속의 효소에 의해 녹말이 분해되었는지를 확인하기 위한 것이다. ························ (　　)

2 적용 오른쪽 그림과 같이 실험 처리를 하고 20분 후에 베네딕트 용액을 넣고 가열하였더니 시험관 A와 B에서는 색깔 변화가 없고 C의 용액은 황적색으로 변하였다. 이 실험 결과로 알 수 있는 침 속의 소화 효소의 특성을 설명하시오.

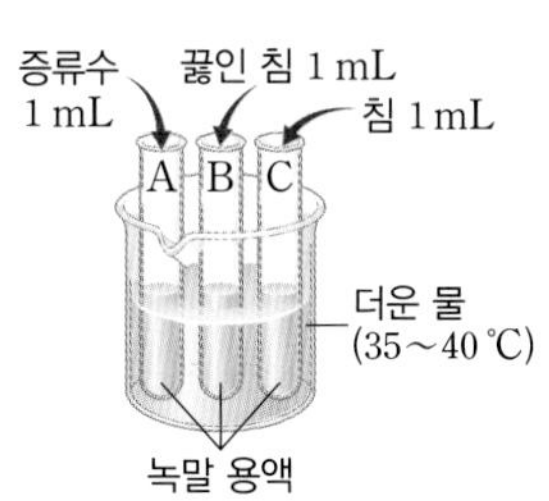

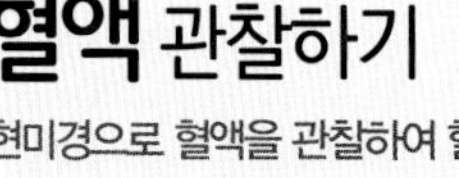

탐구 혈액 관찰하기

현미경으로 혈액을 관찰하여 혈구의 특징을 설명할 수 있다.

과정

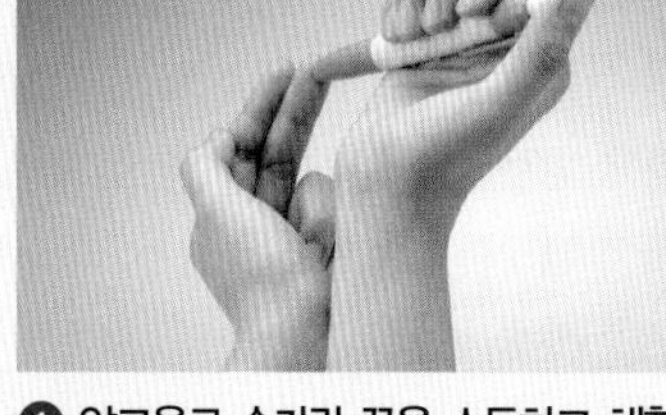

❶ 알코올로 손가락 끝을 소독하고 채혈침으로 찌른다.

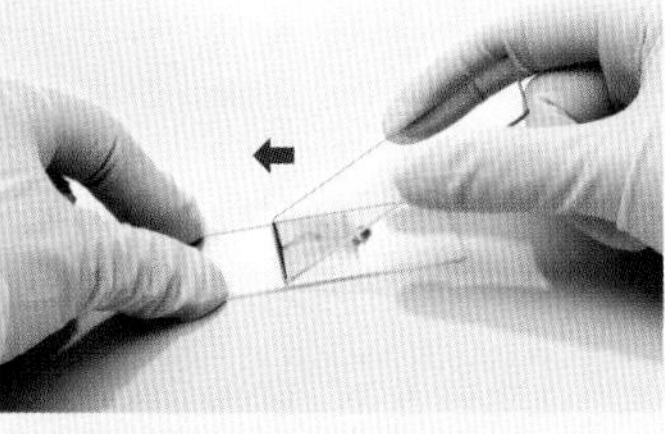
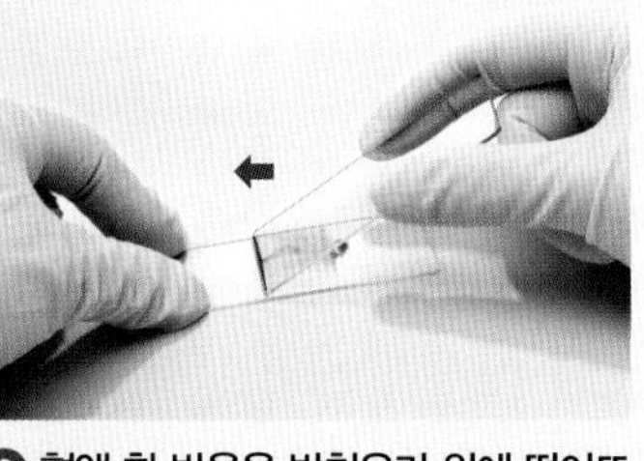

❷ 혈액 한 방울을 받침유리 위에 떨어뜨리고 다른 받침유리로 얇게 편다.

❸ 혈액에 에탄올을 1~2방울 떨어뜨려 고정시킨다.

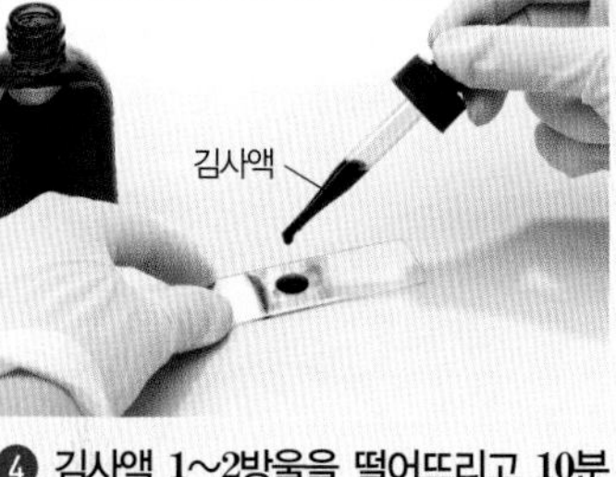

❹ 김사액 1~2방울을 떨어뜨리고 10분 동안 놓아둔다.

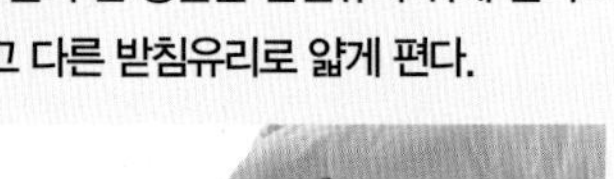

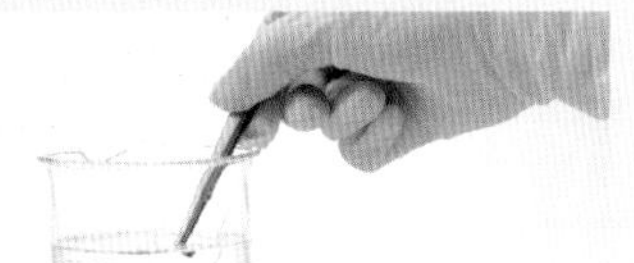

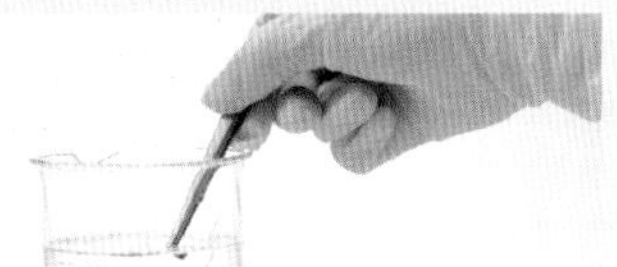

❺ 받침유리를 2~3번 증류수에 담갔다 빼어 여분의 김사액을 제거한다.

❻ 거름종이로 물기를 닦아 내고 덮개유리를 덮은 후 현미경으로 관찰한다.

결과 및 정리

1 적혈구는 가운데가 오목한 원반형이며 핵이 없다.

2 백혈구는 적혈구보다 크고, 김사액에 진한 보라색으로 염색된 핵이 있다.

3 적혈구가 백혈구보다 훨씬 더 많이 관찰된다.

4 혈소판은 관찰되지 않는다. - 혈소판은 일반 광학 현미경으로는 잘 관찰되지 않는다.

백혈구
적혈구

탐구 확인 문제

정답과 해설 053쪽

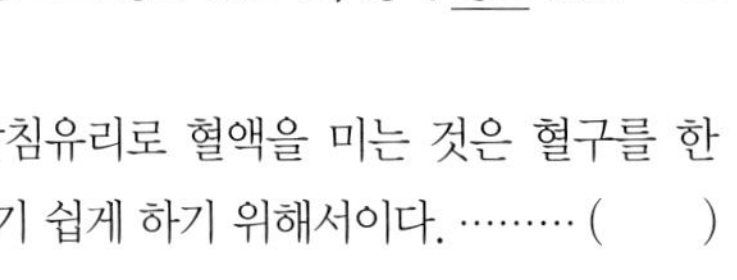
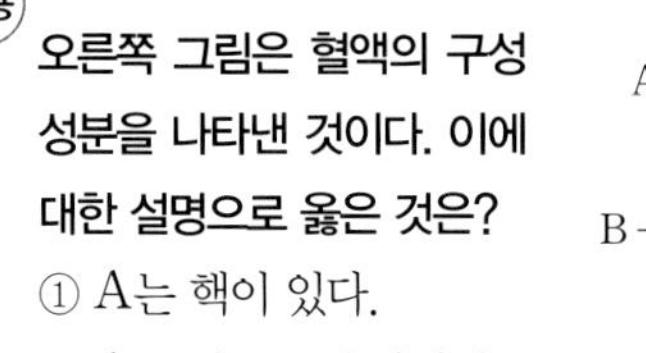

1 위 탐구에 대한 설명으로 옳은 것은 ○, 옳지 않은 것은 ×로 표시하시오.

(1) 과정 ❷에서 받침유리로 혈액을 미는 것은 혈구를 한데 모아 관찰하기 쉽게 하기 위해서이다. ········· (　　)

(2) 과정 ❸에서 에탄올을 떨어뜨리는 것은 혈구를 고정하기 위해서이다. ········· (　　)

(3) 과정 ❹에서 김사액을 떨어뜨리면 적혈구가 염색된다. ········· (　　)

(4) 과정 ❻에서 현미경으로 관찰할 때는 고배율에서 저배율 순으로 관찰한다. ········· (　　)

2 (적용) 오른쪽 그림은 혈액의 구성 성분을 나타낸 것이다. 이에 대한 설명으로 옳은 것은?

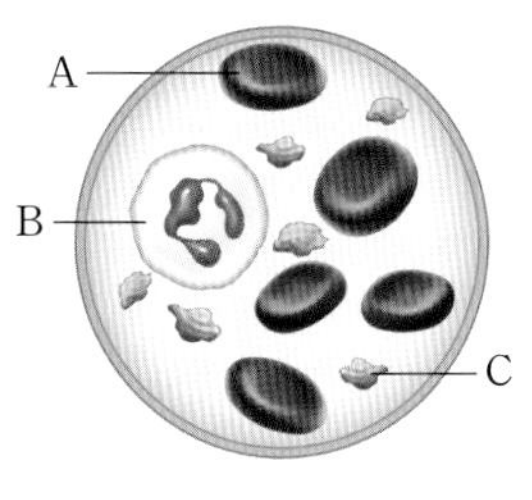

① A는 핵이 있다.
② A는 산소를 운반한다.
③ B는 영양소와 노폐물을 운반한다.
④ C는 식균 작용을 하여 우리 몸을 지켜 준다.
⑤ C는 핵이 있으며, 혈구 중에 그 수가 가장 많다.

효소의 기능과 특성

효소는 생물의 몸속에서 일어나는 화학 반응을 촉매하는 생체 촉매로, 소화를 포함한 대부분의 물질대사에 관여한다. 효소의 특성을 알면 소화 효소의 작용을 이해하는 데 도움이 된다. 효소의 특성에 대해 알아보자.

1 효소와 활성화 에너지

화학 반응이 일어나기 위해 필요한 최소한의 에너지를 활성화 에너지라고 한다. 활성화 에너지가 작으면 반응이 쉽게 일어나고, 활성화 에너지가 크면 반응이 잘 일어나지 않는다. 촉매는 활성화 에너지를 변화시켜 반응 속도에 영향을 주는 물질이다. 효소는 생물체 내에서 일어나는 화학 반응의 활성화 에너지를 낮추어 반응이 빠르게 일어나도록 하는 생체 촉매이다. 효소가 있기 때문에 체온 범위에서는 쉽게 일어나지 않는 녹말의 소화나 단백질의 소화가 일어날 수 있다.

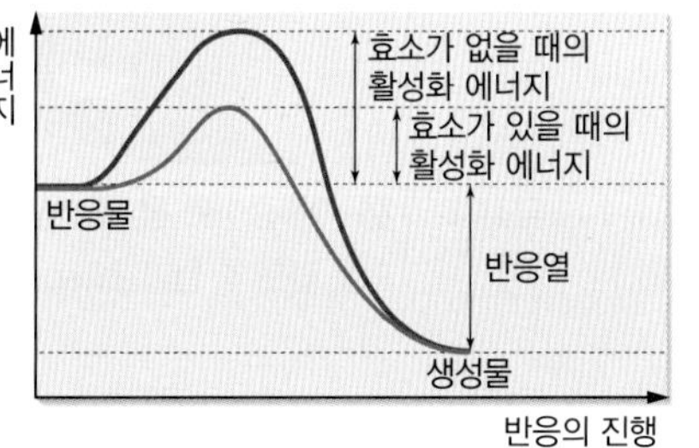

2 효소의 기질 특이성

효소의 작용을 받는 반응물을 기질이라고 한다. 효소는 기질과 결합하여 활성화 에너지를 낮춘다. 효소가 기질과 결합하는 부위를 활성 부위라고 하는데, 효소는 활성 부위에 들어맞는 구조를 가진 기질하고만 결합할 수 있다. 효소마다 활성 부위의 입체 구조가 다르고, 기질마다 각기 다른 입체 구조를 가지고 있다. 따라서 한 가지 효소는 한 가지 기질하고만 결합하여 작용하는데, 효소의 이러한 성질을 기질 특이성이라고 한다.

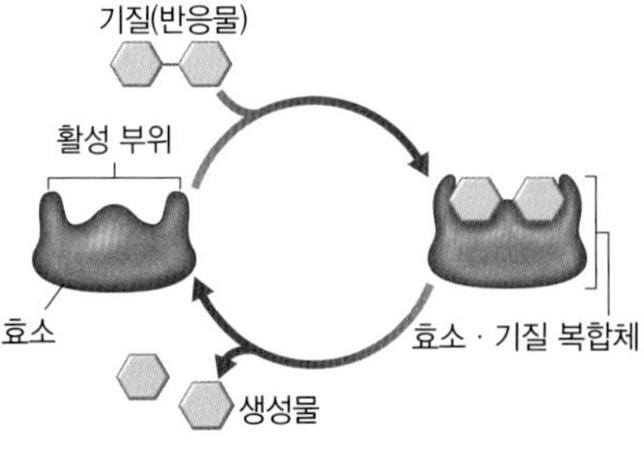

3 효소의 활성에 영향을 미치는 요인

- 온도: 효소의 반응 속도가 최대가 되는 온도를 최적 온도라고 한다. 온도가 높아지면 효소와 반응물의 결합이 잘 일어나 효소의 반응 속도는 최적 온도에 이르기까지는 온도가 높아질수록 빨라진다. 그러나 최적 온도 이상이 되면 온도가 높아질수록 오히려 반응 속도가 느려지는데, 이것은 효소의 주성분인 단백질이 열에 의해 입체 구조가 변하여(변성) 효소가 기질과 결합하지 못하기 때문이다.

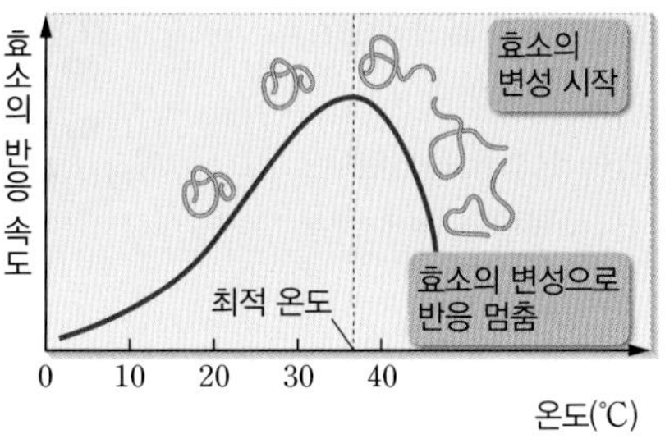

- pH(수소 이온 농도 지수): 효소의 반응 속도는 pH의 영향을 받는다. 효소의 반응 속도가 최대가 되는 pH를 최적 pH라고 하는데, 최적 pH 범위를 벗어나면 효소의 반응 속도가 급격히 감소한다. 이는 효소의 주성분인 단백질이 pH의 영향을 받아 입체 구조가 변하기 때문이다. 펩신은 위에서는 작용하지만 소장에서는 작용하지 못하는데, 이것은 펩신의 최적 pH가 pH 2이기 때문이다.

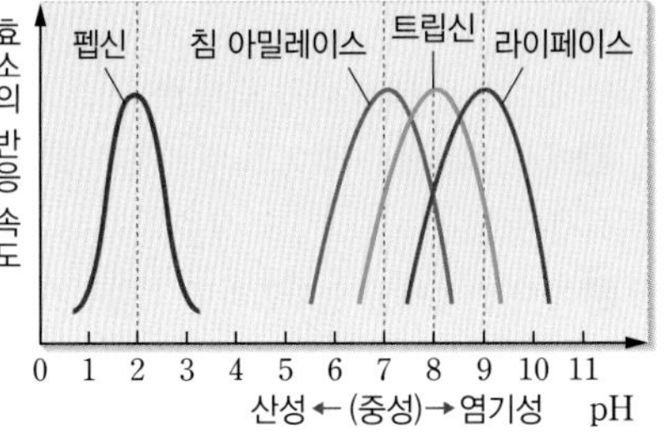

중단원 핵심 정리

1 소화

- 소화계와 소화 기관: 소화계는 영양소의 **소화**와 **흡수**에 관여하는 위, 소장, 대장, 간, 이자 등의 기관으로 구성된다.
- 영양소의 소화와 흡수: 녹말은 아밀레이스 등에 의해 **포도당**으로, 단백질은 펩신, 트립신 등에 의해 **아미노산**으로, 지방은 라이페이스에 의해 **지방산**과 **모노글리세리드**로 분해된 후 소장 융털로 흡수된다.

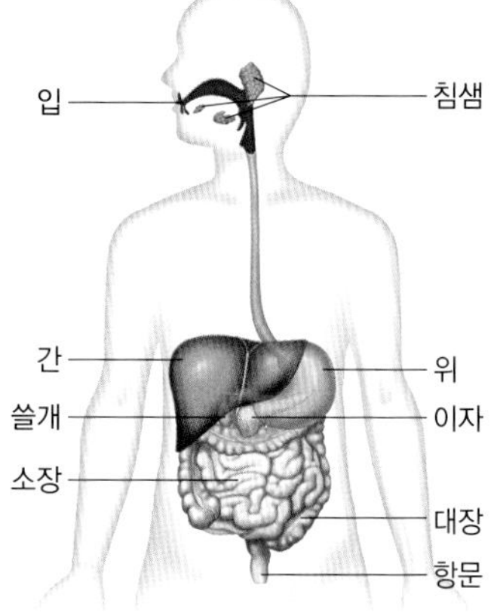

사람의 소화 기관

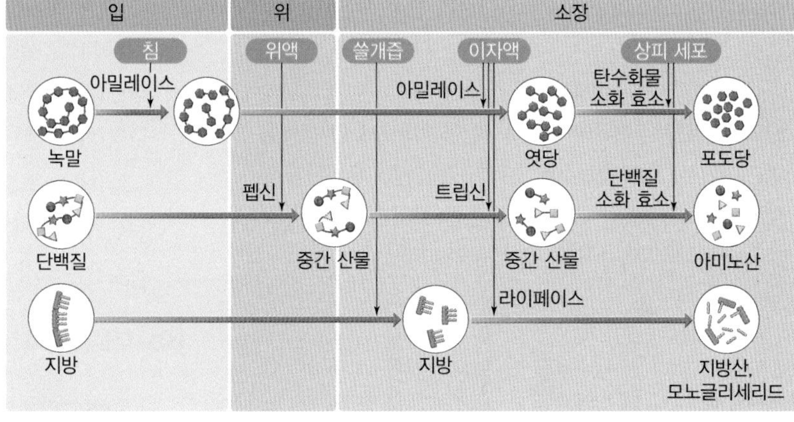

소화의 전 과정

2 순환

- 순환계와 순환 기관: 순환계는 영양소, 산소, 노폐물 등을 **운반**하는 데 관여하는 심장, 혈관 등의 기관으로 구성된다.
- 혈액 성분: 적혈구는 **산소 운반**, 백혈구는 **식균 작용**, 혈소판은 **혈액 응고 작용**을 하며, 혈장은 이산화 탄소, 영양소, 노폐물 등을 **운반**한다.
- **심장**: 심방 2개와 심실 2개로 구성되며, 규칙적인 수축과 이완으로 **박동**하여 혈액이 흐르는 원동력을 제공한다.
- 혈관: 혈액은 동맥 → **모세 혈관** → 정맥의 한 방향으로 흐르며, **물질 교환**은 모세 혈관이 담당한다.

혈액 순환

폐순환	우심실 → 폐동맥 → 폐의 모세 혈관 → 폐정맥 → 좌심방 폐에서 이산화 탄소를 내보내고 산소를 받아온다.
온몸 순환	좌심실 → 대동맥 → 온몸의 모세 혈관 → 대정맥 → 우심방 조직 세포에 산소와 영양소를 공급하고 노폐물을 받아온다.

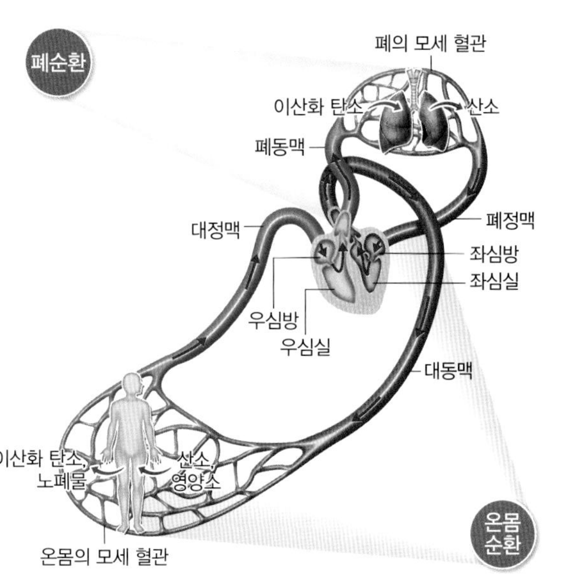

개념 확인 문제

02. 소화와 순환

01 다음에서 설명하는 작용을 무엇이라고 하는지 쓰시오.

> 음식물 속의 영양소를 체내로 흡수할 수 있도록 잘게 분해하는 과정이다.

---

02 2개의 셀로판 주머니에 각각 녹말 용액과 포도당 용액을 넣고 비커 A, B의 증류수에 그림과 같이 담가 두었다가 일정 시간 후 A의 물에 아이오딘 반응을, B의 물에 베네딕트 반응을 실시하였더니 B에서만 반응이 나타났다.

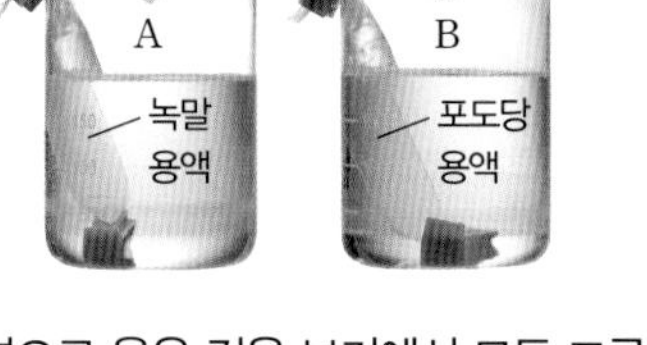

이에 대한 설명으로 옳은 것을 보기에서 모두 고른 것은?

보기
ㄱ. 녹말은 셀로판 막을 통과하였다.
ㄴ. 포도당은 셀로판 막을 통과하지 못했다.
ㄷ. 이 실험 결과 소화의 필요성을 알 수 있다.

① ㄱ　② ㄷ　③ ㄱ, ㄴ　④ ㄴ, ㄷ　⑤ ㄱ, ㄴ, ㄷ

03 화학적 소화와 관련 있는 것을 보기에서 모두 고른 것은?

보기
ㄱ. 밥을 입에 넣고 씹었더니 단맛이 났다.
ㄴ. 쓸개즙에 의해 지방이 작은 덩어리로 된다.
ㄷ. 소화 효소가 작용하여 영양소가 다른 물질이 된다.

① ㄱ　② ㄴ　③ ㄱ, ㄷ　④ ㄴ, ㄷ　⑤ ㄱ, ㄴ, ㄷ

04 (중요) 그림은 사람의 소화 기관에서 일어나는 녹말의 소화 과정을 간단하게 나타낸 것이다.

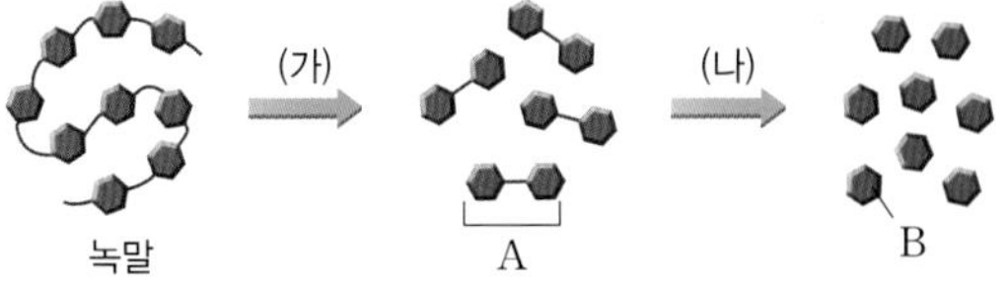

이에 대한 설명으로 옳지 않은 것은?

① (가)는 화학적 소화이다.
② (가)에 관여하는 소화액은 침과 이자액이다.
③ (나)는 소장에서 일어나는 반응이다.
④ A는 아이오딘 반응으로 검출할 수 있다.
⑤ B는 소장의 융털로 흡수될 수 있다.

05 다음은 침의 작용을 알아보기 위한 실험과 그 결과이다.

[실험 과정]
4개의 시험관에 녹말 용액을 넣고 그림과 같이 장치하여 20분 후에 베네딕트 용액을 넣고 가열하였다.

침 / 침 / 증류수 / 침
A / B / C / D
녹말 용액
35 ℃ 물　100 ℃ 물　35 ℃ 물　얼음

[실험 결과]

시험관	A	B	C	D
색깔	황적색	푸른색	푸른색	푸른색

이에 대한 설명으로 옳은 것을 모두 고르면? (정답 2개)

① 침에는 녹말 소화 효소가 있다.
② 침의 소화 효소는 온도가 높을수록 잘 작용한다.
③ B를 잘 섞어 주면 실험 결과가 황적색으로 된다.
④ C에 침을 넣으면 녹말의 기계적 소화가 일어난다.
⑤ D에 아이오딘-아이오딘화 칼륨 용액을 넣으면 청람색을 나타낸다.

[06~08] 그림은 우리 몸의 소화 기관 중 일부를 나타낸 것이다.

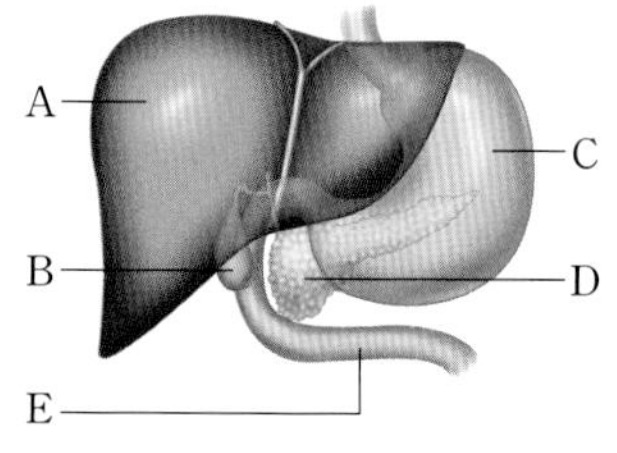

06 A~E 중 3대 영양소의 소화 효소가 모두 포함된 소화액을 분비하는 기관의 기호와 이름을 쓰시오.

07 C에서 분비되는 소화 효소의 이름과 이 소화 효소가 작용하는 영양소를 쓰시오.

08 (중요) 그림은 지방의 소화 과정을 간단하게 나타낸 것이다.

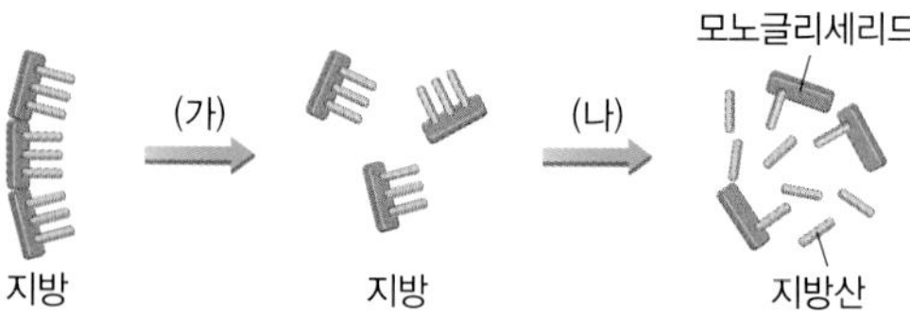

이에 대한 설명으로 옳은 것을 보기에서 모두 고른 것은?

보기
ㄱ. (가)에 관여하는 소화액은 B에서 합성된다.
ㄴ. (나)에 관여하는 소화 효소는 라이페이스이다.
ㄷ. (가)와 (나) 반응은 모두 E에서 일어난다.

① ㄱ ② ㄴ ③ ㄱ, ㄴ
④ ㄴ, ㄷ ⑤ ㄱ, ㄴ, ㄷ

09 그림은 사람의 소화 기관에서 단백질이 소화되는 과정을 간단하게 나타낸 것이다.

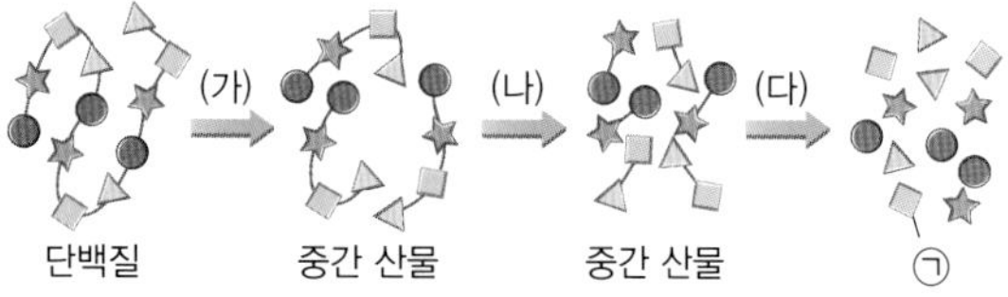

이에 대한 설명으로 옳은 것을 보기에서 모두 고른 것은?

보기
ㄱ. (가), (나), (다)는 모두 화학적 소화이다.
ㄴ. (나)는 위액, (다)는 이자액에 의해 일어난다.
ㄷ. 단백질의 최종 소화 산물 ㉠은 아미노산이다.

① ㄱ ② ㄱ, ㄴ ③ ㄱ, ㄷ
④ ㄴ, ㄷ ⑤ ㄱ, ㄴ, ㄷ

10 보기의 물질 중 소화관 벽으로 흡수될 수 있는 크기의 물질은 모두 몇 가지인가?

보기
ㄱ. 엿당 ㄴ. 비타민
ㄷ. 지방산 ㄹ. 무기염류
ㅁ. 아미노산 ㅂ. 모노글리세리드

① 2가지 ② 3가지 ③ 4가지
④ 5가지 ⑤ 6가지

11 (중요) 오른쪽 그림은 소장 융털의 구조를 나타낸 것이다. 이에 대한 설명으로 옳은 것은?

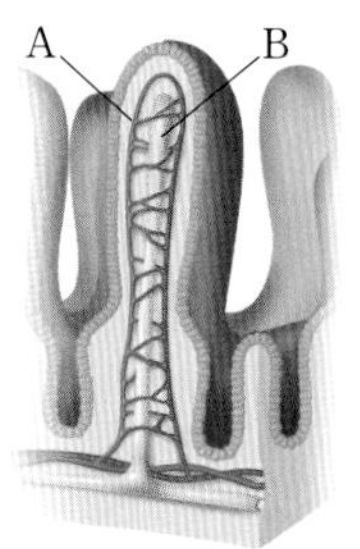

① A는 암죽관이다.
② B에는 혈액이 흐른다.
③ 포도당은 A로 흡수된다.
④ 비타민 C는 B로 흡수된다.
⑤ 소장 융털은 영양소와의 접촉 면적을 줄인다.

12 그림은 소장에서 흡수된 영양소의 이동 경로를 나타낸 것이다.

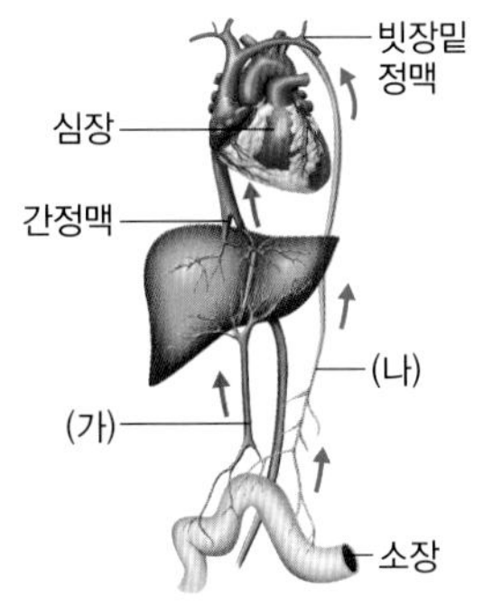

이에 대한 설명으로 옳은 것을 보기에서 모두 고른 것은?

보기
ㄱ. 소장으로 흡수된 비타민 A는 (가)를 통해 이동한다.
ㄴ. 소장 융털의 암죽관으로 흡수된 영양소는 (나)를 통해 이동한다.
ㄷ. 소장에서 흡수된 포도당과 지방은 다른 경로를 거쳐 간에서 합류한다.

① ㄱ ② ㄴ ③ ㄱ, ㄴ
④ ㄱ, ㄷ ⑤ ㄴ, ㄷ

중요
13 그림은 사람의 혈액 조성을 나타낸 것이다.

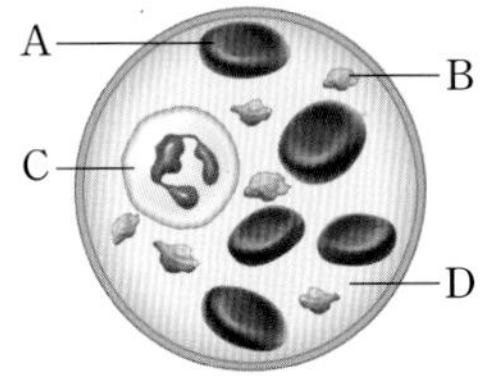

이에 대한 설명으로 옳은 것을 모두 고르면? (정답 2개)
① A와 B는 핵이 있고, C는 핵이 없다.
② A는 산소를 운반한다.
③ B는 몸속에 침입한 세균을 잡아먹는다.
④ C는 영양소를 운반한다.
⑤ D에는 포도당이 녹아 있다.

14 다음은 혈구 (가)와 (나)가 부족할 때 나타나는 증세를 설명한 것이다.

(가)가 부족하면 빈혈 증세가 나타나며, (나)가 부족하면 혈액 응고가 잘되지 않아 작은 상처에도 피를 많이 흘리게 된다.

(가)와 (나)에 해당하는 혈구의 이름을 각각 쓰시오.

중요
15 다음은 사람의 혈구를 관찰하는 실험 과정이다.

(가) 혈액을 받침유리 위에 한 방울 떨어뜨린다.
(나) 다른 받침유리로 밀어 혈액을 얇게 편다.
(다) 얇게 편 혈액에 에탄올을 한두 방울 떨어뜨린 후 말린다.
(라) 김사액을 한두 방울 떨어뜨린 후 증류수에 간단히 씻는다.
(마) 거름종이로 물기를 닦아 낸 후 덮개유리를 덮고 현미경으로 관찰한다.

이에 대한 설명으로 옳은 것은?
① (나)에서 받침유리는 혈액이 있는 쪽으로 민다.
② (다)에서 에탄올은 적혈구를 염색한다.
③ (라)에서 김사액은 백혈구의 핵을 염색한다.
④ (다)와 (라) 과정을 거치지 않으면 (마)에서 혈구가 관찰되지 않는다.
⑤ (마)에서 혈구 중 백혈구가 가장 많이 관찰된다.

16 사람의 심장에 대한 설명으로 옳지 않은 것은?
① 2개의 심방과 2개의 심실로 구분된다.
② 심방과 심실 중 심실의 벽이 더 두껍다.
③ 좌심실과 우심실 사이에는 판막이 있다.
④ 심방에는 심장으로 들어온 혈액이 있다.
⑤ 심방에는 정맥, 심실에는 동맥이 연결된다.

[17~18] 그림은 사람의 심장 구조와 심장의 각 부위에 연결된 혈관을 나타낸 것이다.

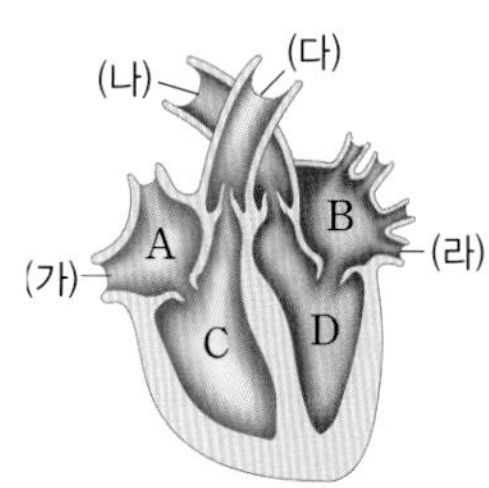

17 A~D에 대한 설명으로 옳은 것을 보기에서 모두 고른 것은?

보기
ㄱ. C가 수축하면 혈액이 A로 이동한다.
ㄴ. B와 D에는 산소가 풍부한 혈액이 흐른다.
ㄷ. D가 수축할 때 B와 D 사이의 판막이 닫힌다.

① ㄱ ② ㄷ ③ ㄱ, ㄷ
④ ㄴ, ㄷ ⑤ ㄱ, ㄴ, ㄷ

18 (가)~(라)에 대한 설명으로 옳은 것을 보기에서 모두 고른 것은?

보기
ㄱ. (가)의 혈액에는 (라)의 혈액보다 이산화 탄소가 많다.
ㄴ. 혈압은 (나)보다 (다)에서 더 높다.
ㄷ. 폐에서 기체 교환을 한 혈액은 (라)를 통해 심장으로 들어온다.

① ㄱ ② ㄷ ③ ㄱ, ㄷ
④ ㄴ, ㄷ ⑤ ㄱ, ㄴ, ㄷ

19 다음 설명에 해당하는 혈관은 무엇인지 쓰시오.

몸속에 그물처럼 퍼져 있으며, 혈관 벽이 세포 한 겹으로 되어 있다. 혈액이 천천히 흐르면서 혈액과 조직 세포 사이에서 물질 교환이 일어난다.

20 중요 그림은 혈관이 연결된 모습을 나타낸 것이다.

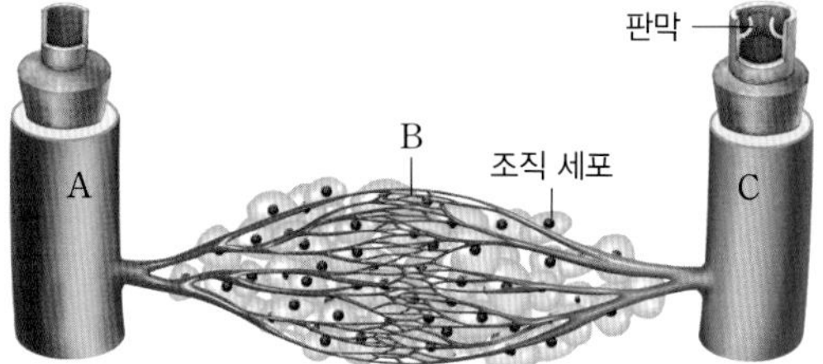

이에 대한 설명으로 옳지 <u>않은</u> 것은?
① A는 C보다 혈압이 높다.
② A가 C보다 혈관 벽이 두껍다.
③ 총단면적은 B가 가장 넓다.
④ C에서는 맥박이 나타난다.
⑤ 혈액은 A → B → C 방향으로 흐른다.

[21~22] 그림은 사람의 혈액 순환 경로를 나타낸 것이다.

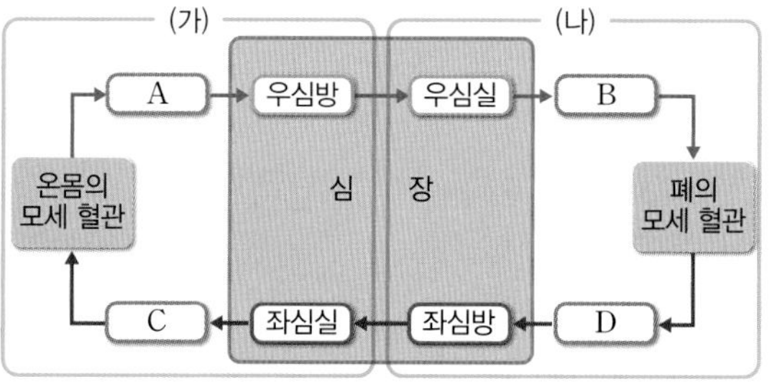

21 혈관 A~D의 이름을 쓰시오.

22 위 그림에 대한 설명으로 옳은 것을 보기에서 모두 고른 것은?

보기
ㄱ. A와 B에는 정맥혈이 흐른다.
ㄴ. 혈액의 이산화 탄소 농도는 좌심방보다 우심방에서 더 높다.
ㄷ. (가) 과정에서 조직 세포로 산소가 공급되고, (나) 과정에서 혈액이 산소를 얻는다.

① ㄱ ② ㄷ ③ ㄱ, ㄷ
④ ㄴ, ㄷ ⑤ ㄱ, ㄴ, ㄷ

실력 강화 문제

02. 소화와 순환

01 그림은 사람의 소화 기관을 나타낸 것이다.

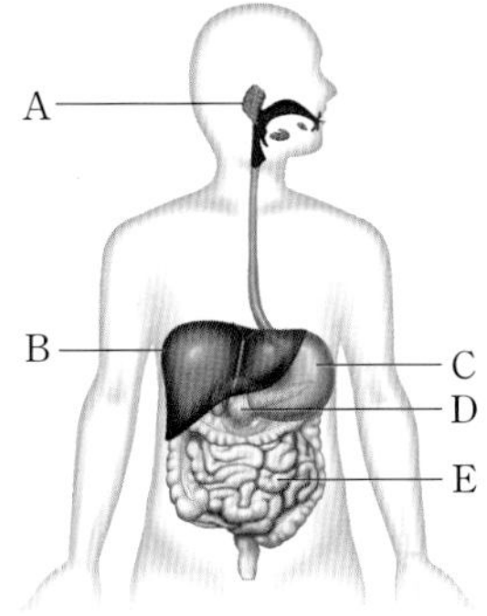

이에 대한 설명으로 옳은 것을 모두 고르면? (정답 2개)

① A와 D에서 녹말 소화 효소가 분비된다.
② B에서 라이페이스가 합성되어 분비된다.
③ C에서 단백질의 화학적 소화가 처음 일어난다.
④ D에서 단백질 소화 효소인 펩신이 분비된다.
⑤ E에서 영양소의 화학적 소화는 일어나지 않고 영양소가 세포 안으로 흡수된다.

02 그림은 영양소 (가)~(다)의 소화 과정을 나타낸 것이다. (가)~(다)는 지방, 녹말, 단백질 중 하나이다.

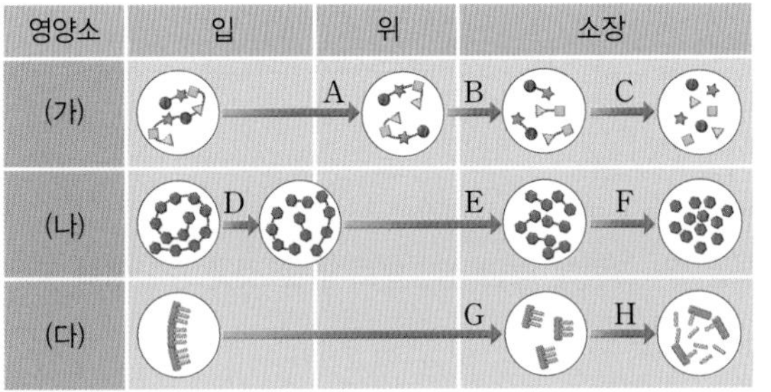

영양소	입	위	소장
(가)		A	B, C
(나)	D		E, F
(다)			G, H

이에 대한 설명으로 옳은 것을 보기에서 모두 고른 것은?

보기
ㄱ. (가)는 녹말이고 (다)는 지방이다.
ㄴ. (나)의 최종 분해 산물은 아미노산이다.
ㄷ. 소화 효소 B, E, H는 이자에서 분비된다.

① ㄱ ② ㄷ ③ ㄱ, ㄷ
④ ㄴ, ㄷ ⑤ ㄱ, ㄴ, ㄷ

03 그림 (가)는 사람의 소화 기관 일부를, (나)는 소장 융털의 내부 구조를 나타낸 것이다.

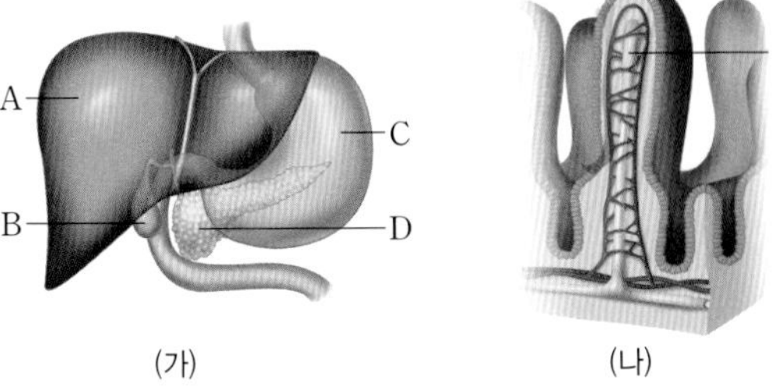

이에 대한 설명으로 옳은 것은?

① A에서 합성된 소화액이 없어도 지방의 화학적 소화가 일어날 수 있다.
② B에서 소화액이 분비되지 않으면 단백질의 소화가 잘 일어나지 않는다.
③ C에서 단백질이 아미노산으로 분해된다.
④ D에서 분비된 소화 효소에 의해 분해된 영양소는 모두 E로 흡수된다.
⑤ E에는 적혈구와 백혈구를 포함한 액체가 흐른다.

04 오른쪽 그림은 소화된 영양소의 이동 경로이다. 이에 대한 설명으로 옳은 것을 보기에서 모두 고른 것은?

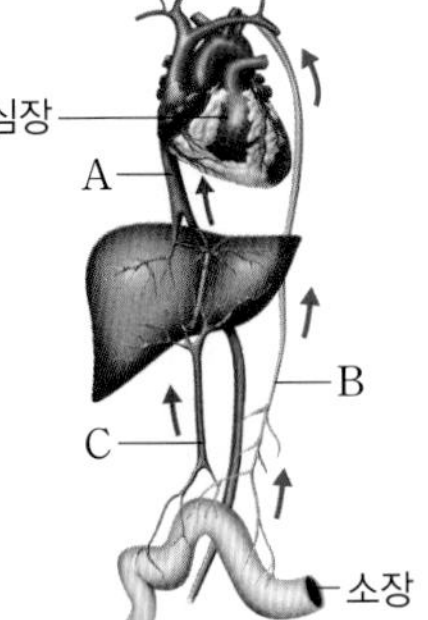

보기
ㄱ. A와 B로 이동한 영양소는 좌심방으로 들어간다.
ㄴ. 식사 후 B의 포도당 농도가 증가한다.
ㄷ. 아이오딘 반응을 나타내는 영양소의 최종 분해 산물은 C를 통해 간으로 이동한다.

① ㄱ ② ㄷ ③ ㄱ, ㄷ
④ ㄴ, ㄷ ⑤ ㄱ, ㄴ, ㄷ

[05~06] 그림 (가)는 사람의 혈액을 원심 분리한 결과이고, (나)는 사람의 혈액을 현미경으로 관찰한 결과를 나타낸 것이다.

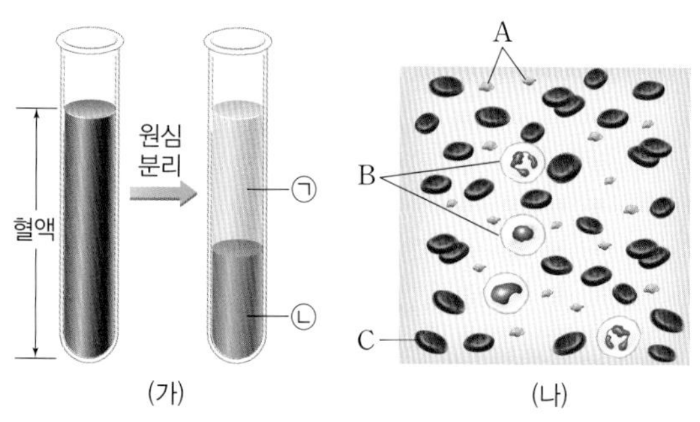

05 이에 대한 설명으로 옳은 것을 보기에서 모두 고른 것은?

보기
ㄱ. ㉠은 영양소와 노폐물을 운반하는 역할을 한다.
ㄴ. (나)의 A, B, C는 주로 ㉡에 포함되어 있다.
ㄷ. 김사액에 의해 C가 붉은색으로 염색된다.

① ㄱ ② ㄷ ③ ㄱ, ㄴ
④ ㄴ, ㄷ ⑤ ㄱ, ㄴ, ㄷ

06 표는 정상인, 철수, 영희의 혈액 1 mm^3 당 혈구 A~C의 개수를 비교한 것이다.

혈구	정상인	철수	영희
A	25만~40만	28만	25만
B	6000~8000	7500	20000
C	450만~500만	250만	450만

철수와 영희의 상태에 대한 설명으로 옳은 것을 보기에서 모두 고른 것은? (단, 제시된 자료에만 근거해서 판별한다.)

보기
ㄱ. 철수의 혈액을 원심 분리하면 $\frac{㉠의\ 부피}{㉡의\ 부피}$ 값이 정상인보다 크게 나온다.
ㄴ. 철수는 조직 세포로 공급되는 산소의 양이 부족하여 빈혈 증세를 나타낸다.
ㄷ. 영희는 출혈 시 혈액 응고가 잘되지 않는다.

① ㄱ ② ㄴ ③ ㄷ
④ ㄱ, ㄴ ⑤ ㄴ, ㄷ

07 그림은 심장 박동 과정을 나타낸 것이다.

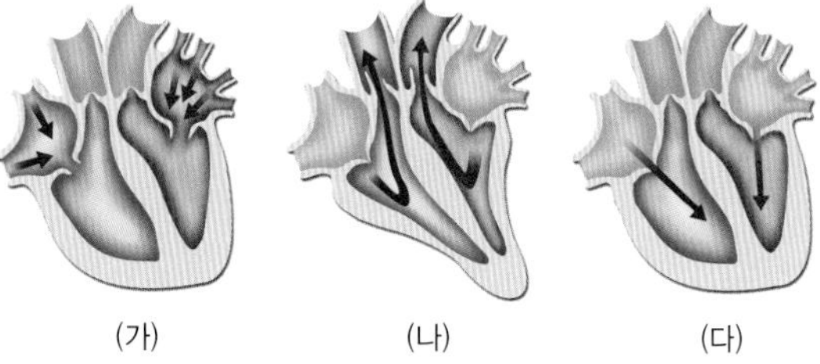

이에 대한 설명으로 옳은 것을 보기에서 모두 고른 것은?

보기
ㄱ. (가) 시기에 심실과 동맥 사이의 판막이 열린다.
ㄴ. 대동맥의 혈압은 (다) 시기보다 (나) 시기에 높다.
ㄷ. 심장 박동은 (다) → (가) → (나)의 순서로 반복된다.

① ㄴ ② ㄷ ③ ㄱ, ㄴ
④ ㄱ, ㄷ ⑤ ㄴ, ㄷ

08 그림은 사람의 혈관 분포와 혈액 순환을 나타낸 것이다.

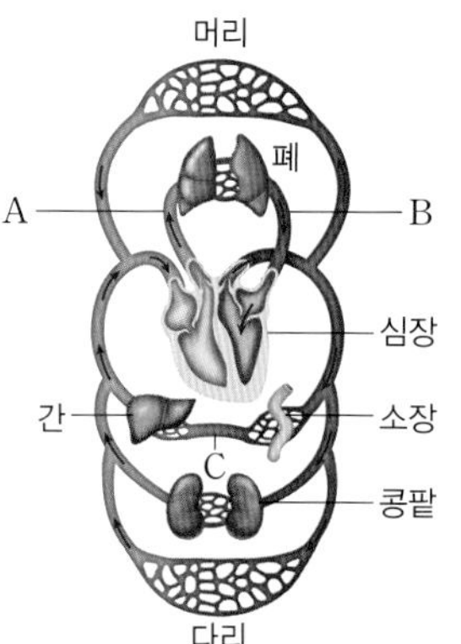

혈관 A~C에 대한 설명으로 옳은 것을 보기에서 모두 고른 것은?

보기
ㄱ. A는 좌심실에 연결되어 있다.
ㄴ. 혈액의 산소 농도는 B가 A보다 높다.
ㄷ. 식사 후 혈액의 포도당 농도가 가장 높은 혈관은 C이다.

① ㄴ ② ㄷ ③ ㄱ, ㄴ
④ ㄱ, ㄷ ⑤ ㄴ, ㄷ

서술형 문제

02. 소화와 순환

☞ 제시된 Keyword를 이용하여 문제를 해결해 보자.

1 밥을 씹는 것은 기계적 소화이고, 침 속의 소화 효소에 의해 일어나는 화학적 소화를 빠르게 한다는 것을 확인하기 위한 실험을 오른쪽 그림의 장치를 이용하여 설계하시오.

침 희석액
밥

Keyword 밥, 침, 베네딕트 반응

2 그림은 3대 영양소 중 하나인 영양소 A가 소화 기관에서 분해되는 과정을 나타낸 것이다.

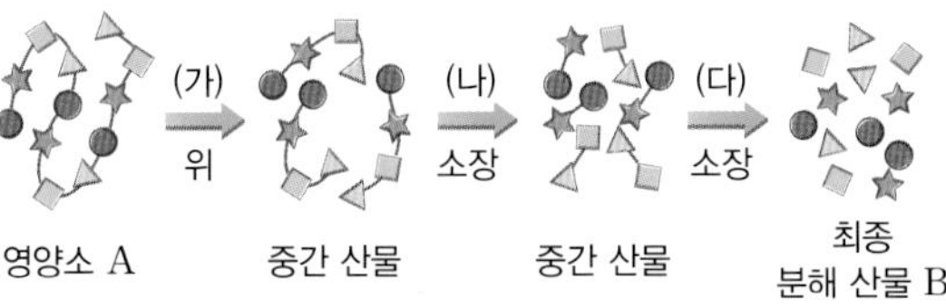

(1) 영양소 A와 최종 분해 산물 B는 각각 무엇인지 쓰고, 그렇게 판단한 근거를 설명하시오.

Keyword 위, 단백질, 아미노산

(2) 소화 효소 (가)~(다) 및 이들 소화 효소가 포함된 소화액의 이름을 포함하여 영양소 A의 소화 과정을 설명하시오.

Keyword 위액, 이자액, 펩신, 트립신, 아미노산

3 그림은 사람의 소화 기관 중 일부를 나타낸 것이다.

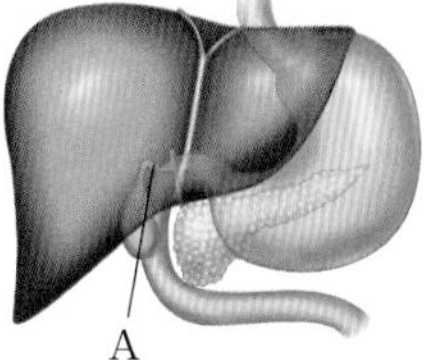

담석에 의해 A 부분이 막힌 사람은 기름기가 많은 음식의 섭취를 피해야 한다. 그 까닭을 설명하시오.

Keyword 쓸개즙, 지방

4 그림은 소장의 안쪽 벽과 융털의 구조를 나타낸 것이다.

소장
융털
주름
A
B

(1) 소장 안쪽 벽에는 주름이 많고, 주름에는 수많은 융털이 있다. 이러한 구조는 소장 안쪽 벽의 기능과 관련지어 어떤 이점이 있는지 설명하시오.

Keyword 주름, 융털, 표면적, 흡수

(2) 소장 융털의 A와 B를 통해 흡수되는 영양소의 종류와 흡수된 영양소가 심장으로 이동하는 경로를 설명하시오.

Keyword 수용성 영양소, 지용성 영양소, 모세 혈관, 암죽관, 심장

5 **오른쪽 그림은 사람의 혈액 성분을 나타낸 것이다.**

(1) A~D의 이름을 쓰고, 각 성분의 기능을 설명하시오.

Keyword 적혈구, 백혈구, 혈소판, 혈장, 산소, 식균 작용, 혈액 응고, 운반

(2) 고산 지대는 평지보다 공기 압력이 낮다. 이러한 환경에 적응한 사람은 평지에 살던 사람과 혈액 성분의 비율이 다른데, 특히 어떤 성분에서 차이가 있는지 기호로 쓰고, 그렇게 생각한 근거를 들어 설명하시오.

Keyword 적혈구, 산소

6 **오른쪽 그림은 사람의 심장 구조를 나타낸 것이다.**

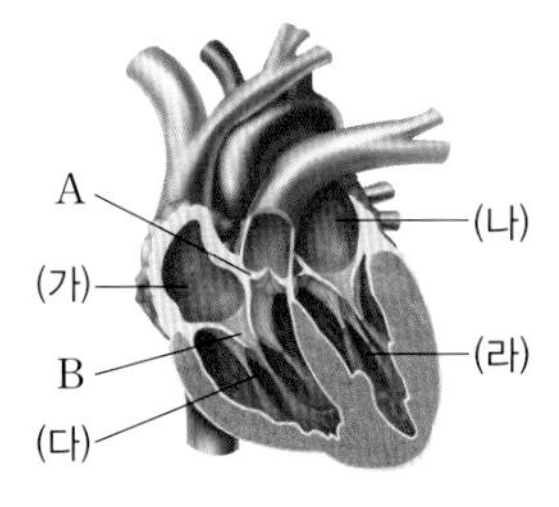

(1) (다)가 수축할 때 판막 A와 B의 개폐 및 혈액의 이동을 설명하시오.

Keyword (다), 판막 A, 판막 B, 폐동맥

(2) (가)~(라) 중 가장 두꺼운 벽을 가진 구조의 기호와 이름을 쓰고, 벽이 두껍게 발달된 까닭을 혈액 순환과 관련지어 설명하시오.

Keyword 좌심실, 대동맥, 온몸 순환

7 **그림은 다리 운동을 할 때 정맥을 통해 혈액이 이동하는 원리를 나타낸 것이다.**

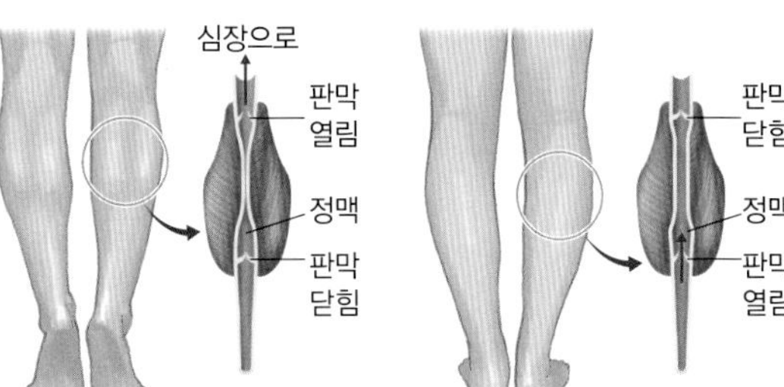

이를 바탕으로 몸을 오랫동안 움직이지 않고 가만히 서 있으면 현기증이 나는 까닭을 설명하시오.

Keyword 정맥, 혈압, 근육 운동, 혈액 순환, 뇌, 산소

8 **오른쪽 그림은 사람의 혈액 순환 경로를 나타낸 것이다.**

(1) 온몸 순환의 경로를 기호와 이름을 써서 나타내시오.

Keyword 좌심실, 우심방, 대동맥, 대정맥, 모세 혈관

(2) 폐순환의 경로를 기호와 이름을 써서 나타내시오.

Keyword 우심실, 좌심방, 폐동맥, 폐정맥, 모세 혈관

(3) 온몸 순환과 폐순환의 기능의 차이점을 설명하시오.

Keyword 온몸 순환, 폐순환, 산소, 이산화 탄소

03 호흡과 배설

소화계에서 흡수한 영양소가 순환계에 의해 조직 세포로 공급되면 세포에서는 산소를 이용하여 영양소를 분해함으로써 생명 활동에 필요한 에너지를 얻는다. 세포 호흡이 원활하게 일어나는 데 호흡계와 배설계가 어떤 역할을 하는지 알아보자.

1 호흡

1. 호흡계 호흡계는 숨을 들이마시고 내쉬면서 산소와 이산화 탄소의 기체 교환이 이루어지는 데 관여하는 기관들의 모임이다. 사람의 호흡 기관에는 코, 기관, 기관지, 폐 등이 있다.

2. 호흡 기관의 구조와 기능

(1) **코**: 바깥의 공기를 몸 안으로 들여보내는 통로 역할을 하며, 차고 건조한 공기를 적당히 데워 따뜻하고 습한 상태로 만든다.

(2) **기관과 기관지**: 코를 통과한 공기는 기관으로 들어가며, 기관은 두 개의 기관지로 나뉜다. 각각의 기관지는 오른쪽과 왼쪽의 폐로 연결되며, 기관지는 폐 속에서 더욱 많은 가지로 갈라져 폐포와 연결된다.

(3) **폐**: 갈비뼈와 횡격막으로 둘러싸인 흉강 속에 있으며, 많은 수의 폐포로 이루어져 있다. 폐포는 세포 한 층의 얇은 막으로 이루어진 공기주머니이며, 표면은 모세 혈관에 둘러싸여 있어 폐포와 모세 혈관 속 혈액 사이에 기체 교환이 일어난다.

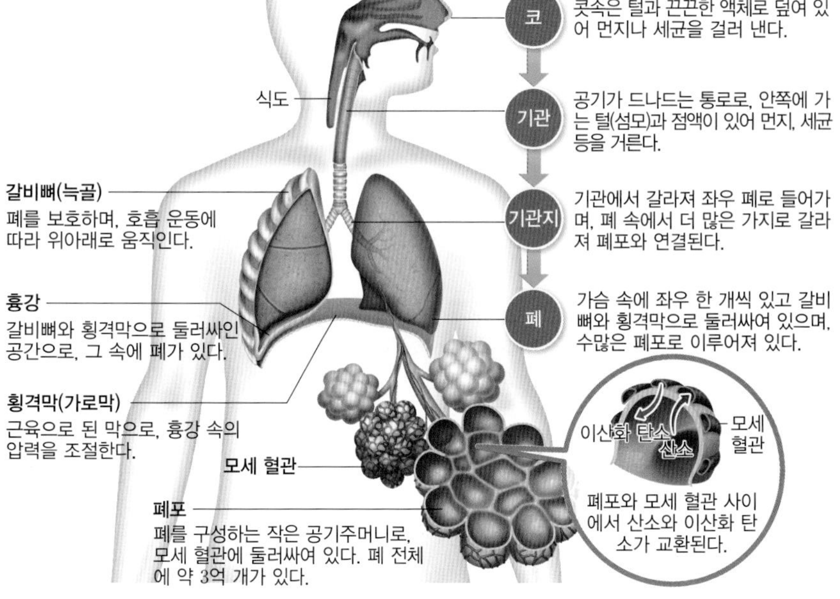

코, 기관, 기관지
코의 안쪽 벽에는 털과 점액이 있고, 기관과 기관지의 안쪽 벽은 수많은 섬모와 점액으로 덮여 있다. 이러한 구조는 공기 속의 먼지나 세균, 이물질을 걸러 내는 역할을 한다.

용어 횡격막(가로막)
가슴과 배를 나누는 근육으로 된 막으로, 횡격막의 위쪽은 가슴(흉강)이고 아래쪽은 배(복강)이다. 가로막이라고도 한다.

용어 폐포
폐를 구성하는 작은 공기주머니로, 폐 전체에 약 3억 개가 있다. 폐포 하나의 지름은 0.2~0.3 mm이므로 폐 전체에 있는 폐포의 총 표면적은 피부 표면적의 약 30배에 달한다. 이는 테니스장 넓이에 해당한다.

3. 호흡 운동 폐는 근육이 없어 스스로 호흡 운동을 할 수 없다. 따라서 폐를 둘러싸고 있는 갈비뼈와 횡격막의 움직임으로 호흡 운동이 일어난다. 탐구 054쪽

(1) 들숨(흡기): 갈비뼈가 올라가고 횡격막이 내려가서 흉강의 부피가 커지면 흉강의 압력이 낮아진다. 그에 따라 폐가 팽창하여 폐 내부 압력이 대기압보다 낮아지면 공기가 폐 속으로 들어온다.

(2) 날숨(호기): 갈비뼈가 내려가고 횡격막이 올라가서 흉강의 부피가 작아지면 흉강의 압력이 높아진다. 그에 따라 폐가 축소되어 폐 내부 압력이 대기압보다 높아지면 폐 속의 공기가 밖으로 나간다.

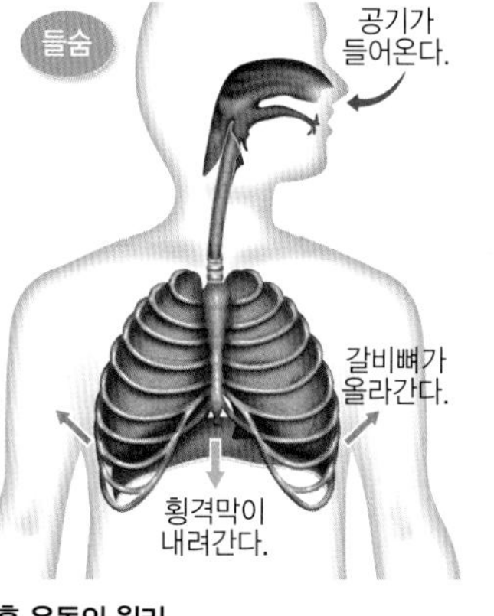

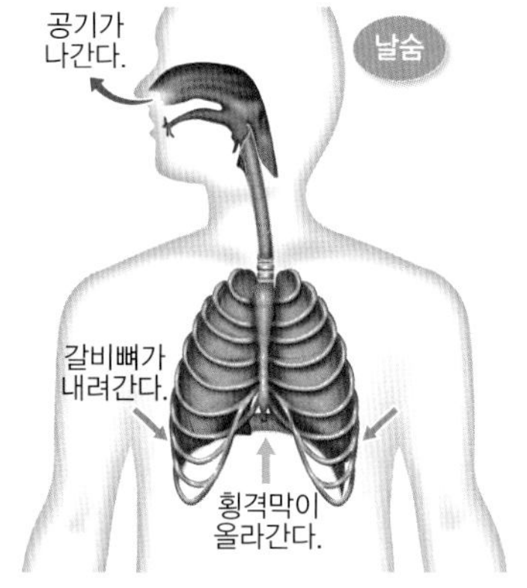

호흡 운동의 원리

구분	갈비뼈	횡격막	흉강 부피	흉강 압력	폐의 부피	폐 내부 압력	공기 이동
들숨	올라간다	내려간다	커진다	낮아진다	커진다	낮아진다	외부 → 폐
날숨	내려간다	올라간다	작아진다	높아진다	작아진다	높아진다	폐 → 외부

4. 폐와 조직에서의 기체 교환

(1) 들숨과 날숨의 성분: 폐로 공기를 들이마시고 내쉬는 과정에서 기체 교환이 일어나기 때문에 들숨과 날숨을 구성하는 기체의 비율은 차이가 있다. 들숨에 비해 날숨에는 산소는 적고 이산화 탄소와 수증기가 많다. - 들숨의 성분은 바깥 공기를 구성하는 기체와 비율이 비슷하다.

들숨: 수증기 0.5 %, 이산화 탄소 0.03 %, 산소 20.84 %, 질소 78.63 %

날숨: 수증기 6.2 %, 산소 15.7 %, 질소 74.5 %, 이산화 탄소 3.6 %

탐구 더하기 들숨과 날숨의 성분 알아보기

초록색 BTB 용액에 공기 펌프로 공기를 넣으면 색깔이 변하지 않지만, 날숨을 불어 넣으면 노란색으로 변한다. 석회수를 사용하여 같은 실험을 하면 날숨을 불어 넣었을 때만 뿌옇게 흐려진다.

→ 날숨에는 공기(들숨)보다 이산화 탄소가 많이 포함되어 있다.

BTB 용액

석회수

보일 법칙

온도가 일정하게 유지될 때 기체의 부피는 압력에 반비례한다. 보일 법칙은 호흡 운동이 일어날 때 흉강과 폐의 부피가 커지면 내부 압력이 낮아지고, 흉강과 폐의 부피가 작아지면 내부 압력이 커지는 것에도 적용할 수 있다.

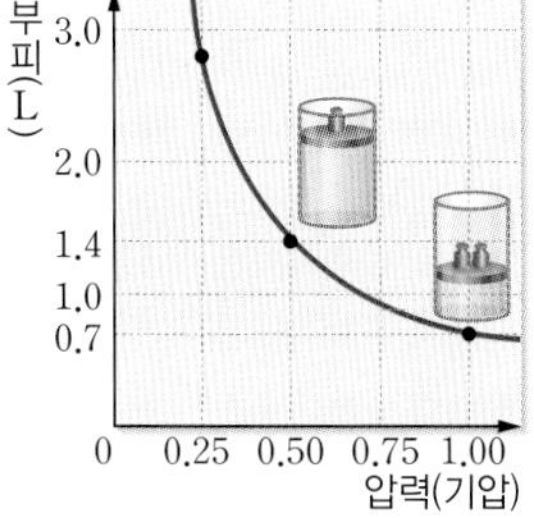

공기의 이동

공기는 압력이 높은 곳에서 낮은 곳으로 이동한다. 호흡 운동이 일어날 때 폐 내부 압력이 대기압보다 낮아지면 공기가 외부에서 폐 속으로 들어오고, 폐 내부 압력이 대기압보다 높아지면 폐 속의 공기가 외부로 나간다.

확산

농도가 높은 쪽에서 낮은 쪽으로 물질이 이동하는 현상이다. 잉크를 물에 떨어뜨리면 물 전체가 잉크 색으로 변하거나, 방 한쪽에 향수를 뿌리면 방 전체에서 향수 냄새가 나는 것을 예로 들 수 있다.

기체 교환과 혈액 순환

폐순환에서는 폐에서 기체 교환이 일어나 정맥혈이 산소를 얻고 동맥혈이 된다. 온몸 순환에서는 동맥혈이 조직 세포에 산소를 공급하고 정맥혈이 된다.

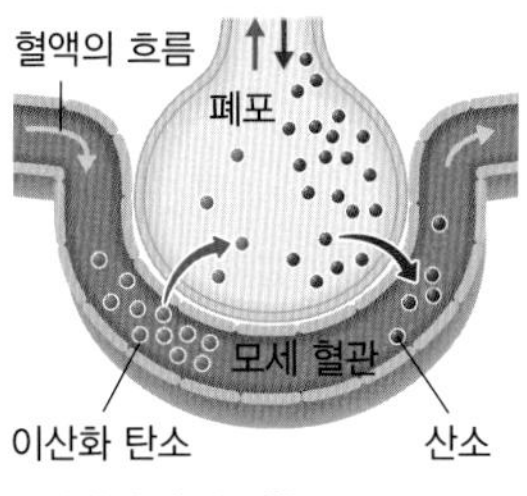

폐에서의 기체 교환

조직에서의 기체 교환

(2) 폐와 조직에서의 기체 교환 (과학 용어 사전 232쪽)

① 기체 교환의 원리: 폐와 조직에서의 기체 교환은 기체의 농도 차이에 따른 확산에 의해 일어난다.

② 폐에서의 기체 교환: 폐포와 모세 혈관 사이에서 산소는 폐포에서 모세 혈관으로 확산하고, 이산화 탄소는 모세 혈관에서 폐포로 확산한다. 따라서 폐를 지나온 혈액은 산소 농도는 높아지고 이산화 탄소 농도는 낮아진다.

③ 조직에서의 기체 교환: 조직 세포와 모세 혈관 사이에서 산소는 모세 혈관에서 조직 세포로 확산하고, 이산화 탄소는 조직 세포에서 모세 혈관으로 확산한다. 따라서 조직 세포를 지나온 혈액은 산소 농도는 낮아지고 이산화 탄소 농도는 높아진다.

구분	폐에서의 기체 교환	조직에서의 기체 교환
산소 농도	폐포 > 모세 혈관	모세 혈관 > 조직 세포
이산화 탄소 농도	폐포 < 모세 혈관	모세 혈관 < 조직 세포
기체 교환	폐포 ⇄ 모세 혈관 (산소 →, ← 이산화 탄소)	모세 혈관 ⇄ 조직 세포 (산소 →, ← 이산화 탄소)

학습 내용 Check

정답과 해설 058쪽

1. 사람의 폐는 흉강에 좌우 한 쌍이 있으며, 수많은 ________로 이루어져 있다.
2. 숨을 들이쉴 때는 ________가 올라가고, ________이 내려가면서 흉강 부피가 변한다.
3. 숨을 내쉴 때는 폐의 부피는 ________지고 폐 내부의 압력은 ________진다.
4. 폐와 조직 세포에서 기체 교환이 일어나는 원리는 기체의 농도 차이에 따른 ________이다.
5. 폐포와 모세 혈관 중 산소의 농도는 ________에서 높아서 산소는 ________에서 ________으로 확산한다.
6. 조직 세포와 모세 혈관 중 이산화 탄소의 농도는 ________에서 높아서 이산화 탄소는 ________에서 ________으로 확산한다.

배설

1. 배설계 배설계는 세포의 생명 활동으로 생성된 노폐물을 몸 밖으로 내보내는 데 관여하는 기관들의 모임이다.

2. 노폐물의 생성과 배설

(1) **노폐물의 생성**: 세포의 세포 호흡 과정에서 3대 영양소가 분해되면 에너지 외에 여러 가지 노폐물이 생성된다. 탄수화물, 지방, 단백질이 분해되면 공통적으로 이산화 탄소와 물이 생성되고, 단백질이 분해될 때는 암모니아도 생성된다.

(2) **노폐물의 배설**: 노폐물은 순환계에 의해 폐나 콩팥으로 운반되어 날숨이나 오줌을 통해 몸 밖으로 내보내진다. 대변은 소화관에서 음식물을 소화·흡수하고 남은 찌꺼기를 배출하는 것이므로 배설에 해당하지 않는다.

① 이산화 탄소: 혈액을 통해 폐로 운반된 후 숨을 내쉴 때 몸 밖으로 내보내진다.

② 물: 몸속에서 이용되기도 하지만, 여분의 물은 콩팥에서 걸러져 오줌을 통해 몸 밖으로 내보내진다. 또, 폐에서 날숨 속의 수증기 상태로 몸 밖으로 내보내지기도 한다.

③ 암모니아: 암모니아는 독성이 강한 물질이므로 혈액에 의해 간으로 운반되어 독성이 약한 요소로 바뀐 다음, 콩팥으로 운반되어 물과 함께 오줌으로 내보내진다.

노폐물의 생성과 배설

3. 사람의 배설 기관과 기능 배설 기관은 혈액 속의 노폐물을 걸러 몸 밖으로 내보내는 기관으로 콩팥, 오줌관, 방광, 요도 등이 있다.

(1) **콩팥**: 주먹만 한 크기로 강낭콩 모양이며, 허리 부분에서 등 쪽 양옆에 하나씩 모두 2개가 있다. 콩팥에는 사구체, 보먼주머니, 세뇨관으로 이루어진 네프론이 있어서 혈액 속의 노폐물을 걸러 오줌을 생성한다. 혈액은 콩팥 동맥으로 들어왔다가 콩팥 정맥으로 나간다. 과학 용어 사전 232쪽

(2) **오줌관**: 콩팥에서 만들어진 오줌이 방광으로 이동하는 관으로, 양쪽 콩팥의 콩팥 깔때기에서 하나씩 나와 방광으로 연결된다.

(3) **방광**: 오줌관의 끝에 연결된 근육질 주머니로, 오줌을 저장하는 곳이다.

(4) **요도**: 방광에 모인 오줌이 몸 밖으로 나가는 통로이다.

세포 호흡
세포에서 영양소가 산소와 반응하여 생명 활동에 필요한 에너지를 얻는 과정을 세포 호흡이라고 한다. 세포 호흡에 필요한 영양소가 에너지원이 된다.

노폐물의 생성

영양소	구성 원소	노폐물
탄수화물	탄소(C), 수소(H), 산소(O)	이산화 탄소(CO_2), 물(H_2O)
지방	탄소(C), 수소(H), 산소(O)	이산화 탄소(CO_2), 물(H_2O)
단백질	탄소(C), 수소(H), 산소(O), 질소(N)	이산화 탄소(CO_2), 물(H_2O), 암모니아(NH_3)

단백질은 종류에 따라 다른 원소를 포함하는 것도 있다.

간의 작용
간은 우리 몸의 거대한 화학 공장이라고 불릴 만큼 여러 가지 일을 담당한다. 대표적인 작용으로는 쓸개즙의 생성, 영양소의 저장, 해독 작용, 혈장 단백질 합성 등이 있다. 독성이 강한 암모니아를 독성이 약한 요소로 전환하는 것은 해독 작용의 일종이다.

콩팥과 혈관의 요소 농도
콩팥은 혈액 속의 노폐물을 걸러 오줌을 만드는 작용을 하므로, 혈액의 요소 농도는 콩팥 동맥에서보다 콩팥 정맥에서 더 낮다.

자료 더하기 사람의 배설 기관

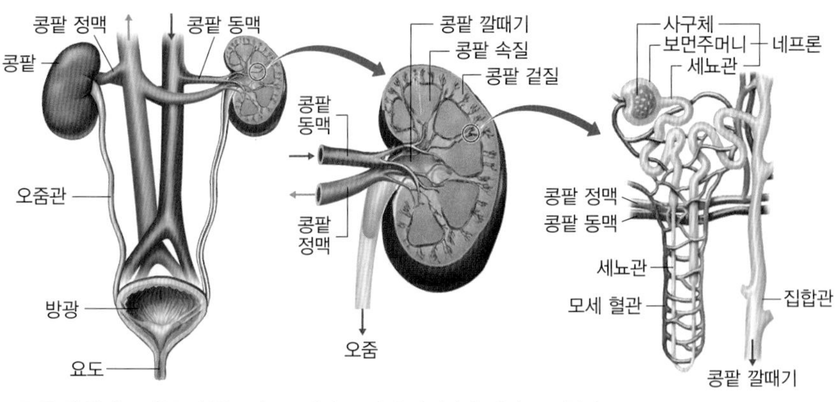

- 오줌을 생성하는 기본 단위는 네프론이며, 콩팥의 겉질과 속질에 분포한다.
- 네프론은 사구체, 보먼주머니, 세뇨관으로 구성된다. 사구체는 둥글게 뭉쳐 있는 모세 혈관 덩어리이며, 보먼주머니는 사구체를 감싸고 있는 주머니이고, 세뇨관은 보먼주머니와 연결된 가늘고 긴 관이다.

콩팥의 구조

콩팥은 콩팥 겉질, 콩팥 속질, 콩팥 깔때기로 구분한다.

콩팥 겉질	사구체와 보먼주머니 및 세뇨관 일부가 분포한다.
콩팥 속질	세뇨관 및 여러 세뇨관이 모여서 이루어진 집합관이 분포한다.
콩팥 깔때기	콩팥 속질 아래의 빈 공간으로, 집합관을 통해 오줌이 들어와 모이는 장소이다.

4. 오줌의 생성

오줌은 네프론에서 여과, 재흡수, 분비의 과정을 거쳐 만들어진다.

(1) 여과: 사구체에서 보먼주머니로 혈액 성분의 일부가 이동하는 현상으로, 분자의 크기가 작은 물질이 여과된다. 여과는 압력 차이에 의해 일어난다. 과학 용어 사전 232쪽

(2) 재흡수: 여과된 물질(여과액)이 세뇨관을 지나는 동안 일부가 세뇨관에서 세뇨관을 둘러싸고 있는 모세 혈관으로 이동하는 현상이다. 포도당과 아미노산은 100 % 재흡수되고, 물과 무기염류는 필요량만큼 재흡수된다.

(3) 분비: 사구체에서 미처 여과되지 못하고 혈액에 남아 있던 노폐물 일부가 모세 혈관에서 세뇨관으로 이동하는 현상이다. - 분비량은 여과량이나 재흡수량에 비해 매우 적다.

사구체에서 여과가 일어나는 원리

사구체의 구조를 보면 사구체로 들어가는 혈관은 굵고 사구체에서 나오는 혈관은 가늘다. 이 때문에 사구체의 혈압이 일반적인 모세 혈관보다 훨씬 높아 여과가 일어난다.

사구체로 들어가는 혈관 / 보먼주머니 / 사구체에서 나오는 혈관 / 사구체

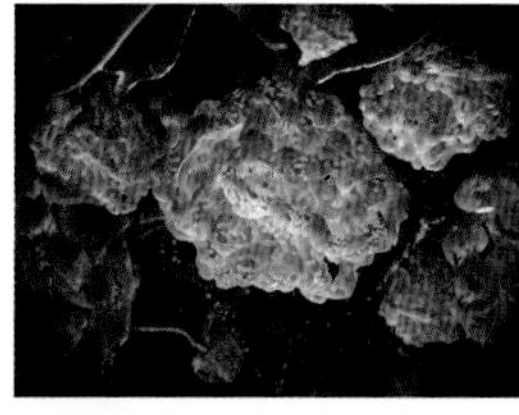

사구체

자료 더하기 오줌 생성 과정

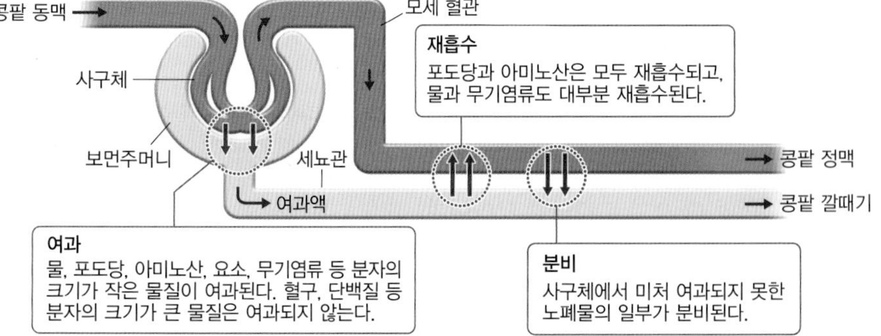

- 여과: 사구체 → 보먼주머니, 분자의 크기가 작은 물, 포도당, 아미노산, 요소, 무기염류 등
- 재흡수: 세뇨관 → 모세 혈관, 포도당, 아미노산, 물, 무기염류 등
- 분비: 모세 혈관 → 세뇨관, 크레아틴과 같은 노폐물
- 혈액의 성분 중 오줌에서 발견되는 성분: 물, 요소, 무기염류 등이 발견된다. 여과되지 않는 물질과 여과된 후 모두 재흡수되는 물질은 오줌에서 발견되지 않는다.

여과액

사구체에서 보먼주머니로 여과된 성분들로 이루어진 용액이다. 여과액에는 혈액의 성분 중 분자의 크기가 큰 혈구, 혈장 단백질 등은 포함되어 있지 않다.

자료 더하기 　혈장, 여과액, 오줌의 성분 비교하기

성분	혈장(%)	여과액(%)	오줌(%)
물	90～93	90～93	94～95
단백질	8.00	0.00	0.00
포도당	0.10	0.10	0.00
아미노산	0.05	0.05	0.00
무기염류	0.90	0.90	0.90～3.60
요소	0.03	0.03	1.80

- 혈장, 여과액, 오줌에서 가장 많은 성분은 물이다.
- 단백질이 혈장에는 있지만 여과액에는 없는 것은 사구체에서 보먼주머니로 여과되지 않기 때문이다.
- 포도당과 아미노산이 여과액에는 있지만 오줌에는 없는 것은 여과된 후 100 % 재흡수되기 때문이다.
- 무기염류는 필요량만큼 재흡수되므로 신체 상태에 따라 오줌에서의 농도가 달라진다.
- 요소의 농도가 여과액에 비해 오줌에서 60배 정도 높은 것은 여과액이 세뇨관을 지나는 동안 물이 많이 재흡수되기 때문이다.

물과 요소의 재흡수와 오줌의 농도
여과액 속의 물은 세뇨관과 집합관을 지나는 동안 99 % 정도 재흡수된다. 그에 따라 세뇨관에서 요소의 농도가 매우 높아지기 때문에 분자의 크기가 작은 요소도 확산에 의해 모세 혈관으로 50 % 정도가 재흡수된다. 그러나 물의 재흡수율에 비해 요소의 재흡수율이 낮으므로 요소의 농도는 여과액에 비해 오줌에서 훨씬 높아진다.

5. 오줌의 배설 경로 　콩팥의 네프론에서 생성된 오줌은 집합관으로 모여 콩팥 깔때기로 이동하고, 오줌관을 지나 방광에 저장되었다가 요도를 통해 몸 밖으로 배출된다.

하루 동안 생성되는 오줌의 양
성인의 경우 하루 동안 콩팥을 거치는 혈액의 양은 1100～2000 L이고, 여과액은 170～180 L이다. 여과액의 대부분은 재흡수되므로 하루 동안 생성되는 오줌의 양은 1.5～1.7 L이다.

6. 배설의 의의

(1) **노폐물의 배출:** 세포의 생명 활동으로 생성되는 이산화 탄소, 물, 암모니아와 같은 노폐물을 몸 밖으로 내보낸다.

(2) **항상성 유지:** 오줌으로 배출되는 물과 무기염류의 양을 조절하여 체액의 농도를 일정하게 유지함으로써 우리 몸의 생명 활동이 원활하게 일어나도록 해 준다. 예를 들어 땀을 많이 흘려 체액의 농도가 높아지면 콩팥에서 재흡수되는 물의 양이 늘어나 체액의 농도를 낮추고, 그 결과 오줌의 양이 감소한다.

항상성
생물은 체내외 환경이 변하더라도 체온이나 체액의 농도 등을 일정하게 유지하는 성질이 있는데, 이를 항상성이라고 한다.

학습 내용 Check

정답과 해설 058쪽

1. 탄수화물, 지방, 단백질이 세포 호흡으로 분해되면 공통적으로 ＿＿＿＿와 물이 생성된다.

2. 단백질이 분해되어 생성된 ＿＿＿＿는 ＿＿＿＿에서 요소로 전환된 후 배설된다.

3. 콩팥에서 오줌을 생성하는 기능적 단위는 ＿＿＿＿으로, 이것은 ＿＿＿＿, 보먼주머니, ＿＿＿＿으로 구성된다.

4. ＿＿＿＿는 사구체의 높은 압력에 의해 혈액 성분 일부가 보먼주머니로 이동하는 현상이다.

5. 여과액의 물질이 세뇨관에서 모세 혈관으로 이동하는 현상은 ＿＿＿＿이고, 모세 혈관 속의 노폐물이 세뇨관으로 이동하는 현상은 ＿＿＿＿이다.

세포 호흡과 기관계의 유기적 작용

1. 세포 호흡과 에너지의 이용

(1) **세포 호흡**: 세포에서 영양소가 산소와 반응하여 생명 활동에 필요한 에너지를 얻는 과정을 세포 호흡이라고 한다. 세포 호흡에 사용되는 영양소는 에너지원인 탄수화물, 지방, 단백질이며, 이들 영양소는 공통적으로 구성 원소 중 탄소(C), 수소(H), 산소(O)가 있으므로 세포 호흡의 결과 이산화 탄소와 물이 생성된다. 과학 용어 사전 232쪽

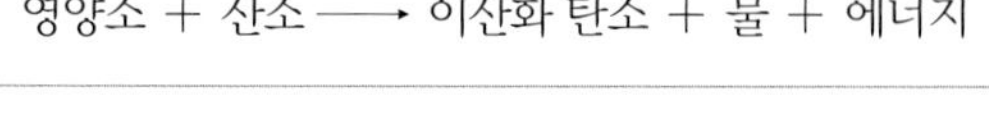

영양소 + 산소 ⟶ 이산화 탄소 + 물 + 에너지

① 세포 호흡 장소: 세포에서 세포 호흡은 주로 미토콘드리아에서 일어난다.

세포 호흡 세포 호흡은 주로 미토콘드리아에서 일어난다. – 세포 호흡 중 일부 과정은 세포질에서 일어난다.

② 세포 호흡의 에너지 효율: 세포 호흡 결과 발생한 에너지의 40 % 정도가 생명 활동에 필요한 에너지 형태로 전환되고, 나머지 60 %는 열로 방출된다.

(2) **에너지의 이용**: 세포 호흡을 통해 얻은 에너지는 열 발생, 생장, 근육 운동, 소리내기, 두뇌 활동 등 여러 가지 생명 활동에 쓰인다.

2. 소화, 순환, 호흡, 배설 기관계의 유기적 작용

우리 몸에서 세포 호흡이 원활하게 일어나기 위해서는 소화계, 순환계, 호흡계, 배설계가 유기적으로 작용해야 한다.

영양소와 산소의 공급	소화계를 통해 흡수된 영양소와 호흡계를 통해 흡수된 산소는 순환계를 통해 몸의 각 부분의 조직 세포에 공급된다.
⬇	
세포 호흡과 노폐물의 생성	조직 세포는 영양소와 산소를 이용하여 세포 호흡을 함으로써 생명 활동에 필요한 에너지를 얻는다. 이 과정에서 이산화 탄소, 물, 암모니아와 같은 노폐물이 생성된다.
⬇	
노폐물의 배출	세포에서 생성된 노폐물은 순환계에 의해 여러 기관으로 운반된다. 이산화 탄소는 호흡계로 운반되어 날숨으로 나가고, 물은 대부분 배설계로 운반되어 오줌을 통해 몸 밖으로 나간다. 암모니아는 간에서 요소로 전환된 후 배설계로 운반되어 물과 함께 오줌으로 배설된다.

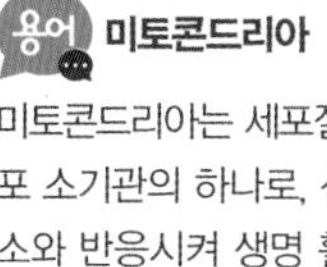
용어 미토콘드리아

미토콘드리아는 세포질에 있는 세포 소기관의 하나로, 산소를 영양소와 반응시켜 생명 활동에 필요한 에너지를 생산한다.

세포 호흡과 연소의 비교

연소는 물질이 산소와 결합하면서 빛이나 열을 내는 화학 반응이다. 석탄이나 석유 같은 연료를 연소시키면 이산화 탄소와 물이 생성되면서 에너지가 발생한다는 점에서 세포 호흡과 유사한 점이 있다. 그러나 연소는 높은 온도에서 격렬하게 반응이 일어나 에너지가 한꺼번에 방출되지만, 세포 호흡은 체온 정도의 낮은 온도에서 반응이 단계적으로 일어나 에너지가 소량씩 방출된다는 차이가 있다.

자료 더하기 세포 호흡과 기관계의 유기적 작용

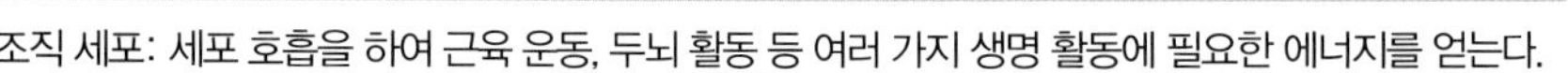

- 조직 세포: 세포 호흡을 하여 근육 운동, 두뇌 활동 등 여러 가지 생명 활동에 필요한 에너지를 얻는다.
- 영양소의 흡수와 이동: 음식물 → 소화계(소장) → 순환계 → 조직 세포
- 산소의 흡수와 이동: 공기 → 호흡계(폐) → 순환계 → 조직 세포
- 이산화 탄소의 이동과 배출: 조직 세포(세포 호흡) → 순환계 → 호흡계(폐) → 날숨
- 질소 노폐물의 이동과 배출: 조직 세포(암모니아) → 순환계 → 간(암모니아 → 요소) → 순환계 → 배설계(콩팥) → 오줌
- 순환계: 조직 세포와 각 기관계로 영양소, 산소, 노폐물과 같은 물질을 운반함으로써 서로 떨어져 있는 여러 기관계의 작용이 원활하게 일어날 수 있게 한다.

소화, 순환, 호흡, 배설의 관계

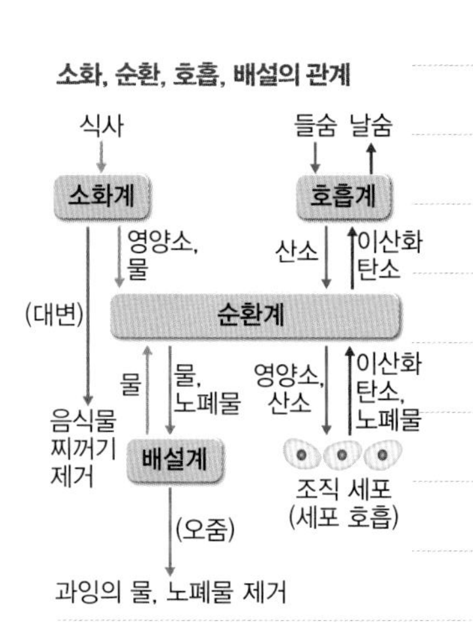

용어 질소 노폐물

암모니아, 요소와 같이 질소를 포함하고 있는 노폐물을 질소 노폐물이라고 한다. 질소 노폐물은 주로 오줌으로 배설된다.

학습 내용 Check

정답과 해설 058쪽

1. 세포에서 영양소와 산소를 반응시켜 생명 활동에 필요한 에너지를 얻는 과정을 ________이라고 한다.

2. 탄수화물, 단백질, 지방이 세포 호흡에 사용되면 에너지와 함께 공통적으로 ________와 ________이 생성된다.

3. 세포 호흡에 필요한 영양소는 ________계의 작용으로 흡수되고, 산소는 ________계의 작용으로 흡수된다.

4. 세포 호흡으로 발생한 질소 노폐물은 ________계를 통해 몸 밖으로 나간다.

5. ________계는 조직 세포와 각 기관계로 영양소, 산소, 노폐물과 같은 물질을 운반함으로써 서로 떨어져 있는 여러 기관계의 작용이 원활하게 일어날 수 있게 한다.

탐구 호흡 운동의 원리 알아보기

호흡 운동 모형을 이용하여 호흡 운동의 원리를 설명할 수 있다.

과정

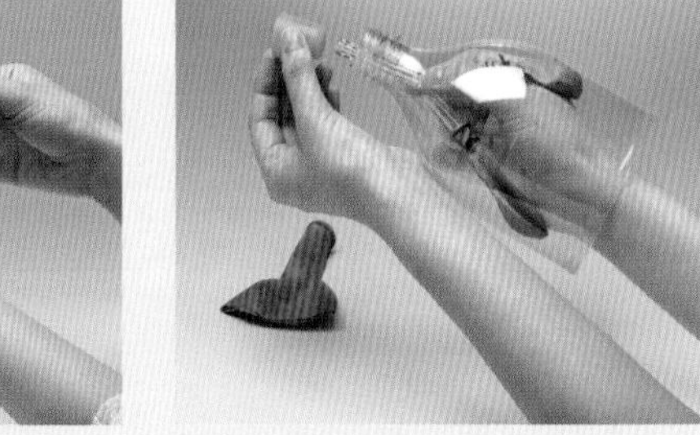

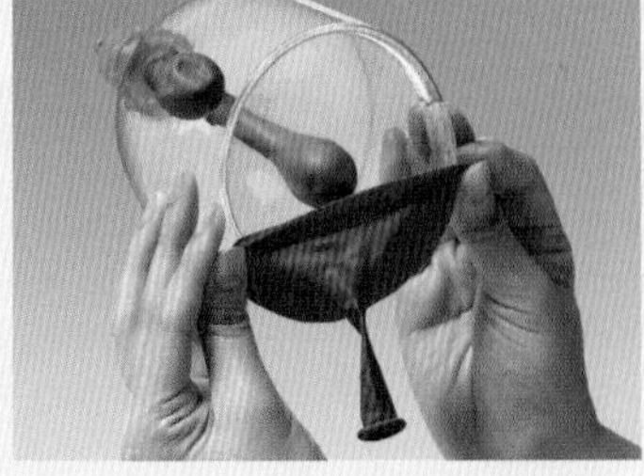

❶ 페트병의 중간 부분을 자르고, Y자 유리관에 작은 고무풍선을 각각 매단다.

❷ Y자 유리관을 페트병 입구를 통과시켜 구멍 뚫린 실리콘 마개로 고정한다.

❸ 큰 고무풍선을 잘라 페트병의 잘린 부분에 씌워서 고무 막을 만든다.

❹ 고무 막을 아래로 잡아당겼다 밀어 올리기를 반복하면서 작은 고무풍선의 변화를 관찰한다.

결과 및 정리

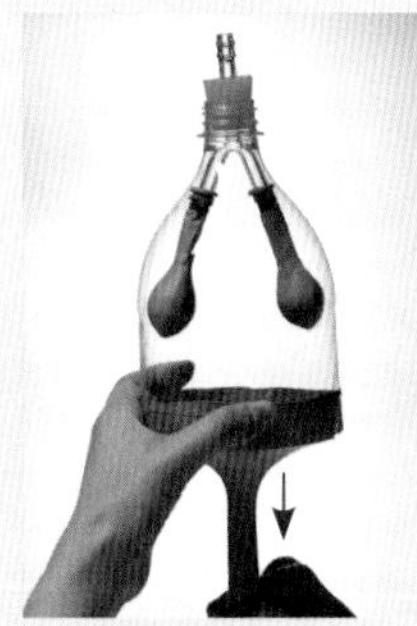

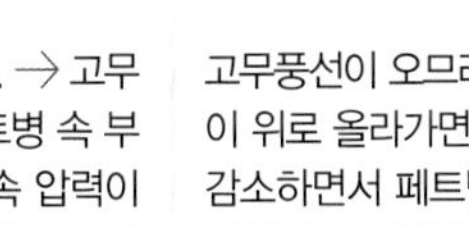

고무 막을 아래로 잡아당겼을 때	고무 막을 위로 밀어 올렸을 때
고무풍선이 부풀어 오른다. → 고무 막이 아래로 내려가면 페트병 속 부피가 증가하면서 페트병 속 압력이 낮아져 Y자 유리관을 통해 공기가 외부에서 고무풍선 안으로 들어오기 때문이다.	고무풍선이 오므라든다. → 고무 막이 위로 올라가면 페트병 속 부피가 감소하면서 페트병 속 압력이 높아져 Y자 유리관을 통해 공기가 고무풍선에서 외부로 빠져나가기 때문이다.

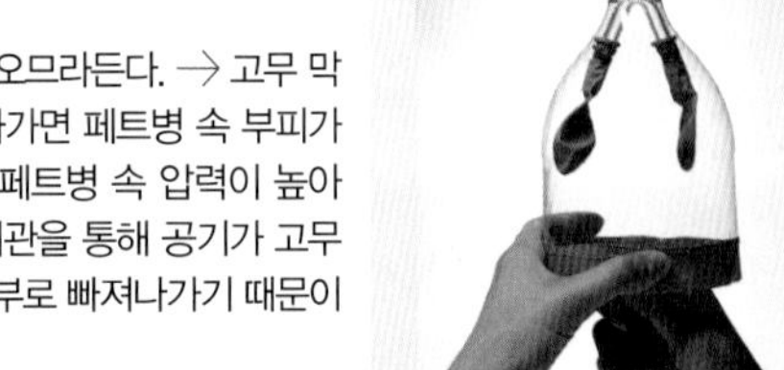

1 Y자 유리관은 기관과 기관지, 고무풍선은 폐, 페트병 속은 흉강, 고무 막은 횡격막에 해당한다.

2 고무 막을 아래로 잡아당기는 것은 횡격막이 아래로 내려가면서 공기가 폐 속으로 들어오는 들숨(흡기)에 해당한다.

3 고무 막을 밀어 올리는 것은 횡격막이 위로 올라가면서 폐에서 외부로 공기가 배출되는 날숨(호기)에 해당한다.

탐구 확인 문제

정답과 해설 058쪽

1 오른쪽 그림은 호흡 운동 모형을 나타낸 것이다. 이에 대한 설명으로 옳지 <u>않은</u> 것은?

A
B
C

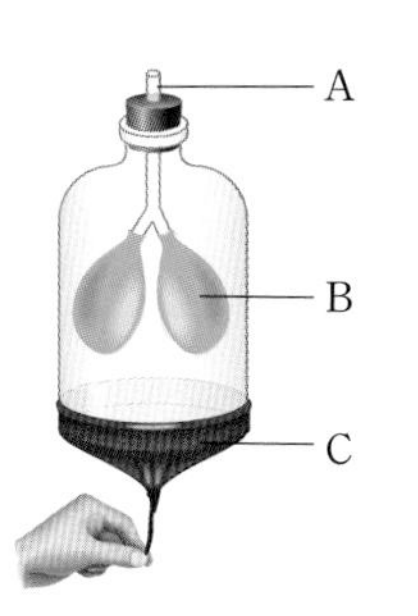

① A는 기관에 해당한다.
② B는 폐에 해당한다.
③ C는 횡격막에 해당한다.
④ C를 아래로 잡아당기면 페트병 속 압력이 증가한다.
⑤ C를 아래로 당겼다가 놓으면 B의 부피가 커졌다가 작아진다.

2 적용 우리 몸에서 날숨이 일어날 때 폐 속의 공기가 밖으로 나가게 되는 원리를 다음 용어를 포함하여 설명하시오.

폐	기관
흉강	횡격막

호흡 운동의 원리

폐는 근육이 없어 스스로 운동할 수 없으므로 갈비뼈와 횡격막의 움직임으로 호흡 운동이 일어난다. 기체의 부피와 압력의 관계를 이해하고 그에 따른 기체의 이동으로 호흡 운동이 일어나는 원리를 깊이 있게 알아보자.

① 호흡 운동

호흡 운동은 갈비뼈와 횡격막의 상하 운동으로 일어난다. 갈비뼈는 늑간근 즉, 갈비뼈와 갈비뼈 사이 근육의 수축과 이완에 따라 움직이는데, 늑간근은 서로 반대되는 역할을 하는 외늑간근과 내늑간근으로 구분된다. 외늑간근이 수축하면 갈비뼈가 위로 올라가고, 내늑간근이 수축하면 갈비뼈가 아래로 내려간다. 횡격막은 그 자체가 근육으로 된 막으로, 수축하면 아래로 내려가고 이완하면 위로 올라간다.

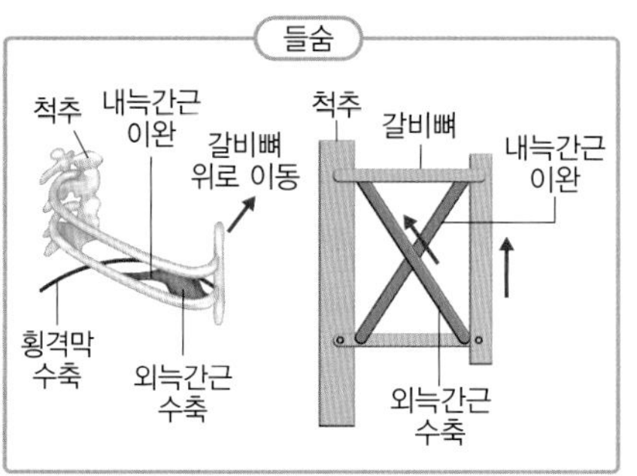

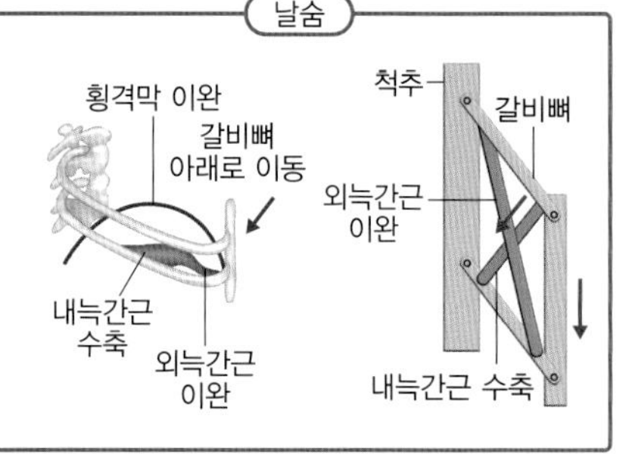

② 흉강과 폐포의 압력 변화

공기 중의 대기압은 1기압 즉 760 mmHg인데, 숨을 들이쉬거나 내쉴 때 흉강의 압력은 항상 대기압보다 낮다.

호흡 운동으로 갈비뼈가 올라가고 횡격막이 내려가서 흉강 부피가 증가하면 흉강의 압력은 더욱 낮아진다. 폐를 둘러싼 흉강의 압력이 낮아짐에 따라 폐가 확장하면서 부피가 커지면 폐 내부 압력이 대기압보다 낮아져서 공기가 폐 속으로 들어온다. 폐 속으로 들어온 공기 때문에 폐 내부의 압력은 다시 증가하여 대기압과 같아지는데, 이때까지 폐의 부피가 증가한다. 한편, 갈비뼈가 내려가고 횡격막이 올라가면 흉강의 부피가 감소하여 흉강 압력이 높아진다. 그에 따라 폐의 부피가 감소하여 폐 내부 압력이 대기압보다 높아지면 폐 속의 공기가 외부로 나간다. 폐에서 공기가 빠져나감에 따라 폐 내부 압력은 다시 낮아져서 대기압과 같아지는데, 이때까지 폐의 부피가 감소한다.

그림에서 0~2초에 폐 내부 압력이 대기압보다 낮아 폐 속으로 공기가 들어오는 들숨이 일어나고, 2초일 때 폐의 부피가 최대가 된다. 2~4초에는 폐 내부 압력이 대기압보다 높아 폐 속의 공기가 빠져나가는 날숨이 일어나고, 4초일 때 폐의 부피가 최소가 된다.

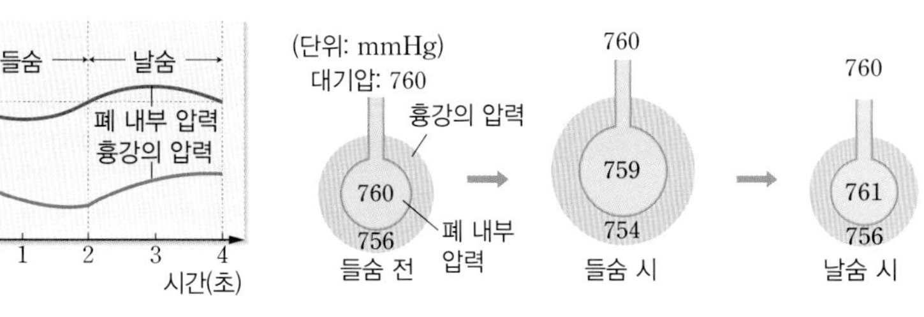

콩팥 질병과 인공 콩팥

콩팥이 정상적인 기능을 하지 못하면 몸속에 노폐물이 쌓이고 여분의 물과 염분이 배출되지 않아 몸이 붓고 혈압이 높아지며 쉽게 피로해진다. 콩팥이 제 기능을 상실한 경우에는 인공 콩팥으로 투석을 하기도 한다. 콩팥 질병에는 어떤 것이 있으며, 인공 콩팥의 원리는 무엇인지 알아보자.

1 콩팥 질병

콩팥의 특정한 부위에 선천적 결함이 있거나 세균에 감염되었을 때, 심한 충격이나 과다 출혈이 있을 때 콩팥 질병이 발생하기 쉽다. 그리고 간염이나 당뇨, 고혈압, 장기적인 약물 복용 등은 콩팥 질병을 유발할 확률을 높인다. 콩팥 질병에 걸리면 그림과 같은 증상이 나타난다. 또, 갈비뼈 아래 부위에 통증을 느끼기도 하며, 사구체에 염증이 생기면 혈구와 단백질이 여과되어 오줌으로 배출되므로 단백뇨 또는 혈뇨 등의 증상이 나타난다. 콩팥이 노폐물을 거르는 기능을 상실한 콩팥 기능 상실증은 급성인 경우에는 원인 질환이 나으면 곧 회복되지만, 만성인 경우 인공 콩팥 투석이나 복막 투석을 해야 하며, 근본적으로 치료하기 위해서는 콩팥 이식을 받아야 한다.

① 배뇨 시 통증을 느낀다. ② 특히 밤에 화장실을 자주 간다. ③ 손발이 붓는다. ④ 혈압이 높다.

2 인공 콩팥

콩팥 기능 상실증 환자의 콩팥 기능을 대신해 주는 장치가 인공 콩팥이다. 그림과 같이 동맥에 연결된 관을 통해 인공 콩팥으로 혈액이 들어오면 노폐물과 여분의 물, 무기염류를 거른 후 혈액을 환자의 정맥으로 되돌려 보낸다. 인공 콩팥에서 노폐물이 걸러지는 원리는 반투과성 막을 통한 물질의 확산이다. 따라서 반투과성 막을 통과할 수 있는 포도당, 무기염류 등의 영양소는 투석액에 일정 농도로 포함시켜 주어야 혈액에서 노폐물과 함께 제거되는 것을 막을 수 있다. 인공 콩팥을 이용한 투석은 일주일에 3회 정도 필요하고 1회에 4시간 정도가 걸리며, 사람의 콩팥에 비해 그 기능이 떨어지므로 근본적인 치료법은 아니다.

중단원 핵심 정리

1 호흡

① **호흡계**: 코, 기관, 폐 등의 기관이 있으며, 폐는 **폐포**로 구성되어 **표면적이 넓다.**

② 호흡 운동

- **들숨**: 갈비뼈 상승, 횡격막 하강 → 흉강 부피 증가, 압력 하강 → 공기 들어옴
- **날숨**: 갈비뼈 하강, 횡격막 상승 → 흉강 부피 감소, 압력 상승 → 공기 나감
- **기체 교환**: 기체의 농도 차이에 따른 확산으로 일어난다.

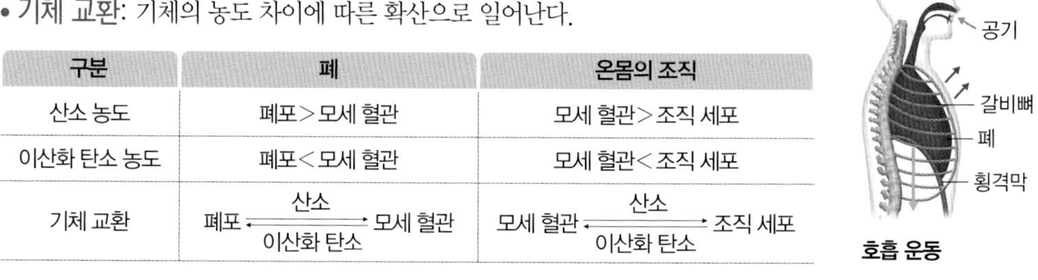

구분	폐	온몸의 조직
산소 농도	폐포 > 모세 혈관	모세 혈관 > 조직 세포
이산화 탄소 농도	폐포 < 모세 혈관	모세 혈관 < 조직 세포
기체 교환	폐포 ⇄ 모세 혈관 (산소 →, ← 이산화 탄소)	모세 혈관 ⇄ 조직 세포 (산소 →, ← 이산화 탄소)

들숨 날숨
공기
갈비뼈
폐
횡격막

호흡 운동

2 배설

- 배설계: 노폐물을 몸 밖으로 배출하는 데 관여하는 기관들의 모임으로, 콩팥, 오줌관, 방광 등의 기관이 있다.
- 노폐물의 생성과 배설

탄수화물, 지방 → 이산화 탄소, 물
단백질 → 이산화 탄소, 물, 암모니아 → 간 → 요소 → 콩팥 → 오줌
이산화 탄소 → 폐 → 날숨
물 → 폐, 콩팥

- **오줌의 생성**: 콩팥의 네프론(사구체＋보먼주머니＋세뇨관)에서 **여과, 재흡수, 분비** 과정을 거쳐 오줌이 생성된다.

콩팥 동맥, 사구체, 보먼주머니, 세뇨관, 여과액, 모세 혈관, 콩팥 정맥, 콩팥 깔때기

재흡수: 포도당과 아미노산은 100 %, 물과 무기염류는 대부분

여과: 물, 포도당, 요소, 무기염류 등 분자의 크기가 작은 물질이 여과된다.

분비: 미처 여과되지 못한 노폐물 일부

3 세포 호흡과 기관계의 유기적 작용

- **세포 호흡**: 조직 세포에서 산소를 이용해 영양소를 분해하여 생명 활동에 필요한 **에너지**를 얻는 과정
- **기관계의 유기적 작용**: 소화계, 순환계, 호흡계, 배설계가 유기적으로 작용해야 세포 호흡이 원활하게 일어난다. 세포 호흡에 필요한 영양소는 소화계에서, 산소는 호흡계에서 흡수한다. 세포 호흡으로 생성된 물, 이산화 탄소, 요소 등 노폐물은 호흡계와 배설계를 통해 제거된다.

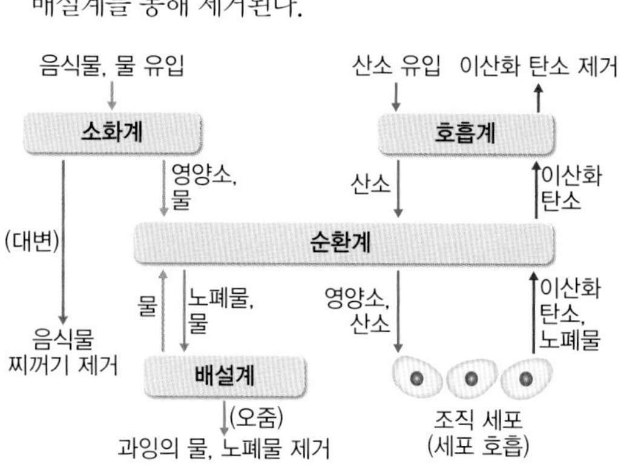

음식물, 물 유입 → 소화계 → (영양소, 물) → 순환계; 소화계 → (대변) 음식물 찌꺼기 제거
산소 유입 → 호흡계 → (산소) → 순환계; 순환계 → (이산화 탄소) → 호흡계 → 이산화 탄소 제거
순환계 ⇄ 배설계 (노폐물, 물 / 물); 배설계 → (오줌) 과잉의 물, 노폐물 제거
순환계 → (영양소, 산소) → 조직 세포 (세포 호흡) → (이산화 탄소, 노폐물) → 순환계

개념 확인 문제

03. 호흡과 배설

01 사람의 호흡 기관에 대한 설명으로 옳지 않은 것은?

① 폐는 많은 수의 폐포로 이루어져 있다.
② 폐는 근육으로 되어 있어 호흡 운동을 할 수 있다.
③ 폐는 갈비뼈와 횡격막으로 둘러싸인 흉강 속에 있다.
④ 코를 통해 들어온 공기는 기관을 거쳐 폐로 들어간다.
⑤ 기관 안쪽의 점액과 섬모는 공기 속의 먼지와 세균을 거른다.

[02~03] 그림은 사람의 호흡 기관을 나타낸 것이다.

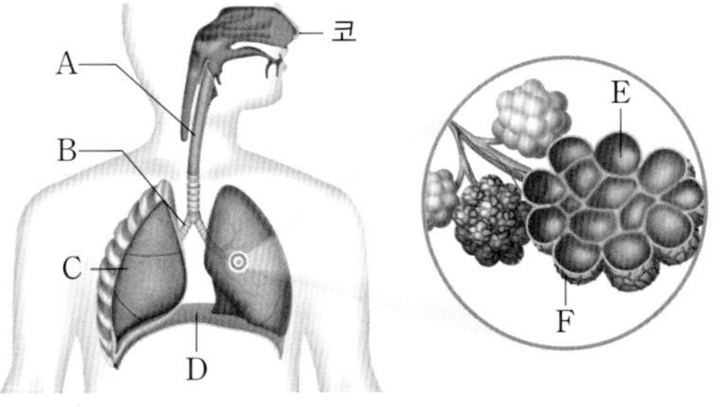

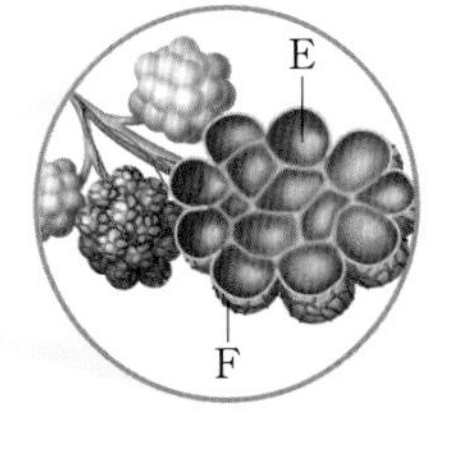

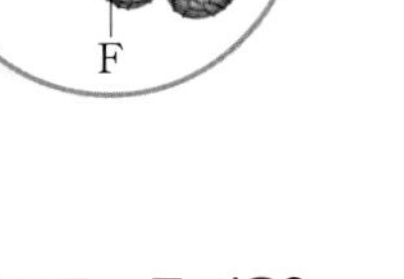

02 (중요) 이에 대한 설명으로 옳은 것을 보기에서 모두 고른 것은?

보기
ㄱ. A와 B의 내벽에는 점액과 섬모가 있다.
ㄴ. C와 D는 근육으로 이루어져 있다.
ㄷ. E는 폐포이고, F는 모세 혈관이다.

① ㄱ ② ㄴ ③ ㄱ, ㄴ
④ ㄱ, ㄷ ⑤ ㄴ, ㄷ

03 E와 F에 대한 설명으로 옳지 않은 것은?

① 모든 E는 F가 감싸고 있다.
② 산소는 E에서 F로 이동한다.
③ 이산화 탄소 농도는 F보다 E에서 높다.
④ E와 F는 둘 다 한 층의 세포로 이루어져 있다.
⑤ E와 F 사이에서 확산에 의해 기체가 이동한다.

[04~05] 그림은 호흡 운동 모형을 나타낸 것이다.

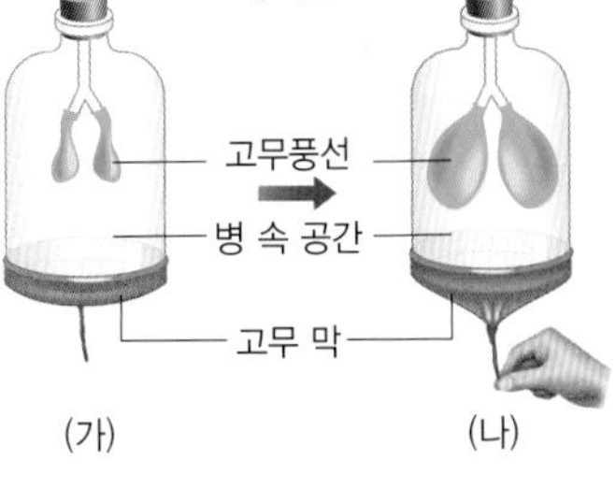

04 그림의 고무풍선과 고무 막에 해당하는 사람의 호흡 기관을 쓰시오.

05 (중요) 위 그림에서 고무 막을 아래로 잡아당겨 (가)에서 (나)로 될 때, 우리 몸에서 일어나는 변화를 설명한 것으로 옳은 것을 보기에서 모두 고른 것은?

보기
ㄱ. 흉강의 부피가 증가한다.
ㄴ. 횡격막이 아래로 내려간다.
ㄷ. 폐 속의 공기가 몸 밖으로 배출된다.

① ㄱ ② ㄴ ③ ㄱ, ㄴ
④ ㄴ, ㄷ ⑤ ㄱ, ㄴ, ㄷ

06 오른쪽 그림은 모세 혈관과 조직 세포 사이의 물질 교환을 나타낸 것이다. 주로 A 방향으로 이동하는 물질을 보기에서 모두 고르시오.

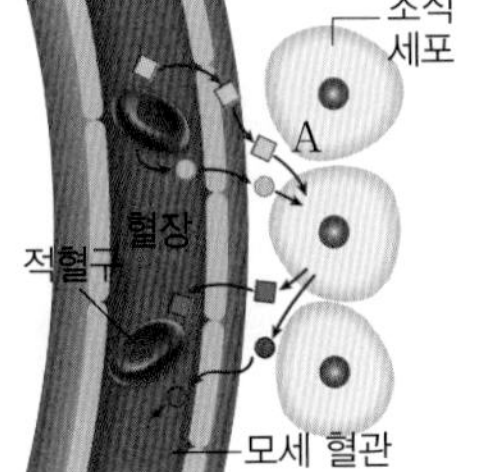

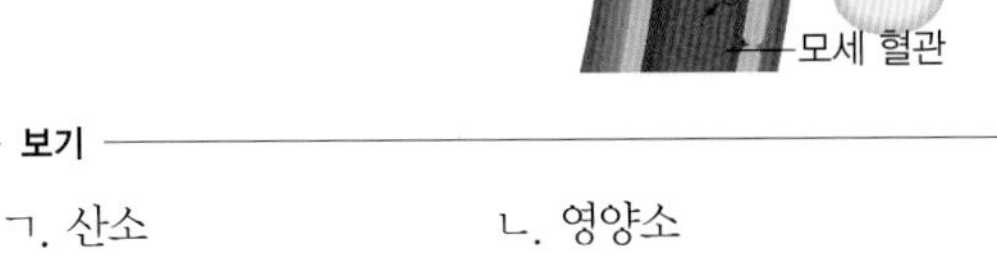

보기
ㄱ. 산소 ㄴ. 영양소
ㄷ. 질소 노폐물 ㄹ. 이산화 탄소

07 오른쪽 그림은 들숨이 일어났을 때의 모습을 나타낸 것이다. 이 사람이 숨을 내쉴 때의 변화를 설명한 것으로 옳은 것은?

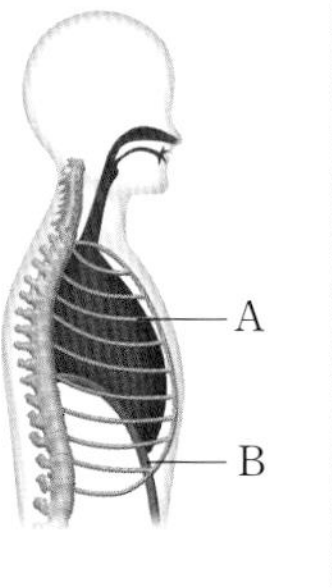

① A는 위로 올라간다.
② B는 아래로 내려간다.
③ 흉강 부피는 증가한다.
④ 폐의 전체 부피는 증가한다.
⑤ 폐 내부 압력은 대기압보다 높아진다.

08 그림은 사람의 1회 호흡 동안 폐의 부피 변화를 나타낸 것이다.

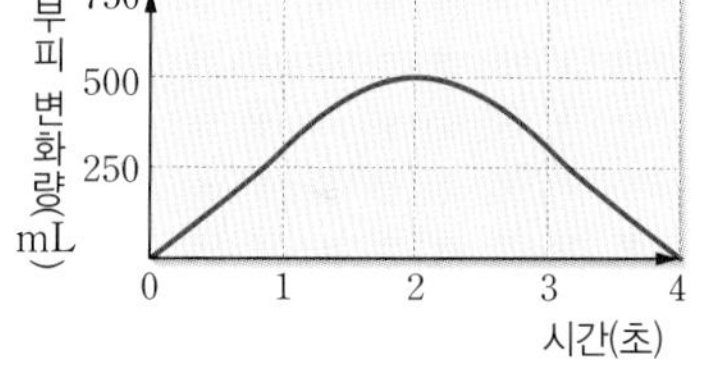

이에 대한 설명으로 옳은 것을 보기에서 모두 고른 것은?

보기
ㄱ. 2초에 횡격막은 최대로 내려가 있다.
ㄴ. 1회 호흡 시 들숨의 양은 500 mL이다.
ㄷ. 2~4초에 폐포 내 압력은 대기압보다 높다.

① ㄱ ② ㄴ ③ ㄱ, ㄷ
④ ㄴ, ㄷ ⑤ ㄱ, ㄴ, ㄷ

09 중요 들숨과 날숨이 일어날 때 나타나는 변화를 옳게 나타낸 것은?

		들숨	날숨
①	갈비뼈	내려감	올라감
②	횡격막	올라감	내려감
③	흉강 부피	작아짐	커짐
④	흉강 압력	낮아짐	높아짐
⑤	폐 내부 압력	높아짐	낮아짐

10 초록색 BTB 용액이 들어 있는 2개의 비커 중 A에는 공기 펌프로 공기를, B에는 날숨을 불어 넣었다.

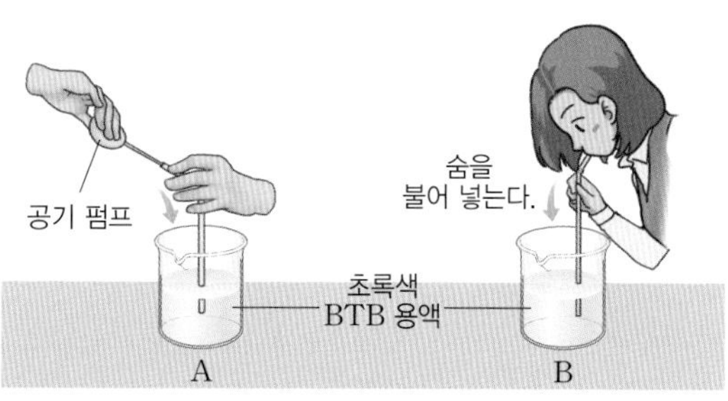

A와 B의 BTB 용액의 색깔은 어떻게 될 것인지 쓰시오.

[11~12] 그림은 폐와 조직에서 일어나는 기체 교환을 나타낸 것이다. 단, A~D는 산소와 이산화 탄소 중 하나이다.

폐포 / 조직 세포 / A / B / C / D / 모세 혈관 / (가) / (나)

11 A~D에 해당하는 기체를 각각 쓰시오.

12 위 그림에 대한 설명으로 옳은 것을 보기에서 모두 고른 것은?

보기
ㄱ. (가)와 (나)에서 기체가 이동하는 원리는 같다.
ㄴ. A는 적혈구에 의해 조직 세포로 운반된다.
ㄷ. D의 농도는 주변 모세 혈관에 흐르는 혈액에서보다 조직 세포에서 높다.

① ㄱ ② ㄴ ③ ㄱ, ㄴ
④ ㄴ, ㄷ ⑤ ㄱ, ㄴ, ㄷ

개념 확인 문제

13 **배설의 뜻을 설명한 것으로 가장 적합한 것은?**

① 산소와 이산화 탄소를 교환한다.
② 체온이 올라가면 땀 분비량이 증가한다.
③ 영양소를 체내로 흡수하고 남은 찌꺼기를 버린다.
④ 생명 활동에 필요한 영양소를 분해하여 흡수한다.
⑤ 생명 활동으로 생성된 노폐물을 몸 밖으로 내보낸다.

14 **탄수화물, 지방, 단백질이 생명 활동에 필요한 에너지를 생성하는 데 사용되었을 때 공통적으로 생성되는 노폐물을 모두 고르시오.**

보기
ㄱ. 물　　ㄴ. 산소　　ㄷ. 요소
ㄹ. 암모니아　　ㅁ. 이산화 탄소

15 (중요) **그림은 노폐물의 생성과 배설 과정을 나타낸 것이다. A와 B는 물질이고, ㉠은 기관이다.**

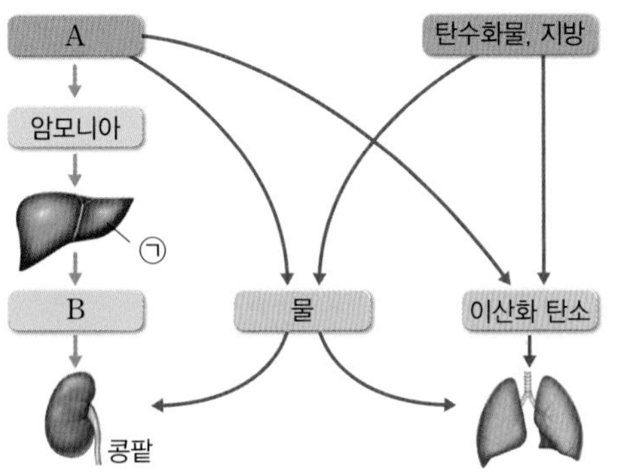

이에 대한 설명으로 옳지 않은 것은?

① A는 단백질이다.
② ㉠은 쓸개즙을 생성하는 기관이다.
③ B는 질소를 포함하는 물질이다.
④ B는 주로 오줌으로 배설된다.
⑤ A의 분해 산물은 배설계를 통해서만 몸 밖으로 나간다.

16 (중요) **그림은 사람의 배설 기관을 나타낸 것이다.**

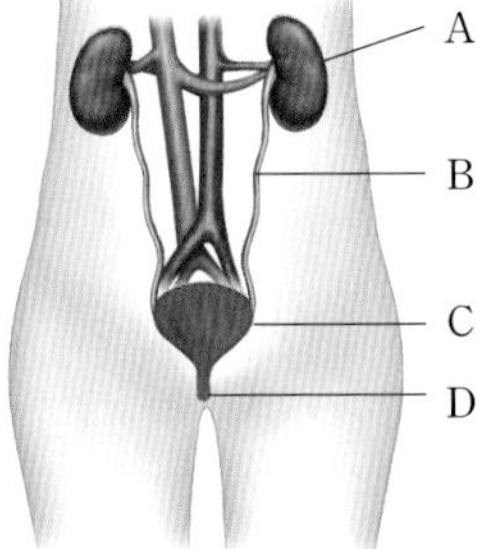

이에 대한 설명으로 옳은 것을 보기에서 모두 고른 것은?

보기
ㄱ. A에서 오줌이 생성된다.
ㄴ. B는 오줌이 이동하는 세뇨관이다.
ㄷ. D는 C에 저장된 오줌이 몸 밖으로 나가는 오줌관이다.

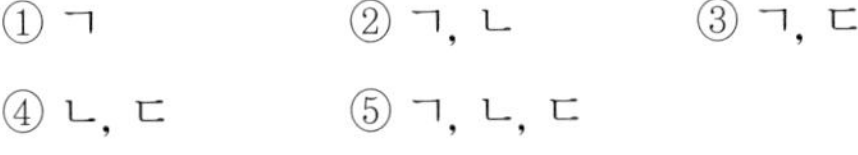
① ㄱ　② ㄱ, ㄴ　③ ㄱ, ㄷ
④ ㄴ, ㄷ　⑤ ㄱ, ㄴ, ㄷ

17 **그림은 콩팥의 구조 일부를 확대한 것이다.**

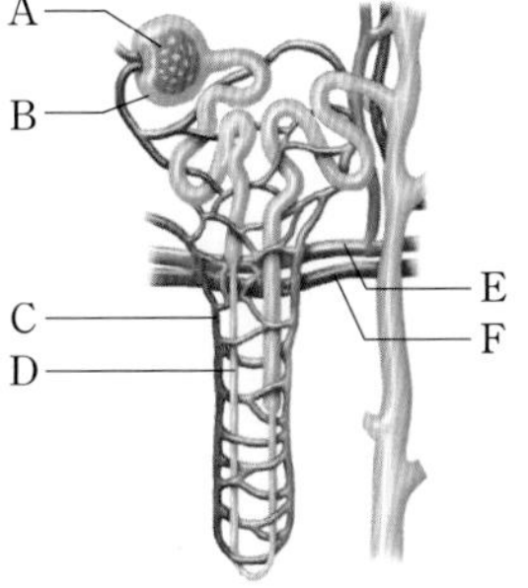

(1) 오줌을 생성하는 기본 단위(가)를 무엇이라고 하는지 쓰시오.

(2) (가)를 구성하는 부분의 기호를 모두 쓰시오.

[18~19] 그림은 사람의 콩팥에서 일어나는 오줌 생성 과정을 나타낸 것이다.

18 **A~C의 물질 이동을 무엇이라고 하는지 쓰시오.**

19 **위 그림에 대한 설명으로 옳은 것을 보기에서 모두 고른 것은?**

보기
ㄱ. 물의 이동량은 A보다 B가 많다.
ㄴ. 포도당의 이동은 A, B, C 모두 일어난다.
ㄷ. 생성된 오줌은 (가)를 통해 이동한다.

① ㄱ ② ㄷ ③ ㄱ, ㄴ
④ ㄴ, ㄷ ⑤ ㄱ, ㄴ, ㄷ

20 **표는 정상인의 혈장, 여과액, 오줌에 들어 있는 세 가지 성분 A~C의 농도를 나타낸 것이다.**

(단위: g/100 mL)

성분	혈장	여과액	오줌
A	0.10	0.10	0.00
B	8.00	0.00	0.00
C	0.03	0.03	2.00

이에 대한 설명으로 옳은 것은?
① A는 사구체에서 보먼주머니로 여과되지 않는다.
② A는 여과된 후 세뇨관에서 모세 혈관으로 모두 재흡수된다.
③ B는 일부가 여과되어 오줌으로 배설된다.
④ B는 세뇨관에서 모세 혈관으로 100 % 재흡수된다.
⑤ C는 여과되지 않고 분비가 많이 일어난다.

21 **그림은 사람의 조직 세포에서 일어나는 세포 호흡 과정을 나타낸 것이다.**

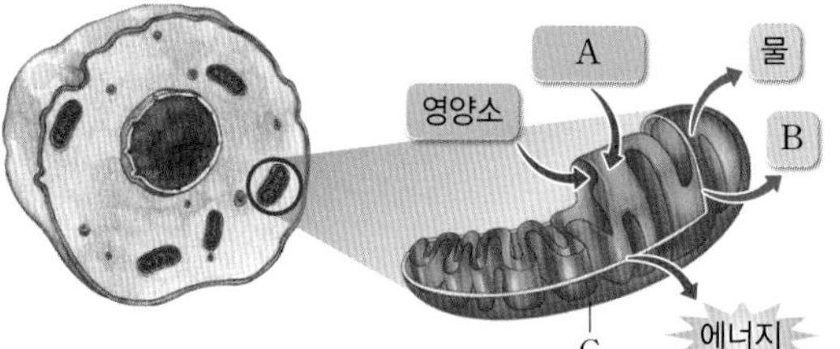

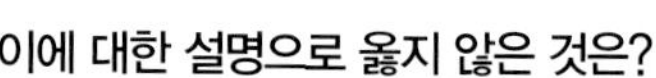

이에 대한 설명으로 옳지 않은 것은?
① A는 이산화 탄소, B는 산소이다.
② C는 미토콘드리아이다.
③ 영양소의 소화와 흡수에는 소화계가 관여한다.
④ A와 B는 호흡계를 통해 흡수되거나 방출된다.
⑤ A와 B 및 영양소의 운반에는 순환계가 관여한다.

[22~23] 그림은 여러 기관계의 유기적 작용으로 물질의 흡수, 이동, 배출이 일어나는 것을 나타낸 것이다. (가)~(라)는 소화계, 배설계, 순환계, 호흡계 중 하나이다.

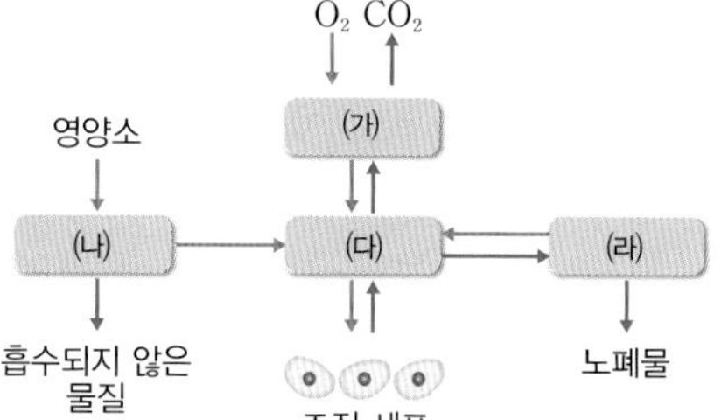

22 **(가)~(라)는 각각 어떤 기관계인지 쓰시오.**

23 **(가)~(라)에 속하는 기관들을 옳게 짝 지은 것은?**

	(가)	(나)	(다)	(라)
①	폐	위	심장	콩팥
②	폐	심장	콩팥	위
③	위	폐	심장	콩팥
④	위	콩팥	심장	폐
⑤	심장	콩팥	위	심장

실력 강화 문제

03. 호흡과 배설

01 그림은 1회 호흡 시 폐포 내 압력의 변화를 대기압과 비교하여 나타낸 것이다. (단, 폐포 내 압력이 대기압보다 높으면 +, 낮으면 −로 나타냈다.)

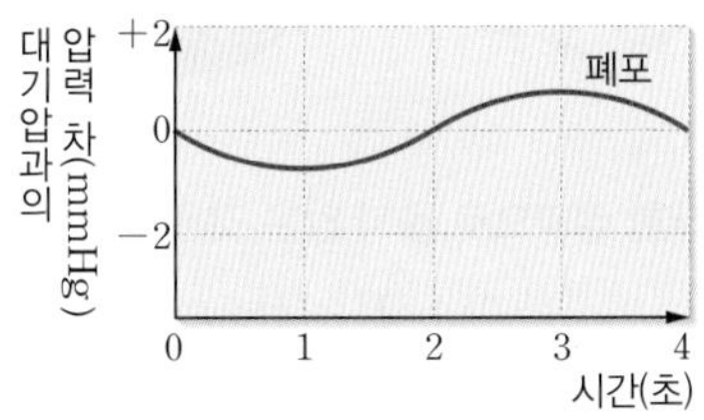

이에 대한 설명으로 옳은 것을 보기에서 모두 고른 것은?

보기
ㄱ. 0~1초에 횡격막이 위로 올라간다.
ㄴ. 폐의 부피는 2초일 때 최대이다.
ㄷ. 3~4초에 흉강의 부피는 증가한다.

① ㄱ ② ㄴ ③ ㄱ, ㄴ
④ ㄱ, ㄷ ⑤ ㄴ, ㄷ

02 그림은 폐포에서 일어나는 기체 교환을 나타낸 것이다. 이에 대한 설명으로 옳은 것을 보기에서 모두 고른 것은?

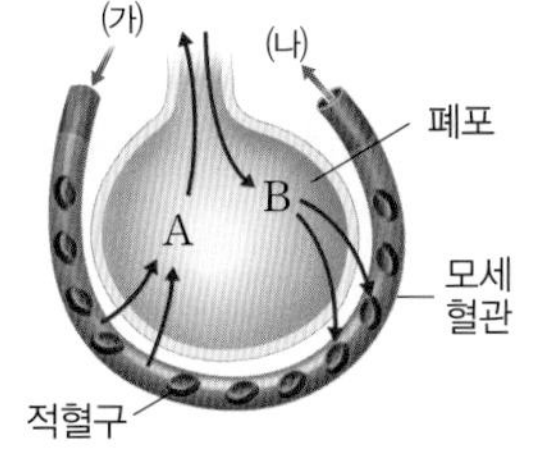

보기
ㄱ. (가)는 폐동맥에, (나)는 폐정맥에 연결된다.
ㄴ. A는 산소이고, B는 이산화 탄소이다.
ㄷ. 혈액의 산소 농도는 (가)보다 (나)에서 높다.

① ㄱ ② ㄷ ③ ㄱ, ㄴ
④ ㄱ, ㄷ ⑤ ㄴ, ㄷ

03 다음의 반응식은 세포 호흡 과정을 나타낸 것이고, 표는 들숨과 날숨의 성분을 비교한 것이다.

영양소+(가) ⟶ (나)+물+에너지

(단위: %)

기체	A	B	C	수증기
들숨	78.63	20.84	0.03	0.50
날숨	74.50	15.70	3.60	6.20

이에 대한 설명으로 옳은 것을 보기에서 모두 고른 것은?

보기
ㄱ. (가)는 A이고, (나)는 B이다.
ㄴ. C는 모세 혈관에서 폐포 쪽으로 확산되었다.
ㄷ. 세포 호흡으로 생성된 물의 일부는 날숨을 통해 배출되므로 들숨보다 날숨의 수증기 양이 많다.

① ㄱ ② ㄷ ③ ㄱ, ㄴ
④ ㄱ, ㄷ ⑤ ㄴ, ㄷ

04 그림 (가)는 모세 혈관과 조직 세포 사이의 기체 교환을, (나)는 ㉠와 ㉡ 지점에서 기체 A, B의 상대적인 양을 나타낸 것이다. 단, A와 B는 산소와 이산화 탄소 중 하나이다.

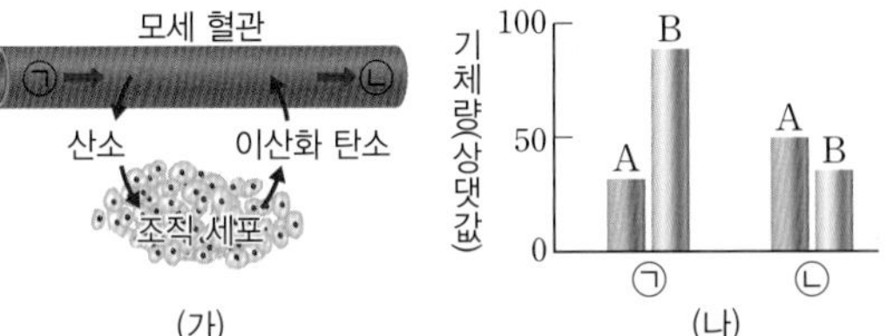

이에 대한 설명으로 옳은 것을 보기에서 모두 고른 것은?

보기
ㄱ. ㉠에서 ㉡으로 갈수록 증가하는 A는 산소이다.
ㄴ. 혈액과 조직 세포 사이의 이동량은 B가 A보다 많다.
ㄷ. 조직 세포의 세포 호흡이 활발해지면 ㉡에서 A의 양이 증가한다.

① ㄱ ② ㄷ ③ ㄱ, ㄴ
④ ㄴ, ㄷ ⑤ ㄱ, ㄴ, ㄷ

05 그림은 사람의 배설 기관을 나타낸 것이다.

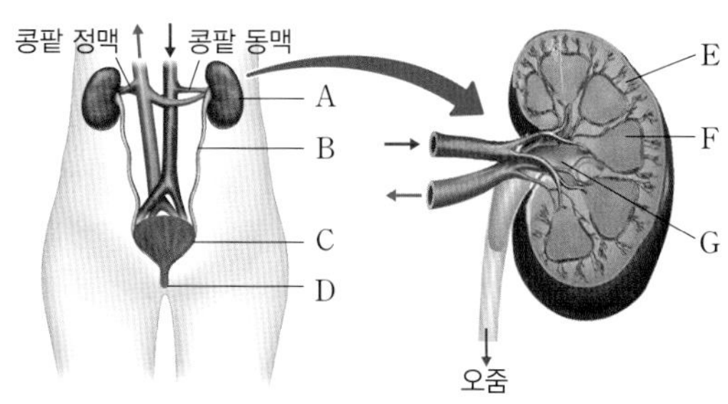

이에 대한 설명으로 옳지 않은 것은?

① A는 콩팥이고, C는 방광이다.
② 오줌이 생성되어 이동하는 경로는 A → B → C → D이다.
③ 사구체와 보먼주머니는 E 부분에 있다.
④ F에는 모세 혈관에 둘러싸인 세뇨관이 분포한다.
⑤ G는 오줌이 생성되어 모이는 집합관이다.

06 표는 사구체의 혈장과 보먼주머니의 여과액 및 집합관의 오줌에 들어 있는 물질 A~D의 농도를 조사한 결과이다. A~D는 요소, 포도당, 단백질, 아미노산 중 하나이다.

(단위: g/100 mL)

성분	혈장	여과액	오줌
A	0.10	0.10	0.00
B	0.05	0.05	0.00
C	8.00	0.00	0.00
D	0.03	0.03	2.00

이에 대한 설명으로 옳은 것을 보기에서 모두 고른 것은?

보기
ㄱ. A는 C보다 분자의 크기가 크다.
ㄴ. B는 세뇨관에서 모세 혈관으로 모두 재흡수되었다.
ㄷ. D가 오줌에서 농도가 높아진 것은 물보다 재흡수율이 낮기 때문이다.

① ㄴ ② ㄷ ③ ㄱ, ㄴ
④ ㄴ, ㄷ ⑤ ㄱ, ㄴ, ㄷ

07 그림은 콩팥의 일부 부위를 나타낸 것이다.

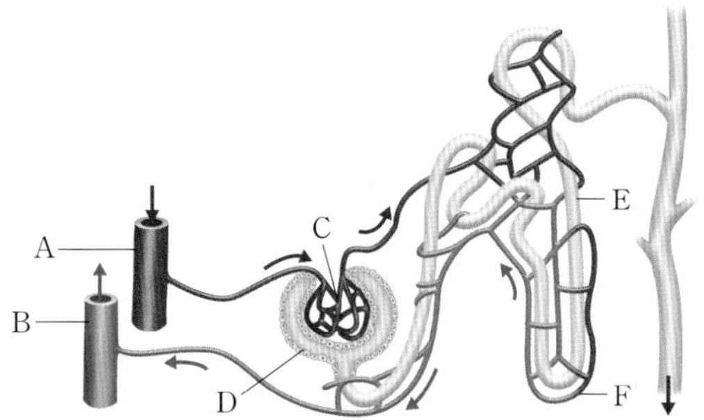

이에 대한 설명으로 옳은 것을 보기에서 모두 고른 것은?

보기
ㄱ. 혈액의 요소 농도는 B보다 A에서 높다.
ㄴ. 혈장 단백질은 C에서 D로 이동한다.
ㄷ. 포도당은 F에서 E로 모두 재흡수된다.

① ㄱ ② ㄷ ③ ㄱ, ㄴ
④ ㄱ, ㄷ ⑤ ㄴ, ㄷ

08 그림은 조직 세포가 생명 활동에 필요한 에너지를 얻기까지의 과정을 간단히 나타낸 것이다.

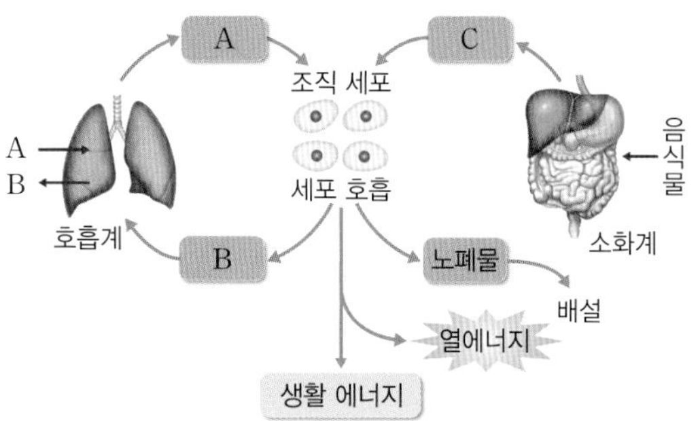

이에 대한 설명으로 옳은 것을 보기에서 모두 고른 것은?

보기
ㄱ. A는 적혈구에 의해 운반된다.
ㄴ. 조직 세포에서 세포 호흡이 활발하게 일어날수록 날숨을 통해 배출되는 B의 양이 증가한다.
ㄷ. C가 조직 세포로 공급될 때 순환계가 관여한다.

① ㄱ ② ㄷ ③ ㄱ, ㄴ
④ ㄴ, ㄷ ⑤ ㄱ, ㄴ, ㄷ

서술형 문제

03. 호흡과 배설

☞ 제시된 Keyword를 이용하여 문제를 해결해 보자.

1 그림은 사람의 호흡 운동 모형이다.

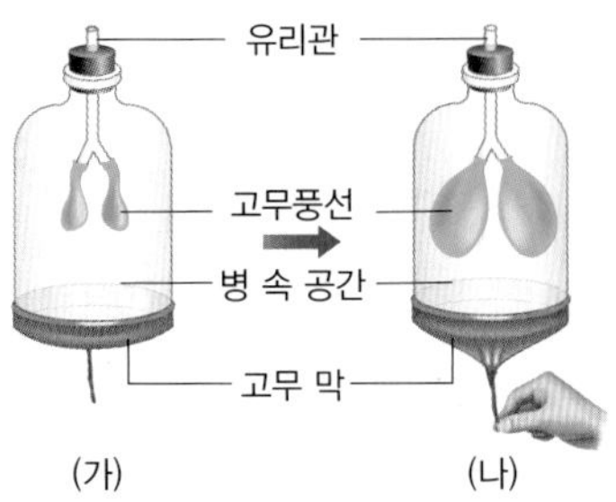

호흡 운동 모형을 참고하여 숨을 들이쉴 때 우리 몸에서 일어나는 변화를 다음 용어를 사용하여 설명하시오.

갈비뼈	횡격막	흉강 부피
폐의 부피	폐 내부 압력	공기 이동

Keyword 갈비뼈, 횡격막, 흉강 부피, 폐의 부피, 폐 내부 압력, 공기 이동

2 그림은 폐와 조직에서의 기체 교환을 나타낸 것이다.

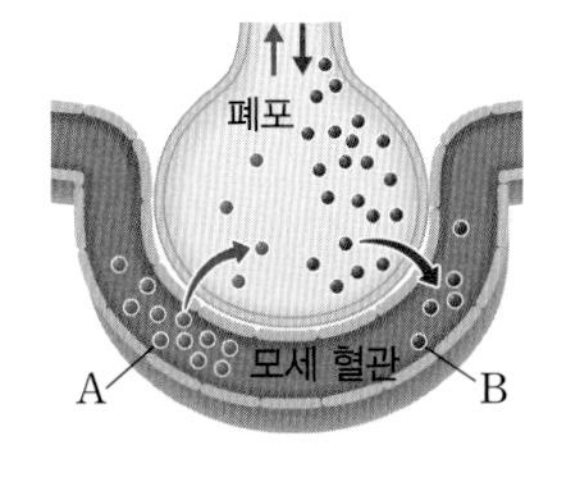

(1) 기체 A와 B는 무엇인지 쓰시오.

Keyword 산소, 이산화 탄소

(2) 폐와 조직에서 기체 교환이 일어나는 원리를 A와 B의 이동 방향을 포함하여 설명하시오.

Keyword 확산, 이산화 탄소, 산소, 조직 세포, 모세 혈관, 폐포

3 폐기종은 폐에 탄력이 없어 공기가 들어온 후 나가지 못하기 때문에 폐포가 팽창되어 있는 질환으로, 만성적인 흡연이나 분진 노출 등에 의해 유해 물질이 폐로 유입되었을 때 생길 수 있다. 그림은 건강한 사람과 폐기종 환자의 폐를 나타낸 것이다.

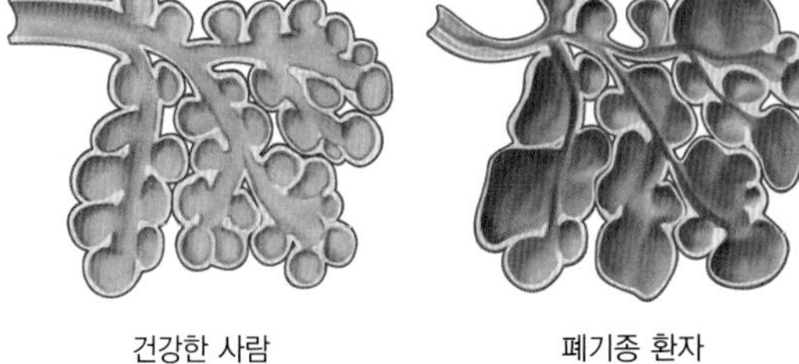

건강한 사람에 비해 폐기종 환자의 기체 교환 효율은 어떠할지, 그렇게 생각한 근거를 들어 설명하시오.

Keyword 폐포, 표면적, 기체 교환, 효율

4 그림은 오줌 생성 시 네프론에서 물질이 이동하는 세 가지 방식 (가)~(다)를 나타낸 것이다.

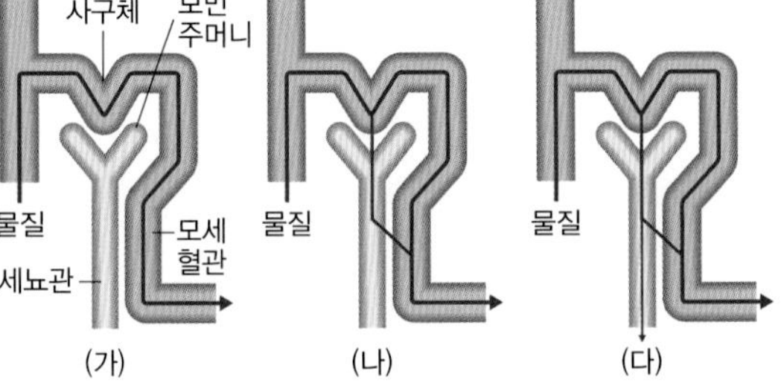
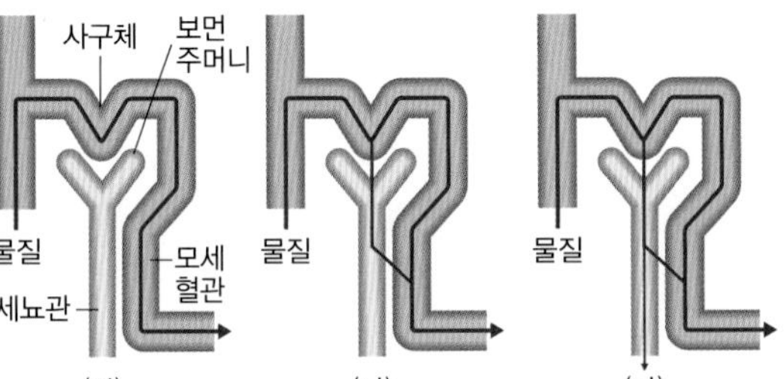
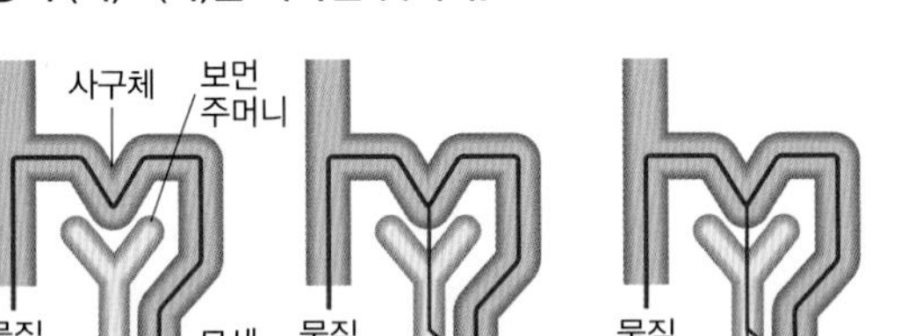
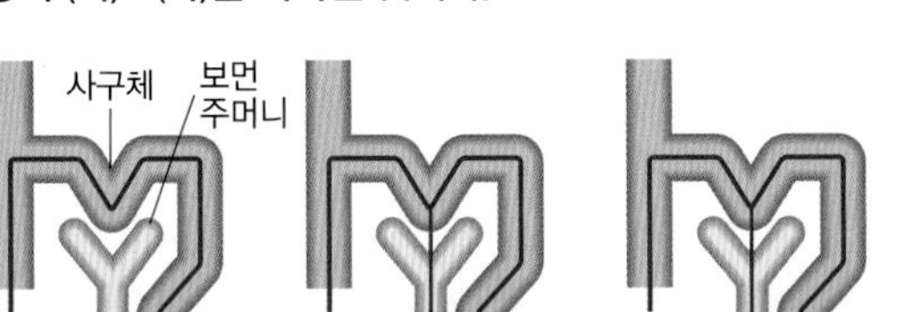
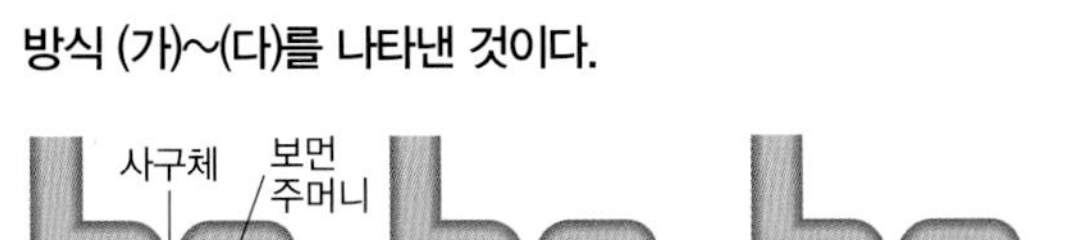
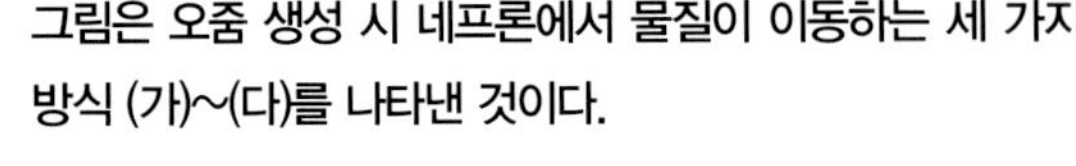
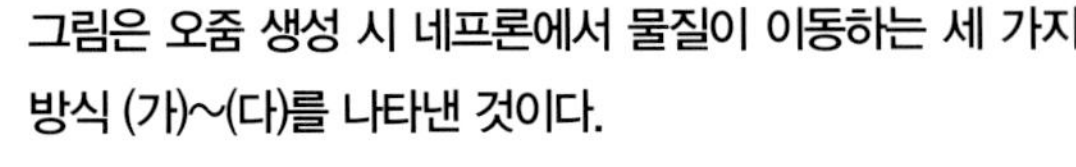

혈장 성분 중 (가)~(다)와 같은 방식으로 이동하는 물질을 각각 한 가지씩 들어 그 이동 방식을 설명하시오.

Keyword 단백질, 포도당, 물, 여과, 재흡수

5 **표는 건강한 사람에서 사구체의 혈장, 여과액, 오줌에 있는 몇 가지 물질의 농도를 조사한 결과이다.**

(단위: g/100 mL)

성분	혈장	여과액	오줌
물	92	92	95
포도당	0.10	0.10	0.00
단백질	7.00	0.00	0.00
요소	0.03	0.03	2.00

(1) 사구체에서 보먼주머니로 이동하는 물질을 모두 쓰고, 그렇게 판단한 근거를 설명하시오.

Keyword 혈장, 여과, 여과액

(2) 요소의 농도가 여과액에 비해 오줌에서 훨씬 높은 까닭을 설명하시오.

Keyword 물, 요소, 재흡수, 비율

(3) 당뇨병은 혈당량이 정상에 비해 지나치게 높아 포도당이 오줌에 섞여 나오는 질병이다. 당뇨병 환자가 포도당이 함유된 오줌을 누게 되는 까닭을 네프론에서의 포도당 이동과 관련지어 설명하시오.

Keyword 포도당, 여과, 재흡수

6 **그림은 사람의 몸에서 일어나는 물질의 변화이다.**

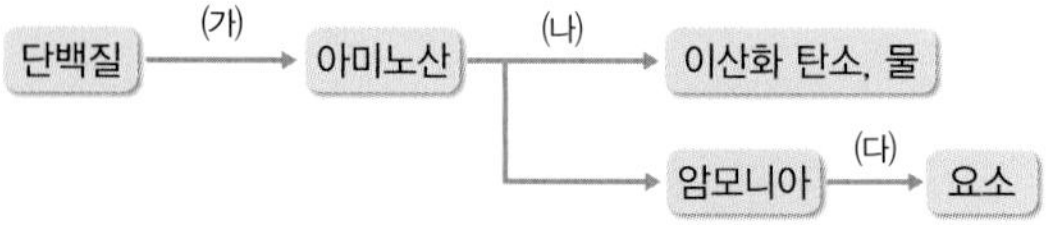

(1) (가)와 (나) 과정은 각각 무엇인지 설명하시오.

Keyword 단백질, 아미노산, 소화, 세포 호흡

(2) 아미노산이 분해된 후 요소가 만들어져 배설되기까지의 과정을 (다) 과정이 일어나는 기관과 관계하는 기관계를 포함하여 설명하시오.

Keyword 암모니아, 요소, 간, 순환계, 배설계, 오줌

7 **그림은 모세 혈관과 조직 세포 사이의 물질 교환을 나타낸 것이다.**

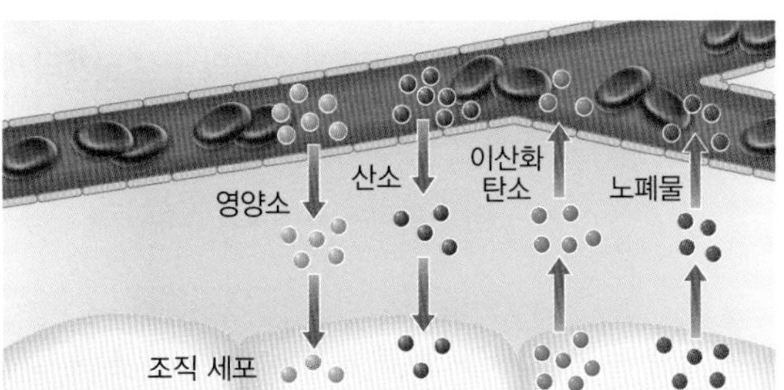

건강하게 살아가기 위해서는 혈액 순환과 조직 세포에서의 물질 교환이 계속되어야 하는 까닭을 세포 호흡과 관련지어 설명하시오.

Keyword 세포 호흡, 에너지, 영양소, 산소, 이산화 탄소, 노폐물

8 **그림은 사람의 기관계 A~D를 나타낸 것이다. A~D는 각각 배설계, 소화계, 순환계, 호흡계 중 하나이다.**

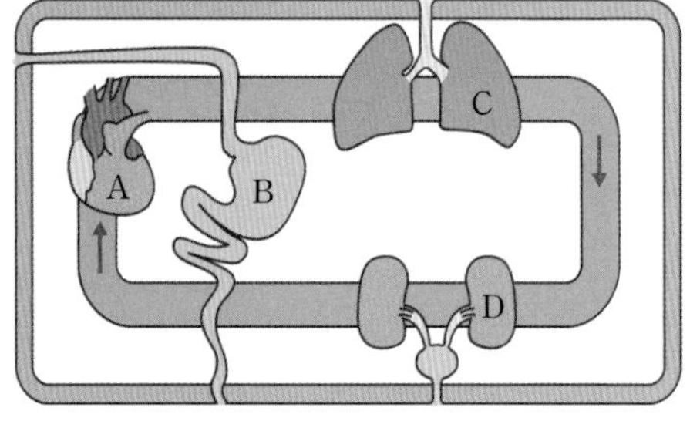

사람이 생명을 유지하기 위해서는 기관계 A~D가 서로 유기적으로 작용해야 한다. 기관계 A~D의 유기적 작용을 조직 세포에서 일어나는 세포 호흡과 관련지어 설명하시오.

Keyword 세포 호흡, 영양소, 산소, 이산화 탄소, 노폐물, 소화계, 호흡계, 순환계, 배설계

최상위권 도전 문제

☞ 제시된 Tip을 이용하여 문제를 해결해 보자.

1 그림 (가)와 (나)는 각각 동물과 식물의 구성 단계의 예를 나타낸 것이다. A~C는 각각 순환계, 심장, 기본 조직계 중 하나이다.

(가) 잎살 세포 → 해면 조직 → A → 잎 → 벚나무

(나) 근육 세포 → 근육 조직 → B → C → 사람

이에 대한 설명으로 옳은 것을 보기에서 모두 고른 것은?

보기

ㄱ. 표피 조직은 A에 속한다.
ㄴ. B의 기관에는 신경 조직, 상피 조직, 근육 조직이 포함되어 있다.
ㄷ. 폐는 동물의 구성 단계 중 C와 같은 구성 단계에 속한다.

① ㄴ ② ㄱ, ㄴ ③ ㄱ, ㄷ
④ ㄴ, ㄷ ⑤ ㄱ, ㄴ, ㄷ

Tip
식물의 조직계에는 표피 조직계, 기본 조직계, 관다발 조직계가 있다.

잎살 세포와 해면 조직
- 잎살 세포: 잎에서 표피 조직과 잎맥을 제외한 조직을 이루는 세포이다.
- 해면 조직: 잎의 울타리 조직 아래 둥근 모양의 세포들이 느슨하게 배열되어 있는 조직으로, 해면 조직을 이루는 잎살 세포에는 엽록체가 있어 광합성이 일어난다.

2 다음은 4종류의 영양소 A~D에 대한 설명이다.

영양소	특징
A	• 다량 섭취하면 비만을 유발할 수 있다. • 피하에 축적되어 체온 유지에 중요한 역할을 한다.
B	• 청소년기에 특히 많이 필요하다. • 효소의 주성분이다.
C	• 적은 양으로 생리 작용을 조절한다. • 대부분 체내 합성이 안 된다.
D	• 3대 영양소 중 섭취량에 비해 저장량은 가장 적다. • 밥, 감자, 빵 등에 많다.

A~D에 대한 설명으로 옳은 것을 보기에서 모두 고른 것은?

보기

ㄱ. A의 화학적 소화는 입과 소장에서 일어난다.
ㄴ. B가 세포 호흡에 이용될 때 질소성 노폐물이 생성된다.
ㄷ. C는 화학적 소화를 거치지 않고 소장에서 흡수된다.
ㄹ. D에 5% 수산화 나트륨 수용액과 1% 황산 구리 수용액을 넣으면 보라색으로 변한다.

① ㄱ, ㄴ ② ㄱ, ㄹ ③ ㄴ, ㄷ
④ ㄱ, ㄴ, ㄹ ⑤ ㄴ, ㄷ, ㄹ

Tip
탄수화물(녹말)은 입과 소장에서, 단백질은 위와 소장에서, 지방은 소장에서 화학적 소화가 일어난다.

정답과 해설 064쪽

3 **녹말, 지방, 단백질은 '입 → 위 → 소장'을 지나는 동안 각 부위에서 분비되는 소화액에 의해 분해된다. 오른쪽 그림은 각 부위에 따라 영양소가 분해되는 정도를 나타낸 것이다. 녹말, 지방, 단백질이 모두 들어 있는 시험관에 염산이 포함된 위액을 충분히 넣고 35 ℃로 유지하면서 30분 동안 두었다. 영양소가 분해되는 상태를 시간(t)에 따라 나타낸 것으로 옳은 것은?**

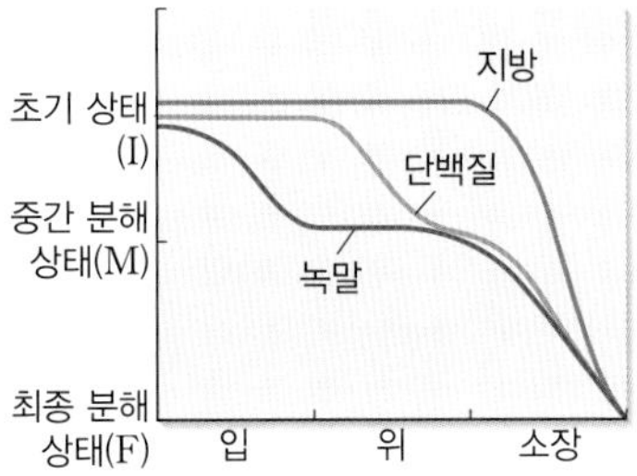

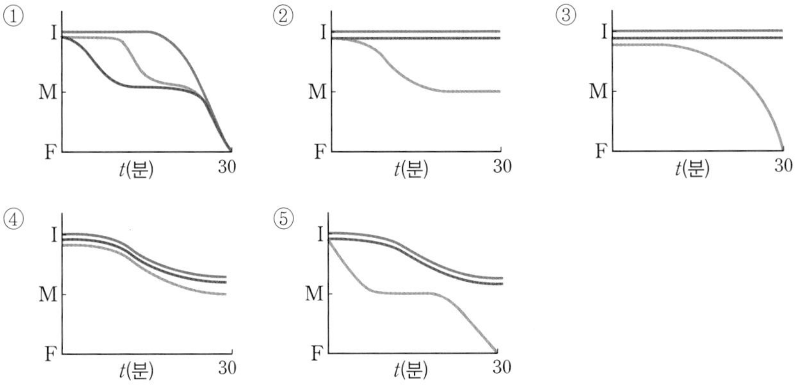

초기 상태(I), 중간 분해 상태(M), 최종 분해 상태(F) / 입, 위, 소장 / 지방, 단백질, 녹말

① I, M, F, t(분), 30

② I, M, F, t(분), 30

③ I, M, F, t(분), 30

④ I, M, F, t(분), 30

⑤ I, M, F, t(분), 30

Tip
위액에는 펩신이 포함되어 있으며, 펩신은 강한 산성에서 활발하게 작용한다.

4 **그림은 소화 기관의 일부를 나타낸 것이다.**

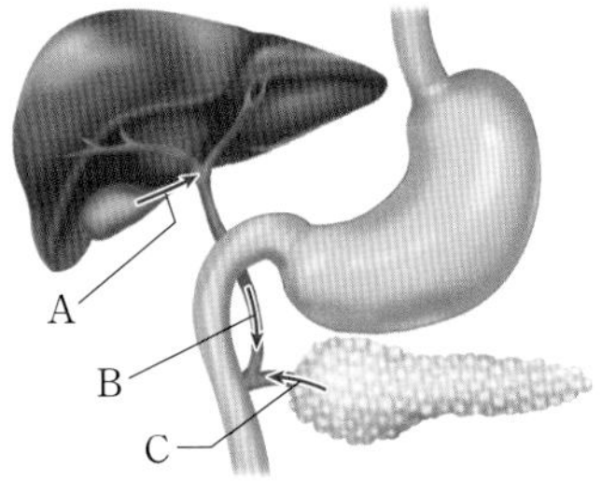

이에 대한 설명으로 옳은 것을 보기에서 모두 고른 것은?

보기

ㄱ. A 통로로 이동하는 소화액은 쓸개에서 만들어진 것이다.
ㄴ. B 통로가 막히면 소장에서 지방산 흡수량이 감소한다.
ㄷ. C 통로가 막히면 탄수화물과 단백질의 소화 기능은 크게 감소하지만 지방 소화 기능은 큰 영향을 받지 않는다.

① ㄱ ② ㄴ ③ ㄱ, ㄴ
④ ㄴ, ㄷ ⑤ ㄱ, ㄴ, ㄷ

Tip
이자액에는 3대 영양소에 대한 소화 효소가 모두 포함되어 있으며, 쓸개즙은 지방을 작은 덩어리로 만들어 지방의 소화를 돕는다.

5 오른쪽 그림은 사람의 혈액 순환 경로를 나타낸 것이다. 이에 대한 설명으로 옳은 것을 보기에서 모두 고른 것은?

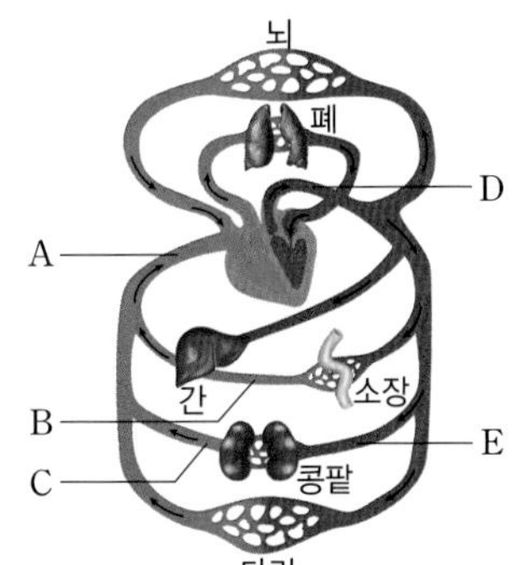

보기

ㄱ. A는 좌심실, D는 우심실에 연결된다.
ㄴ. 소장에서 소화되어 흡수된 지용성 영양소는 B를 통해 이동한다.
ㄷ. C에는 E에서보다 요소 농도가 낮은 혈액이 흐른다.
ㄹ. 뇌를 통과하는 혈액의 흐름은 온몸 순환에 해당한다.

① ㄱ, ㄴ ② ㄴ, ㄹ ③ ㄷ, ㄹ
④ ㄱ, ㄴ, ㄷ ⑤ ㄴ, ㄷ, ㄹ

Tip
A는 대정맥, B는 간문맥, C는 콩팥 정맥, D는 대동맥, E는 콩팥 동맥이다.

6 그림 (가)는 안정 상태에서 호흡할 때 폐포 안의 서로 다른 두 기체의 압력 변화를, (나)는 폐포의 단면을 나타낸 것이다. A와 B는 산소와 이산화 탄소 중 하나이다.

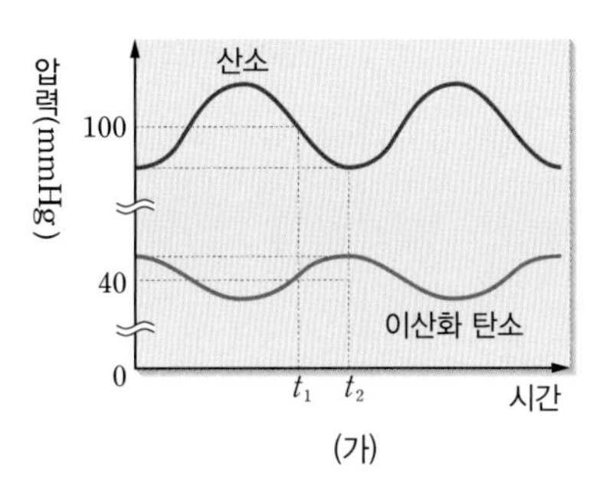

(가)

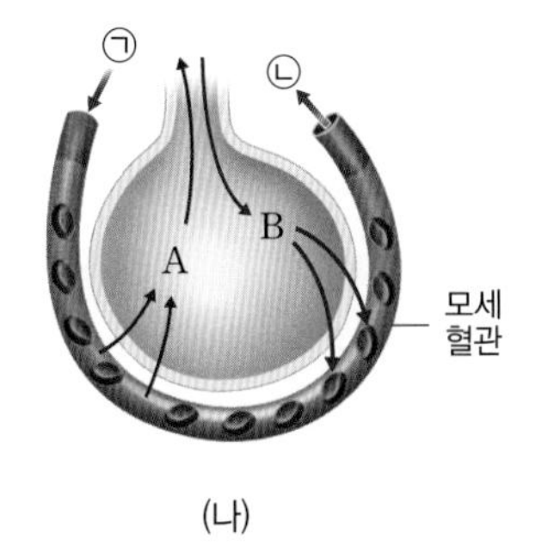

(나)

이에 대한 설명으로 옳은 것을 모두 고르면? (정답 2개)

① t_1~t_2에서 횡격막은 내려간다.
② t_1~t_2에서 폐의 부피는 감소한다.
③ A는 산소, B는 이산화 탄소이다.
④ ㉠에는 정맥혈이, ㉡에는 동맥혈이 흐른다.
⑤ 폐포 안의 기체의 압력은 항상 A가 B보다 높다.

Tip
산소와 이산화 탄소는 확산에 의해 교환되며, 폐포와 모세 혈관 사이의 기체 교환 결과 혈액의 산소 농도는 높아지고 이산화 탄소 농도는 낮아진다.

7 그림은 콩팥 기능이 정상인 어떤 사람의 네프론을 나타낸 것이다.

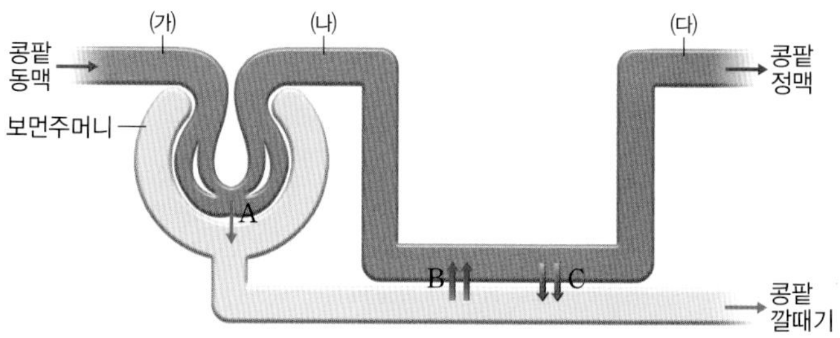

이에 대한 설명으로 옳은 것을 보기에서 모두 고른 것은?

보기

ㄱ. 오줌 생성량은 (가)와 (나)를 지나는 혈액량의 차이이다.
ㄴ. 지점 (다)에는 요소가 없다.
ㄷ. 포도당은 A와 B 방향으로는 이동하지만, C 방향으로는 이동하지 않는다.

① ㄱ　　② ㄴ　　③ ㄷ
④ ㄱ, ㄷ　　⑤ ㄴ, ㄷ

Tip
사구체에서는 혈장의 일부가 보먼주머니로 여과되며, 이때 분자의 크기가 작은 물질이 여과된다.

8 그림은 사람의 몸에서 음식물 속의 단백질이 흡수되어 에너지원으로 이용되고 그로부터 생성된 노폐물이 배설되는 과정을 나타낸 것이다. A~C는 기관이다.

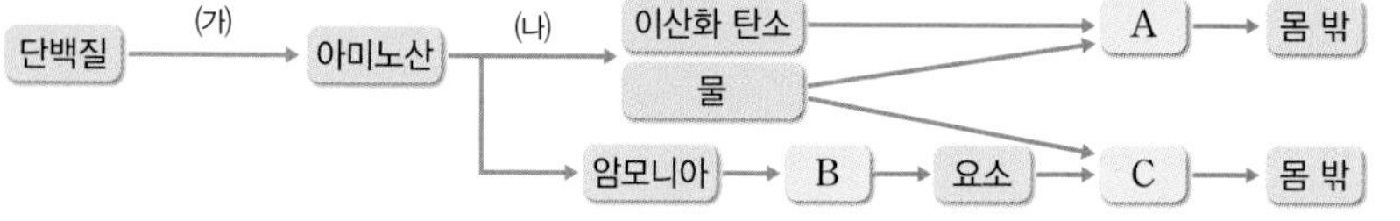

이에 대한 설명으로 옳지 않은 것은?

① (가) 과정에 펩신과 트립신이 관여한다.
② (나) 과정에 필요한 기체는 적혈구가 운반한다.
③ 이산화 탄소가 A를 거쳐 몸 밖으로 배출될 때 순환계와 호흡계가 관여한다.
④ 물은 A를 통해서는 기체 상태로, C를 통해서는 액체 상태로 배출된다.
⑤ B와 C는 배설계에 속하는 기관이다.

Tip
음식물 속의 단백질은 소화계에서 아미노산으로 분해되고, 아미노산은 순환계에 의해 조직 세포로 이동한다. 조직 세포에서 아미노산을 세포 호흡에 이용하면 이산화 탄소, 물, 암모니아(질소 노폐물)가 생성된다.

창의·사고력 향상 문제

예제

오른쪽 그림은 사람의 호흡 기관의 일부를 나타낸 것이다. 호흡 운동은 갈비뼈와 횡격막의 움직임으로 일어나는데, 평상시 호흡에서 폐의 부피는 날숨 때는 약 2.5 L이고, 들숨 때는 약 3.0 L이다.

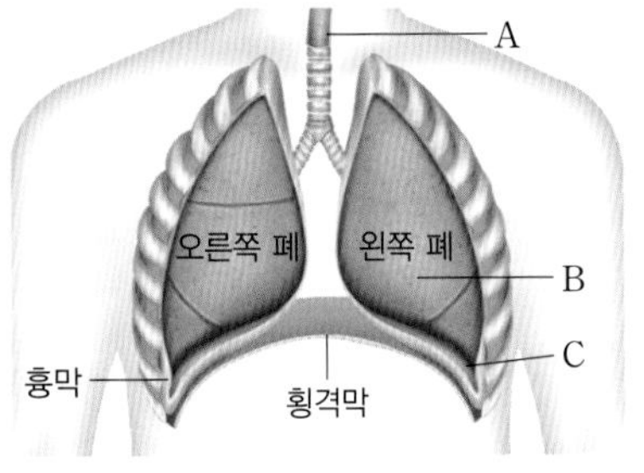

(1) 정상적으로 호흡 운동이 일어날 경우, 날숨 때와 들숨 때 A, B, C에서의 압력 관계를 각각 부등호로 나타내고, 그렇게 나타낸 근거를 설명하시오. (단, 날숨 때의 흉강 압력은 대기압보다 낮다.)

(2) 만일 왼쪽 폐를 둘러싸고 있는 흉막에 구멍이 생겨 공기가 C로 유입된다면 폐활량은 어떻게 될 것인지 근거를 들어 설명하시오.

출제 의도
호흡 운동이 일어날 때 기관, 폐포, 흉강의 압력 관계를 이해하고, 호흡 기관에 이상이 있을 때 어떤 문제점이 생길지 설명할 수 있는가?

문제 해결을 위한 배경 지식
- **흉강**: 심장, 폐 등이 들어 있는 가슴 안쪽의 빈 공간이다.
- **흉막**: 흉막은 폐를 감싸는 얇고 투명한 막이다.
- **폐활량**: 공기를 최대한으로 들이마셨다가 한 번에 내뿜을 수 있는 기체의 최대량이다.

Keyword
(1) A, B, C, 압력
(2) 공기, 압력, 폐활량

해결 전략 클리닉

날숨이 일어날 때에도 폐에는 꽤 많은 양의 기체가 남아 있다. 호흡 운동이 정상적으로 일어나기 위해서는 B와 C 중 어느 쪽의 압력이 커야 할 것인지를 생각해 보고 C의 압력이 높아지는 상황을 호흡 운동과 관련지어 접근해 보자.

❶ 흉강의 압력은 폐포의 압력보다 항상 낮다. 들숨 때 폐의 압력은 대기압보다 낮고, 날숨 때 폐의 압력은 대기압보다 높다.
❷ 기체는 압력이 높은 쪽에서 낮은 쪽으로 이동한다.
❸ 흉막에 구멍이 생겨 공기가 C로 유입되면 C의 압력은 정상보다 높아진다.

모범 답안

(1) 날숨 때의 압력은 B>A>C이고, 들숨 때의 압력은 A>B>C이다. 흉강 안에 있는 폐는 호흡 과정에서 부피가 감소하거나 증가하고, 날숨 때도 폐 속에 일정량 이상의 기체가 들어 있으므로 C는 B보다 항상 압력이 낮다. 또, 날숨 때에는 B에서 A 쪽으로 기체가 이동하므로 B가 A보다 압력이 높고, 들숨 때는 A를 거쳐 B 쪽으로 기체가 이동하므로 A가 B보다 압력이 높다. C의 압력은 대기압(A)보다 낮다.
(2) 흉막에 구멍이 생겨 공기가 C로 유입되면 C의 압력이 정상보다 높아진다. 폐를 둘러싼 외부 압력이 높아지면 폐의 부피는 감소하며, 들숨 때에도 폐의 부피가 정상만큼 증가하지 않게 되므로 폐활량이 감소할 것이다.

완벽한 답안 작성을 위한 tip
(1) 폐를 둘러싸는 부분의 압력이 폐보다 낮아야 호흡 과정에서 폐의 부피 변화가 일어나며, 날숨 때도 일정량의 기체가 폐에 있다는 것을 설명하면 완벽한 답안이 될 수 있다.
(2) C로 공기가 유입되면 압력이 높아지게 된다는 것을 설명하면 완벽한 답안이 될 수 있다.

실전 문제

정답과 해설 065쪽

1 창의적 문제 해결형

그림은 사람의 소화 기관 일부를 나타낸 것이다.

(1) 지방의 소화 과정에 A에서 분비되는 소화액과 B에서 분비되는 소화액이 어떻게 작용하는지 설명하시오.

(2) 위에서 제시한 소화액의 기능을 증명하기 위한 실험 설계를 제시하시오.

Tip

A는 쓸개이고, B는 이자라는 것을 생각해 본다.

Keyword

(1) 쓸개즙, 이자액, 지방, 라이페이스, 지방산, 모노글리세리드
(2) 지방, 쓸개즙, 이자액, 지방산

2 논리적 서술형

병원에서는 일반적으로 설사로 탈수 증세를 나타내거나 금식해야 하는 환자에게 혈관을 통해 수액을 투여한다. 수액은 수분, 포도당, 무기염류를 포함하는 기초 수액으로부터 아미노산, 단백질, 지질, 비타민, 무기염류 등의 영양소를 용도에 적합하게 혼합한 영양 수액 등 여러 종류가 있다. 수액을 혈관에 직접 투여하는 까닭은 무엇인지 영양소의 소화, 흡수, 이동과 관련지어 설명하시오.

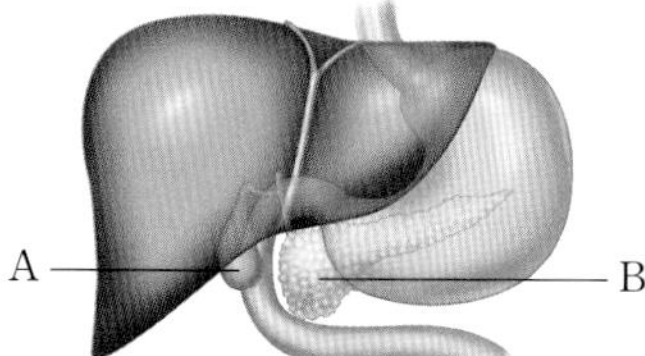

Tip

수액에는 소화, 흡수 과정을 거칠 필요가 없는 영양소와 수분이 들어 있다.

Keyword

영양소, 소화, 흡수, 조직 세포

3 창의적 문제 해결형

사람의 태아는 심장의 좌심실과 우심실 사이에 구멍이 있는데, 심장 형성이 진행됨에 따라 이 구멍이 닫히게 된다. 그런데 간혹 이 구멍이 닫히지 않고 태어나는 경우가 있다. 만약 이를 수술을 통해 바로잡지 않는다면 온몸 순환으로 들어가는 혈액의 산소 함량에는 어떤 영향을 줄 것인지 설명하시오.

Tip

좌심실에는 동맥혈이 흐르고, 우심실에는 정맥혈이 흐른다.

Keyword

좌심실, 우심실, 온몸 순환, 산소 함량

4 단계적 문제 해결형

그림은 혈액이 기관 X에 있는 모세 혈관을 흐를 때 혈액의 기체 분압을 나타낸 것이다. 분압은 혼합 기체에서 각 성분 기체가 나타내는 압력이다.

(1) 기관 X는 무엇인지 쓰고, 그렇게 판단한 근거를 설명하시오.

(2) 이러한 변화가 나타나는 혈액 순환 경로를 순서대로 쓰시오.

(3) 우리 몸의 혈액이 운반하는 산소와 이산화 탄소는 각각 어떻게 얻어진 것인지를 설명하시오.

Tip

혈액이 기관 X를 지나가면서 산소 분압은 높아지고 이산화 탄소 분압은 낮아진다는 것을 생각해 본다.

Keyword

(1) 폐, 산소, 이산화 탄소
(2) 심실, 동맥, 모세 혈관, 정맥, 심방
(3) 산소, 이산화 탄소, 폐, 세포 호흡, 기체 교환

5

단계적 문제 해결형

그림은 콩팥에서 혈중 포도당 농도에 따른 포도당의 여과량, 재흡수량 및 배설량의 관계를 나타낸 것이다.

포도당의 이동 속도(mg/분)
600
400
200
0
200 400 600 800
혈중 포도당 농도(mg/100 mL)
여과량
재흡수량
배설량

(1) 건강한 사람의 경우 콩팥에서 일어나는 포도당의 이동을 네프론의 구성 요소와 관련지어 설명하시오.

(2) 당뇨병은 오줌으로 포도당이 배설되는 질환이다. 당뇨가 나타나는 까닭을 콩팥에서의 포도당의 이동과 관련지어 설명하시오.

Tip

여과는 사구체에서 보먼주머니로의 물질 이동이고, 재흡수는 세뇨관에서 모세 혈관으로의 물질 이동이다.

Keyword

(1) 포도당, 사구체, 보먼주머니, 세뇨관, 모세 혈관, 여과, 재흡수, 오줌, 배설

(2) 혈중 포도당 농도, 여과량, 재흡수량, 배설

6

논리적 서술형

그림은 콩팥 기능 상실증 환자가 인공 콩팥을 이용하여 혈액을 투석하는 모습을 나타낸 것이다.

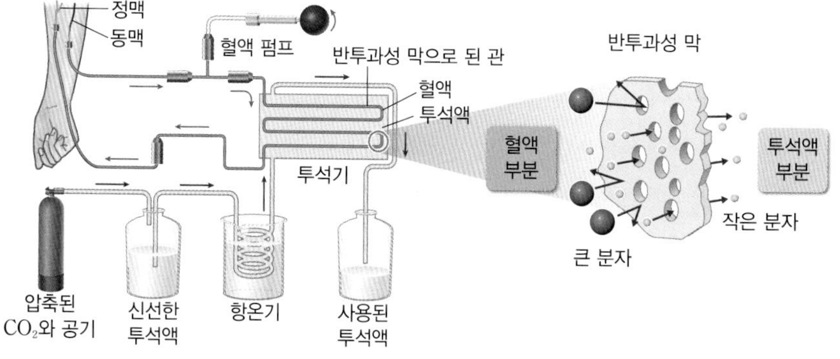

혈액 투석에 사용되는 신선한 투석액에는 혈구, 단백질, 요소는 포함되어 있지 않지만, 포도당은 일정 농도로 포함되어 있다. 그 까닭을 설명하시오.

Tip

투석 시 크기가 작은 물질만 반투과성 막을 통과한다.

Keyword

혈구, 단백질, 요소, 포도당, 크기, 노폐물, 확산

Sc!ence Talk

부족해도 넘쳐도 문제,

영양 부족과 영양 과다

사람을 포함한 동물은 먹어야 산다. 생존과 번식을 위해서는 단순히 먹기만 하면 되는 것이 아니라 영양소를 골고루 먹고, 소화하여 흡수하고, 사용하고, 저장하는 것이 균형을 이루어야 한다. 섭취한 음식물이 너무 적거나 많아도, 또는 잘못된 음식 섭취로 특정 영양소가 부족해도 건강을 해칠 수 있다. 그렇다면 어떤 음식을 어떻게 먹어야 하는 것일까? 이를 알기 위해서는 필수 영양소를 먼저 이해해야 한다.

세포에서 일어나는 반응에는 여러 가지 물질이 필요하다. 그중 몸속에서 합성되지 않기 때문에 반드시 먹어야 하는 물질을 필수 영양소라고 한다. 필수 영양소에는 필수 아미노산, 필수 지방산, 비타민, 무기염류 등이 있다. 필수 영양소가 부족하거나 지속적으로 몸에서 필요로 하는 것보다 적은 열량을 섭취하면 영양실조가 된다. 영양실조는 건강을 해치고 기형이나 질병을 유발하며 심한 경우 죽음에 이르게 한다.

예를 들어, 인(P) 성분이 부족한 토양에서 자란 식물을 먹는 초식 동물은 뼈가 쉽게 부러진다. 사람의 경우, 모유를 먹던 아기가 이유기가 되어 쌀과 같이 단백질이 부족한 음식만을 먹게 되면 단백질 결핍증이 나타나 신체적, 정신적 발달이 지체될 수 있다. 또, 음식을 골고루 섭취하지 않고 쌀만 먹고 사는 사람은 비타민 A가 결핍되어 야맹증이 나타날 수 있다. 우리 몸에서는 생명 활동에 필요한 에너지를 얻는 데 탄수화물과 지방을 주로 사용하는데, 섭취량이 필요량보다 부족하면 몸을 구성하는 단백질을 분해하여 에너지를 얻는다. 그에 따라 근육의 크기가 줄어들고 뇌에서는 단백질 부족 현상이 나타나며, 심각하게 손상되면 이후에 회복되지 않을 수 있다.

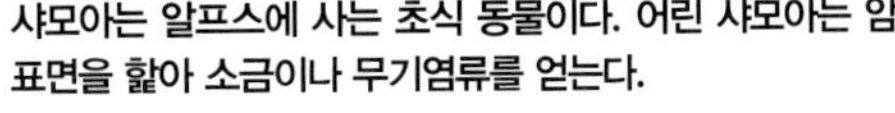

샤모아는 알프스에 사는 초식 동물이다. 어린 샤모아는 암석 표면을 핥아 소금이나 무기염류를 얻는다.

비타민 A 결핍을 예방하기 위해 당근에 많은 베타 카로틴을 포함한 '황금 쌀'이 개발되기도 하였다.

영양 부족과 마찬가지로 영양 과다도 건강에 좋지 않은 영향을 줄 수 있다. 영양 과다는 필요량보다 많은 열량을 섭취하는 것이다. 섭취한 열량이 과다할 경우 지방으로 전환되어 몸에 저장되므로 지방의 비율이 높아 비만을 초래할 수 있다. 비만은 심혈관계 질환을 비롯하여 여러 가지로 건강에 좋지 않은 영향을 미친다.

영양 과다는 식욕을 조절하는 호르몬의 불균형과도 밀접한 관련이 있다. '그렐린(ghrelin)'이라는 호르몬은 위벽에서 분비되어 배고픔을 느끼게 하는 식욕 자극 호르몬이다. 반면에 '렙틴(leptin)'이라는 호르몬은 지방 조직에서 분비되는 호르몬으로, 포만감을 느끼게 하는 식욕 억제 호르몬이다. 렙틴의 분비가 줄어들거나, 비만으로 지방 조직이 증가하여 렙틴 분비량이 많아짐에 따라 렙틴의 효과가 감소하는 렙틴 저항성이 커지면 포만감을 느끼지 못하고 계속 과식하게 되어 고도 비만에 이를 수도 있다.

최근에는 렙틴에 대한 이해를 바탕으로 비만을 줄이려는 과학적 연구가 활발하다. 술, 흰 파스타, 감자튀김, 피자, 흰 빵, 인공 감미료 등이 렙틴을 감소시키는 음식으로 알려져 있는데, 특히 술은 3잔만 마셔도 렙틴이 30 %나 줄어드는 것으로 나타났다. 따라서 이러한 음식의 섭취를 줄이는 것이 좋다. 렙틴은 식사 후 20분이 지나야 분비되기 시작하여 포만감을 느끼게 하므로, 음식을 오래 씹어 먹으면 과식할 확률이 줄어든다. 또한, 렙틴은 잠이 부족할수록 분비가 줄어들어 식욕 증가로 이어지므로 하루 7~8시간 숙면하는 것이 식욕을 조절하는 데 도움이 된다.

렙틴 분비를 감소시키는 음식

Ⅵ 물질의 특성

우리 주위의 물질은 순물질과 혼합물로 구별할 수 있다. 물질의 고유한 성질을 이용하면 물질을 구별할 수 있고, 혼합물로부터 순물질을 분리할 수도 있다. 이 단원에서는 밀도, 용해도, 끓는점, 녹는점, 어는점 등 물질의 특성을 이용하여 주위의 물질을 구별할 수 있는 방법에 대해 알아보자.

01 물질의 특성 (1)

음식을 만들 때 사용하는 소금과 설탕은 모두 흰색 가루이기 때문에 언뜻 보아서는 서로 구별되지 않아 음식에 잘못 넣는 실수를 할 수 있다. 그러나 두 물질의 맛을 보면 쉽게 구별할 수 있다. 이처럼 물질의 종류가 무엇인지를 구별하는 데 이용할 수 있는 성질에는 어떤 것이 있을까?

1 물질의 구별

1. 순물질 한 종류의 물질로만 이루어진 물질을 순물질이라고 한다. (과학 용어 사전 233쪽)

(1) **한 종류의 원소로 이루어진 순물질:** 홑원소 물질이라고 하며, 금, 구리, 다이아몬드, 수은, 산소 기체 등이 있다.

(2) **두 종류 이상의 원소로 이루어진 순물질:** 화합물이라고 하며, 물, 염화 나트륨, 이산화 탄소 등이 있다.

① 물은 수소와 산소 원소로 이루어져 있다.

② 염화 나트륨은 염소와 나트륨 원소로 이루어져 있다.

③ 이산화 탄소는 탄소와 산소 원소로 이루어져 있다.

2. 혼합물 두 종류 이상의 순물질이 섞여 있는 물질을 혼합물이라고 한다. (과학 용어 사전 233쪽)

(1) **혼합물의 특징:** 혼합물은 각 성분 물질들이 성분 물질 각각의 성질을 그대로 가지고 섞여 있다. 예 사이다에서 설탕의 단맛과 탄산의 톡 쏘는 맛이 난다.

(2) **균일 혼합물과 불균일 혼합물** 액체 혼합물 중에서 오랫동안 두어도 가라앉는 물질이 없는 것은 균일 혼합물이고, 가라앉는 물질이 있는 것은 불균일 혼합물이다.

① 균일 혼합물: 두 가지 이상의 순물질이 고르게 섞여 있는 혼합물로, 혼합물 전체의 성질이 고르다. 예 식초, 소금물, 탄산음료, 공기, 스테인리스 등

② 불균일 혼합물: 두 가지 이상의 순물질이 고르지 않게 섞여 있는 혼합물로, 혼합물 각 부분의 성질이 다르다. 예 흙탕물, 우유, 과일 주스, 암석 등

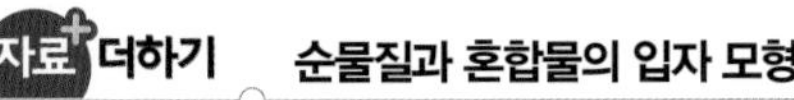

자료 더하기 순물질과 혼합물의 입자 모형

구분	순물질		혼합물	
	홑원소 물질	화합물	균일 혼합물	불균일 혼합물
정의	한 종류의 원소로만 이루어진 물질	두 종류 이상의 원소로 이루어진 물질	성분 물질이 고르게 섞여 있는 혼합물	성분 물질이 고르지 않게 섞여 있는 혼합물
모형	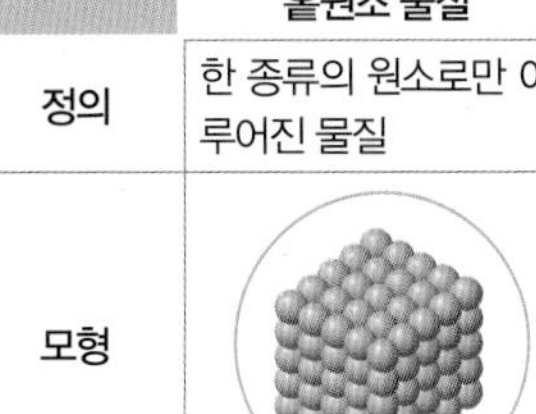	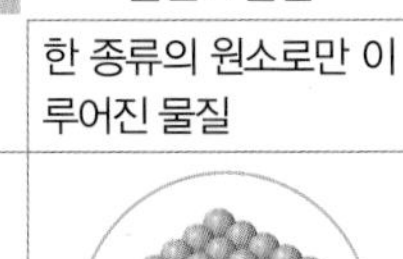 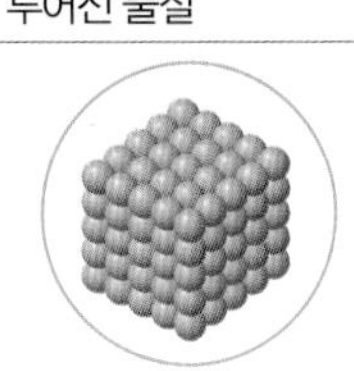		

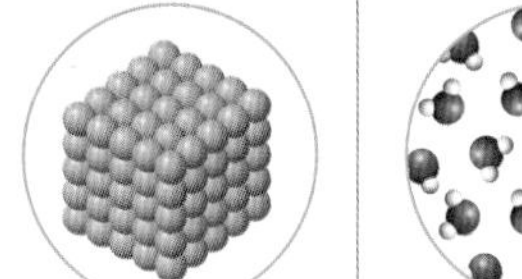

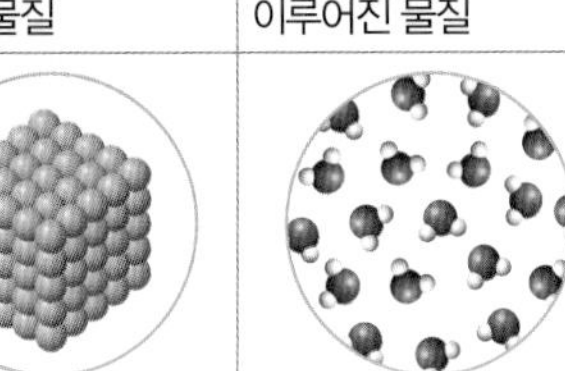

혼합물의 성분

- 공기: 질소, 산소, 아르곤, 이산화 탄소 등
- 스테인리스 합금: 철, 크로뮴 등
- 식초: 물, 아세트산
- 바닷물: 염화 나트륨, 물 등
- 설탕물: 물, 설탕 등
- 우유: 물, 칼슘, 단백질 등
- 화강암: 석영, 장석 등

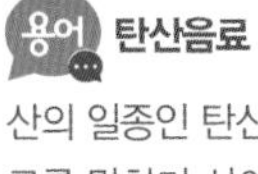
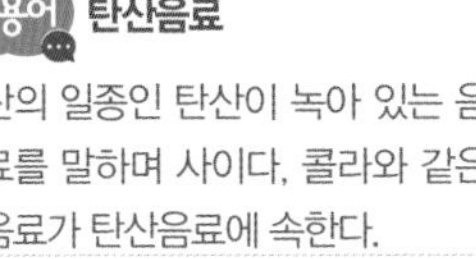

용어 탄산음료

산의 일종인 탄산이 녹아 있는 음료를 말하며 사이다, 콜라와 같은 음료가 탄산음료에 속한다.

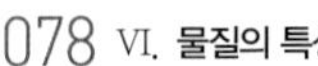

3. 순물질과 혼합물의 이용 필요에 따라 순물질을 혼합하여 혼합물로 쓰기도 하고 혼합물로부터 순물질을 분리하여 쓰기도 한다.

(1) 순물질을 혼합하여 사용하는 경우

① 스테인리스 합금: 철과 크로뮴 등을 섞어서 만들며, 녹이 잘 슬지 않아 조리 기구를 만드는 데 이용한다.

② 땜납: 납과 주석 등을 섞어서 만들며, 납보다 녹는점이 낮아 녹여서 회로를 연결하는 데 이용한다.

③ 퓨즈: 납과 주석 등을 섞어서 만들며, 전류가 흐를 때 쉽게 녹아서 전류를 차단하는 데 이용한다.

④ 부동액: 물에 에틸렌 글리콜 등을 혼합하여 잘 얼지 않으므로 자동차의 냉각수로 이용한다.

⑤ 염화 칼슘: 눈이 내린 길에 염화 칼슘을 뿌리면 순수한 물보다 어는점이 낮아져 도로가 어는 것을 막는 데 이용한다.

땜납

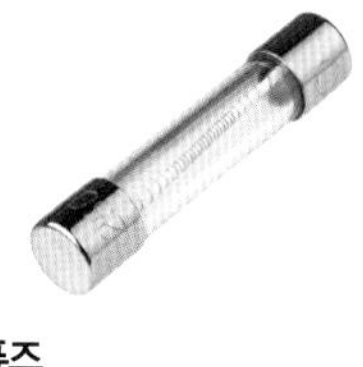
퓨즈

염화 칼슘

(2) 혼합물로부터 순물질을 분리하는 경우

① 냉각제: 공기로부터 질소를 분리하여 냉각제로 이용한다.

② 의료용 산소: 공기로부터 산소를 분리하여 의료용으로 이용한다.

4. 물질의 특성 물질이 나타내는 여러 가지 성질 중 양에 관계없이 그 물질만이 나타내는 고유한 성질을 물질의 특성이라고 한다.

(1) 물질의 특성의 예: 겉보기 성질(색깔, 맛, 냄새, 굳기, 결정 모양 등), 밀도, 용해도, 끓는점, 녹는점, 어는점 등이 있다. 과학 용어 사전 233쪽

(2) 물질의 특성의 이용: 물질의 특성을 이용하여 물질을 구별할 수 있고, 혼합물로부터 순물질을 분리할 수도 있다.

학습 내용 Check

정답과 해설 067 쪽

1. 한 종류의 물질로만 이루어진 물질을 ________이라고 하고, 두 종류 이상의 물질이 섞여 있는 물질을 ________이라고 한다.
2. 식초는 두 가지 물질이 고르게 섞여 있는 ________ 혼합물이다.
3. 흙탕물은 물질이 고르지 않게 섞여 있는 ________ 혼합물이다.
4. 겉보기 성질, 밀도, 용해도, 끓는점, 녹는점, 어는점은 물질의 양에 관계없이 일정하므로 물질의 ________이다.

혼합물의 어는점과 끓는점은 **2권 098쪽~101쪽**을 보면 자세히 알 수 있어요.

혼합물의 끓는점과 어는점
순물질은 끓는점과 어는점이 일정하지만, 혼합물은 일정하지 않다. 따라서 순물질을 혼합하여 혼합물을 만들면 낮은 온도에서 얼거나 녹는 성질을 이용할 수 있다.

스테인리스가 녹슬지 않는 까닭
철에 섞어 준 크로뮴이 공기 중의 산소와 반응하여 산화 크로뮴이 생성되는데, 이 산화 크로뮴이 스테인리스 표면에 얇은 층을 이루어 내부를 보호하기 때문에 녹이 생기는 것을 막는다.

부동액
자동차의 엔진에 사용되는 냉각수가 겨울철에 얼어붙는 것을 막기 위해 여러 가지 첨가물을 섞어 만든 액체

부동액

냉각제로 쓰이는 액체 질소
다른 물질을 냉각시키는 데 사용하는 물질을 냉각제라고 하는데, 액체 질소는 -196 ℃ 이하로 존재하므로 냉각제로 많이 사용한다.

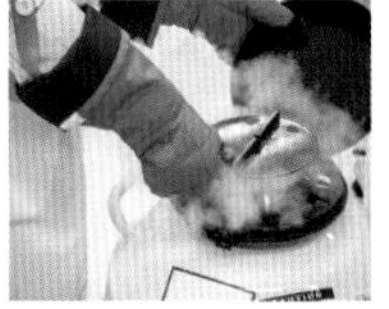
액체 질소

물질의 특성이 될 수 없는 성질
물질의 질량, 부피, 길이와 같이 물질의 양에 따라 변하는 성질은 물질을 구별하는 데 이용할 수 없으므로 물질의 특성이 될 수 없다.

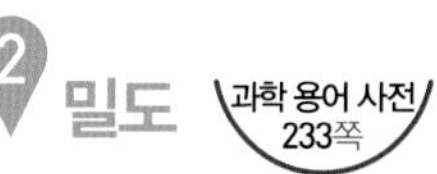

2 밀도

과학 용어 사전 233쪽

1. 물질의 부피 모든 물질들이 상태에 관계없이 차지하는 공간의 크기를 부피라고 한다. 부피를 나타내는 단위는 주로 cm^3, m^3, mL, L 등을 사용한다.

부피의 단위 환산
- $1\ cm^3 = 1\ mL$
- $1\ L = 1000\ mL = 1000\ cm^3$
- $1\ m^3 = 1000000\ cm^3$
  $= 1000000\ mL$
  $= 1000\ L$

(1) 고체의 부피 측정

① 모양이 규칙적인 고체: 각 변의 길이를 측정하여 부피를 계산한다.

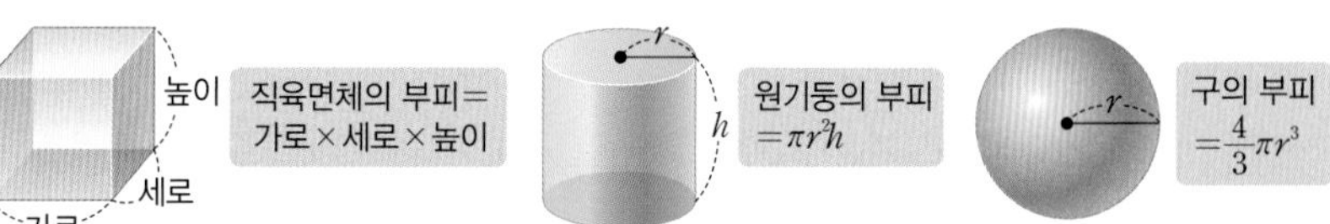
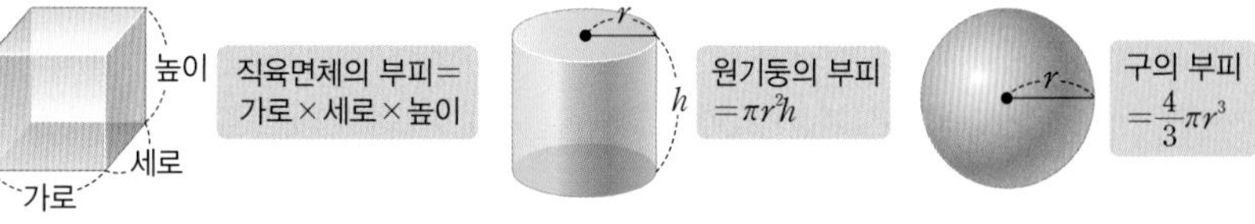

② 모양이 불규칙한 고체: 고체를 액체 속에 넣었을 때, 증가한 액체의 부피를 측정하여 구한다.

(증가한: 금속을 액체에 넣었을 때 늘어난 액체의 부피가 금속의 부피이다.)

→ 고체의 부피 = 고체를 넣은 후 액체의 부피 − 처음 액체의 부피

물에 가라앉는 고체	물에 뜨는 고체
물체를 실에 매달아 물이 든 눈금실린더에 넣어 잠기게 한 후, 증가한 물의 부피를 측정한다.	물체를 물이 든 눈금실린더에 넣고 가는 철사로 눌러 물에 잠기게 한 후, 증가한 물의 부피를 측정한다.

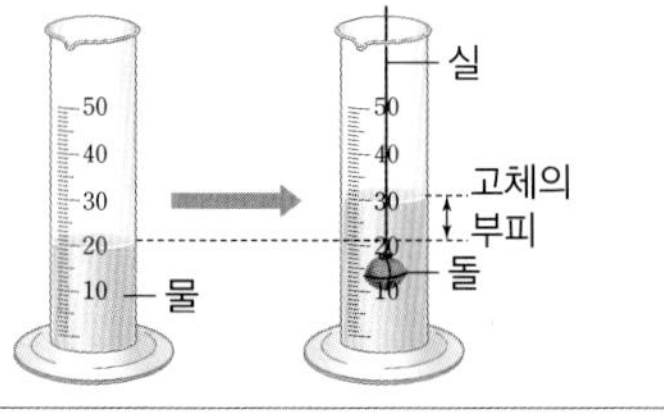

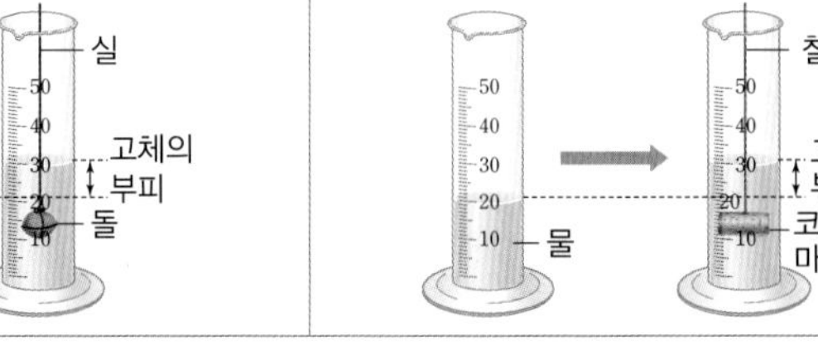
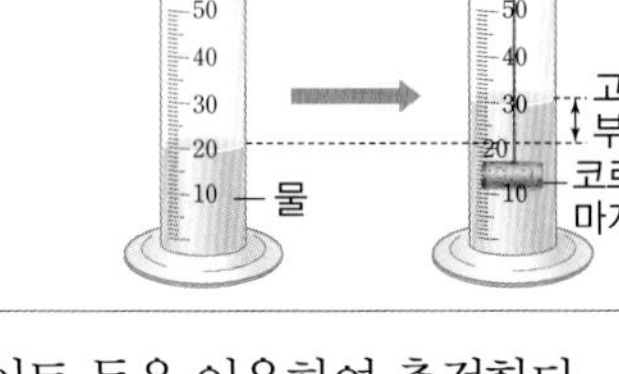

물에 넣어 부피를 측정할 수 없는 고체
- 소금, 설탕과 같이 물에 잘 녹는 고체 → 석유나 에탄올 등에 넣어 부피를 측정한다.
- 나트륨과 같이 물과 격렬하게 반응하여 폭발이나 화재의 위험성이 있는 고체

(2) 액체의 부피 측정: 눈금실린더, 피펫, 스포이트 등을 이용하여 측정한다.

눈금실린더 사용 방법

❶ 눈금실린더를 바닥이 평평한 곳에 놓는다.

❷ 부피를 측정하려는 액체를 눈금실린더에 넣는다.

❸ 액체 표면과 수평이 되는 눈높이에서 눈금을 읽는다. → 최소 눈금의 $\frac{1}{10}$까지 어림짐작하여 읽는다.

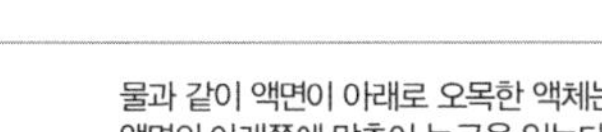

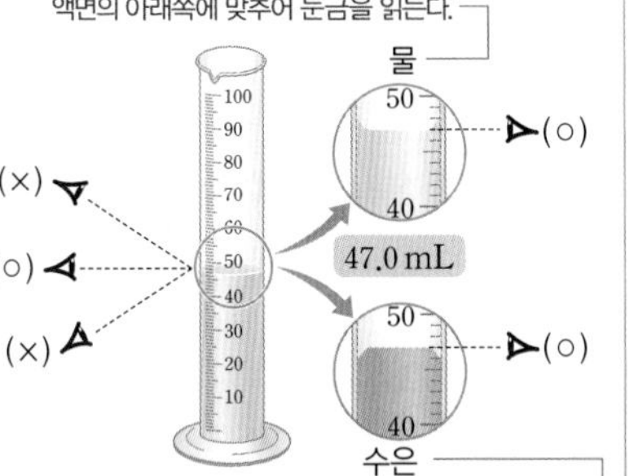

(3) 기체의 부피 측정: 기체가 담겨 있는 용기의 부피가 그 기체의 부피이다. 그러나 기체가 담긴 용기의 부피를 모르는 경우에는 수조 속에 기체를 녹이지 않는 액체를 가득 채운 눈금실린더를 거꾸로 세운 후, 기체를 모아 눈금실린더 속에서 밀려난 액체의 부피를 측정하여 알아낸다.

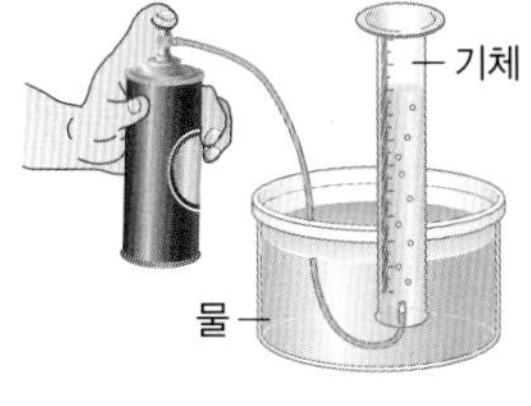

물에 녹지 않는 기체의 부피 측정

2. 물질의 질량 물질이 가지는 고유한 양을 질량이라고 하며, 측정 장소에 따라 변하지 않고 일정하다. 질량을 나타내는 단위는 mg, g, kg 등을 사용한다.

(1) 질량의 측정: 윗접시저울이나 전자저울 등을 이용하여 측정한다.

(2) 윗접시저울의 사용법(오른손잡이 기준)

윗접시저울을 바닥이 평평한 곳에 놓고, 영점 조절 나사를 돌려 수평을 맞춘다.

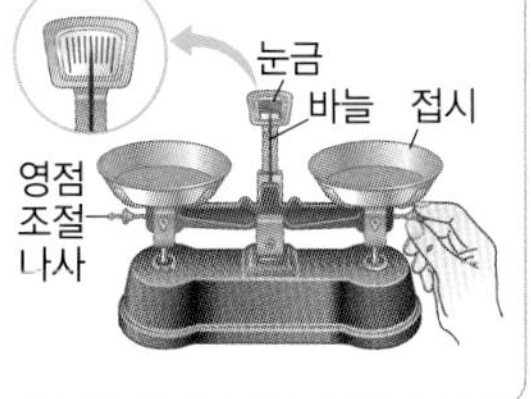

→

왼쪽 접시에 물질을 올려놓고, 오른쪽 접시에 핀셋을 이용하여 무거운 분동부터 올려 수평을 맞춘다.

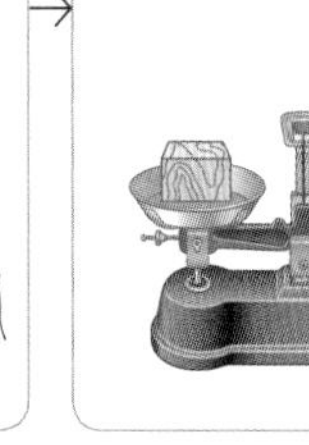

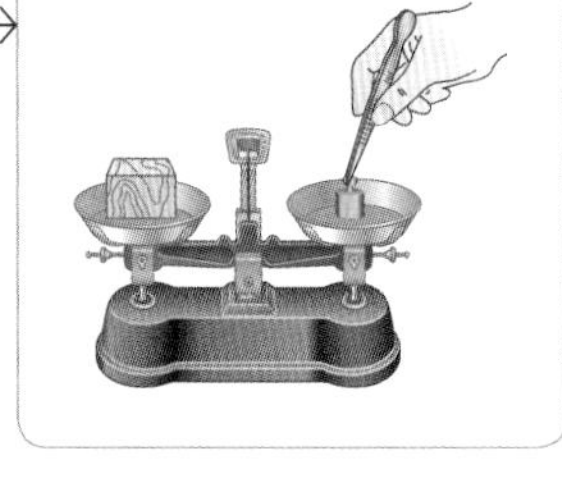

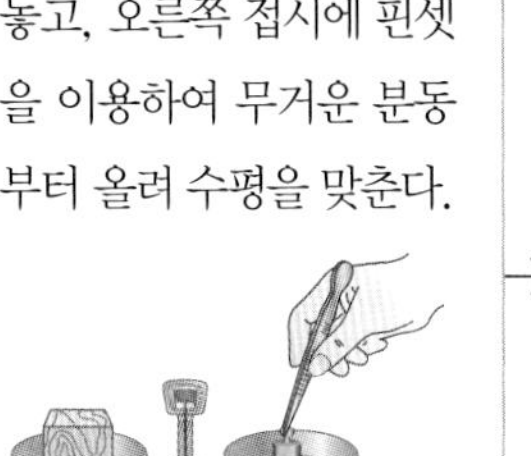

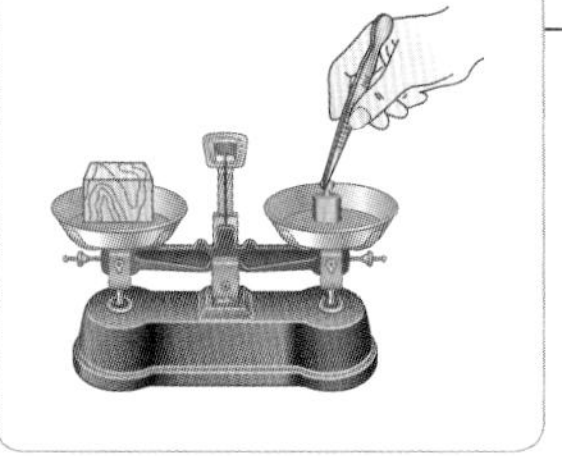

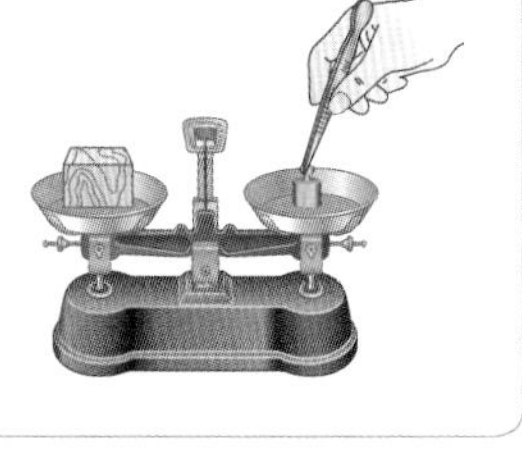

→

저울이 수평이 되면 오른쪽 접시 위에 있는 분동의 질량을 모두 합하여 물체의 질량을 구한다.

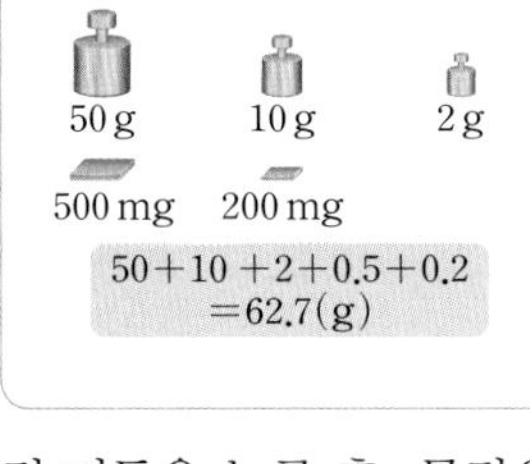

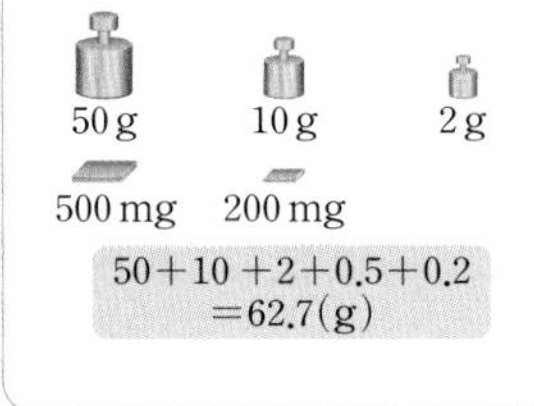

$50+10+2+0.5+0.2=62.7(g)$

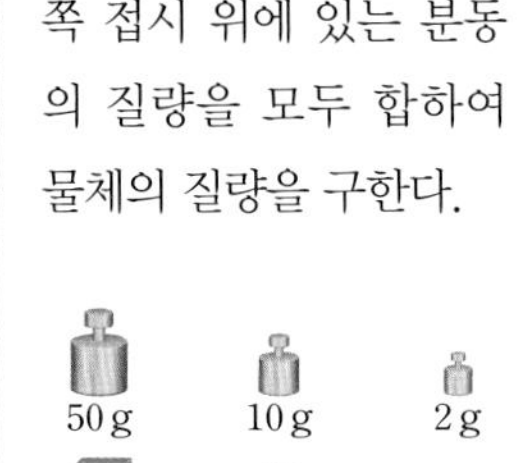

(3) 전자저울의 사용법: 거름종이를 저울 위에 놓고 영점 조절 버튼을 누른 후, 물질을 올려놓으면 질량을 나타내는 숫자가 나타나 질량을 측정할 수 있다.

3. 밀도 질량을 부피로 나눈 값, 즉 단위 부피당 질량을 밀도라고 하며, 단위는 g/cm^3, g/mL 등을 사용한다. 탐구 083쪽

$$밀도(g/mL)=\frac{질량(g)}{부피(mL)}$$

질량이 같을 때는 밀도가 작은 물질일수록 부피가 크고, 밀도가 큰 물질일수록 부피가 작다.

(1) 밀도의 특징

① 부피와 질량은 물질의 양에 따라 값이 변하지만, 어떤 물질의 밀도는 물질의 양과는 관계없이 일정하다.

② 물질의 종류가 다르면 밀도도 다르므로 이 값을 통해 물질의 종류를 구별할 수 있다. 따라서 밀도는 물질의 특성이 된다.

탐구 더하기 돌의 밀도 측정

전자저울로 돌의 질량을 측정한 후, 물이 들어 있는 눈금실린더에 돌을 넣었을 때 증가하는 물의 부피를 측정하여 돌의 밀도를 구한다.

① 돌의 부피는 돌을 물속에 넣었을 때 물의 부피에서 처음 물의 부피를 뺀 값이다.

→ 돌의 부피=24.0 mL−20.0 mL=4 mL이다.

② 돌의 밀도는 돌의 질량을 돌의 부피로 나누어서 구한다.

$$돌의 밀도=\frac{돌의 질량}{돌의 부피}=\frac{12.0\ g}{(24.0-20.0)\ mL}=3.0\ g/mL$$

돌

돌의 질량 12.0 g

20.0 24.0 돌의 부피

무게

질량은 물질이 가진 고유한 양으로 장소에 관계없이 일정하지만, 무게는 물질에 작용하는 중력의 크기로 장소에 따라 달라진다.

질량이 60 kg인 사람은 지구나 달에서의 질량이 모두 60 kg으로 같지만, 무게는 지구에서 600 N이고 달에서는 지구에서의 $\frac{1}{6}$ 정도인 100 N으로 줄어든다.

전자저울

전자저울은 무게를 측정하는 도구이지만 무게와 질량의 값이 같도록 조정하여 만들어져 있으므로, 질량을 측정할 때도 사용할 수 있다.

부피-질량 그래프

물질의 부피와 질량을 나타낸 그래프에서 기울기는 $\frac{질량}{부피}$이므로, 기울기는 물질의 밀도이다. 따라서 기울기가 클수록 물질의 밀도가 크다.

질량 A B O 부피

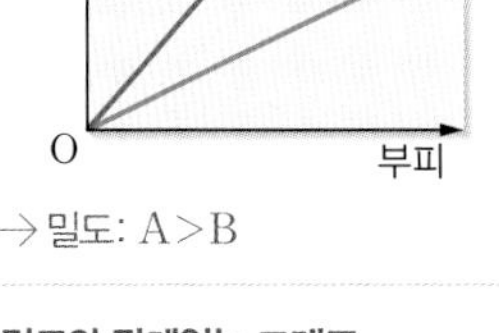

→ 밀도: A>B

밀도와 관계있는 그래프

밀도는 물질의 부피가 일정할 때 질량에 비례하고, 질량이 일정할 때 부피에 반비례한다.

밀도 부피가 일정할 때 O 질량

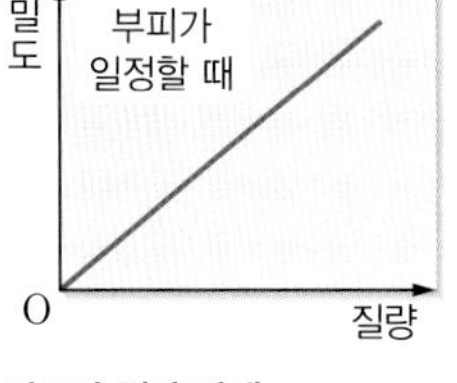

밀도와 질량 관계

밀도 질량이 일정할 때 O 부피

밀도와 부피 관계

(2) 밀도의 비교: 부피가 같은 스타이로폼 공과 쇠공을 물에 넣으면 스타이로폼 공은 물에 뜨고, 쇠공은 물에 가라앉는다. 또, 질량이 같은 스타이로폼 공과 쇠공을 물에 넣으면 스타이로폼 공은 물에 뜨고, 쇠공은 물에 가라앉는다. → 밀도가 큰 물질은 밀도가 작은 물질 아래로 가라앉고, 밀도가 작은 물질은 밀도가 큰 물질 위로 뜨기 때문이다.

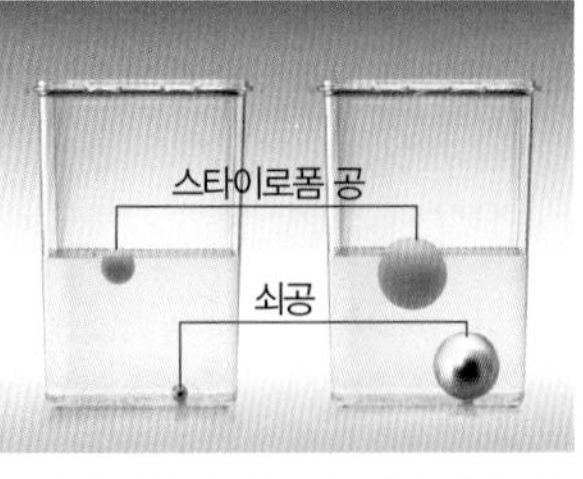

(3) 여러 가지 물질의 밀도: 일반적으로 기체는 고체나 액체에 비해 밀도가 매우 작으며, 고체와 액체는 압력에 의해 부피가 거의 변하지 않으므로 온도만 표시하지만, 기체는 온도와 압력에 의해 부피가 크게 변하므로 온도와 압력을 함께 표시한다.

(25 ℃, 1 기압)

물질	밀도(g/cm³)	물질	밀도(g/cm³)	물질	밀도(g/cm³)
금	19.30	에탄올	0.79	산소	0.00128
구리	8.96	물	1.00	질소	0.00112
알루미늄	2.70	아세트산	1.04	이산화 탄소	0.00177

(4) 혼합물의 밀도 변화: 물에 달걀을 넣으면 달걀이 가라앉지만, 여기에 소금을 계속 녹이면 소금물의 농도가 짙어지면서 밀도가 커지므로 달걀이 점차 위로 떠오른다. → 혼합물의 밀도는 성분 물질이 섞여 있는 비율에 따라 달라진다.

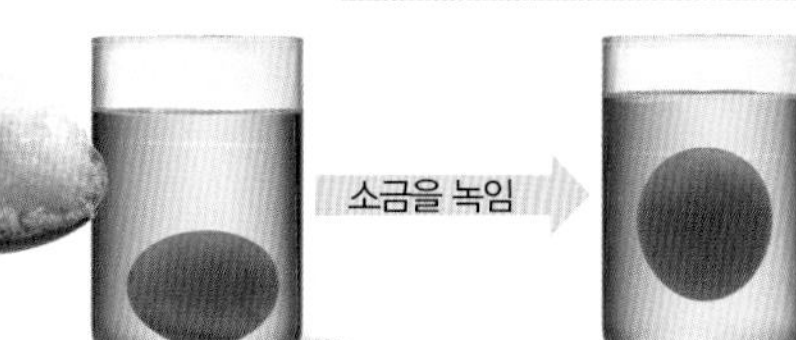

(5) 밀도와 우리 생활

① 공기보다 가벼운 헬륨 기체로 채운 풍선은 하늘로 날아가지만, 입으로 분 풍선은 날숨에 포함된 이산화 탄소가 들어 있으므로 바닥으로 가라앉는다.

② 잠수함이 물속으로 내려갈 때는 잠수함 안의 물탱크에 바닷물을 채워 밀도를 크게 하고, 물 위로 뜰 때는 바닷물을 빼고 공기를 채워 밀도를 작게 한다.

③ 잠수부가 물속에 들어갈 때는 몸에 납덩어리를 차고 들어간다.

④ 바다에서 파도타기를 할 때 물 위에 뜨기 위해 밀도가 작은 서프보드를 이용한다.

학습 내용 Check

정답과 해설 067쪽

1. 물질이 차지하는 공간의 크기를 ________라고 하고, 물질이 가지는 고유한 양을 ________이라고 한다.

2. 질량을 부피로 나눈 값, 즉 단위 부피당 질량을 ________라고 하며, 물질마다 서로 다르므로 물질의 ________이 된다.

물질의 밀도 변화

온도가 높아져서 일정량의 물질의 부피가 증가하면 밀도가 작아지고, 온도가 낮아져서 부피가 감소하면 밀도가 커진다.

액체 층 만들기

밀도가 다르고, 서로 섞이지 않는 액체를 유리컵에 넣으면 그림과 같이 여러 층을 이루는데, 아래층으로 갈수록 밀도가 크다.

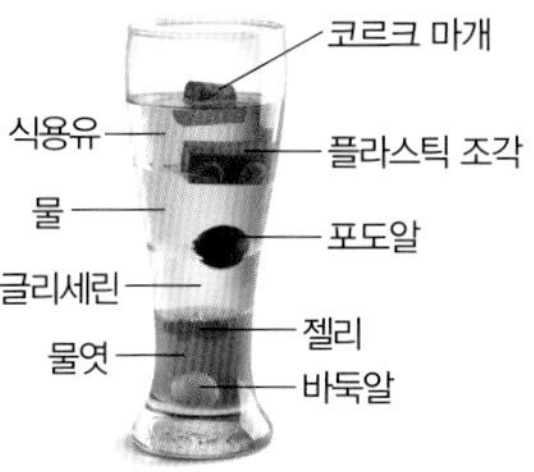

밀도 비교: 바둑알 > 물엿 > 젤리 > 글리세린 > 포도알 > 물 > 플라스틱 조각 > 식용유 > 코르크 마개

LNG와 LPG 가스의 밀도

LNG(액화 천연 가스)의 주성분은 공기보다 밀도가 작은 메테인으로, LNG가 유출되면 위쪽으로 퍼지기 때문에 가스 경보기를 위쪽에 설치한다. 그러나 LPG(액화 석유 가스)의 주성분은 공기보다 밀도가 큰 프로페인과 뷰테인으로, LPG가 유출되면 아래쪽으로 가라앉기 때문에 가스 경보기를 아래쪽에 설치한다. (20 ℃, 1 기압에서 밀도는 공기: 0.00121 g/cm³, LNG: 0.00075 g/cm³, LPG: 0.00186 g/cm³이다.)

탐구 알루미늄과 구리의 밀도 측정하기

크기가 다른 알루미늄과 구리의 부피와 질량을 측정한 후, 밀도를 구하여 밀도가 물질의 특성임을 설명할 수 있다.

과정 및 결과

❶ 크기가 다른 구리 조각과 알루미늄 조각을 2개씩 준비한 후 각각의 질량을 측정한다.

❷ 눈금실린더에 물을 넣고 부피를 측정한 후, 금속 조각을 가는 실에 매달아 물에 잠기게 한 다음 부피를 측정한다.

❸ 4개의 금속 조각들의 질량과 부피를 표에 정리하고, 각 금속 조각의 밀도를 구한다.

물질	큰 알루미늄 조각	작은 알루미늄 조각	큰 구리 조각	작은 구리 조각
질량(g)	27.0	5.4	89.6	17.92
부피(mL)	10.0	2.0	10.0	2.0
밀도(g/mL)	2.70	2.70	8.96	8.96

실

물

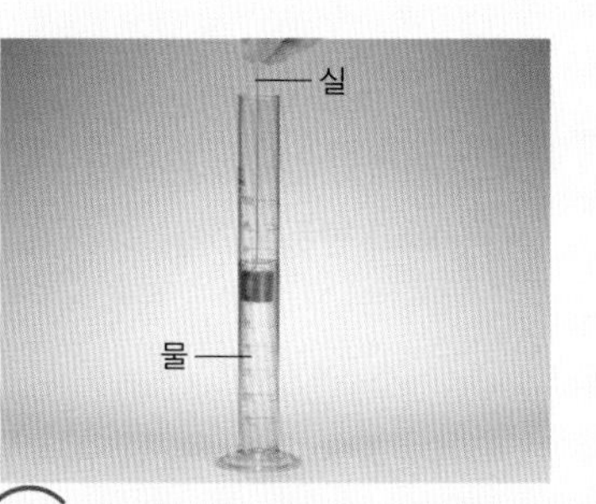

유의점 과정 ❶과 ❷의 순서를 바꾸어 실험하면 금속 조각에 물이 묻어 정확한 질량을 측정할 수 없으므로, 실험 과정을 지켜서 실험한다.

→ 알루미늄의 밀도는 2.70 g/mL, 구리의 밀도는 8.96 g/mL로 물질의 양과 관계없이 같은 물질의 밀도는 일정하다.

결과 해석 및 정리

1. 금속의 크기가 다르면 부피와 질량이 달라지지만, 밀도는 일정하므로 같은 종류의 물질의 밀도는 질량과 관계없이 일정하다.
2. 알루미늄 조각과 구리 조각은 크기가 같아도 질량이 달라 밀도가 서로 다르므로, 밀도는 물질을 구별할 수 있는 물질의 특성이다.

같은 주제 다른 탐구

부피가 다른 물과 에탄올의 질량을 측정한 후, 밀도를 구하여 밀도가 물질의 특성임을 설명할 수 있다.

과정 빈 비커의 질량을 측정한 후, 물 10 mL, 20 mL를 각각 비커에 넣었을 때의 질량을 측정하고, 같은 방법으로 에탄올 10 mL, 20 mL의 질량을 측정한다.

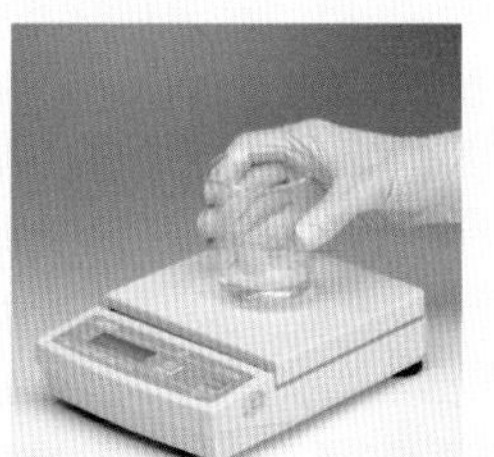

결과 및 정리

물질	물		에탄올	
질량(g)	10	20	7.9	15.8
부피(mL)	10	20	10	20
밀도(g/mL)	1.0	1.0	0.79	0.79

→ 물의 밀도는 1.0 g/mL, 에탄올의 밀도는 0.79 g/mL로 물질의 양과 관계없이 같은 물질의 밀도는 일정하다.

탐구 확인 문제

정답과 해설 067쪽

1 위의 탐구에 대한 설명으로 옳지 않은 것은?

① 고체는 물에 녹지 않아야 한다.
② 구리가 알루미늄보다 밀도가 크다.
③ 밀도는 질량을 부피로 나누어서 구한다.
④ 부피가 일정할 때 구리가 알루미늄보다 질량이 크다.
⑤ 질량이 일정할 때 구리가 알루미늄보다 부피가 크다.

2 (적용) 표는 몇 가지 물질 A~D의 질량과 부피를 나타낸 것이다.

구분	A	B	C	D
질량(g)	20	30	40	20
부피(cm^3)	20	15	20	40

위 물질 중 서로 같은 종류의 물질인 것을 골라 기호를 쓰시오.

심화 기체 밀도의 특징 알아보기

고체나 액체와 달리 기체의 밀도는 온도와 압력에 따라 크게 변한다. 그 까닭을 기체 분자 모형으로 알아보자.

① 기체의 밀도가 온도에 따라 변하는 까닭

압력이 일정할 때 일정량의 기체의 온도가 높아지면 기체 분자(입자)들의 운동이 활발해진다. 따라서 실린더 벽에 가하는 기체의 압력이 증가하면서 피스톤을 밀어내므로 기체가 차지하는 부피가 증가한다. 이때 기체 분자의 수는 일정하여 기체의 질량은 일정하기 때문에 기체의 밀도는 작아진다.

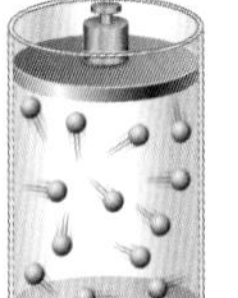

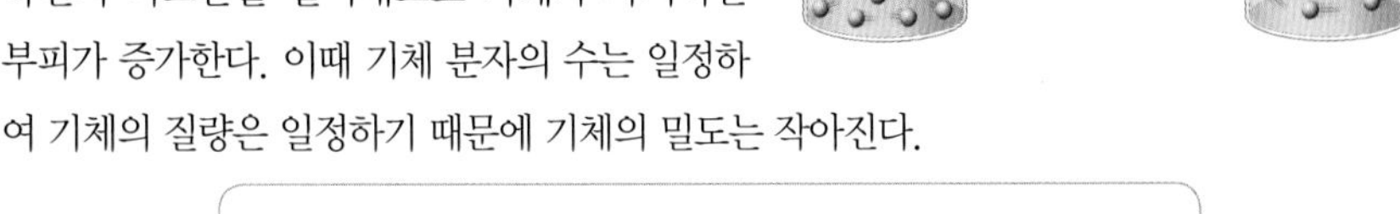

$$\text{기체의 밀도}\downarrow = \frac{\text{질량}}{\text{부피}\uparrow} \text{(단, 압력 일정)}$$

일정한 압력에서 산소, 이산화 탄소, 헬륨 기체의 온도에 따른 밀도를 보면 온도가 높을수록 밀도가 작아짐을 알 수 있다.

(1 기압, 단위는 g/cm³)

온도 \ 기체	산소	이산화 탄소	헬륨
15 ℃	0.0013	0.0019	0.00018
25 ℃	0.00128	0.0018	0.00016

기체의 밀도가 온도에 따라 변하는 현상을 이용하여 열기구를 떠오르게 할 수 있다. 열기구 안을 가열하면 열기구 안 공기 분자의 온도가 높아지고 공기 분자들의 운동이 활발해지면서 공기의 부피가 늘어난다. 이때 공기의 일부가 열기구 밖으로 빠져나가므로, 열기구 안의 공기는 바깥 공기보다 밀도가 작아져 열기구가 떠오른다.

② 기체의 밀도가 압력에 따라 변하는 까닭

온도가 일정할 때 일정량의 기체의 압력이 높아지면 기체 분자 사이의 공간이 감소하면서 기체의 부피가 감소한다. 이때 기체 분자의 수는 일정하여 기체의 질량은 일정하기 때문에 기체의 밀도는 커진다.

$$\text{기체의 밀도}\uparrow = \frac{\text{질량}}{\text{부피}\downarrow} \text{(단, 온도 일정)}$$

이처럼 기체의 밀도는 고체와 액체에 비하여 온도와 압력에 따라 크게 변할 수 있으므로, 기체의 밀도를 표시할 때는 온도와 압력 조건을 같이 나타내야 한다.

한눈에 보는 중단원 핵심 정리

01. 물질의 특성 (1)

1-1 물질의 구별

구분	순물질	혼합물	
		균일 혼합물	불균일 혼합물
정의	한 가지 물질로 구성되어 있음	두 가지 이상의 물질이 고르게 섞여 있음	두 가지 이상의 물질이 고르게 섞여 있지 않음
예	금, 구리, 다이아몬드, 수은, 산소, 물, 염화 나트륨, 이산화 탄소 등	식초, 소금물, 탄산음료, 공기, 스테인리스 합금 등	흙탕물, 우유, 과일 주스, 암석 등

- **순물질의 이용:** 혼합물인 공기에서 분리한 질소는 냉각제로, 산소는 의료용으로 이용한다.
- **혼합물의 이용:** 스테인리스 합금은 주방 기구 제작에 쓰이고, 부동액은 자동차의 냉각수로 이용한다.

1-2 물질의 특성

① **물질의 특성:** 물질의 양에 관계없이 그 물질만이 나타내는 **고유한 성질**

② **겉보기 성질**(색깔, 맛, 냄새, 굳기, 결정 모양 등), **밀도, 용해도, 끓는점, 녹는점, 어는점** 등이 있다.

③ 물질의 특성을 이용하여 물질을 구별할 수도 있고, 혼합물로부터 순물질을 분리할 수도 있다.

2-1 부피와 질량

① **부피:** 모든 물질들이 상태에 관계없이 차지하는 **공간의 크기**이다.
- 단위는 주로 cm^3, m^3, mL, L 등을 사용한다.
- 자, 눈금실린더, 피펫, 스포이트 등을 이용하여 측정한다.

② **질량:** 물질이 가지는 **고유한 양**으로, 측정 장소에 따라 변하지 않고 일정하다.
- 단위는 mg, g, kg 등을 사용한다.
- 윗접시저울이나 전자저울 등을 이용하여 측정한다.

2-2 밀도

① **밀도:** 질량을 부피로 나눈 값, 즉 **단위 부피당 질량**이다.
→ 단위는 g/cm^3, g/mL 등을 사용한다.

$$밀도(g/mL) = \frac{질량(g)}{부피(mL)}$$

② 밀도의 특징
- 부피와 질량은 물질의 양에 따라 값이 변하지만, 한 종류 물질의 **밀도는 물질의 양과는 관계없이 일정**하다.
- 물질의 종류가 다르면 밀도도 다르므로 물질의 종류를 구별할 수 있다.
→ **밀도는 물질의 특성**이다.

③ **밀도의 비교:** 밀도가 큰 물질은 밀도가 작은 물질 아래로 가라앉고, 밀도가 작은 물질은 밀도가 큰 물질 위로 뜬다.

④ **기체**는 온도와 압력에 의해 부피가 크게 변하므로 **온도와 압력을 함께 표시**해야 한다.

⑤ 혼합물의 밀도는 성분 물질이 섞여 있는 비율에 따라 달라진다.

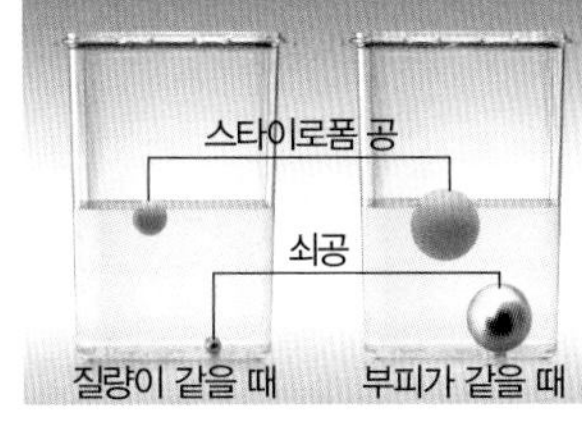
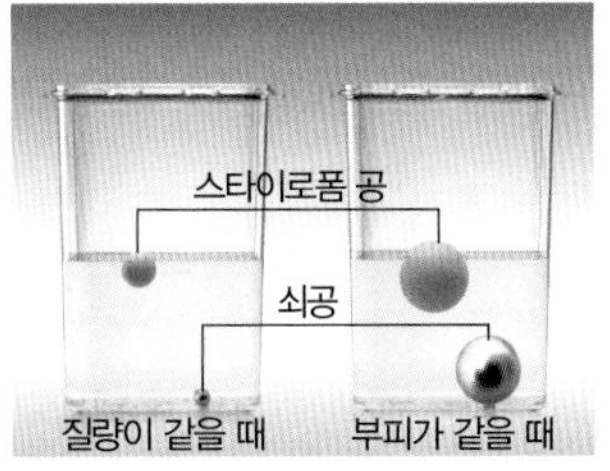
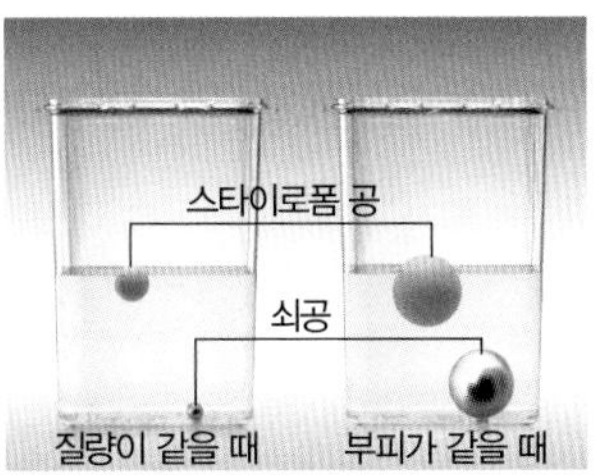

밀도의 비교

개념 확인 문제

01. 물질의 특성 (1)

01 (중요) 순물질을 보기에서 모두 고른 것은?

보기
ㄱ. 철　　ㄴ. 암석　　ㄷ. 물
ㄹ. 소금물　　ㅁ. 질소　　ㅂ. 공기

① ㄱ, ㄴ　　② ㄴ, ㄷ
③ ㄱ, ㄷ, ㅁ　　④ ㄴ, ㄹ, ㅂ
⑤ ㄷ, ㄹ, ㅁ

02 다음 세 가지 물질들의 공통점으로 옳은 것은?

드라이아이스　알루미늄　에탄올

① 실온에서 모두 고체로 존재한다.
② 두 가지 물질이 골고루 섞여 있다.
③ 두 가지 원소로 이루어진 순물질이다.
④ 질량이 증가해도 밀도는 변하지 않는다.
⑤ 섞여 있는 성분 물질의 성질을 모두 나타낸다.

03 두 가지 이상의 원소로 이루어진 순물질을 모두 고르면? (정답 2개)

① 구리　② 헬륨　③ 아세톤
④ 화강암　⑤ 염화 나트륨

04 여러 가지 액체 물질을 각각 순물질과 혼합물로 옳게 분류한 것은?

	순물질	혼합물
①	에탄올	탄산음료
②	설탕물	식초
③	식초	우유
④	과일 주스	에탄올
⑤	우유	설탕물

05 (중요) 그림은 소금을 물에 녹여 소금물을 만드는 과정을 나타낸 것이다.

이에 대한 설명으로 옳지 않은 것은?

① 소금은 순물질이다.
② 물은 화합물에 속한다.
③ 소금은 물과 균일하게 섞인다.
④ 소금물은 물과 소금의 성질과 전혀 다르다.
⑤ 소금이 물에 녹을 때 전체 질량은 변하지 않는다.

06 흙탕물과 설탕물의 차이점과 공통점에 대한 설명으로 옳은 것은?

① 흙탕물만 혼합물이다.
② 두 물질을 구성하는 성분 물질이 같다.
③ 두 물질을 구성하는 성분 물질들이 고르게 섞여 있다.
④ 설탕물은 섞여 있는 물질의 성질을 나타내지 않는다.
⑤ 성분 물질이 섞여 있는 비율에 따라 밀도가 달라진다.

[07~08] 그림은 어떤 두 액체 물질을 구성하고 있는 입자들을 모형으로 나타낸 것이다.

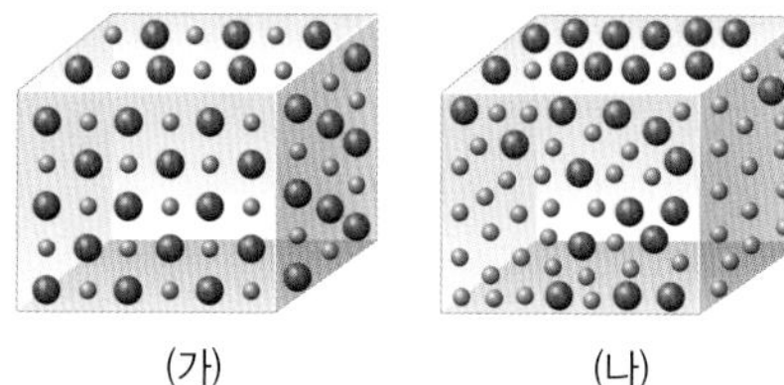

(가) (나)

07 중요 **이 모형이 나타낸 물질을 옳게 짝 지은 것은?**

	(가)	(나)
①	순물질	균일 혼합물
②	순물질	불균일 혼합물
③	균일 혼합물	순물질
④	균일 혼합물	불균일 혼합물
⑤	불균일 혼합물	균일 혼합물

08 이 모형에 대한 설명으로 옳은 것을 보기에서 모두 고른 것은?

보기
ㄱ. (가)와 (나)는 혼합물을 나타낸다.
ㄴ. (가)는 성분 물질의 성질을 가지고 있지 않다.
ㄷ. 온도가 일정할 때 (나)의 전체 밀도는 일정하지 않다.
ㄹ. 불균일한 액체 혼합물은 (가)로 나타낼 수 있다.

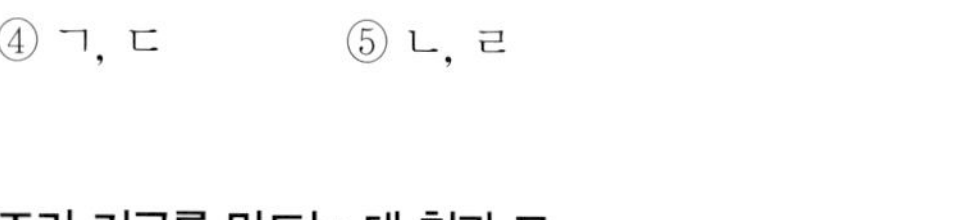

① ㄱ ② ㄴ ③ ㄱ, ㄴ
④ ㄱ, ㄷ ⑤ ㄴ, ㄹ

09 조리 기구를 만드는 데 철과 크로뮴 등을 혼합한 스테인리스 합금을 주로 사용한다. 그 까닭으로 옳은 것은?

① 스테인리스 합금은 녹이 잘 슬지 않기 때문이다.
② 크로뮴을 섞어 밀도가 작아 가볍기 때문이다.
③ 크로뮴을 혼합하여 전류가 잘 흐르기 때문이다.
④ 철에 크로뮴을 섞으면 열을 잘 전하기 때문이다.
⑤ 스테인리스 합금은 단단하지 않아 기구를 만들기가 쉽기 때문이다.

10 혼합물로부터 순물질을 분리하여 사용하는 경우로 옳은 것은?

① 땜납: 납과 주석 등을 섞어 회로를 연결하는 데 사용한다.
② 부동액: 잘 얼지 않으므로 자동차의 냉각수로 사용한다.
③ 의료용 산소: 공기에서 산소를 분리하여 의료용으로 사용한다.
④ 염화 칼슘: 겨울철 눈이 얼지 않도록 도로에 염화 칼슘을 뿌린다.
⑤ 퓨즈: 전류가 흐를 때 쉽게 녹아서 전류를 차단하는 데 사용한다.

11 다음 과정에 대한 설명으로 옳지 않은 것은?

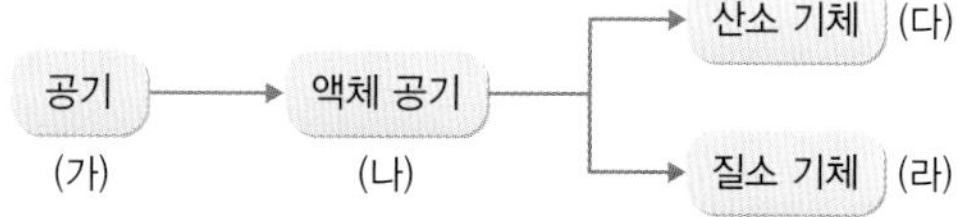

① (가)는 균일 혼합물이다.
② (나)의 여러 가지 액체의 불균일 혼합물이다.
③ (다)는 한 가지 원소로 이루어진 순물질이다.
④ (가)는 (다)와 (라) 성질을 모두 가진 혼합물이다.
⑤ (라)는 액체로 만들어 냉각제로 사용하는 물질이다.

12 중요 **물질의 특성을 옳게 짝 지은 것은?**

① 색깔, 맛, 질량
② 냄새, 밀도, 부피
③ 밀도, 용해도, 끓는점
④ 용해도, 질량, 끓는점
⑤ 녹는점, 부피, 용해도

개념 확인 문제

13 **물질의 질량과 부피에 대한 설명으로 옳지 <u>않은</u> 것은?**

① 부피는 물체가 차지하는 공간의 크기이다.
② 액체의 부피는 눈금실린더로 측정할 수 있다.
③ 물질의 질량은 측정하는 장소에 따라 변한다.
④ 물질의 질량은 윗접시저울로 측정할 수 있다.
⑤ 질량의 단위에는 g, kg 등이 있다.

중요

14 **그림은 모양이 일정하지 않은 고체의 부피를 측정하는 과정을 나타낸 것이다.**

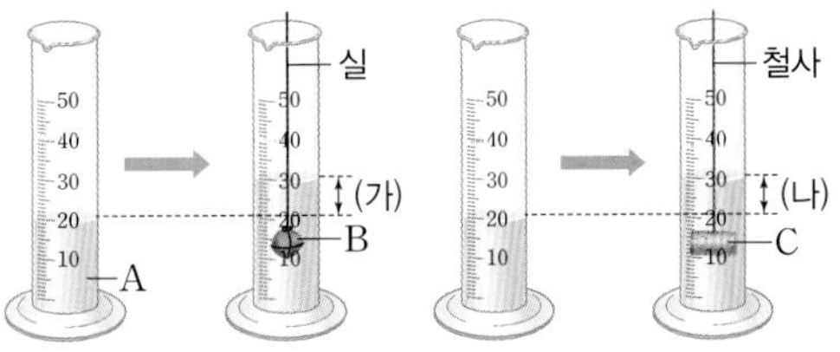

이 실험에 대한 설명으로 옳은 것은?

① 고체 B는 액체 A에 잘 녹을수록 좋다.
② 고체 B는 액체 A에 잘 뜨는 물질이다.
③ 고체 C는 액체 A에 가라앉는 물질이다.
④ 액체 A가 증가한 부피 (가)는 고체 B의 부피이다.
⑤ 액체 A가 증가한 부피 (나)는 고체 B의 부피이다.

15 **그림 (가)와 같이 윗접시저울에 분동을 올려놓으면서 나무도막의 질량을 측정하여 그림 (나)와 같은 결과를 얻었다.**

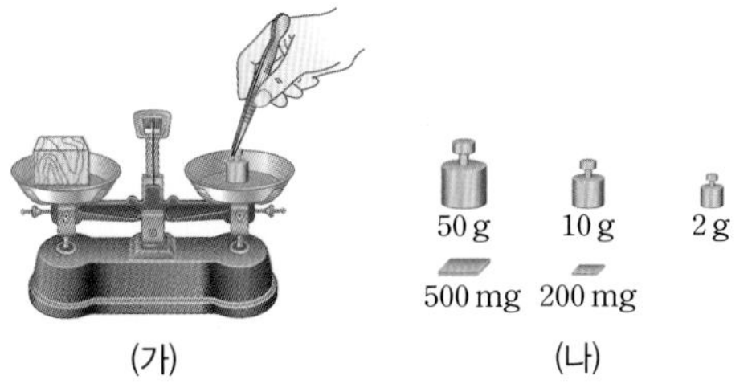

(가) (나)

이에 대한 설명으로 옳지 <u>않은</u> 것은?

① 윗접시저울을 평평한 곳에 놓고 측정한다.
② 오른손잡이라면 나무도막을 윗접시저울의 왼쪽에 놓는다.
③ 처음에 영점 조절 나사를 돌려 수평으로 맞춘다.
④ 분동은 질량이 작은 것부터 올려놓는다.
⑤ 나무도막의 질량은 분동의 질량을 합한 62.7 g이다.

16 **오른쪽 그림은 부피가 같은 스타이로폼 공과 쇠공을 물속에 넣었을 때의 모습이다. 두 공의 위치가 다른 까닭으로 옳은 것은?**

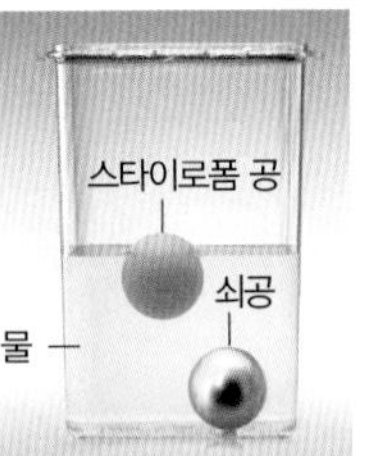

① 단위 부피당 질량이 서로 다르기 때문이다.
② 부피 1 cm^3의 질량이 물질마다 같기 때문이다.
③ 두 고체의 밀도가 물보다 모두 크기 때문이다.
④ 압력에 따라 물질의 밀도가 달라지기 때문이다.
⑤ 같은 질량이 차지하는 부피가 서로 같기 때문이다.

중요

17 **밀도에 대한 설명으로 옳지 <u>않은</u> 것은?**

① 밀도는 단위 부피당 질량이다.
② 밀도의 단위로는 g/cm^3, g/mL 등이 있다.
③ 밀도는 물질에 따라 다르므로 물질의 특성이다.
④ 부피가 같을 때 질량이 작은 물질일수록 밀도가 크다.
⑤ 얼음은 물 위에 뜨므로 얼음의 밀도가 물의 밀도보다 작다.

18 **모양이 불규칙한 작은 돌멩이의 밀도를 측정할 때 필요한 것을 보기에서 모두 골라 기호를 쓰시오.**

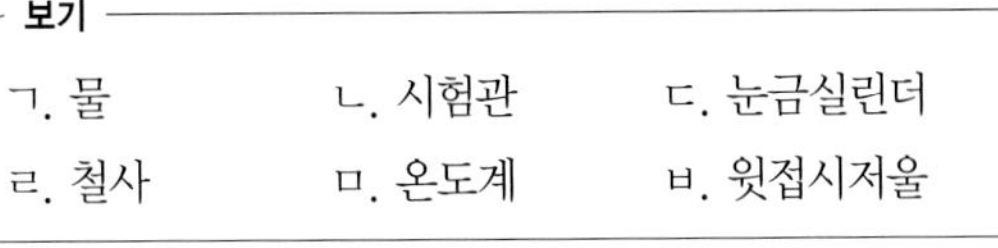
보기

ㄱ. 물	ㄴ. 시험관	ㄷ. 눈금실린더
ㄹ. 철사	ㅁ. 온도계	ㅂ. 윗접시저울

19 그림과 같이 질량이 500 g인 물체 A를 B와 C로 잘랐다.

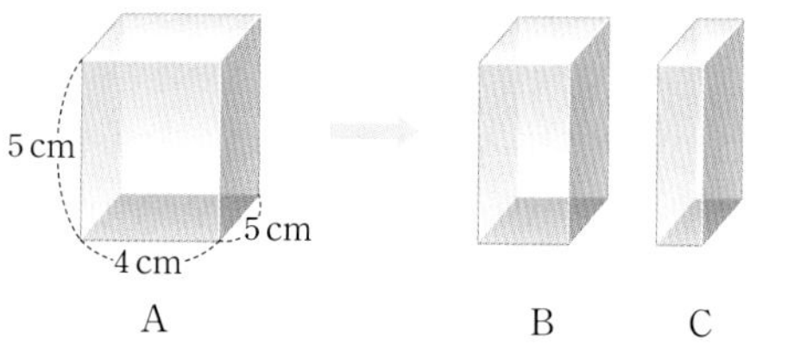

B의 질량이 300 g일 때, C의 부피(cm^3)와 밀도(g/cm^3)를 옳게 짝 지은 것은?

	부피	밀도		부피	밀도
①	30	3.0	②	30	5.0
③	40	3.0	④	40	5.0
⑤	50	3.0			

[20~21] 어떤 고체 A의 밀도를 측정하기 위해 질량을 측정하였더니 30.5 g이었다. 고체 A를 물 54 mL가 들어 있는 눈금실린더에 넣었더니 오른쪽 그림과 같이 물의 부피가 증가하였다. (단, 고체 A는 물에 녹지 않으며, 수면의 눈금은 59 mL이다.)

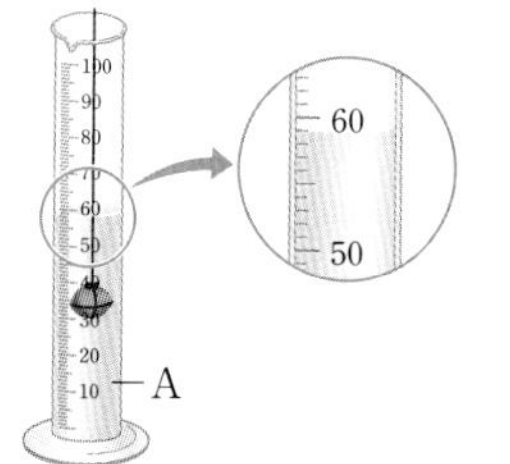

20 (중요) 고체 A의 밀도는 몇 g/mL인가?

① 1.6 g/mL ② 3.5 g/mL
③ 6.1 g/mL ④ 8.5 g/mL
⑤ 10.0 g/mL

21 고체 A를 오른쪽 그림과 같이 여러 가지 액체 층을 이루고 있는 컵 속에 넣었을 때, A는 어느 곳에 위치하는지 기호를 쓰시오. (단, 컵 속 물질의 숫자는 각 물질의 밀도를 나타내며, 단위는 g/mL이다.)

22 표는 1기압, 25 ℃에서 여러 가지 물질의 밀도를 나타낸 것이다.

물질	밀도(g/cm^3)	물질	밀도(g/cm^3)
금	19.30	물	1.00
수은	13.55	에탄올	0.79
알루미늄	2.70	산소	0.00128

물질의 부피가 100 cm^3 일 때 질량이 가장 큰 것과 질량이 가장 작은 것을 순서대로 옳게 짝 지은 것은?

① 금, 산소 ② 물, 에탄올
③ 알루미늄, 물 ④ 산소, 수은
⑤ 수은, 에탄올

23 오른쪽 그림과 같이 헬륨이 들어 있는 풍선을 놓으면 하늘로 떠오른다. 하늘 높이 올라갈수록 대기압이 낮아질 때 풍선 안에 들어 있는 헬륨의 부피와 밀도 변화를 옳게 짝 지은 것은? (단, 온도는 일정하다고 가정한다.)

① 부피 감소, 밀도 감소
② 부피 감소, 밀도 증가
③ 부피 증가, 밀도 감소
④ 부피 증가, 밀도 증가
⑤ 부피 일정, 밀도 일정

24 (중요) 밀도를 크게 하여 생활에 이용하는 경우를 모두 고르면? (정답 2개)

① 광고용 풍선에 헬륨 기체를 넣어 하늘로 띄운다.
② 잠수부가 물속에 들어갈 때는 몸에 납덩어리를 차고 들어간다.
③ 잠수함이 물속으로 내려갈 때는 잠수함 안의 물탱크에 바닷물을 채운다.
④ 열기구를 높이 띄울 때 열기구 내부의 공기를 가열한다.
⑤ 물놀이를 할 때 물에 빠지지 않기 위해 구명조끼를 입는다.

실력 강화 문제

01. 물질의 특성 (1)

01 다음 물질에 대한 설명으로 옳은 것은?

구리 우유 물 소금물

① 구리는 여러 가지 원소가 결합한 화합물이다.
② 우유는 한 가지 물질로 이루어진 순물질이다.
③ 한 가지 원소로 이루어진 물질은 구리와 물이다.
④ 밀도가 일정한 균일 혼합물은 우유와 소금물이다.
⑤ 소금물은 성분 물질의 성질을 모두 나타내는 혼합물이다.

02 그림은 물질을 구성하는 입자들을 모형으로 나타낸 것이다.

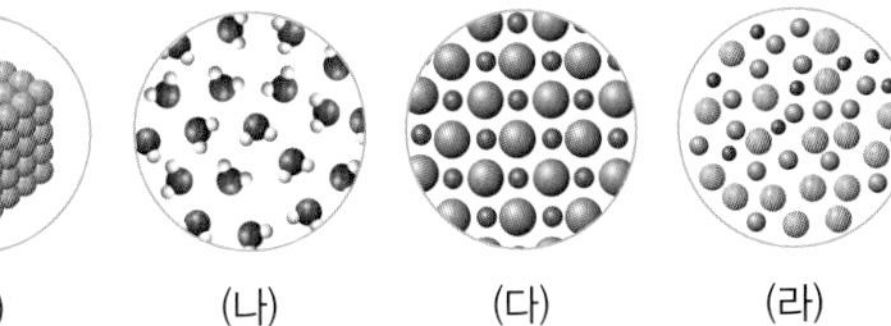

각 물질과 모형을 옳게 짝 지은 것은?

① 식초 – (가)　② 공기 – (나)
③ 알루미늄 – (다)　④ 물 – (라)
⑤ 과일 주스 – (라)

03 다음 세 가지 물질의 공통점을 옳게 설명한 것은?

암석 우유 오렌지주스

① 두 가지 원소로 이루어진 화합물이다.
② 한 가지 원소로만 이루어져 있다.
③ 단위 부피당 질량이 같다.
④ 순물질이 고르게 섞여 있는 균일 혼합물이다.
⑤ 순물질이 고르지 않게 섞여 있는 불균일 혼합물이다.

04 그림은 수소와 산소의 혼합 기체에 전기 불꽃을 터트렸을 때 수증기 입자가 생기는 반응을 나타낸 것이다.

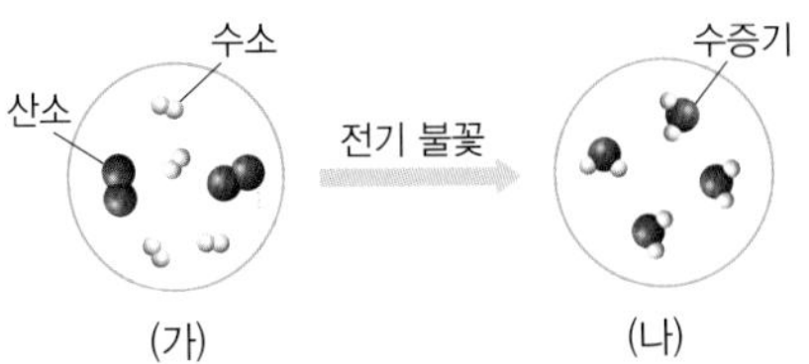

이에 대한 설명으로 옳지 않은 것은?

① (가)는 기체 상태의 혼합물이다.
② 수소와 산소 기체는 홑원소 물질이다.
③ 순물질이 반응할 때 다른 종류의 원소가 생성된다.
④ (나)의 수증기는 두 가지 원소로 이루어진 화합물이다.
⑤ (나)의 입자들은 수소와 산소의 성질과 다르다.

05 물질의 특성이 아닌 것을 보기에서 모두 골라 쓰시오.

보기

ㄱ. 온도　ㄴ. 색깔　ㄷ. 길이
ㄹ. 밀도　ㅁ. 어는점　ㅂ. 굳기

06 물질의 밀도와 질량, 부피의 관계를 옳게 나타낸 것을 모두 고르면? (정답 2개)

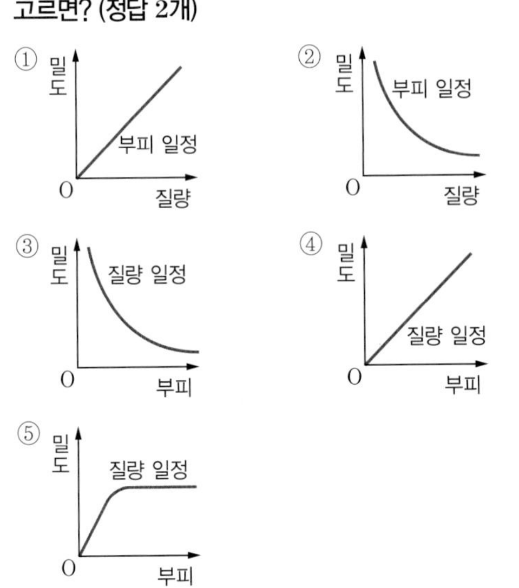

① 밀도 – 질량 그래프 (부피 일정)
② 밀도 – 질량 그래프 (부피 일정)
③ 밀도 – 부피 그래프 (질량 일정)
④ 밀도 – 부피 그래프 (질량 일정)
⑤ 밀도 – 부피 그래프 (질량 일정)

07 그림과 같이 어떤 금속 조각의 질량을 윗접시저울로 측정하였다. 이때 20 g 분동 2개, 2 g 분동 2개, 500 mg 분동 1개였다. 이 금속 조각을 물 46.0 mL가 담긴 눈금실린더에 넣었더니 수면의 높이가 (나)와 같이 나타났다.

(가) (나)

빈칸에 알맞은 말을 쓰시오.

> (나)에서 금속 조각의 부피가 (㉠)mL이므로 금속 조각의 밀도는 (㉡)g/mL이다.

08 다음은 25 ℃에서 여러 가지 물질의 질량과 부피를 측정한 결과이다.

물질	질량(g)	부피(cm^3)
액체 A	8.0	10.0
액체 B	10.0	10.0
고체 C	10.0	25.0
고체 D	97.5	15.0

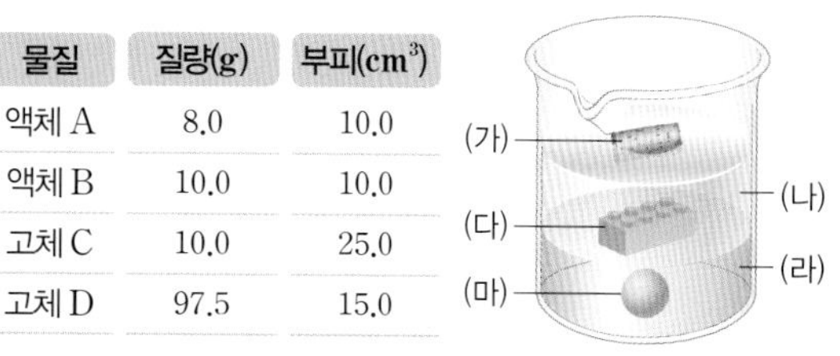

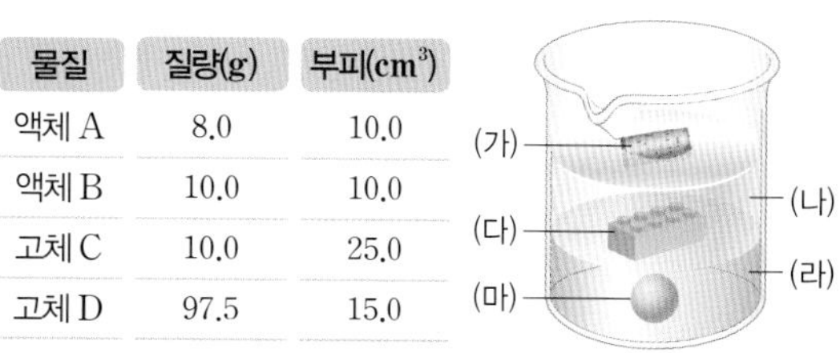

위의 물질들을 그림과 같이 비커 속에 넣을 때, 각 물질은 무엇인지 기호를 쓰시오. (단, 물질들은 서로 섞이지 않으며, 고체 C와 D는 액체 A 또는 B에 녹지 않는다.)

(1) 액체 A : ________ (2) 액체 B : ________
(3) 고체 C : ________ (4) 고체 D : ________

09 오른쪽 그림은 물에 녹지 않는 물질 A~E의 질량과 부피의 관계를 나타낸 것이다. 물질 A~E를 물에 넣었을 때, 물 위에 뜨는 물질을 옳게 짝 지은 것은? (단, 물의 밀도는 1 g/cm^3이다.)

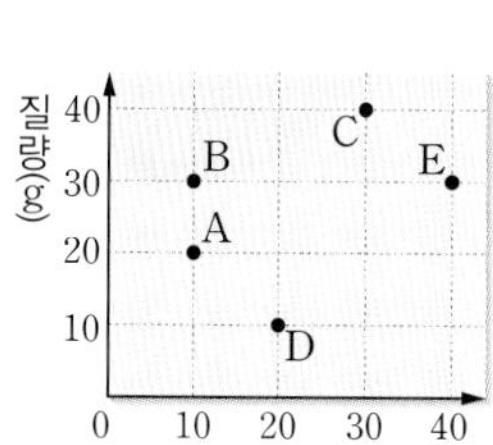

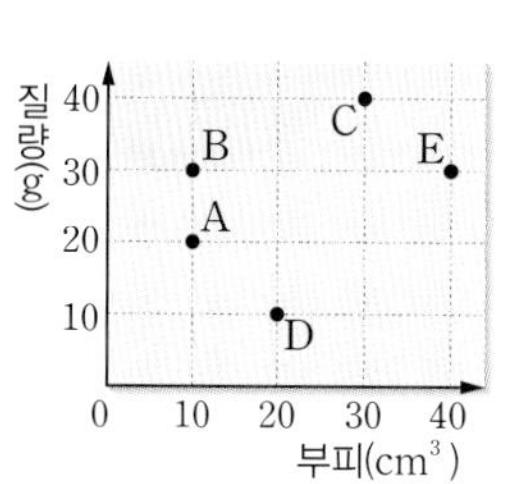

① A, B ② A, E ③ B, D
④ C, E ⑤ D, E

10 오른쪽 그림은 물질 A와 B의 질량과 부피의 관계를 나타낸 것이다. 이에 대한 설명으로 옳은 것은?

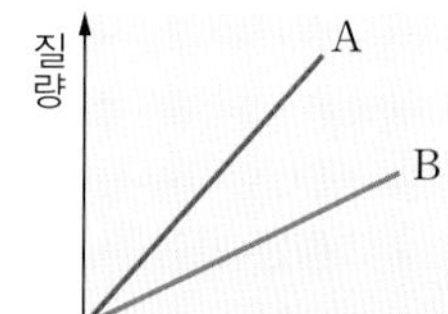

① A와 B는 같은 물질이다.
② A가 B보다 밀도가 크다.
③ 같은 질량일 때 부피는 A가 B보다 크다.
④ 같은 부피일 때 질량은 B가 A보다 크다.
⑤ 그림으로 A와 B의 밀도를 비교할 수 없다.

11 오른쪽 그림과 같이 빨간 색소를 탄 따뜻한 물과 파란 색소를 탄 찬물이 들어 있는 컵을 거꾸로 포개 놓았다. 이에 대한 설명으로 옳은 것을 보기에서 모두 고른 것은?

찬물 / 따뜻한 물 (가) (나)

보기
ㄱ. (가)는 (나)보다 용액이 잘 섞인다.
ㄴ. (가)와 (나)는 용액이 같은 속도로 섞인다.
ㄷ. 찬물은 따뜻한 물보다 밀도가 크다.
ㄹ. 온도가 높아지면 물의 밀도가 증가한다.

① ㄱ, ㄴ ② ㄱ, ㄷ ③ ㄴ, ㄷ
④ ㄴ, ㄹ ⑤ ㄷ, ㄹ

12 오른쪽 그림은 온도에 따른 물의 밀도 변화를 나타낸 것이다. 이에 대한 설명으로 옳은 것은?

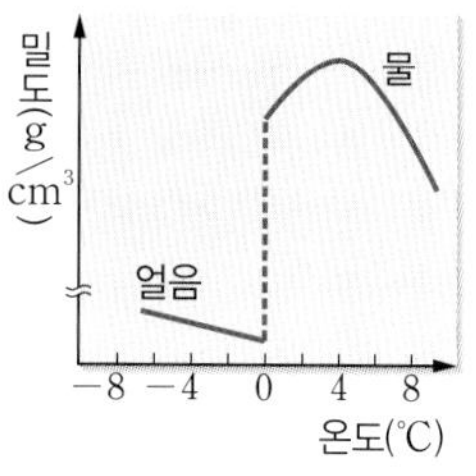

① 가열할 때 0 ℃에서 물이 얼음으로 응고한다.
② 질량이 같을 때 0 ℃ 물이 0 ℃ 얼음보다 부피가 더 크다.
③ 물의 밀도가 가장 큰 온도는 0 ℃이다.
④ 온도에 관계없이 물의 부피는 일정하다.
⑤ 같은 질량일 때 4 ℃ 물의 부피가 가장 작다.

서술형 문제

01. 물질의 특성 (1)

☞ 제시된 Keyword를 이용하여 문제를 해결해 보자.

1 그림은 물질을 세 가지 기준으로 분류하는 과정을 나타낸 것이다.

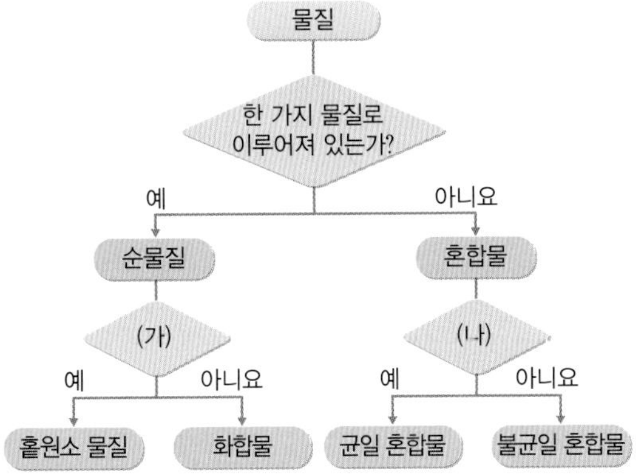

물질 → 한 가지 물질로 이루어져 있는가?
- 예 → 순물질 → (가)
  - 예 → 홑원소 물질
  - 아니요 → 화합물
- 아니요 → 혼합물 → (나)
  - 예 → 균일 혼합물
  - 아니요 → 불균일 혼합물

(가)와 (나)에 들어갈 분류 기준을 설명하시오.

Keyword 구성 원소, 균일

2 그림은 물질을 구성하는 입자들을 모형으로 나타낸 것이다.

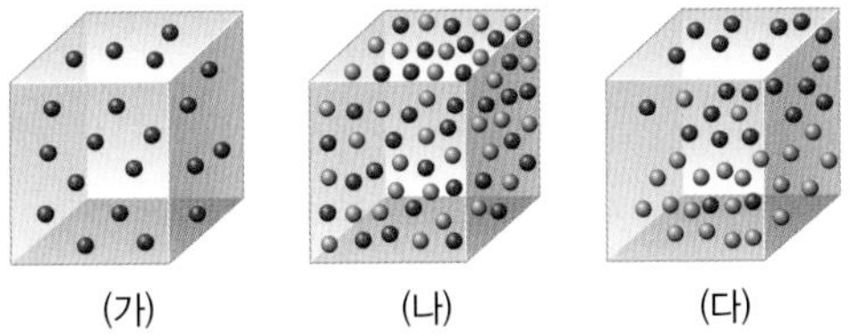

(가) (나) (다)

소금물을 나타낼 수 있는 모형을 고르고, 그 까닭을 설명하시오.

Keyword 입자, 혼합물

3 고대의 학자 아르키메데스는 질량이 같은 왕관과 금덩어리를 물이 가득 든 그릇에 넣었을 때 넘친 물의 부피를 비교하여 대장장이가 만들어 온 왕관이 순수한 금으로 만든 것이 아님을 밝혀냈다.

아르키메데스가 왕관이 다른 물질이 섞인 가짜라는 것을 알 수 있었던 까닭을 설명하시오.

Keyword 부피, 질량, 밀도, 물질의 특성

4 그림과 같이 물속에 달걀을 넣었을 때 가라앉아 있던 달걀이 소금을 물에 녹임에 따라 점점 떠오른다.

소금
소금을 녹임
소금을 더 녹임

달걀이 떠오르는 까닭을 설명하시오.

Keyword 소금물, 밀도

정답과 해설 069쪽

5 **그림과 같이 식용유가 들어 있는 비커에 얼음 조각을 넣고 한참 동안 놓아두었다.**

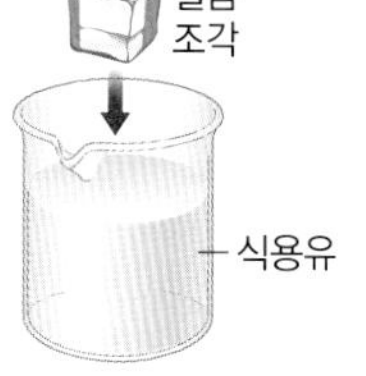
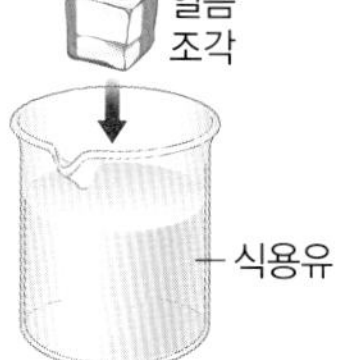

이때 일어나는 변화와 그 까닭을 설명하시오. (단, 식용유의 밀도는 $0.93\ g/cm^3$, 얼음의 밀도는 $0.92\ g/cm^3$, 물의 밀도는 $1.00\ g/cm^3$이며, 온도는 일정하다.)

Keyword 식용유, 물, 얼음, 밀도

6 **그림과 같이 수조에 길이가 다른 양초들을 세우고 불을 붙여 놓은 다음, 바닥에 드라이아이스를 넣었더니 양초의 불이 차례로 꺼졌다.**

드라이아이스
A B C

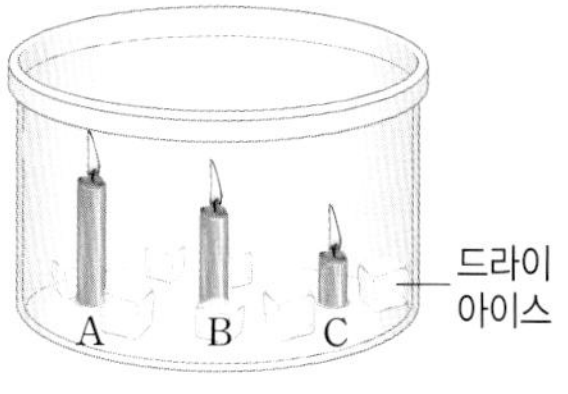

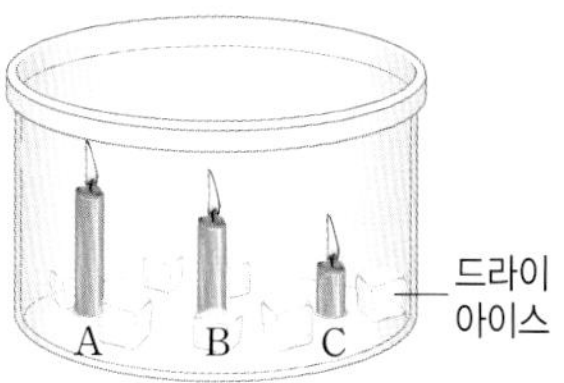

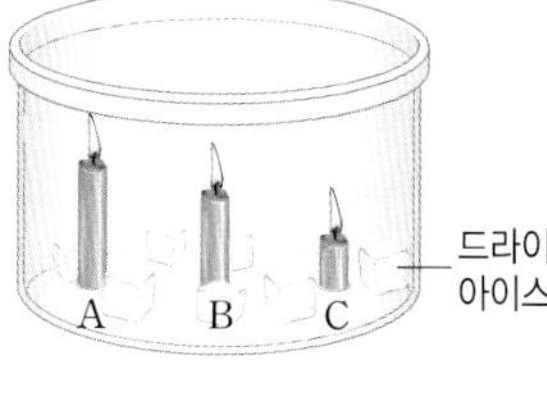

이때 불이 꺼지는 순서와 이러한 현상이 일어나는 까닭을 설명하시오.

Keyword 승화, 이산화 탄소, 밀도, 공기

7 **그림은 헬륨 기체를 채운 비행선과 광고용 풍선을 나타낸 것이다.**

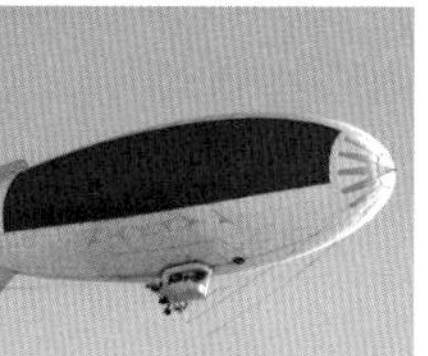

비행선

광고용 풍선

두 기구에서 공통으로 사용된 원리를 설명하시오. (단, 헬륨의 밀도는 $0.000164\ g/cm^3$, 공기의 밀도는 $0.00130\ g/cm^3$이다.)

Keyword 헬륨, 공기, 밀도

8 **그림은 물질의 특성을 이용하여 마블링 물감으로 미술 작품을 만드는 과정을 나타낸 것이다.**

그릇에 물을 담고 마블링 물감을 떨어뜨린다.

물감을 휘저어서 무늬를 만든 후, 종이를 덮어서 무늬를 떠낸다.

마블링 기법을 이용하여 다양한 작품을 만든다.

이 과정에서 이용한 두 가지 원리를 설명하시오.

Keyword 마블링 물감, 밀도

02 물질의 특성 (2)

물질을 구별할 수 있는 특성에는 밀도 이외에도 용해도, 끓는점, 어는점, 녹는점 등이 있다. 이 단원에서는 물질의 용해도와 끓는점, 어는점, 녹는점 등의 성질을 알아보고 이 성질들이 무엇에 영향을 받는지를 알아본다.

1 용해도 (과학 용어 사전 234쪽)

1. 용해와 용액 설탕이 물에 녹는 것과 같이 한 물질이 다른 물질에 녹아 고르게 섞이는 현상을 용해라고 하고, 설탕물과 같이 두 물질이 고르게 섞여 있는 것을 용액이라고 한다.

(1) **용질과 용매**: 설탕물에서 설탕과 같이 다른 물질에 녹는 물질을 용질, 물과 같이 다른 물질을 녹이는 물질을 용매라고 한다.

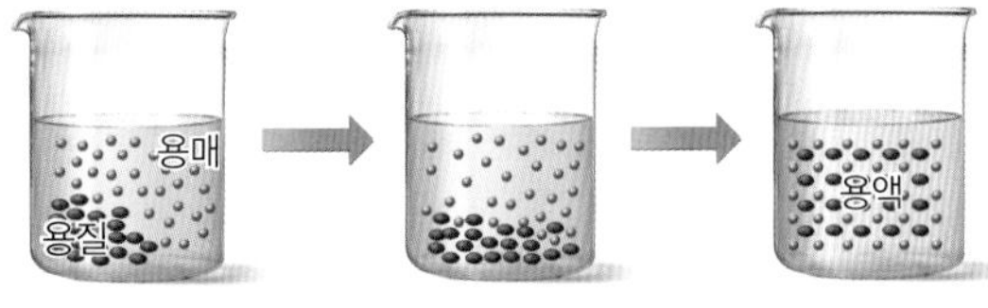

설탕 + 물 —(용해)→ 설탕물
용질 　용매 　　용액

설탕이 물에 용해될 때의 입자 모형

(2) **용액의 특징**

① 균일 혼합물이며, 투명하다. ② 용질의 입자가 보이지 않고, 밀도가 고르다.
③ 거름종이로 걸러지는 입자가 없다. ④ 오랫동안 놓아두어도 가라앉는 것이 없다.

(투명하다: 용액 속에 녹아 있는 용질의 입자들이 매우 작기 때문에 잘 보이지 않아 투명하다. 대부분 투명하지만 용질의 종류에 따라 색을 띠는 용액도 있다.)

2. 포화 용액과 불포화 용액 물에 설탕이나 소금을 넣고 저어 주면 어느 정도까지는 녹다가 더 이상 녹지 않는 한계에 이르는데, 이와 같이 어떤 온도에서 일정량의 용매에 용질이 최대로 녹아 있는 용액을 포화 용액이라고 한다. 또한, 포화 용액보다 적은 양의 용질이 녹아 있어 용매에 용질이 더 녹을 수 있는 상태의 용액을 불포화 용액이라고 한다.

3. 용액의 농도

(1) **농도**: 용액에 녹아 있는 용질의 양에 따라 용액의 진하기가 달라지는데, 이것을 농도라고 한다.

(2) **농도의 표현**: 일상생활에서는 주로 퍼센트 농도(%)를 사용한다. → 퍼센트 농도(%)는 용액 100 g 속에 녹아 있는 용질의 g수를 백분율로 나타낸 것이다.

$$\text{퍼센트 농도(\%)}=\frac{\text{용질의 질량}}{\text{용액의 질량}}\times100=\frac{\text{용질의 질량}}{\text{(용매+용질)의 질량}}\times100$$

용해의 원리
용질이 용매에 녹을 때 용질의 입자와 용매의 입자 사이에 서로 끌어당기는 힘이 작용하는데, 그 힘이 용질 입자 사이에 작용하는 당기는 힘보다 큰 경우에 용질의 입자들이 용매의 입자 사이로 들어가면서 용해된다.

과포화 용액
높은 온도의 포화 용액을 서서히 냉각시키면 용매가 녹일 수 있는 양보다 더 많은 용질이 녹아 있는 상태의 용액이 되는데, 이를 과포화 용액이라고 한다.

용액의 진하기
진한 용액은 묽은 용액보다 같은 양의 용매 속에 들어 있는 용질 입자 수가 더 많다. → 용액의 농도에 따라 색깔, 맛, 밀도, 끓는점 등이 달라진다.

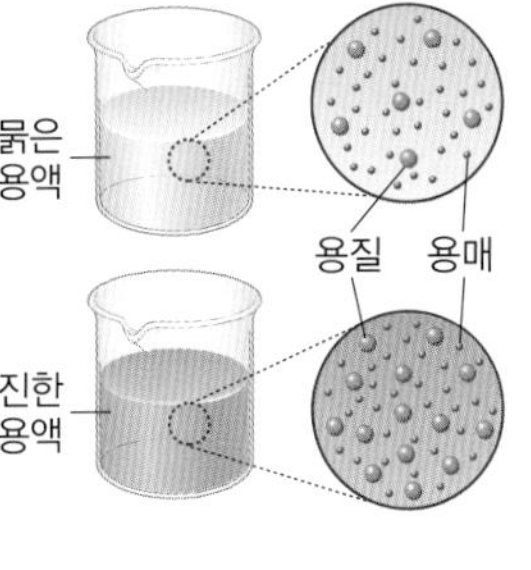

4. 고체의 용해도

(1) 용해도: 일정한 온도에서 용매 100 g에 최대로 녹을 수 있는 용질의 g 수이다.

(2) 용해도의 특징

① 일정 온도에서 같은 용매에 대한 용해도는 용질에 따라 다르므로 용해도는 물질의 특성이다.

② 용해도는 용매와 용질의 종류가 같더라도 온도에 따라 다르다. 따라서 물질의 용해도를 나타낼 때에는 온도를 함께 표시해야 한다.

③ 일반적으로 고체의 용해도는 온도가 높을수록 증가하고, 압력의 영향은 거의 받지 않는다.

용어 압력
단위 면적에 작용하는 힘의 크기를 말하며, 특히 대기에 의해 발생하는 압력을 대기압이라고 한다. 고체나 액체의 용해도는 압력에 영향을 받지 않으나 기체의 용해도는 압력이 클수록 증가한다.

(3) 여러 가지 고체 물질의 용해도 (g/물 100 g)

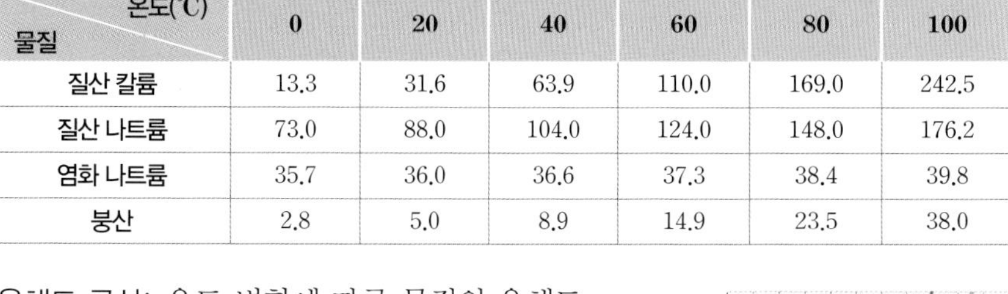

물질 \ 온도(℃)	0	20	40	60	80	100
질산 칼륨	13.3	31.6	63.9	110.0	169.0	242.5
질산 나트륨	73.0	88.0	104.0	124.0	148.0	176.2
염화 나트륨	35.7	36.0	36.6	37.3	38.4	39.8
붕산	2.8	5.0	8.9	14.9	23.5	38.0

(4) 용해도 곡선: 온도 변화에 따른 물질의 용해도 변화를 그래프로 나타낸 것을 용해도 곡선이라고 한다.

① 용해도 곡선 상의 점은 포화 용액, 곡선 아래에 있는 점은 불포화 용액, 곡선 위에 있는 점은 과포화 용액을 나타낸다. 예 60 ℃에서 물 100 g에 질산 칼륨 40 g을 녹인 수용액은 불포화 용액이다.

② 기울기가 급할수록 온도에 따른 용해도의 변화가 큰 물질이고, 기울기가 완만할수록 온도에 따른 용해도의 변화가 작은 물질이다.

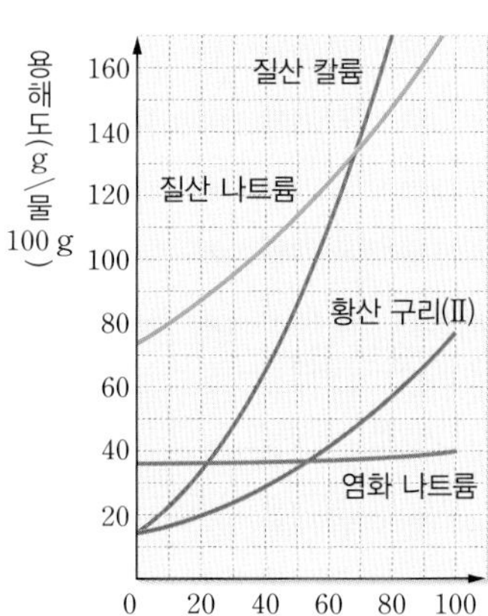

고체 물질의 용해도 곡선

예 질산 나트륨과 질산 칼륨은 온도에 따른 용해도 변화가 크다.

포화 용액, 불포화 용액, 과포화 용액
용해도 곡선에서 포화 용액, 불포화 용액, 과포화 용액을 나타내면 그래프처럼 나타난다.

용해도(g/물 100 g) / 과포화 용액 / 포화 용액 / 불포화 용액 / O / 온도(℃)

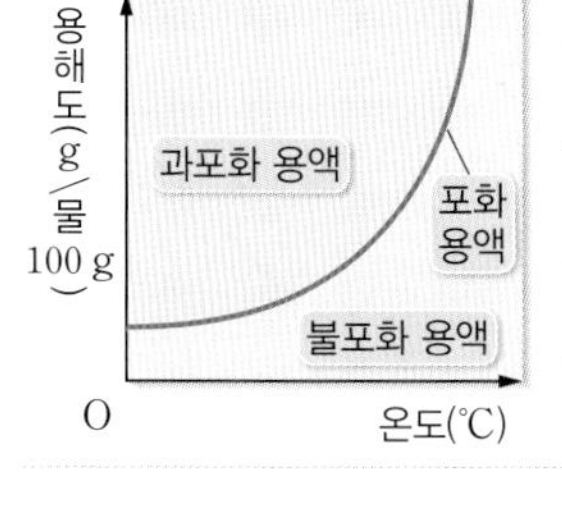

③ 용액을 냉각시킬 때 석출되는 용질의 양을 알 수 있다. 석출되는 용질의 양은 다음과 같은 식을 이용하여 구할 수 있다. 집중분석 104쪽

석출되는 용질의 양 = 처음에 녹아 있던 용질의 양 − 냉각시킨 온도에서 최대로 녹을 수 있는 용질의 양

예 60 ℃에서 물 100 g에 질산 칼륨 110 g이 녹아 있는 용액을 20 ℃로 냉각시킬 때 석출되는 용질의 양은 (60 ℃에서 녹아 있는 용질의 양)−(20 ℃에서 최대로 녹을 수 있는 용질의 양)=110−31.6=78.4(g), 질산 칼륨 78.4 g이 석출된다.

(5) 용해도 곡선의 이용

① 용액을 가열하여 포화 용액을 만드는 경우: 용액을 가열하면 용해도가 증가하여 녹을 수 있는 용질의 양이 증가하므로 용질을 더 녹여야 한다.

예 20 ℃의 물 100 g에 질산 칼륨 31.6 g이 녹아 있는 용액을 60 ℃의 포화 용액으로 만드는 경우

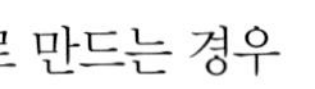

60 ℃의 물 100 g에 질산 칼륨을 녹여 포화 용액을 만들기 위해서는 질산 칼륨 110 g을 녹여야 한다. → 용액에 31.6 g의 질산 칼륨이 녹아 있기 때문에 더 넣어 주어야 하는 질산 칼륨의 양은 110 g−31.6 g=78.4 g이다.

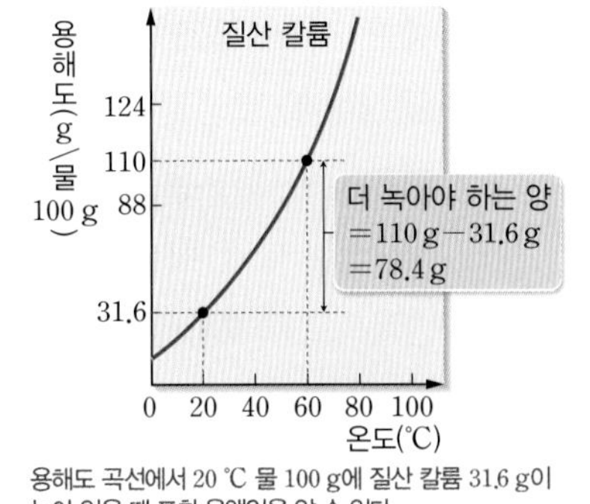

용해도 곡선에서 20 ℃ 물 100 g에 질산 칼륨 31.6 g이 녹아 있을 때 포화 용액임을 알 수 있다.

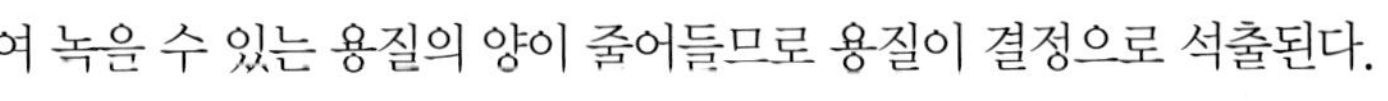

② 용액을 냉각시켜 용질을 석출시키는 경우: 용액을 냉각시키면 용해도가 감소하여 녹을 수 있는 용질의 양이 줄어들므로 용질이 결정으로 석출된다.

예 60 ℃의 물 100 g에 질산 나트륨 124 g이 녹아 있는 용액을 20 ℃로 냉각시키는 경우

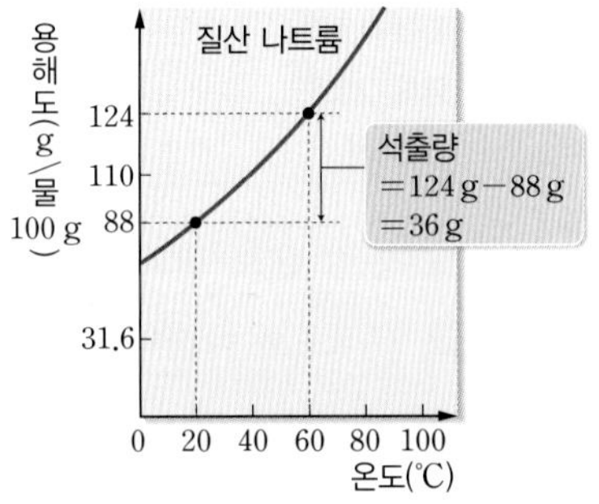

20 ℃ 물 100 g에는 질산 나트륨을 88 g만 녹일 수 있다. → 60 ℃의 용액을 20 ℃로 낮추면 124 g−88 g=36 g의 질산 나트륨이 석출된다.

용해도 곡선에서 60 ℃ 물 100 g에 질산 칼륨 124 g이 녹아 있을 때 포화 용액임을 알 수 있다.

5. 기체의 용해도

(1) 기체의 용해도와 온도와 압력의 관계: 기체의 용해도는 온도와 압력을 영향을 크게 받기 때문에 기체의 용해도를 나타낼 때는 온도와 압력을 함께 표시한다.

① 기체의 용해도는 온도가 높을수록 감소하고 온도가 낮을수록 증가한다. → 온도가 높아지면 용액에 녹아 있는 기체의 입자 운동이 활발해져서 기체 입자들이 용매로부터 쉽게 떨어져 나와 바깥으로 빠져나오기 때문이다.

온도에 따른 기체의 용해도

② 기체의 용해도는 압력이 높을수록 증가하고 압력이 낮을수록 감소한다. → 압력이 높아지면 용매 표면에 충돌하는 기체의 입자 수가 많아져서 더 많은 입자가 용매 속으로 녹아 들어가기 때문이다.

압력에 따른 기체의 용해도

(2) 기체의 종류에 따른 기체의 용해도: 기체의 종류에 따라 물에 대한 용해도가 다르다.

① 물에 잘 녹는 기체: 암모니아, 염화 수소, 이산화 황 등이 있다.

② 물에 잘 녹지 않는 기체: 수소, 산소, 질소, 헬륨, 이산화 탄소 등이 있다.

온도와 압력에 따른 기체의 용해도 곡선

온도가 높아지면 기체의 용해도는 감소하는 반면, 압력이 높아지면 기체의 용해도는 증가한다.

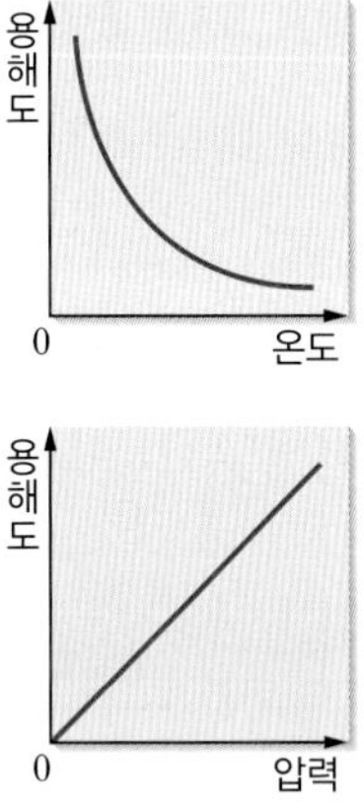

탄산음료를 보관하는 방법

온도가 높을수록 압력이 낮을수록 탄산음료 안에서 기포가 더 많이 빠져나간다. 따라서 탄산음료를 맛있게 마시려면 뚜껑을 꼭 닫아서 냉장고에 차갑게 보관해야 한다.

탐구 더하기 기체의 용해도 실험

온도와 압력에 따라 탄산음료에 녹아 있는 이산화 탄소의 용해도가 달라진다.

① 비커 2개에 얼음물과 뜨거운 물을 각각 넣고, 탄산음료가 든 시험관 2개를 각각 담근 후 기포가 발생하는 양을 관찰한다.
→ 뜨거운 물에 담긴 탄산음료의 기포가 더 많이 발생한다.

② 감압 용기 안에 탄산음료를 $\frac{1}{3}$ 정도 넣고, 공기를 조금씩 빼내면서 기포가 발생하는 양을 관찰한다.
→ 공기를 빼낼수록 감압 용기 안의 압력이 낮아지므로 기포가 더 많이 발생한다.

6. 용해도와 관련된 현상

(1) 고체의 용해도와 관련된 현상

① 추운 겨울에 꿀을 밖에 두거나 냉장고에 보관하면 꿀 속에 들어 있는 포도당의 용해도가 감소하면서 흰색 포도당 결정이 생긴다.

② 염전에서 바닷물을 가두어 두면 수분이 계속 증발하여 바닷물 속에 녹을 수 있는 소금의 양을 제외하고 용해도 이상의 소금이 결정으로 석출된다.

(2) 기체의 용해도와 관련된 현상

① 날씨가 더워져서 수온이 높아지면 물속 산소의 용해도가 감소하므로 물고기가 호흡하기 어려워 수면으로 올라와 뻐끔거리며 공기를 들이마신다.

② 수돗물을 끓이면 수돗물을 살균 · 소독하기 위해 넣어 준 염소 기체의 용해도가 감소하므로 소독약 냄새가 없어진다.

③ 깊은 바닷속의 잠수부가 빨리 수면으로 올라오면 압력이 급격하게 낮아져서 혈액 속에 녹아 있던 질소 기체의 용해도가 감소하여 기포가 생긴다. 이 때문에 통증을 유발하는 잠수병이 나타난다.

여러 가지 기체의 물에 대한 용해도
(0 ℃, 1 기압)

물질	용해도(g/물 100 g)
암모니아	87.5
염소	1.46
이산화 탄소	0.337
산소	0.007
질소	0.003
수소	0.0002

사해
사해는 이스라엘과 요르단에 걸쳐 있는 호수로, 요르단 강이 흘러드나, 물이 빠져나가는 곳은 없고 바닷물의 증발량도 매우 높다. 그 결과 바닷물보다 염분의 농도가 5배 정도 높기 때문에 사람이 수영을 하지 않아도 물 위에 떠 있고, 소금 결정이 기둥처럼 만들어지기도 한다.

사해

잠수병을 예방하는 방법
잠수병을 예방하기 위해서는 잠수부가 수면으로 올라올 때 충분한 시간을 가지고 서서히 올라와야 한다. 잠수병에 걸린 경우에는 고압 산소 치료기 안에서 산소를 일정 시간 동안 계속 흡입하는 고압 산소 치료를 받아야 한다.

학습 내용 Check

정답과 해설 071 쪽

1. 물질이 다른 물질에 녹아 고르게 섞이는 현상을 ________, 두 물질이 고르게 섞여 있는 것을 ________이라고 한다.

2. 어떤 온도에서 일정량의 용매에 용질이 최대로 녹아 있는 용액을 ________이라고 한다.

3. 고체의 용해도는 온도가 (높을, 낮을)수록 증가한다.

4. 기체의 용해도는 온도가 (높을, 낮을)수록, 압력이 (높을, 낮을)수록 증가한다.

2 녹는점과 어는점

1. 녹는점 고체 물질을 계속 가열하여 녹이면 고체가 녹는 동안에는 가해주는 열에너지가 모두 고체가 액체로 융해되는 데 사용되기 때문에 온도가 일정하게 유지되는데, 이때의 온도를 녹는점이라고 한다.

2. 어는점 액체 물질을 냉각시키면 액체가 고체로 응고하는 동안에 열에너지를 방출하기 때문에 온도가 일정하게 유지되는데, 이때의 온도를 어는점이라고 한다.

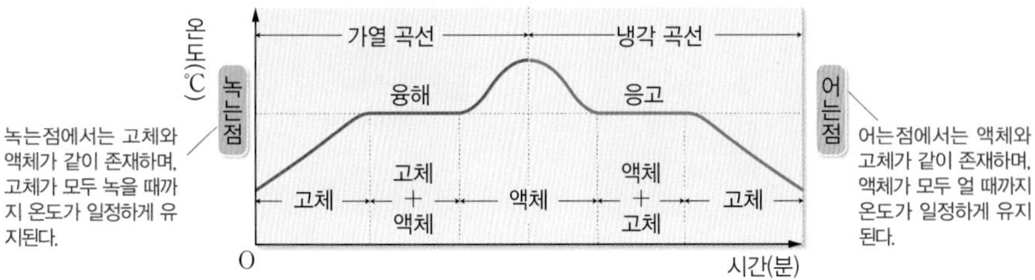

융해열 흡수와 응고열 방출
고체 물질이 녹을 때 융해열을 흡수하여 액체로 변하기 때문에 열에너지를 계속 가해도 온도가 올라가지 않고 일정하게 유지된다. 반대로 액체 물질이 고체로 응고할 때는 융해할 때 흡수한 열에너지를 방출하기 때문(응고열 방출)에 온도가 일정하게 유지된다.

3. 녹는점과 어는점의 특징

(1) 같은 물질의 녹는점과 어는점은 같고, 녹는점과 어는점에서 열에너지의 출입은 서로 반대이다. 예 얼음의 녹는점과 물의 어는점은 0 ℃로 서로 같다.

(2) 순물질은 물질의 양이나 가열 세기와 관계없이 녹는점과 어는점이 일정하다.

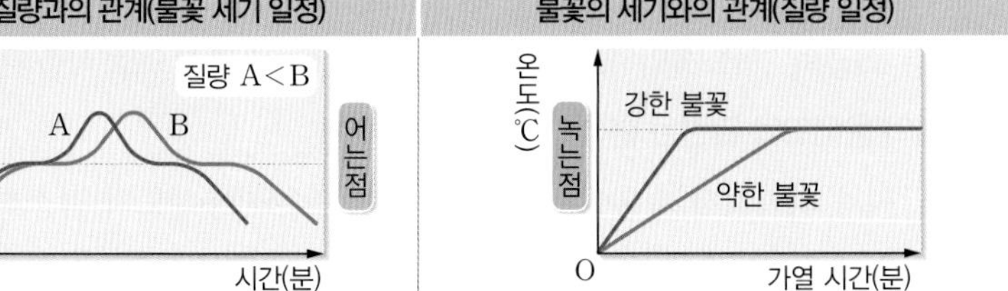

(3) 물질의 종류에 따라 녹는점(또는 어는점)이 서로 다르므로 녹는점과 어는점은 물질을 구별할 수 있는 물질의 특성이다.

물질	산소	질소	에탄올	물(얼음)	납	염화 나트륨	철
녹는점(어는점)(℃)	−219	−210	−114	0	327.5	802	1538

물질의 종류에 따라 녹는점이 다른 까닭
녹는점이 높은 물질은 물질을 구성하는 입자 사이의 인력이 강하고, 녹는점이 낮은 물질은 물질을 구성하는 입자 사이의 인력이 약하기 때문이다.
예 • 입자 사이의 인력: 철>구리>알루미늄
• 녹는점: 철(1538 ℃)>구리(1083 ℃)>알루미늄(660 ℃)>납(327.5 ℃)

4. 순물질과 혼합물의 녹는점과 어는점 녹는점과 어는점은 순물질에서는 일정하지만, 혼합물에서는 일정하지 않으므로, 순물질과 혼합물을 구별하는 데 이용할 수 있다.

온도(℃) 8, 4, 0, −4, −8, −12 / 얼기 시작 / 물 / 소금물 / 가열 시간(분)

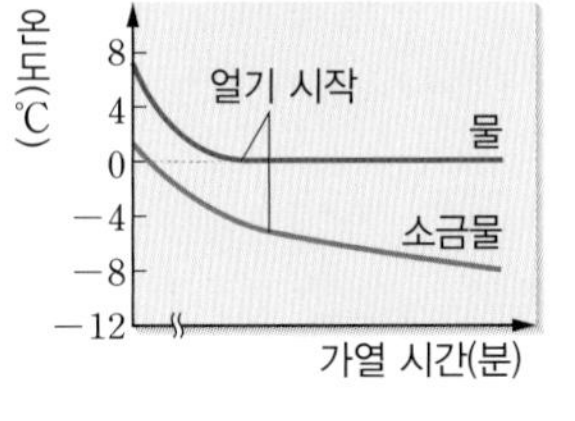

학습 내용 Check

정답과 해설 071쪽

1. 고체 물질이 녹는 동안에는 온도가 일정하게 유지되는데, 이때의 온도를 ________이라고 한다.
2. 액체 물질이 고체로 변하는 동안 일정하게 유지되는 온도를 ________이라고 한다.
3. 순물질은 가열하는 불꽃의 세기나 물질의 양에 관계없이 녹는점과 어는점이 (일정하고, 다르고), 녹는점과 어는점은 물질의 종류에 따라 (일정하므로, 다르므로) 물질의 특성이다.

끓는점

1. 끓는점 액체 물질을 계속 가열하여 끓이면 액체가 끓고 있는 동안에는 가해주는 열에너지가 모두 액체가 기체로 기화하는 데 사용되기 때문에 온도가 일정하게 유지되는데, 이때의 온도를 끓는점이라고 한다.

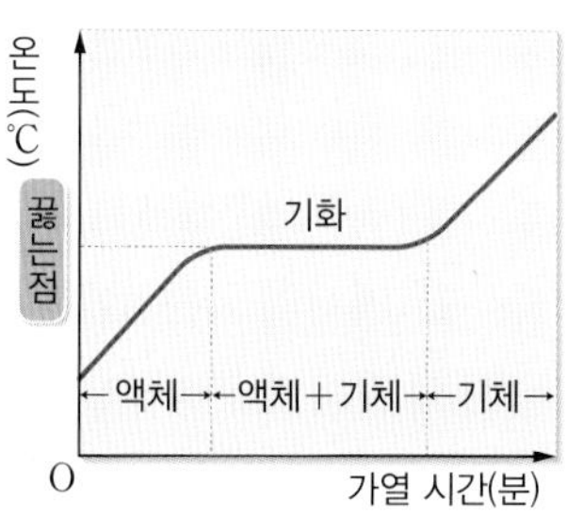

기화열 흡수
액체가 끓을 때는 기화열을 흡수하여 기체로 변하기 때문에 열에너지를 계속 가해도 온도가 올라가지 않고 일정하게 유지된다.

2. 끓는점의 특징

(1) 순물질은 물질의 양이나 가열하는 세기와 관계없이 액체의 끓는점이 일정하며, 끓는점에 도달하는 시간만 달라진다.

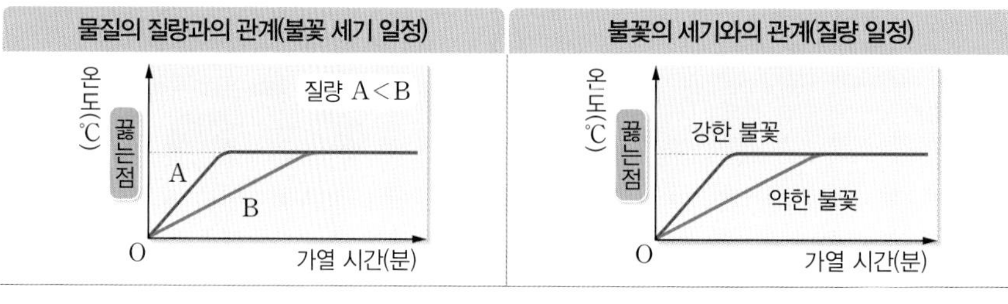

에탄올의 양과 끓는점
- 에탄올의 양에 관계없이 에탄올은 78.2 ℃에서 끓는다.
- 에탄올의 양이 많을수록 끓는점에 이를 때까지 걸리는 시간이 길다.

온도(℃) 78.2 30 mL 에탄올 60 mL 에탄올 O 가열 시간(분)

(2) 끓는점은 물질의 종류에 따라 다른 값을 가지므로 물질을 구별할 수 있는 물질의 특성이다.

물질	산소	질소	암모니아	에탄올	물	염화 나트륨	철
끓는점(℃)	−183	−196	−33.3	78.2	100	1465	2861

(3) 물질의 종류에 따라 끓는점이 다른 까닭: 물질을 구성하는 입자들 사이의 인력의 세기가 약한 물질은 끓는점이 낮고, 입자 사이의 인력이 강한 물질은 끓는점이 높기 때문이다.

자료 더하기 **끓는점과 액체 물질의 입자 사이의 인력**

① 입자 사이의 인력이 약한 물질: 입자 사이의 인력이 약한 물질은 적은 에너지로 인력을 끊을 수 있으므로 끓는점이 비교적 낮다.

② 입자 사이의 인력이 강한 물질: 입자 사이의 인력이 강한 물질은 인력을 끊고 액체에서 기체로 되는 데 많은 에너지가 필요하므로 끓는점이 비교적 높다.

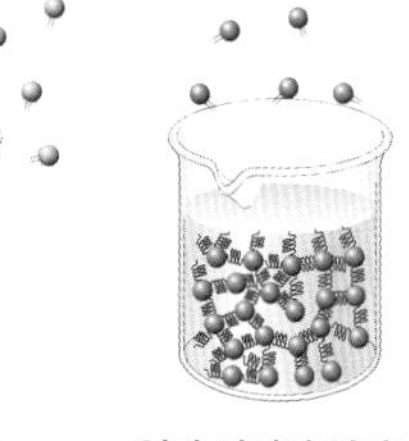

입자 사이의 인력이 약한 물질　　입자 사이의 인력이 강한 물질

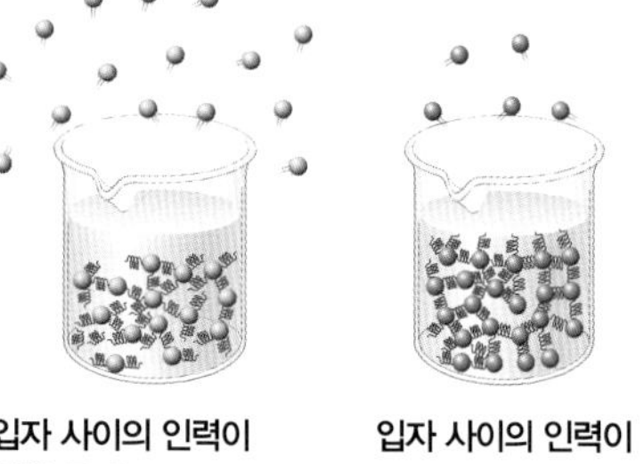

예 물과 에탄올의 끓는점 비교
에탄올이 분자 사이의 인력이 물 분자 사이의 인력보다 상대적으로 약하다. → 에탄올 분자가 물 분자보다 더 적은 에너지로 분자 사이의 인력을 끊을 수 있다. → 에탄올의 끓는점이 물의 끓는점보다 낮다.

(4) 외부 압력과 끓는점의 관계

① 기준 끓는점: 대기압이 1 기압일 때의 끓는점이다. 흔히 끓는점이라고 하면 기준 끓는점을 의미한다.

② 일반적으로 액체의 끓는점은 외부 압력에 따라 달라진다. → 외부 압력이 낮아지면 액체의 끓는점이 낮아지고, 외부 압력이 높아지면 액체의 끓는점이 높아진다.

③ 외부 압력에 따른 끓는점 변화의 예

구분	압력이 낮을 때의 끓는점	압력이 높을 때의 끓는점
현상	높은 산에서 밥을 하면 쌀이 설익는다.	압력솥에서 밥을 하면 일반 솥보다 밥이 빨리 된다.
원리	높은 산은 기압이 낮아 물은 100 ℃ 이하에서 끓으므로 쌀이 설익게 되는데, 뚜껑 위에 돌을 올려놓으면 압력이 높아져서 물의 끓는점도 높아지므로 쌀이 잘 익는다. 약 70 ℃ / 약 85 ℃ / 약 90 ℃ / 100 ℃ / 에베레스트 산 8848 m / 몽블랑 산 4807 m / 백두산 2744 m / 바다 / 해수면	압력솥 안의 물에서 발생한 수증기가 내부의 압력을 높여 압력솥에서 밥을 하면 물의 끓는점이 100 ℃보다 높아진다. 따라서 쌀이 빨리 익으므로 일반 솥보다 밥이 빨리 된다. 

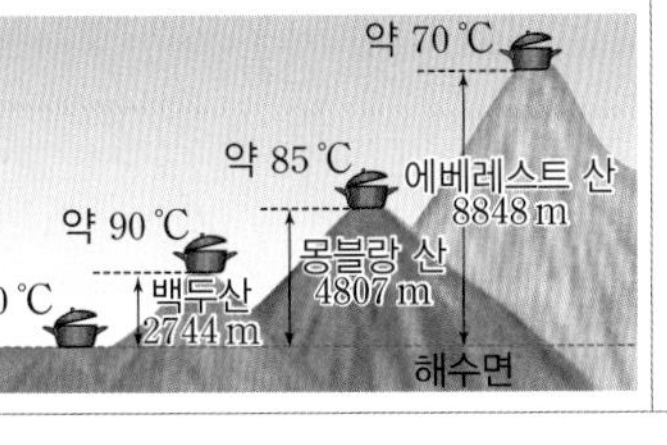

탐구 더하기 100 ℃ 이하에서 물 끓이기

① 감압 용기에 85 ℃ 정도의 물을 넣고 감압하여 공기를 빼낸다. → 용기 안 공기의 압력이 낮아지면 물이 100 ℃보다 낮은 온도에서 끓는다.

② 둥근바닥 플라스크에 물을 반쯤 넣고 끓인 다음 입구를 막고 거꾸로 세워 고정시킨다. → 플라스크 위에 찬물을 부으면 플라스크가 차가워지면서 그 안의 수증기가 물방울로 액화하므로 수증기에 의한 압력이 낮아진다. → 플라스크 안의 압력이 낮아지면 뜨거운 물 위의 압력도 낮아지므로 물이 100 ℃ 이하에서 끓기 시작한다.

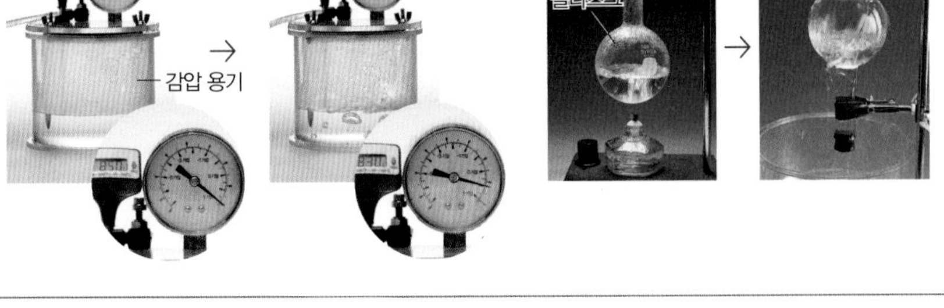

3. 끓는점과 우리 생활

(1) 일반적으로 100 ℃ 이하에서 익는 식재료는 끓는 물에서 조리하고, 100 ℃보다 높은 온도에서 익는 식재료는 끓는점이 100 ℃보다 높은 식용유를 사용하여 조리한다.

(2) 질소는 끓는점(−196 ℃)이 매우 낮은 물질이며, 액화시킨 액화 질소가 기화할 때 주변의 열을 많이 빼앗아 온도를 크게 낮출 수 있으므로 냉각제로 쓰인다.

가마솥

우리 조상들이 사용했던 무쇠 가마솥은 뚜껑이 매우 무겁기 때문에 가마솥으로 밥을 하면 솥 안에서 생기는 수증기가 쉽게 빠져나가지 못하여 솥 내부의 압력이 높아진다. 따라서 가마솥 안의 물이 100 ℃ 이상에서 끓기 때문에 쌀이 빨리 익는다.

주사기로 물 끓이기

주사기 안에 뜨거운 물을 넣고 피스톤을 밀어 공기를 빼낸 후, 주사기 끝을 막고 피스톤을 당기면 주사기 안의 압력이 낮아지므로 물이 100 ℃보다 낮은 온도에서 물이 끓는다.

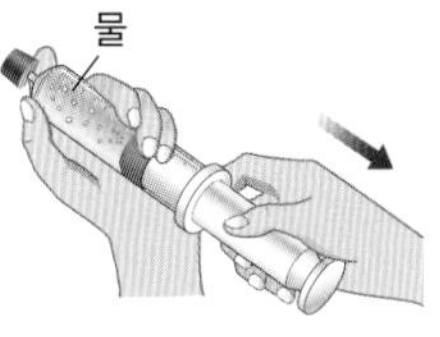

용어 식용유

음식을 만드는 데 사용하는 기름이다. 콩기름, 올리브유, 야자유 등의 식물성 기름과 경유, 어유 등의 동물성 기름이 있다. 식용유는 혼합물이기 때문에 물이나 에탄올처럼 정확한 끓는점은 없으나 대략 200 ℃가 넘는 온도에서 끓기 시작한다.

4. 실온에서 존재하는 물질의 상태

(1) 물질은 녹는점보다 낮은 온도에서는 고체, 녹는점과 끓는점 사이의 온도에서는 액체, 끓는점보다 높은 온도에서는 기체 상태로 존재한다.

녹는점 · 끓는점

고체	액체	기체
녹는점보다 낮은 온도에서는 고체 상태이다.	녹는점과 끓는점 사이의 온도에서는 액체 상태이다.	끓는점보다 높은 온도에서는 기체 상태이다.

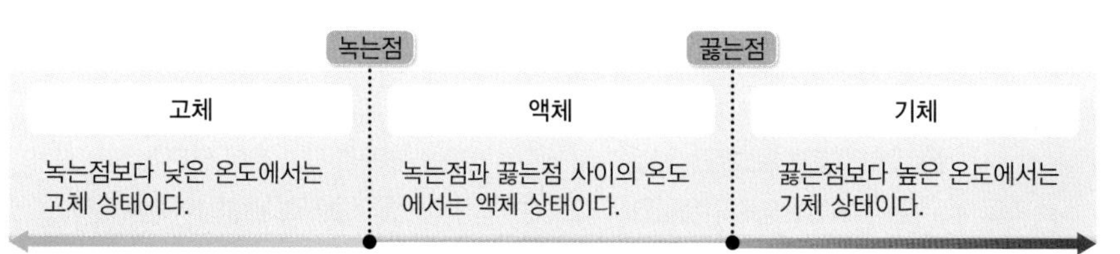

(2) 물질의 끓는점과 녹는점을 실온과 비교하면 그 물질이 실온에서 어떤 상태로 존재하는지 알 수 있다.

실온의 상태	고체	액체	기체
온도 비교	실온 < 녹는점과 끓는점	녹는점 < 실온 < 끓는점	녹는점과 끓는점 < 실온
예	철, 알루미늄, 양초, 플라스틱 등	물, 에탄올, 메탄올, 수은, 아세트산 등	산소, 이산화 탄소, 질소, 헬륨 등

실온에서 액체로 존재하는 금속, 수은
수은은 은색의 금속으로 녹는점(−39 ℃)은 실온(25 ℃)보다 낮고 끓는점(357 ℃)은 실온보다 높으므로 실온에서는 액체로 존재한다. 이러한 특성을 이용하여 수은은 온도계를 만들 때 사용하기도 하는데, 수은을 직접 만지면 중독되어 질병을 일으킬 수 있으므로 주의해야 한다.

5. 순물질과 혼합물의 끓는점

끓는점은 순물질에서 일정하고, 혼합물에서 일정하지 않으므로 순물질과 혼합물을 구별하는 데 이용할 수 있다.

예 소금물은 물보다 높은 온도에서 끓기 시작하고, 끓는점도 일정하지 않다.

소금물의 농도가 짙어지면 소금 입자들이 물의 기화를 방해하므로 더 많은 열에너지를 얻어야 기화할 수 있다.

온도(℃) 105 · 100 · 95 · O · 끓기 시작 · 소금물 · 물 · 가열 시간(분)

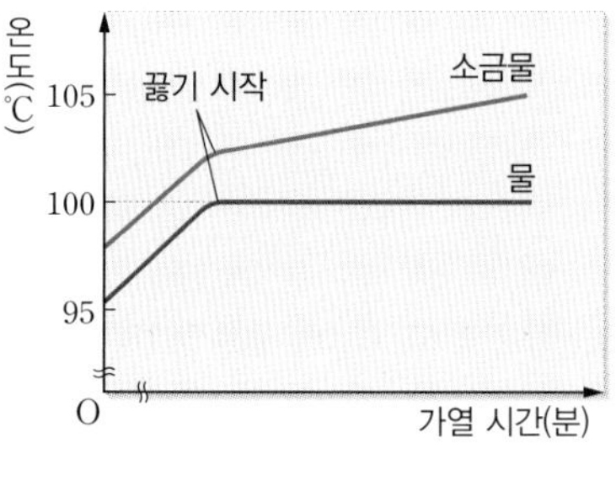

소금물의 끓는점과 어는점
소금물이 끓을 때 물이 기화하여 농도가 점점 높아지므로 끓는점이 점점 높아지고, 냉각할 때는 농도가 높아져서 어는점은 점점 낮아진다.

학습 내용 Check

정답과 해설 071 쪽

1. 순물질은 가열하는 불꽃의 세기나 물질의 양에 관계없이 끓는점이 (일정하므로, 다르므로) 물질의 특성이다.
2. 외부 압력이 높아지면 끓는점은 (높아, 낮아)지고, 외부 압력이 낮아지면 끓는점은 (높아, 낮아)진다.
3. 물의 녹는점은 실온보다 낮고 끓는점은 실온보다 높으므로 물은 실온에서 ________ 상태로 존재한다.
4. 혼합물의 끓는점, 녹는점, 어는점은 (일정하므로, 일정하지 않으므로) 순물질과 구별할 수 있다.

알고 보면 재미있는 과학 — 뜨거운 식용유에 튀김을 넣으면 기포가 발생하는 까닭은?

뜨거운 식용유에 튀김 반죽을 넣으면 반죽 주변에 기포가 생기면서 식용유가 같이 튄다. 그 까닭은 무엇일까? 1 기압에서 물의 끓는점은 100 ℃이지만, 식용유의 끓는점은 200 ℃가 넘는다. 따라서 100 ℃가 넘는 온도의 식용유에 튀김 반죽을 넣으면 반죽에 있던 물(수분)이 바로 수증기로 기화하면서 끓는다. 즉, 기포는 물이 기화하여 생긴 수증기이다. 이때 밖으로 빠져나오는 수증기와 함께 뜨거운 식용유가 튀는 것이다.

탐구 액체의 끓는점 측정하기

메탄올과 에탄올의 끓는점을 측정하여 액체의 끓는점이 물질의 특성이라는 것을 설명할 수 있다.

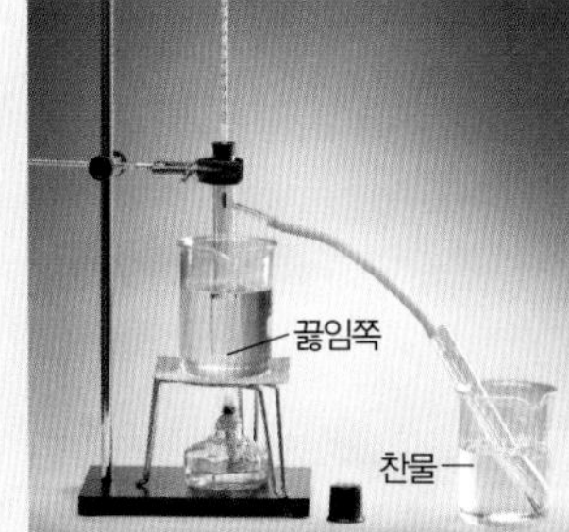

❶ 고무관을 끼운 가지 달린 시험관에 끓임쪽을 넣고 메탄올을 10 mL 넣는다.

❷ 온도계를 꽂은 고무마개로 가지 달린 시험관의 입구를 막고 물이 담긴 비커에 설치하여 물중탕으로 가열하면서 2 분 간격으로 메탄올의 온도를 측정하여 기록한다.

❸ 메탄올의 양을 20 mL로 하여 과정 ❷와 같은 방법으로 가열하면서 온도 변화를 기록한다.

❹ 에탄올의 양을 10 mL, 20 mL로 하여 과정 ❷와 같은 방법으로 가열하면서 온도 변화를 기록한다.

물질 \ 시간(분)	0	2	4	6	8	10
메탄올 10 mL	20	39	65	65	65	65
메탄올 20 mL	20	32	45	57	65	65
에탄올 10 mL	20	43	78	78	78	78
에탄올 20 mL	20	35	53	71	78	78

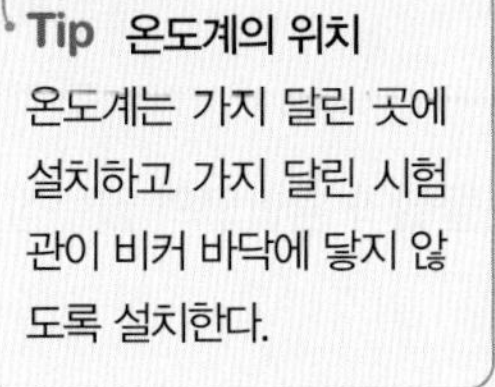
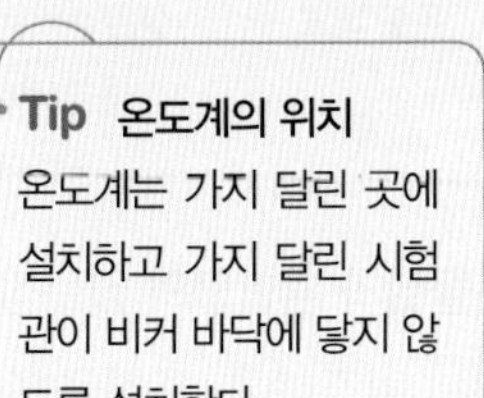

Tip 온도계의 위치

온도계는 가지 달린 곳에 설치하고 가지 달린 시험관이 비커 바닥에 닿지 않도록 설치한다.

1. 액체의 양이 달라도 메탄올은 약 65 ℃, 에탄올은 약 78 ℃로 끓는점이 일정하다. → 끓는점은 물질의 양과 관계없이 일정하다.
2. 메탄올과 에탄올의 끓는점은 서로 다르다. → 끓는점은 물질을 구별할 수 있는 물질의 특성이다.

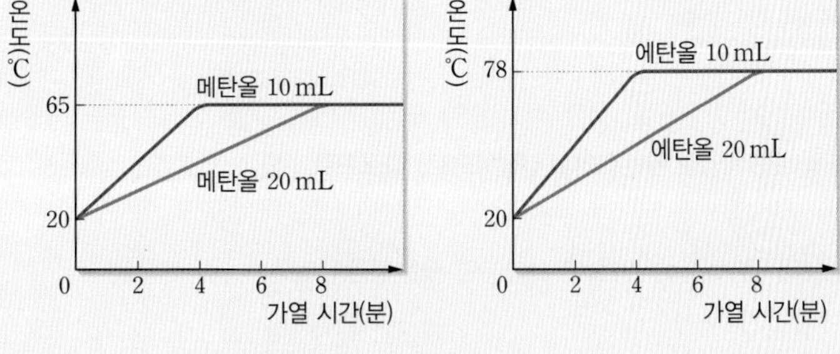

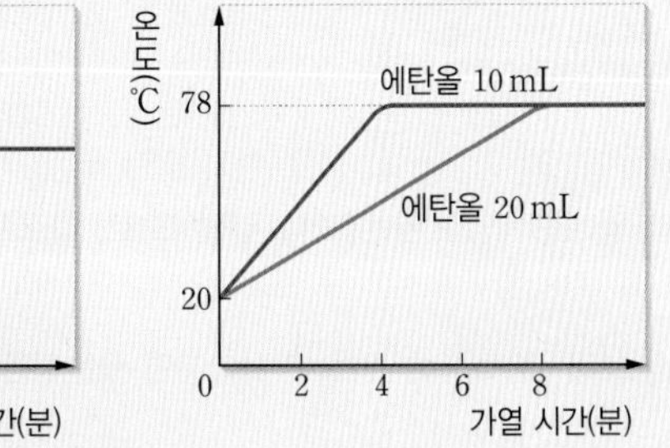

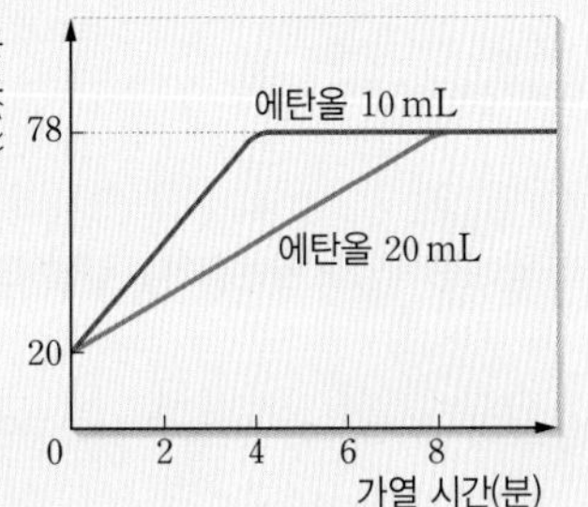

탐구 확인 문제

정답과 해설 071쪽

1 위 탐구에서 알 수 있는 사실로 옳은 것을 모두 고르면? (정답 2개)

① 혼합물의 끓는점은 일정하다.
② 끓는점은 물질의 특성이다.
③ 끓는점은 물질의 양에 따라 달라진다.
④ 끓는점은 물질의 종류에 관계없이 일정하다.
⑤ 에탄올 5 mL를 가열하면 약 78 ℃에서 끓을 것이다.

2 적용 오른쪽 그림은 몇 가지 액체 물질을 가열하였을 때의 가열 곡선이다. 불꽃의 세기가 일정할 때 A~C 중에서 에탄올 30 mL의 가열 곡선으로 적당한 것을 쓰시오.

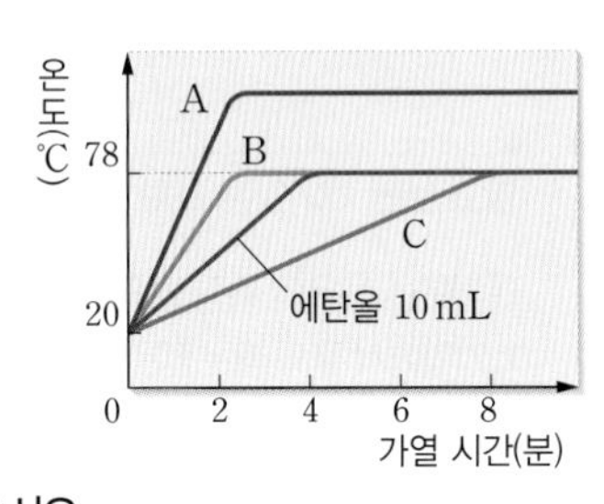

탐구 고체의 용해도 측정하기

고체 물질의 용해도를 측정하는 방법을 알고, 고체 물질의 용해도가 온도에 따라 변한다는 사실을 설명할 수 있다.

과정 및 결과

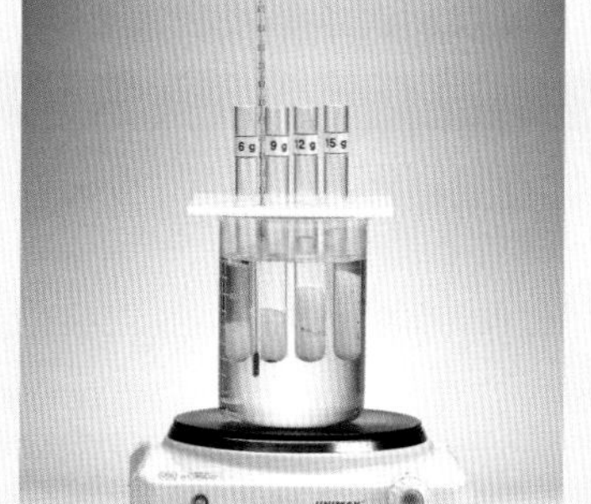
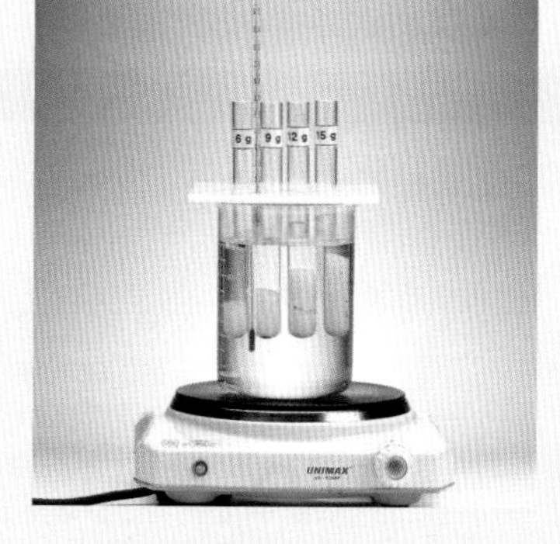
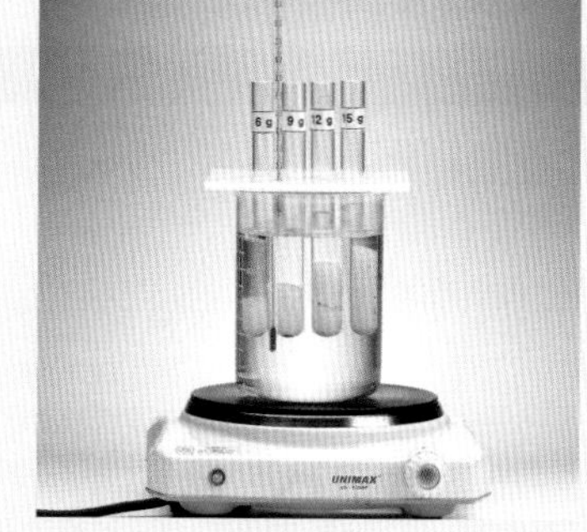

❶ 시험관에 각각 물을 10 g씩 넣은 다음, 질산 칼륨을 6 g, 9 g, 12 g, 15 g씩 넣는다.

❷ 스타이로폼 판지에 시험관과 온도계를 고정하고, 물이 들어 있는 비커에 넣어 질산 칼륨이 모두 녹을 때까지 물중탕으로 가열한다.

❸ 질산 칼륨이 모두 녹으면 비커를 가열 장치에서 내려놓고 식히면서 각 시험관에 결정이 생기기 시작할 때 물의 온도를 측정한다.

물 10 g에 녹인 질산 칼륨의 질량(g)	6	9	12	15
결정이 석출되기 시작한 온도(℃)	38	51	63	72

결과 해석 및 정리

1. 질산 칼륨의 질량이 많은 시험관부터 결정이 생기기 시작한다.
2. 일정한 온도에서 일정량의 용매에 녹을 수 있는 용질의 양은 일정하며, 온도가 높아지면 고체의 용해도는 증가한다.

같은 주제 다른 탐구

용질의 종류에 따라 용매에 녹는 양이 다르다는 사실을 알 수 있다.

과정 및 결과

❶ 빈 비커 2개에 실온의 물 10 g씩 넣는다.

❷ 물을 넣은 ❶의 비커에 각각 염화 나트륨과 질산 나트륨을 물에 넣은 비커에 더 이상 녹지 않을 때까지 1 g씩 넣어 녹인다.

→ 염화 나트륨은 3 g까지는 모두 녹지만, 4 g을 넣었을 때는 녹지 않고 가라앉는 물질이 생긴다.

→ 질산 나트륨은 8 g까지는 모두 녹지만, 9 g을 넣었을 때는 녹지 않고 가라앉는 물질이 생긴다.

정리 물질의 용해도는 물질마다 다르므로, 용해도는 물질의 특성이다.

탐구 확인 문제

정답과 해설 071쪽

1 위 탐구에 대한 설명으로 옳지 않은 것은?

① 고체의 용해도는 온도가 높을수록 증가한다.
② 38 ℃에서 질산 칼륨의 용해도는 60이다.
③ 51 ℃ 물 10 g에는 질산 칼륨 10 g이 녹을 수 있다.
④ 63 ℃ 물 10 g에 질산 칼륨을 12 g 넣고 51 ℃로 냉각시키면 질산 칼륨 3 g이 석출된다.
⑤ 72 ℃ 물 10 g에 질산 칼륨은 최대 15 g 녹는다.

2 (적용) 위 탐구에서 물 100 g에 질산 칼륨 120 g을 녹여 포화 용액을 만들 때 물의 온도는 몇 ℃인가?

① 0 ℃　② 38 ℃　③ 51 ℃
④ 63 ℃　⑤ 72 ℃

집중분석 용해도 곡선의 이용

용해도 곡선을 이용하면 불포화 용액을 포화 용액으로 만드는 방법을 알 수 있고, 수용액을 냉각시킬 때 석출되는 고체 물질의 양을 계산할 수 있다. 포화 용액으로 만드는 방법과 석출되는 고체 물질의 양을 구하는 방법을 알아보자.

불포화 용액을 포화 용액으로 만드는 방법

㉠ 용질을 더 녹인다.

- 60 ℃, 물 100 g일 때, 용액 A에 녹아 있는 질산 칼륨의 양: 31.6 g
- 포화 상태에서 질산 칼륨의 양: 110 g

→ 용액 A에 110−31.6=78.4 g만큼 더 녹여 포화 용액을 만들 수 있다.

용해도(g/물 100 g)
질산 칼륨
110
31.6
더 녹여야 하는 양 =110 g−31.6 g =78.4 g
㉠
㉡
A
0 20 40 60 80 100
온도(℃)

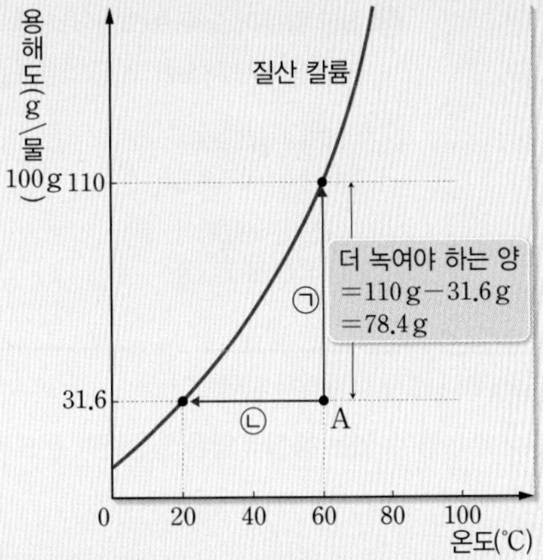

㉡ 수용액을 냉각시킨다.

- 60 ℃, 물 100 g일 때, 용액 A에 녹아 있는 질산 칼륨의 양: 31.6 g
- 20 ℃ 물 100 g일 때 용액에 최대로 녹을 수 있는 질산 칼륨의 양(포화 상태): 31.6 g

→ 용액 A를 20 ℃로 냉각시켜 포화 용액을 만들 수 있다.

용해도 곡선을 이용하여 석출되는 고체 물질의 질량 구하기

1 용매의 질량이 100 g인 포화 용액을 냉각시킬 때

용해도는 용매 100 g에 녹아 있는 용질의 g 수이므로, 용매가 100 g인 포화 용액인 경우, 용해도는 용매에 녹은 용질의 g 수이다. → 석출량(g) = 높은 온도에서의 용해도(g) − 낮은 온도에서의 용해도(g)

80 ℃의 질산 나트륨 포화 용액 248 g을 20 ℃로 냉각시킬 때 석출되는 질산 나트륨은 몇 g인지 구하시오. (단, 20 ℃와 80 ℃에서 질산 나트륨의 용해도는 각각 88과 148이다.)

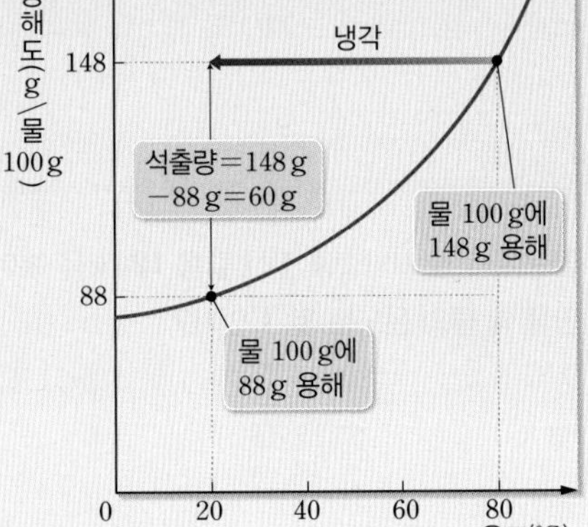

용해도(g/물 100 g)
148
88
냉각
석출량=148 g −88 g=60 g
물 100 g에 148 g 용해
물 100 g에 88 g 용해
0 20 40 60 80
온도(℃)

풀이

① 80 ℃의 질산 나트륨 포화 용액 248 g에는 물 100 g에 질산 나트륨 148 g이 녹아 있다.

② 이 용액을 20 ℃로 냉각시키면 용액 속에 녹아 있는 질산 나트륨 148 g 중에서 20 ℃의 용해도 88 g(20 ℃에서 물 100 g에 최대로 녹을 수 있는 질산 나트륨의 질량)을 뺀 148 g−88 g=60 g이 고체로 석출된다.

온도 \ 물질	물(g)	질산 나트륨(g)
80 ℃	100	148 (녹아 있음)
20 ℃	100	88 (녹아 있음)+60 (석출됨)

❷ 용매의 질량이 100 g이 아닌 포화 용액을 냉각시킬 때

> 용매가 100 g이 아닌 포화 용액의 경우, 비례식을 이용하여 석출량을 구한다.

60 ℃의 질산 칼륨 포화 용액 105 g을 40 ℃로 냉각시킬 때 석출되는 질산 칼륨은 몇 g인지 구하시오. (단, 40 ℃와 60 ℃에서 질산 칼륨의 용해도는 각각 63.9와 110이다.)

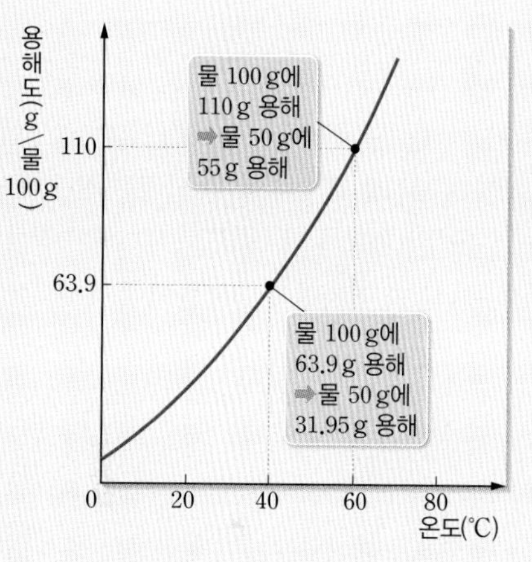

풀이

① 60 ℃에서 물 100 g에 질산 칼륨 110 g이 녹아 포화 용액 210 g이 된다.

② 포화 용액 105 g에 녹아 있는 질산 칼륨의 질량(x)은 비례식으로 구한다.
포화 용액 210 g : 질산 칼륨 110 g=포화 용액 105 g : 질산 칼륨 x g, x=55 g
포화 용액에는 질산 칼륨 55 g, 물 50 g이 들어 있다.

③ 40 ℃에서 물 100 g에 최대로 녹을 수 있는 질산 칼륨의 양은 63.9 g이므로 물 50 g에 최대로 녹을 수 있는 질산 칼륨의 질량(y)은 비례식으로 구한다.
물 100 g : 질산 칼륨 63.9 g=물 50 g : y, y=31.95 g

④ (석출되는 질산 칼륨의 질량)=(60 ℃에서 포화 용액에 녹아 있는 질산 칼륨의 질량)−(40 ℃에서 최대로 녹을 수 있는 질산 칼륨의 질량)=55 g−31.95 g=23.05 g

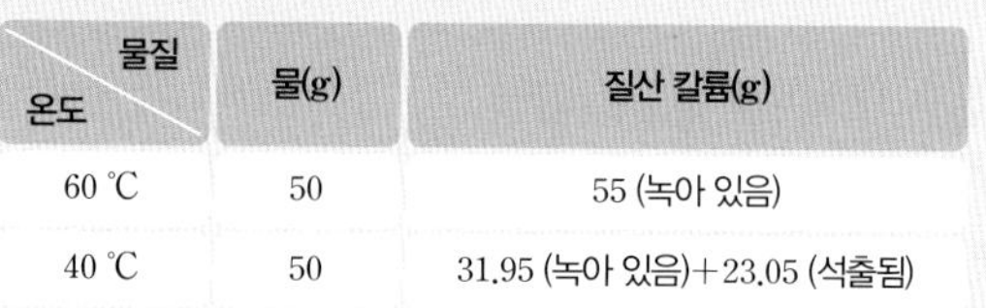

물질 / 온도	물(g)	질산 칼륨(g)
60 ℃	50	55 (녹아 있음)
40 ℃	50	31.95 (녹아 있음)+23.05 (석출됨)

❸ 불포화 용액을 냉각시킬 때 석출량 구하기

> 석출량(g)=높은 온도에서 녹아 있는 용질의 질량(g)−낮은 온도에서 최대로 녹을 수 있는 용질의 질량(g)

60 ℃의 물 100 g에 염화 칼륨 40 g을 녹인 용액을 20 ℃로 냉각시킬 때 석출되는 염화 칼륨은 몇 g인지 구하시오. (단, 20 ℃와 60 ℃에서 염화 칼륨의 용해도는 각각 34와 46이다.)

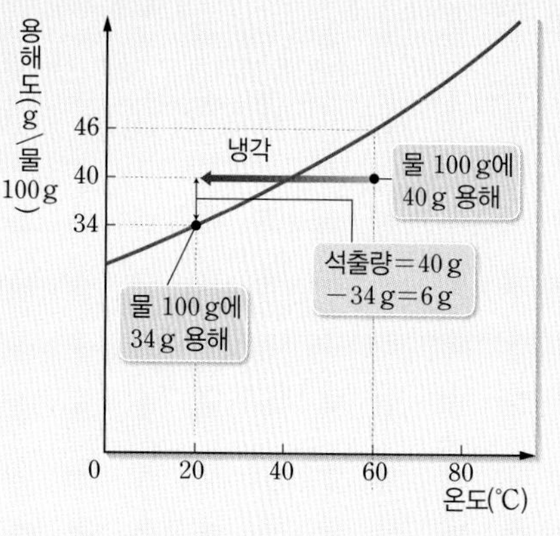

풀이

① 높은 온도(60 ℃)에서 물 100 g에 녹아 있는 염화 칼륨의 질량은 40 g이다.

② 낮은 온도(20 ℃)에서 물 100 g에 최대로 녹을 수 있는 염화 칼륨의 질량은 34 g이다.

③ (석출되는 염화 칼륨의 질량)=(60 ℃에서 녹아 있는 염화 칼륨의 질량)−(20 ℃에서 최대로 녹을 수 있는 염화 칼륨의 질량)=40 g−34 g=6 g

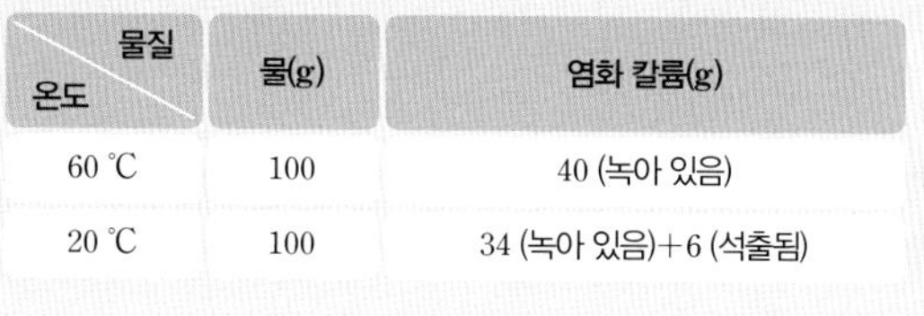

물질 / 온도	물(g)	염화 칼륨(g)
60 ℃	100	40 (녹아 있음)
20 ℃	100	34 (녹아 있음)+6 (석출됨)

기체의 용해도

탄산음료가 담긴 밀폐 용기의 마개를 열면 거품이 갑자기 쏟아져 나온다. 또, 컵에 담은 탄산음료도 온도에 따라 기포가 발생하는 양이 다르다. 기체의 용해도에 영향을 미치는 요인에 대하여 알아보자.

① 기체의 종류와 용해도

기체의 용해도는 우선 기체의 종류에 따라 차이가 생긴다. 예를 들어 암모니아, 염화 수소와 같은 기체는 물에 잘 녹지만, 염소, 이산화 탄소, 산소, 수소, 질소와 같은 기체는 물에 잘 녹지 않는다.

② 기체의 용해도와 온도

기체 분자(입자)들은 분자 사이의 인력이 거의 없다. 그러나 기체 분자들이 용매에 녹으면 용매 분자와 기체 분자 사이에 인력이 생기게 되므로 분자의 에너지가 작아진다. 또한, 활발하게 운동하는 기체 분자가 용해되면서 운동하는 정도가 감소하므로 에너지가 작아진다. 이때 용액의 온도가 높아지면 기체 분자의 에너지가 커지면서 다시 용액에 용해되어 있던 기체가 용액 밖으로 빠져나간다.

③ 기체의 용해도와 압력

일정한 온도에서 기체가 용해되어 평형을 이룬 상태에서는 용매로 용해되어 들어가는 기체 분자의 수와 용매와의 인력을 이기고 용액 밖으로 빠져나가는 기체 분자의 수가 같다. 그런데 기체의 압력을 증가시키면 용해되어 들어가는 기체 분자의 수가 늘어나고, 용해된 기체 분자가 많아지면서 다시 기체로 빠져나가는 분자의 수도 늘어나게 되어 새로운 용해 평형을 이루게 된다. 이와 같은 과정에 의해 기체의 용해도는 압력이 높아질수록 증가한다.

영국의 과학자 헨리는 '일정한 온도에서 일정량의 용매에 용해되는 기체의 질량은 그 기체의 부분 압력에 비례한다.'라고 주장하였다. 이를 헨리 법칙(Henry's Law)이라고 한다.

20 ℃의 물 1 L에 녹을 수 있는 산소의 질량은 다음과 같다.

압력(기압)	1	2	3	4	5
녹아 있는 산소의 질량(g)	0.0434	0.0868	0.1302	0.1736	0.2170

헨리 법칙은 낮은 압력에서, 용해도가 작은 기체에 잘 적용된다. 즉, 물에 기체를 녹일 때 물에 잘 녹지 않는 수소, 질소, 산소 등은 헨리 법칙이 잘 적용되지만, 물에 잘 녹는 암모니아, 염화 수소, 황화 수소 등은 헨리 법칙이 잘 적용되지 않는다.

중단원 핵심 정리

02. 물질의 특성 (2)

용해도

① 용해와 용액

- **용해**: 한 물질이 다른 물질에 녹아 고르게 섞이는 현상
- **용질**: 다른 물질에 녹는 물질
- **용액**: 두 물질이 고르게 섞여 있는 것
- **용매**: 다른 물질을 녹이는 물질

② 포화 용액과 불포화 용액

포화 용액	불포화 용액	과포화 용액
어떤 온도에서 일정량의 용매에 용질이 최대로 녹아 있는 용액	포화 용액보다 적은 양의 용질이 녹아 있어 용매에 용질이 더 녹을 수 있는 상태의 용액	용매가 녹일 수 있는 양보다 더 많은 용질이 녹아 있는 상태의 용액

③ **용해도**: 일정한 온도에서 **용매 100 g**에 최대로 녹을 수 있는 **용질의 양**을 g 수로 나타낸 것

- 일정 온도에서 같은 용매에 대한 용해도는 용질에 따라 다르므로 용해도는 물질의 특성이다.
- **고체의 용해도**: 일반적으로 **온도가 높을수록** 고체의 용해도는 증가한다.
- **용해도 곡선**: 온도 변화에 따른 물질의 용해도 변화를 그래프로 나타낸 것
- **기체의 용해도**: **온도가 낮을수록, 압력이 높을수록** 기체의 용해도는 증가한다.

용해도(g/물 100 g)
160
140
120
100
80
60
40
20
0 20 40 60 80 100
온도(℃)
질산 칼륨
질산 나트륨
황산 구리(Ⅱ)
염화 나트륨

고체의 용해도 곡선

녹는점과 어는점

① 고체가 액체로 융해하는 동안 일정하게 유지되는 온도를 **녹는점**, 액체가 고체로 응고하는 동안 일정하게 유지되는 온도를 **어는점**이라고 한다.

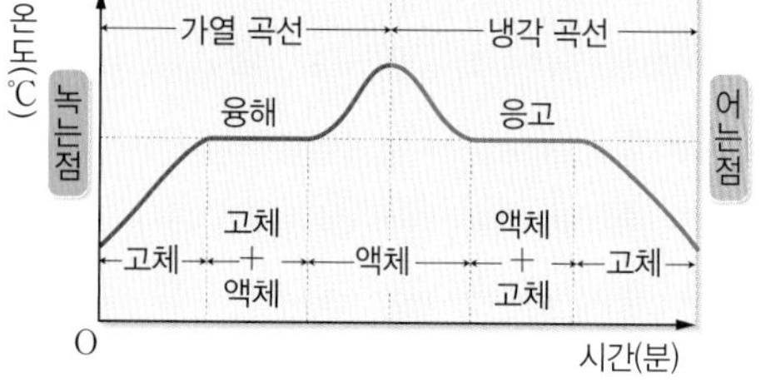

→ 같은 물질의 녹는점과 어는점은 같다.

② 물질의 양에 관계없이 녹는점과 어는점은 일정하므로, 녹는점과 어는점은 **물질의 특성**이다.

③ 혼합물의 녹는점과 어는점은 일정하지 않다.

끓는점

① **끓는점**: 액체가 기체로 기화할 때 일정하게 유지되는 온도
→ 끓는점은 물질의 종류에 따라 다르므로 **물질의 특성**이다.

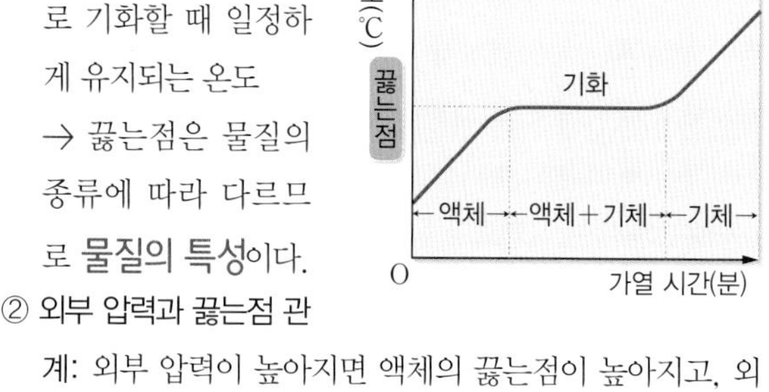

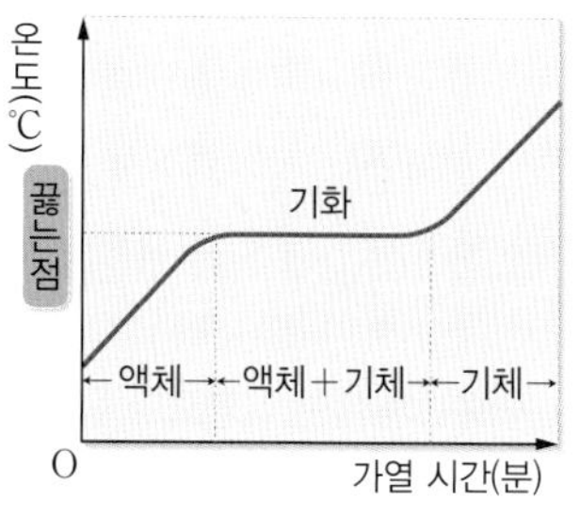

② **외부 압력과 끓는점 관계**: 외부 압력이 높아지면 액체의 끓는점이 높아지고, 외부 압력이 낮아지면 액체의 끓는점이 낮아진다.

③ 혼합물의 끓는점은 일정하지 않다.

개념 확인 문제

02. 물질의 특성 (2)

01 그림과 같이 설탕을 물에 완전히 녹여 설탕물을 만들었다.

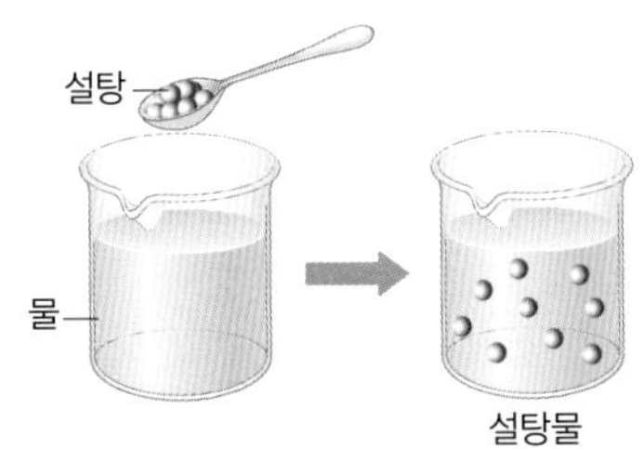

이 물질에 대한 다음 설명으로 옳지 않은 것은?

① 설탕물은 균일 혼합물이다.
② 용매는 물이고 용질은 설탕이다.
③ 설탕물은 거름종이로 걸러도 남는 물질이 없다.
④ 설탕물은 용질의 입자가 보이지 않고 밀도가 고르다.
⑤ 설탕물을 오랫동안 두면 가라앉는 물질이 생긴다.

02 중요 **오른쪽 그림은 어떤 고체 물질의 물에 대한 용해도 곡선을 나타낸 것이다. 용액 A, B, C에 대한 설명으로 옳은 것을 모두 고르면? (정답 2개)**

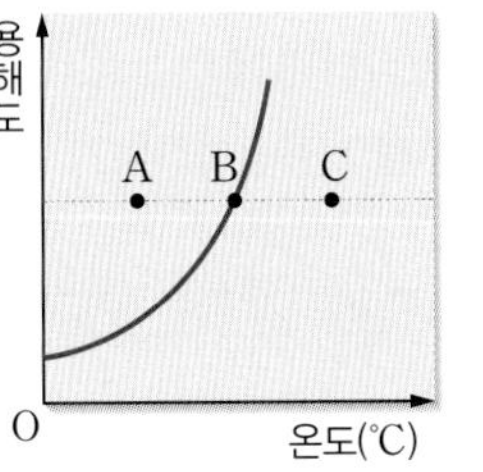

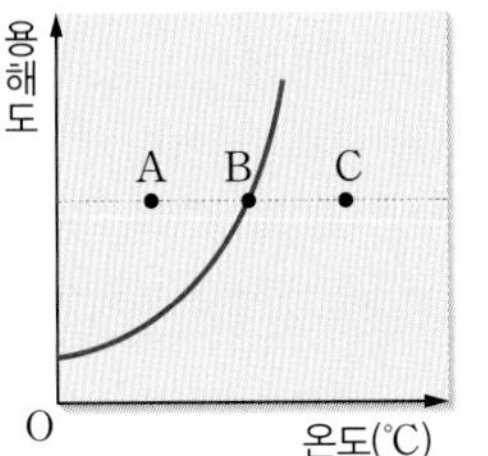

① A는 불포화 용액이다.
② 포화 상태의 용액은 B이다.
③ 고체 물질의 용해도는 온도에 따라 반비례한다.
④ 용액 C를 냉각시키면 포화 상태로 만들 수 있다.
⑤ 물 100 g에 녹아 있는 용질의 양은 B<C이다.

03 용해도에 대한 설명으로 옳은 것을 보기에서 모두 골라 기호를 쓰시오.

보기
ㄱ. 고체의 용해도는 압력이 높을수록 작아진다.
ㄴ. 용해도는 용질과 용매의 종류에 따라 달라진다.
ㄷ. 같은 물질이면 용매의 종류에 관계없이 용해도가 같다.
ㄹ. 용해도는 물질에 따라 다르므로 물질의 특성이다.

04 다음은 염화 나트륨의 용해도를 구하는 실험이다.

(가) 비커에 20 ℃ 물 50 g과 자석을 넣고 전체 질량을 측정하였더니 180 g이었다.
(나) 비커에 염화 나트륨을 조금씩 넣어 녹이다가 염화 나트륨이 더 이상 녹지 않을 때 자석 젓개를 끄고, 비커 안의 전체 질량을 측정하였더니 198 g이었다.

이 실험으로 20 ℃에서 물에 대한 염화 나트륨의 용해도 (g/물 100 g)로 옳은 것은?

① 9 ② 18 ③ 24.5
④ 36 ⑤ 54.5

[05~06] 오른쪽 그림은 4가지 고체 물질의 용해도 곡선을 나타낸 것이다.

용해도(g/물 100 g): 0, 20, 40, 60, 80, 100, 120, 140, 160
온도(℃): 0, 20, 40, 60, 80, 100
질산 칼륨
질산 나트륨
황산 구리(Ⅱ)
염화 나트륨

05 중요 **80 ℃에서 4가지 고체 물질의 포화 용액 중 용해도가 가장 작은 물질은 무엇인지 쓰시오.**

06 다음 빈칸에 알맞은 말을 쓰시오.

60 ℃ 물 100 g이 담긴 4개의 비커에 질산 칼륨, 질산 나트륨, 황산 구리(Ⅱ), 염화 나트륨을 각각 녹여 포화 상태로 만들었다가 20 ℃로 냉각시켰다. 이때 결정이 가장 많이 석출되는 물질은 (㉠)이고, 가장 적게 석출되는 물질은 (㉡)이다.

07 **표는 물 100 g에 대한 질산 나트륨과 염화 나트륨의 용해도를 나타낸 것이다.**

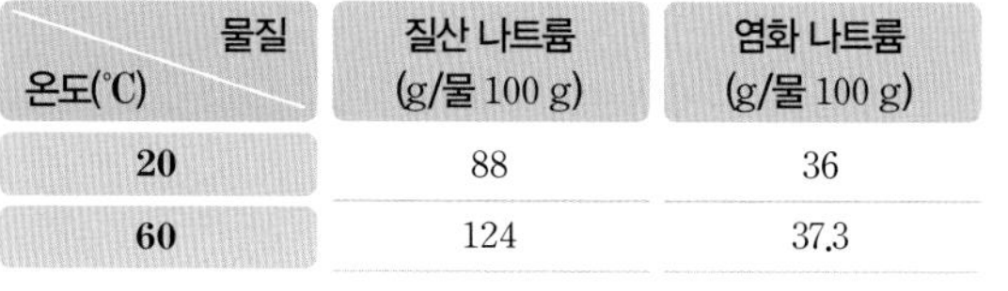

온도(℃) \ 물질	질산 나트륨 (g/물 100 g)	염화 나트륨 (g/물 100 g)
20	88	36
60	124	37.3

60 ℃의 물 100 g에 질산 나트륨 100 g과 염화 나트륨 30 g을 모두 녹인 다음, 이 용액을 20 ℃로 냉각시킬 때 석출되는 물질의 종류와 질량으로 옳은 것은?

① 질산 나트륨 12 g ② 질산 나트륨 24 g
③ 염화 나트륨 5 g ④ 염화 나트륨 8.7 g
⑤ 염화 나트륨 5 g, 질산 나트륨 12 g

08 **그림은 어떤 물질의 용해도 곡선을 나타낸 것이다.**

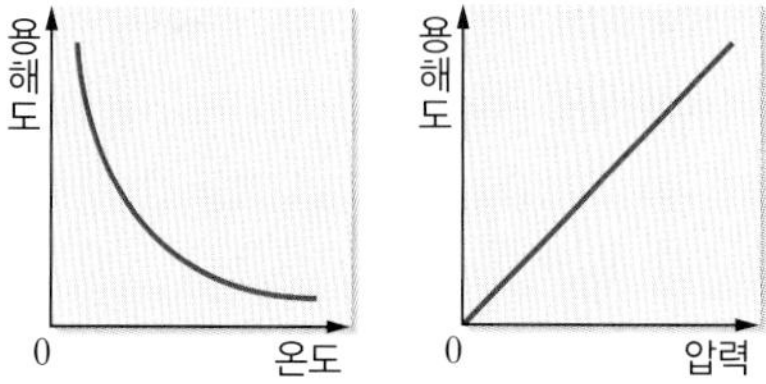

다음의 물질 중에서 물에 대한 용해도가 그림과 같이 변하는 것은? (단, 온도는 0 ℃ ~ 50 ℃, 압력은 0 기압~3 기압이다.)

① 질소 ② 붕산 ③ 에탄올
④ 황산 구리(Ⅱ) ⑤ 질산 칼륨

중요
09 **여러 가지 현상 중에서 다음의 원리로 설명할 수 있는 것을 모두 고르면? (정답 2개)**

온도가 높아지면 기체의 용해도가 낮아진다.

① 여름철에 물고기가 수면으로 올라와 뻐끔거린다.
② 수돗물을 끓이면 수돗물의 소독약 냄새가 없어진다.
③ 뜨거운 식용유에 물을 떨어뜨리면 물이 튀어 오른다.
④ 사이다 병의 마개를 따놓으면 톡 쏘는 맛이 줄어든다.
⑤ 고체가 융해하는 동안에는 온도가 일정하게 유지된다.

중요
10 **그림은 고체 물질 A~D의 가열 곡선을 나타낸 것이다.**

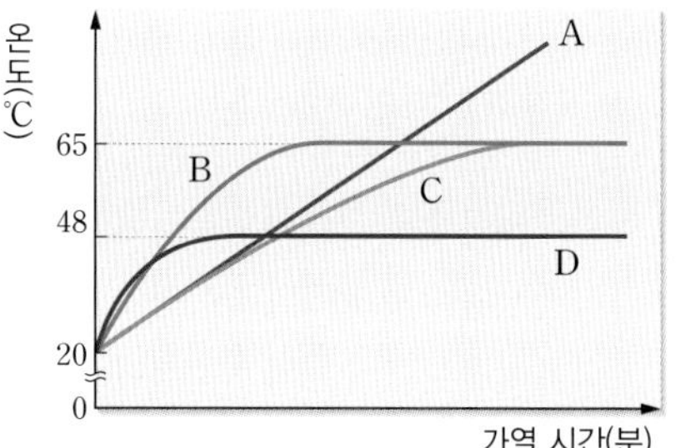

이에 대한 설명으로 옳지 <u>않은</u> 것은? (단, 가열하는 불꽃의 세기는 같다.)

① B와 C는 같은 물질이다.
② 녹는점이 가장 높은 것은 A이다.
③ B와 C의 녹는점은 65 ℃이다.
④ C의 질량이 B의 질량보다 더 크다.
⑤ D의 수평 부분에서 기화열을 흡수한다.

11 **그림은 고체 팔미트산 10 g을 가열하여 액체 상태로 만든 후 냉각하여 다시 고체 상태로 될 때까지의 온도 변화를 나타낸 것이다.**

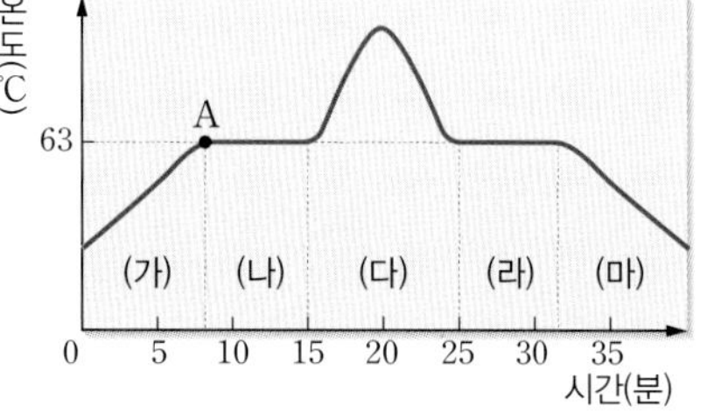

이에 대한 설명으로 옳지 <u>않은</u> 것은?

① 팔미트산의 녹는점과 어는점은 같다.
② (가) 구간과 (마) 구간에서 팔미트산의 상태는 같다.
③ 팔미트산이 어는 동안 온도는 일정하게 유지된다.
④ 팔미트산 20 g으로 같은 실험을 하면 63 ℃보다 높은 온도에서 녹기 시작한다.
⑤ 가열하는 불꽃의 세기를 세게 하면 A점에 도달하는 데 걸리는 시간이 짧아진다.

12 다음 현상이 일어나는 원인과 관련 있는 것은?

> 높은 산에서 밥을 지을 때 쌀이 잘 익지 않아서 밥솥의 뚜껑에 무거운 돌을 올려놓는다.

① 압력이 낮을수록 고체의 녹는점이 낮아진다.
② 압력이 낮을수록 액체의 끓는점이 높아진다.
③ 압력이 높을수록 고체의 녹는점이 높아진다.
④ 압력이 높을수록 액체의 끓는점이 높아진다.
⑤ 압력에 따라 액체의 녹는점은 변하지 않는다.

13 (중요) 오른쪽 그림은 에탄올을 가지 달린 시험관에 넣고 가열하여 끓는점을 측정하는 실험 장치를 나타낸 것이다. 이에 대한 설명으로 옳은 것은?

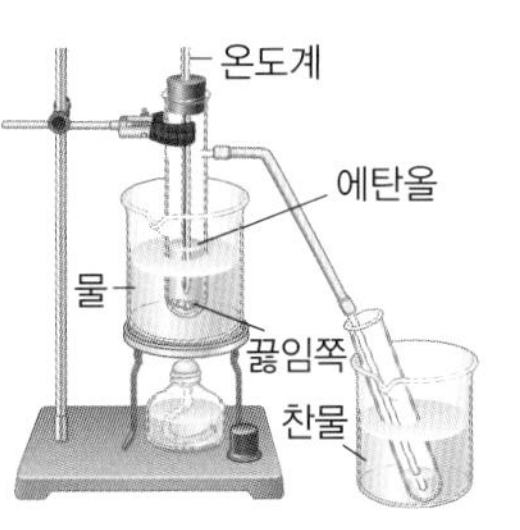

① 물중탕으로 가열하면 에탄올을 빨리 가열할 수 있다.
② 끓임쪽은 에탄올의 끓는점을 높여 준다.
③ 에탄올의 끓는점은 물의 끓는점보다 높다.
④ 찬물에 들어 있는 시험관 안에서 물이 액화하여 모인다.
⑤ 에탄올이 끓는 동안 온도계의 눈금은 일정하게 유지된다.

14 표는 여러 가지 물질의 녹는점과 끓는점을 나타낸 것이다.

물질	녹는점(℃)	끓는점(℃)
A	−117	78
B	65	357
C	−135	−0.5
D	−219	−183

실온(25 ℃)에서 물질 A~D의 상태를 옳게 짝 지은 것은?

① A − 고체 ② B − 고체 ③ C − 액체
④ D − 고체 ⑤ D − 액체

15 그림은 파라−다이클로로벤젠과 팔미트산의 양을 10 g, 20 g으로 하여 가열할 때 나타난 온도 변화 곡선이다.

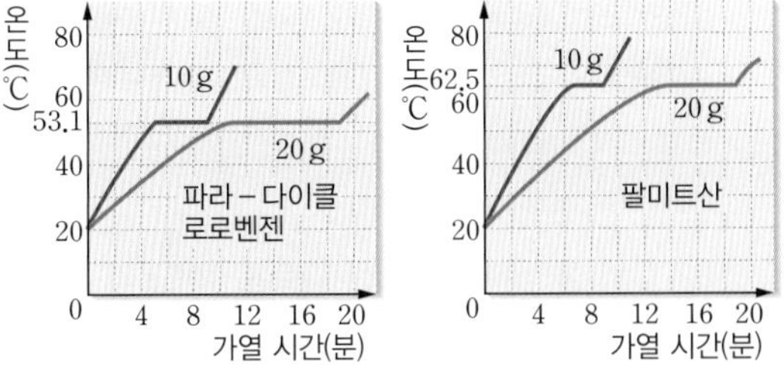

이에 대한 설명으로 옳지 않은 것은? (단, 가열하는 불꽃의 세기는 같다.)

① 고체의 녹는점은 물질의 특성이다.
② 고체가 융해하는 동안 열에너지를 흡수한다.
③ 팔미트산의 녹는점은 질량과 관계없이 일정하다.
④ 파라−다이클로로벤젠의 양이 많을수록 녹는점에 도달하는 시간이 오래 걸린다.
⑤ 두 물질을 이루는 입자들의 결합력은 파라−다이클로로벤젠이 더 강하다.

16 (중요) 오른쪽 그림은 질량이 같은 물과 소금물을 냉각시킬 때의 온도 변화 곡선이다. 이에 대한 설명으로 옳은 것은?

① 물이 얼 때는 응고열을 흡수한다.
② 순물질의 어는점은 일정하지 않다.
③ 액체가 융해되는 동안 열에너지를 흡수한다.
④ 혼합물의 어는점 변화로 순물질과 구별할 수 있다.
⑤ 소금물의 어는점은 농도가 짙어질수록 점점 높아진다.

17 그림은 조상들이 밥을 많이 지을 때 사용한 무쇠솥이다. 무쇠솥과 원리가 같은 것은?

① 진공 펌프 ② 광고용 풍선 ③ 압력 밥솥
④ 양은 냄비 ⑤ 보온병

실력 강화 문제

02. 물질의 특성 (2)

정답과 해설 073쪽

01 그림과 같이 비커에 20 ℃ 물 200 g를 넣고 황산 구리(Ⅱ) 25 g을 넣고 저어 준 다음, 25 g을 추가로 넣고 저어 주었더니 바닥에 녹지 않은 황산 구리(Ⅱ)가 남았다.

이 용액에 대한 설명으로 옳은 것을 보기에서 모두 고른 것은? (단, 20 ℃에서 황산 구리(Ⅱ)의 용해도는 20.2 g/물 100 g이다.)

보기
ㄱ. (나)의 황산 구리(Ⅱ) 수용액은 균일 혼합물이다.
ㄴ. (다)의 황산 구리(Ⅱ) 수용액의 농도는 100 %이다.
ㄷ. 녹지 않은 황산 구리(Ⅱ)의 질량은 9.6 g이다.

① ㄱ ② ㄱ, ㄴ ③ ㄱ, ㄷ
④ ㄴ, ㄷ ⑤ ㄱ, ㄴ, ㄷ

02 다음은 질산 칼륨의 용해도를 구하는 실험을 나타낸 것이다. 빈칸에 알맞은 말을 쓰시오.

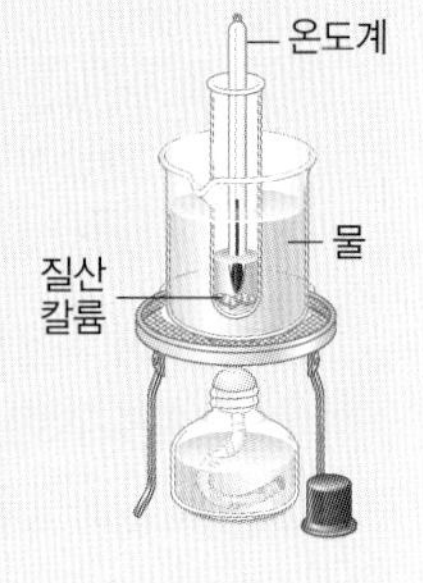

시험관에 물 5 g을 넣고 질산 칼륨 5 g을 넣은 후 그림과 같이 60 ℃까지 가열하였더니 모두 녹았다. 알코올램프의 불을 끄고 시험관을 서서히 냉각시켰더니 시험관 속 온도가 47 ℃가 되었을 때 결정이 생기기 시작하였다. 따라서 (㉠) ℃에서 질산 칼륨의 용해도는 (㉡) g/물 100 g이다.

03 오른쪽 그림은 두 가지 압력에서 암모니아 기체의 온도에 따른 용해도 변화를 나타낸 것이다. 이에 대한 설명으로 옳은 것을 보기에서 모두 고른 것은?

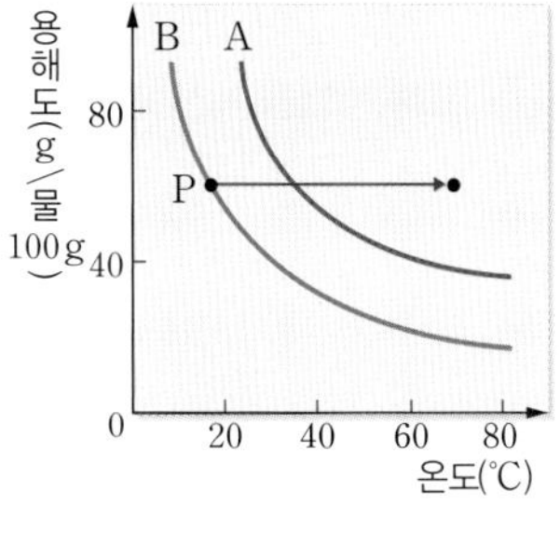

보기
ㄱ. A는 B보다 압력이 더 높다.
ㄴ. P점이 오른쪽으로 이동할 때 기포가 발생한다.
ㄷ. 암모니아의 용해도는 온도와 압력에 반비례한다.

① ㄱ ② ㄱ, ㄴ ③ ㄱ, ㄷ
④ ㄴ, ㄷ ⑤ ㄱ, ㄴ, ㄷ

04 오른쪽 그림은 고체 A, B, C를 같은 세기의 불꽃으로 각각 가열했을 때의 온도를 나타낸 것이다. 고체 A~C 중에서 물질을 이루는 입자들의 인력이 가장 약한 것의 기호를 쓰시오.

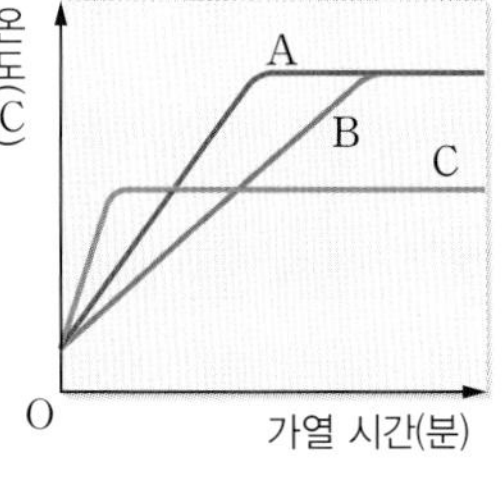

05 압력 변화에 따른 끓는점 변화로 나타나는 현상을 모두 고르면? (정답 2개)

① 높은 산에서 밥을 지으면 쌀이 설익는다.
② 스케이트를 탈 때 얼음은 0 ℃ 이하에서도 녹는다.
③ 잠수함 내부의 빈 탱크에 물을 채우면 가라앉는다.
④ 감압 장치에 80 ℃의 물을 넣고 공기를 빼내면 물이 끓기 시작한다.
⑤ LNG를 사용할 때 가스 누출 경보기를 위쪽에 설치한다.

서술형 문제

02. 물질의 특성 (2)

☞ 제시된 Keyword를 이용하여 문제를 해결해 보자.

1 그림과 같이 설탕을 물에 녹여 20 % 설탕물 500 g을 만드는 방법을 계산 과정을 포함하여 설명하시오.

Keyword 농도, 용질, 용액

2 그림은 질산 칼륨의 용해도 곡선을 나타낸 것이다.

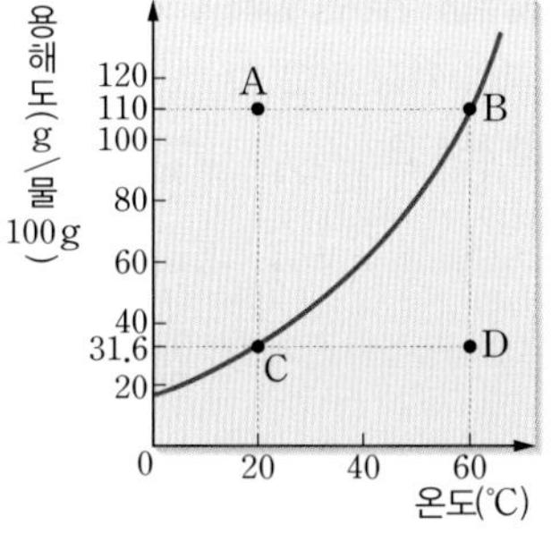

용액 A~D 중 불포화 상태인 용액의 기호를 쓰고, 이 불포화 용액 131.6 g을 포화 용액으로 만드는 방법 두 가지를 설명하시오.

Keyword 용해도, 냉각

3 시험관 6개에 탄산음료를 반 정도 넣고 3개는 마개로 단단히 막은 후 그림과 같이 온도가 다른 비커의 물속에 넣었을 때, 탄산음료에서 발생하는 기포의 양을 관찰하였다.

얼음물　　실온의 물　　뜨거운 물

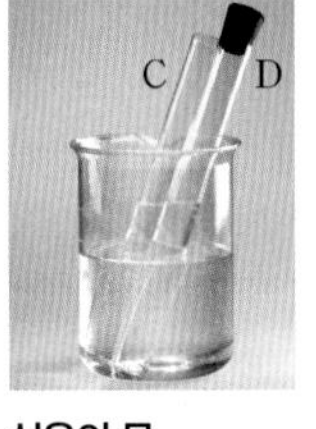

이 실험에서 기포가 가장 많이 발생하는 시험관의 기호를 쓰고, 기체의 용해도와 관련하여 이 실험으로부터 알 수 있는 사실을 두 가지 설명하시오.

Keyword 기체의 용해도, 온도, 압력

4 그림과 같이 물 10 g이 들어 있는 4개의 시험관에 고체 물질 M의 양을 각각 다르게 넣고 완전히 녹을 때까지 가열하였다. 이 용액을 다시 냉각시키면서 각 시험관에서 결정이 석출되기 시작하는 온도를 측정하여 표와 같은 결과를 얻었다.

시험관	(가)	(나)	(다)	(라)
M의 질량(g)	7	10	13	16
결정이 석출되기 시작한 온도(℃)	43	56	68	77

실험 결과를 이용하여 68 ℃에서 고체 물질 M의 물에 대한 용해도를 구하는 과정을 설명하시오.

Keyword 용해도, 포화, 결정, 석출

5 **그림은 −10 ℃의 얼음 100 g을 가열할 때의 온도 변화 곡선이다.**

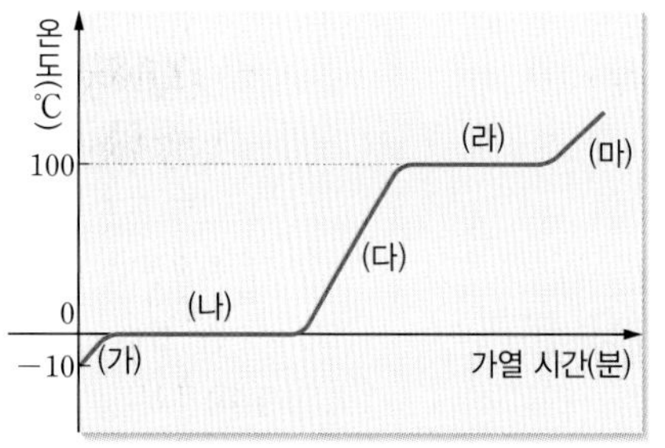

−10 ℃의 얼음 200 g을 위와 같은 조건으로 가열할 때의 변화를 다음의 단어를 모두 포함하여 설명하시오.

녹는점　　(나) 구간　　끓는점

Keyword 물질의 특성, 질량과 녹는점, 질량과 끓는점

6 **오른쪽 그림은 여러 가지 물질의 용해도 곡선이다. 60 ℃의 포화 용액을 20 ℃로 냉각시킬 때, 석출되는 고체 물질이 가장 많은 물질을 쓰고, 그 까닭을 설명하시오.**

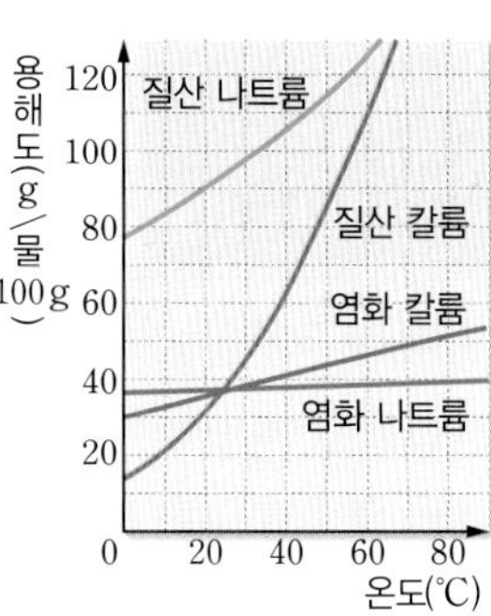

Keyword 용해도 차이, 온도

7 **그림은 물과 에탄올의 질량을 달리하여 가열할 때 일어나는 온도 변화를 나타낸 것이다.**

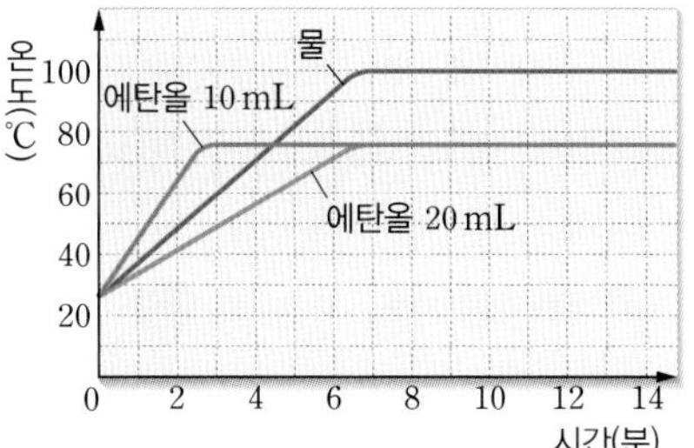

이 실험 결과로부터 알 수 있는 것 두 가지를 설명하시오. (단, 가열하는 불꽃의 세기는 같다.)

Keyword 끓는점, 물질의 종류

8 **그림은 둥근바닥 플라스크에 80 ℃의 물을 넣고 거꾸로 세운 후 얼음물을 둥근바닥 플라스크에 부을 때, 물이 끓는 현상을 나타낸 것이다.**

이 실험에서 둥근바닥 플라스크 안의 압력과 물의 끓는점 변화를 설명하시오.

Keyword 압력, 끓는점

03 혼합물의 분리

유조선에서 기름이 바다로 유출되는 사고가 일어나면 생태계에 막대한 피해를 입힐 수 있다. 바다로 흘러나간 기름은 우선 기름막이를 쳐서 걷어 내는데, 이때 이용한 물질의 특성은 무엇일까? 이 단원에서는 앞에서 배운 물질의 특성을 이용하여 혼합물을 분리하는 방법에 대해서 알아본다.

1 밀도 차이를 이용한 혼합물의 분리

1. 고체 혼합물의 분리

(1) 액체 물질을 이용한 분리: 밀도가 다른 두 가지 고체의 혼합물은 두 물질을 녹이지 않으면서 밀도가 두 물질의 중간 정도인 액체에 넣으면 밀도가 큰 물질은 가라앉고, 밀도가 작은 물질은 액체 위로 떠올라 분리된다.

밀도 차이를 이용한 고체 혼합물의 분리

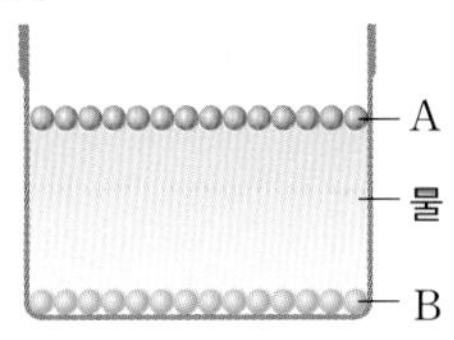

- 밀도: 고체 A < 물 < 고체 B
- 고체 A와 B는 물에 녹지 않아야 한다.

밀도 차이를 이용한 혼합물의 분리

구분	사진	설명
신선한 달걀 고르기	오래된 달걀 / 소금물 / 신선한 달걀	• 오래된 달걀 속에는 공기가 많아 가벼워서 잘 떠오른다. • 밀도: 신선한 달걀>소금물>오래된 달걀
볍씨 고르기	쭉정이 / 소금물 / 속이 찬 볍씨	• 소금물에 볍씨를 넣으면 속이 찬 볍씨는 가라앉고, 쭉정이는 위로 떠오른다. • 밀도: 속이 찬 볍씨>소금물>쭉정이
플라스틱 분리	플라스틱 조각 →	에탄올에 여러 가지 플라스틱 조각을 넣고 물을 약간 넣으면, 밀도가 작은 플라스틱이 떠오르는데, 이것을 떠내어 분리할 수 있다.
사금 채취		• 사금이 섞여 있는 모래를 물속에 넣고 흔들면, 사금은 가라앉고 모래는 흐르는 물에 씻겨 나간다. • 밀도: 사금>모래

(2) 바람을 이용한 분리: 밀도가 작은 고체와 밀도가 큰 고체 물질이 섞여 있는 혼합물을 떨어뜨리면서 바람을 불어주면 밀도가 작은 고체는 멀리 날아가고, 밀도가 큰 고체는 가까이 떨어지므로 두 물질을 분리할 수 있다.

키질

예 키에 곡식을 담은 후 키질을 하면 밀도가 작은 쭉정이나 검부러기는 바람에 날아가고, 밀도가 큰 속이 찬 곡식은 키 안쪽에 남으므로 이를 분리할 수 있다.

알갱이 크기 차이를 이용한 분리

체는 알갱이의 크기가 다른 두 고체 물질이 섞인 혼합물에서 각 물질을 분리할 때 사용하는 기구로, 밀가루에 덩어리가 섞여 있는 경우 체에 넣고 쳐 주면 작은 가루는 통과하지만 덩어리는 체에 남아 분리된다.

2. 서로 섞이지 않는 액체 혼합물의 분리

(1) 분별 깔때기를 이용한 분리: 밀도가 다르고 서로 섞이지 않는 두 액체 혼합물을 분별 깔때기에 넣고 가만히 두면 밀도가 작은 액체는 위에 뜨고, 밀도가 큰 액체는 아래로 가라앉아 두 층으로 나누어진다. 이때 마개를 연 후, 꼭지를 열어 두 액체를 나누어 받아내어 분리한다. — 마개를 열어야 대기압에 의해 액체가 내려간다.

스포이트를 사용한 액체 혼합물의 분리 방법
서로 섞이지 않는 액체 혼합물의 양이 적을 때는 혼합물을 시험관에 넣고 스포이트로 위에 떠 있는 액체를 덜어내어 분리한다.

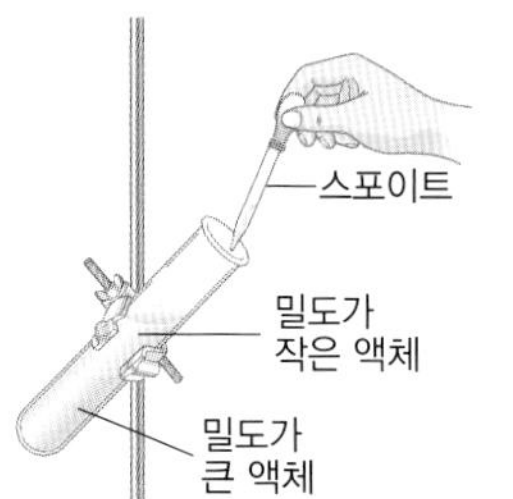

탐구+ 더하기 물과 식용유 혼합물의 분리

그림과 같이 물과 식용유의 혼합물을 분별 깔때기에 넣은 후 분별 깔때기의 마개를 막고 두 개의 층으로 분리될 때까지 기다린다.

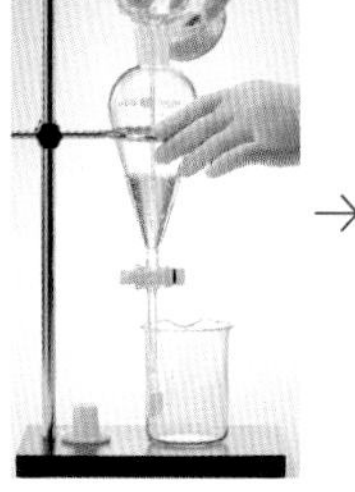

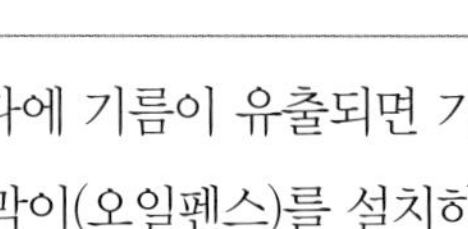

① 혼합 액체가 두 층으로 나누어지면 마개를 열고 꼭지를 돌려 아래층의 액체를 비커에 받아낸다. → 두 물질은 섞이지 않고 물이 식용유보다 밀도가 커서 아래층에 있으므로 꼭지를 열어 먼저 분리할 수 있다.

② 경계면 근처에는 물과 식용유가 조금씩 섞여 있으므로 경계면 근처의 액체는 따로 받는다.

③ 분별 깔때기의 위층 입구로 위층의 식용유를 받아내어 분리한다.

서로 섞이지 않고 층을 이루는 액체 혼합물

액체 혼합물	밀도가 작은 것(위층)	밀도가 큰 것(아래층)
참기름+간장	참기름	간장
물+수은	물	수은
물+휘발유	휘발유	물
물+사염화 탄소	물	사염화 탄소

(2) 바다에 유출된 기름 분리: 바다에 기름이 유출되면 기름이 바닷물 위에 뜨므로 기름막이(오일펜스)를 설치하여 기름을 모은 다음 뜰채로 기름을 걷어내어 분리할 수 있다.

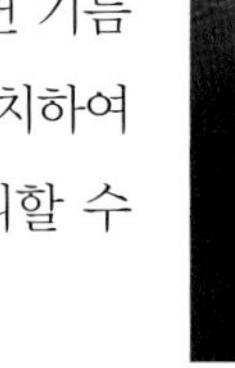

(3) 곰국에서 지방 분리: 곰국을 끓일 때 지방 성분들이 액체 상태로 국물 위에 뜨게 되는데, 국자로 지방 성분을 떠내거나 곰국이 식을 때 국 위에 고체로 뜨므로 지방을 건져 분리할 수 있다.

혈액의 분리
혈액을 원심 분리기에 넣고 돌리면 밀도가 큰 적혈구는 아래층에, 밀도가 작은 혈장은 위층에 분리된다.

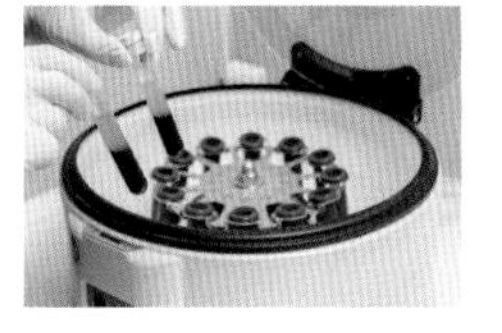

학습 내용 Check

정답과 해설 075 쪽

1. 밀도가 다른 두 가지 고체 혼합물은 두 물질을 녹이지 않으면서 밀도가 두 물질의 중간 정도인 (고체, 액체)에 넣어 밀도가 ________ 물질은 가라앉고, 밀도가 ________ 물질은 액체 위로 떠오르게 하여 분리한다.

2. 소금물에 볍씨를 넣으면 속이 찬 볍씨는 가라앉고 쭉정이는 위로 떠올라 분리된다. 이때 세 물질의 밀도를 비교하면 ________ > ________ > ________ 이다.

3. 식용유와 물의 혼합물을 ________에 넣으면 두 층을 이루어 분리되는데, 아래층에 ________ 이 모여 층을 이루므로 꼭지를 열어 비커에 받아내어 분리한다.

끓는점 차이를 이용한 혼합물의 분리

1. 증류 끓는점 차이가 큰 두 가지 이상의 물질이 섞인 혼합물을 가열할 때 나오는 기체를 냉각시켜 순수한 액체를 얻는 방법을 증류라고 한다. 과학 용어 사전 234쪽

(1) 특징: 끓는점 차이가 크고 서로 잘 섞이는 액체 혼합물을 분리하거나 설탕물이나 소금물과 같이 고체 성분이 녹아 있는 용액에서 액체 성분을 분리하는 데 이용된다.

예 소금물을 끓여서 나오는 수증기를 찬물로 냉각하면 순수한 물을 얻을 수 있다.

온도계
소금물
끓임쪽
찬물
순수한 물

증류 장치
소금물에서 기화된 수증기가 빠져 나와 찬물에 냉각되어 순수한 물이 된다.

(2) 증류의 이용

① 바닷물을 이용하여 식수 만들기: 원뿔 모양의 용기를 바닷물 위에 놓으면 햇빛을 받은 바닷물이 증발되어 수증기가 되고, 수증기가 지붕에 닿아 물로 액화하여 용기의 홈으로 흘러내려 모인 것을 식수로 사용한다.

② 소줏고리로 전통 소주 만들기: 탁주를 소줏고리에 넣고 가열하면 끓는점이 낮은 에탄올이 기화하여 나오다가 냉각수가 담긴 그릇의 바닥에 닿아 액화하여 바깥으로 흘러나온 것이 전통 소주이다.

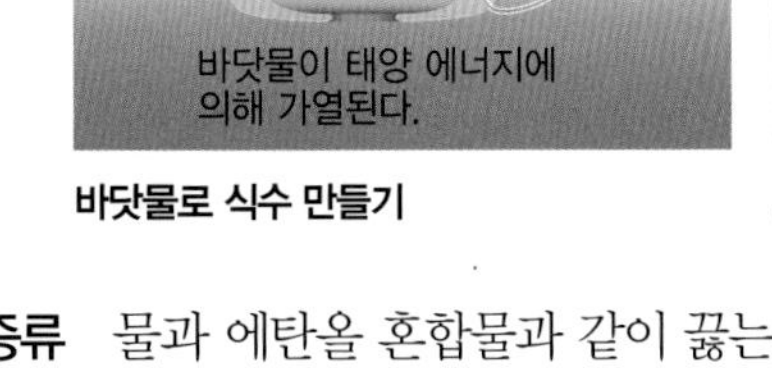

바닷물로 식수 만들기 **소줏고리로 전통 소주 만들기**

2. 분별 증류 물과 에탄올 혼합물과 같이 끓는점 차이가 크지 않은 액체 혼합물을 순수한 액체로 분리하기 위해서는 증류 과정을 여러 번 반복해야 한다. → 이와 같이 서로 잘 섞이는 두 가지 이상의 액체 혼합물을 가열하여 성분 물질의 끓는점 차이를 이용하여 각 성분 물질을 분리해 내는 방법을 분별 증류라고 한다.

(1) 특징: 끓는점이 낮은 물질이 먼저 끓어 나오고, 끓는점이 높은 물질이 나중에 끓어 나온다.

(2) 분별 증류 장치

예 물과 에탄올 혼합물을 분별 증류 장치에 넣고 가열하여 끓이면 에탄올이 먼저 기체로 기화하여 가지 달린 시험관의 가지 부분으로 나와 냉각기를 통과하면서 다시 액체로 액화하여 순도가 높은 에탄올을 얻게 된다.

소금물의 가열 곡선
소금물이 끓기 시작하면 물이 기화하여 빠져나가면서 농도가 짙어지므로 끓는점이 계속 높아진다.

온도(℃)
105
100
95
O
끓기 시작
소금물
물
가열 시간(분)

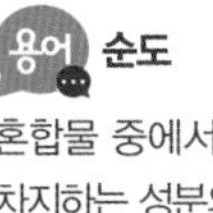
순도
혼합물 중에서 가장 많은 질량을 차지하는 성분의 비율을 말하는데, 보통 %농도를 말한다. 예를 들어 순도 99 % 에탄올이라면 100 g 중에 에탄올이 99 g이고 물이 1 g인 혼합물이 된다.

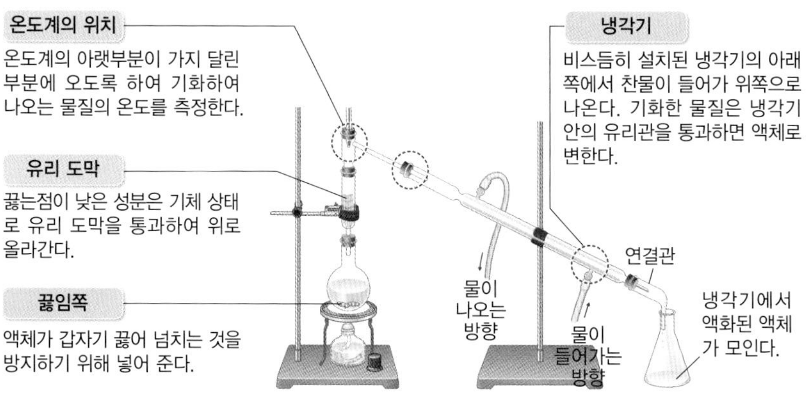

(3) 분별 증류의 이용: 원유의 분리, 액체 공기의 분리 등

① 원유의 분별 증류: 원유를 370 ℃ 이상의 높은 온도로 가열하여 증류탑 아래에 넣으면 기체 상태의 각 성분 물질들이 각층에 있는 여러 개의 통로를 지나 위층으로 올라간다. 이때 끓는점이 낮은 물질은 계속하여 위로 올라가지만, 끓는점이 높은 물질은 아래층에서 액화하여 분리된다.

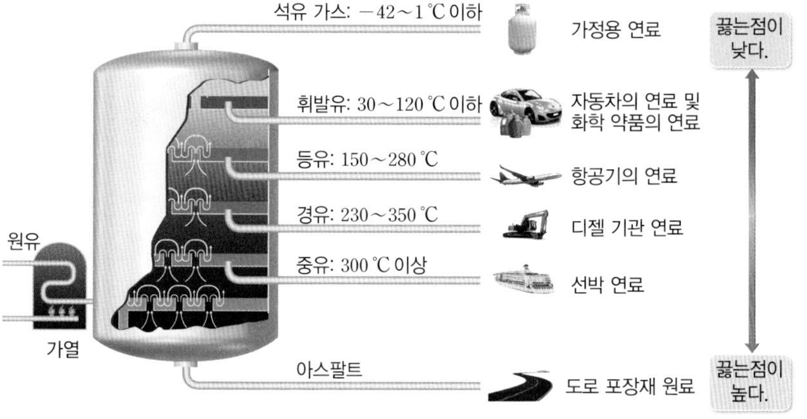

② 액체 공기의 분별 증류: 건조한 공기를 저온으로 냉각시켜 만든 액체 공기를 증류탑으로 보내면 끓는점이 높은 산소는 증류탑의 낮은 곳에서 액화하여 분리되고, 끓는점이 낮은 질소는 증류탑의 가장 높은 곳까지 기체 상태로 올라가 분리되어 나오는 것을 냉각시켜 액체 질소를 얻는다.

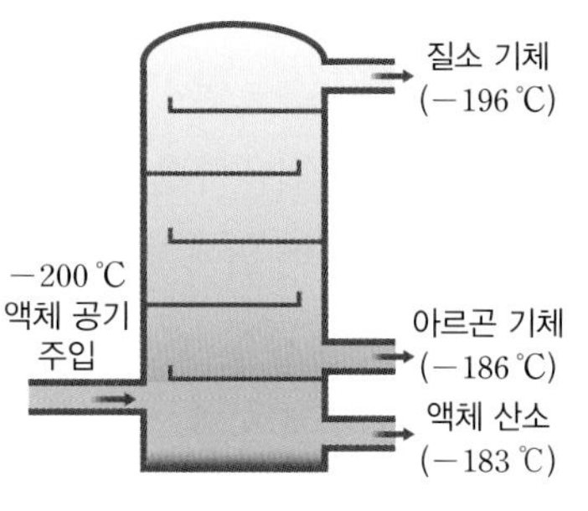

학습 내용 Check

정답과 해설 075 쪽

1. ________ 차이가 큰 두 가지 이상의 물질이 섞여 있는 혼합물을 가열할 때 나오는 기체를 냉각시켜 순수한 ________를 얻는 방법을 ________라고 한다.

2. 서로 잘 섞이는 두 가지 이상의 ________ 혼합물을 가열하여 성분 물질의 ________ 차이를 이용하여 각 성분 물질을 분리해 내는 방법을 분별 증류라고 한다.

물과 에탄올 혼합물의 분별 증류

- 물과 에탄올 혼합물을 가열하면 온도가 높아지다가 78 ℃ 부근에서 기울기가 급격히 작아진다. 이때 약간의 수증기가 포함된 기체 에탄올이 끓어 나오는데, 이 기체를 냉각시키면 약간의 물이 포함된 에탄올을 얻을 수 있다.
- 남은 액체를 계속 가열하면 100 ℃에서 물이 끓어 수증기가 나오므로 이 기체를 액화하여 물을 얻을 수 있다.

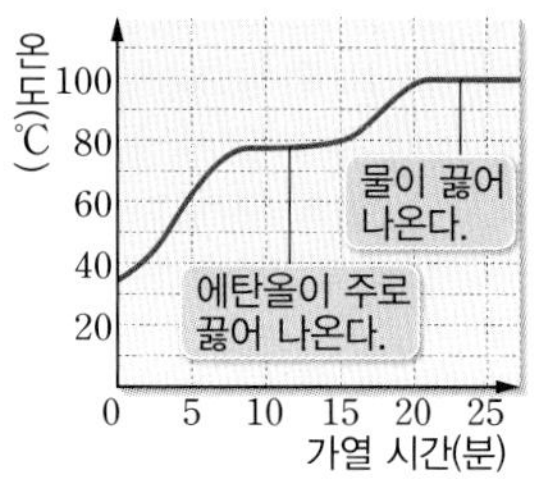

원유 증류탑 구조

거대한 분별 증류 장치인 증류탑은 보통 여러 층으로 이루어져 있는데, 탑 안의 온도는 아래쪽으로 갈수록 높고, 위쪽으로 갈수록 낮다.

공기의 액화

- 건조한 공기를 거름 장치에 통과시켜 먼지나 다른 불순물을 제거한 다음 이 공기를 저온으로 냉각시키면 물과 이산화 탄소가 얼어 얼음과 드라이아이스로 되어 제거할 수 있다.
- 공기를 압축한 후 작은 구멍을 통해 갑자기 팽창시키면 공기의 온도가 낮아지는데, 이 과정을 반복하면 공기는 모두 액화하여 액체 공기로 된다.

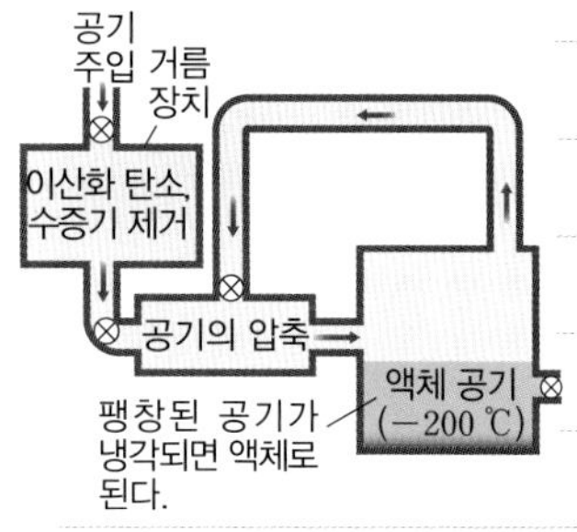

3 용해도 차이를 이용한 혼합물의 분리

1. 거름 고체의 혼합물을 구성하는 성분 물질 중에서 어떤 용매에 잘 녹는 성분과 잘 녹지 않는 성분이 섞인 경우 혼합물을 용매에 녹인 후 거름 장치로 걸러 용매에 잘 녹지 않는 성분을 얻고 거른 용액은 증발시켜 고체를 얻는 방법이다.

예 불순물이 섞인 소금을 물에 녹인 후 거름종이로 걸러낸 소금물을 증발시키면 깨끗한 소금을 얻을 수 있다.

혼합물을 거름 장치로 거른다.

→

걸러낸 소금물을 가열한다.

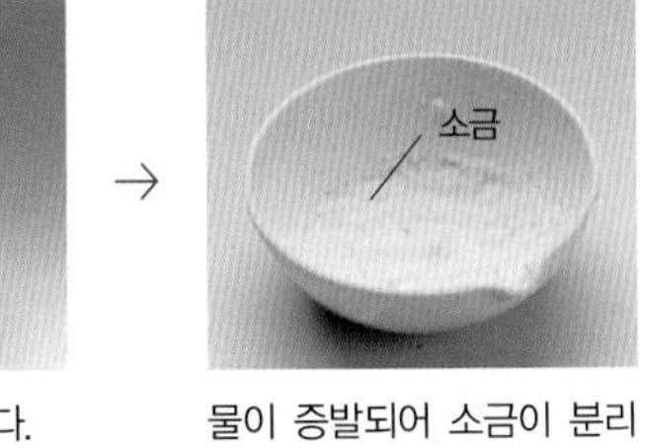

→

물이 증발되어 소금이 분리된다.

2. 재결정 불순물이 포함된 고체 물질을 높은 온도의 용매에 녹인 다음 서서히 냉각하여 순수한 결정을 얻는 방법을 재결정이라고 한다. 이때 온도에 따른 용해도 차이가 큰 고체만 결정으로 석출된다. (과학 용어 사전 234쪽)

예 5 g의 염화 나트륨과 100 g의 질산 칼륨이 섞인 혼합물을 60 ℃ 이상의 물에 모두 녹인 후 20 ℃로 서서히 냉각시키면 이 온도에서 질산 칼륨과 염화 나트륨의 용해도는 각각 31.6과 36이므로 질산 칼륨만 100 g−31.6 g=68.4 g이 결정으로 석출된다. 염화 나트륨은 그대로 물에 녹아 있으므로 질산 칼륨만 분리된다.

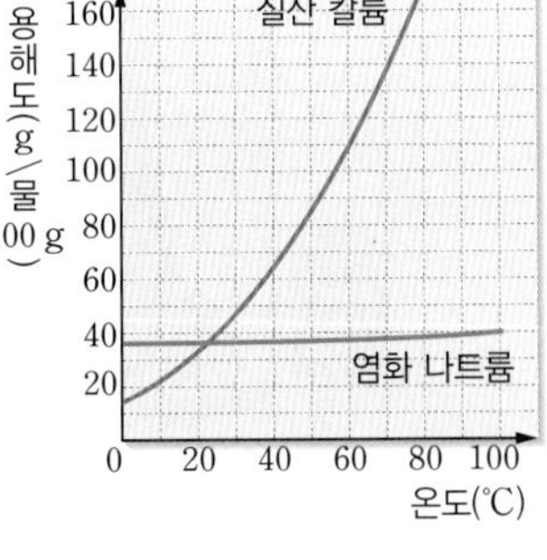

3. 추출 혼합물 중의 특정한 한 성분만을 녹일 수 있는 용매를 사용하여 그 물질을 분리하는 방법을 추출이라고 한다.

예 • 거름종이 위에 원두커피 가루를 넣고 뜨거운 물을 부으면 거름종이 아래로 커피 성분이 물에 녹아 나온다.
• 한약을 물과 함께 약탕기에 넣고 끓이면 한약 성분이 물에 녹아 나온다.

학습 내용 Check 정답과 해설 075쪽

1. 고체 혼합물에 어떤 용매를 넣고 잘 저은 후 ________로 걸러서 용매에 잘 녹지 않는 성분과 잘 녹는 성분 물질을 분리하는 방법을 ________이라고 한다.
2. 온도에 따른 용해도 차이가 크고 작은 고체가 섞인 혼합물을 높은 온도의 용매에 녹인 후 냉각시켜서 석출되는 결정을 걸러서 분리하는 방법을 ________이라고 한다.
3. 혼합물 중의 특정한 한 성분만을 녹일 수 있는 ________를 사용하여 그 물질을 분리하는 방법을 ________이라고 한다.

나프탈렌과 소금의 혼합물 분리
나프탈렌과 소금의 혼합물을 에탄올에 녹인 후 거르면, 에탄올에 녹지 않는 소금은 거름종이 위에 남고, 에탄올에 잘 녹는 나프탈렌은 거름종이를 빠져나간다. 이때 거른 액을 가열하면 나프탈렌을 얻을 수 있다.

암모니아와 공기의 혼합 기체 분리
물이 흐르는 분리 장치에 혼합 기체를 통과시키면 암모니아는 물에 녹아 암모니아수가 되어 흘러나오고, 공기는 물에 녹지 않고 위로 빠져나가므로 두 기체를 분리할 수 있다.

암모니아와 공기의 분리 장치

한약 달이기
한약을 물과 함께 약탕기에 넣고 끓인 후 남아 있는 한약 재료를 헝겊에 싸서 짜면 용액만 빠져나오고 찌꺼기는 남는다.

4 크로마토그래피를 이용한 혼합물의 분리 (과학 용어 사전 234쪽)

1. 크로마토그래피 검은색 수성 사인펜 잉크는 성질이 비슷한 여러 가지 색소가 섞인 혼합물로, 밀도나 끓는점, 용해도 차이를 이용한 분리가 어려우므로 각 성분 물질이 용매를 따라 이동하는 속도 차이를 이용하여 혼합물을 분리하는데, 이 방법을 크로마토그래피라고 한다.

(1) **크로마토그래피의 원리:** 거름종이나 분필에 혼합물의 점을 찍고 용매를 흡수시키면 각 성분이 용매를 따라 올라가는 속도가 다르고 올라간 높이가 달라서 각 성분으로 분리된다.

코르크 마개 (용매의 증발 억제)
거름종이
색소점
용매
용매가 색소점의 각 성분 물질을 녹여 함께 위로 올라간다.
용매에 녹는 정도에 따라 성분별로 갈라지기 시작한다.
각 성분으로 분리된다.
혼합된 성분 물질의 수만큼 높이가 다르게 나타난다.
이동 속도가 빠른 성분 물질
이동 속도가 느린 성분 물질

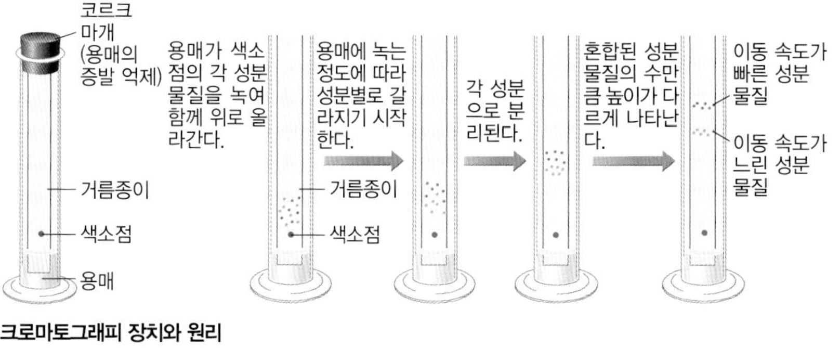

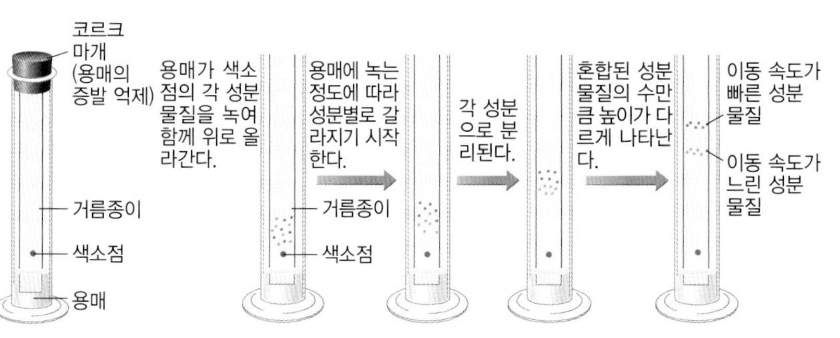

크로마토그래피 장치와 원리

(2) **크로마토그래피의 장점**

① 매우 적은 양의 혼합물도 분리할 수 있다.

② 성분의 성질이 매우 비슷한 혼합물도 분리할 수 있다.

③ 혼합물을 이루는 성분이 많아도 한 번에 분리할 수 있다.

④ 분리하는 장치가 간단하고, 분리하는 데 걸리는 시간이 짧다.

(3) **크로마토그래피의 이용:** 꽃잎의 색소 분리, 식물 잎의 엽록소 분리, 도핑 테스트, 혈액이나 소변의 성분 분석, 식품의 농약 검사 등에 이용한다.

2. 크로마토그래피의 분석

(1) **혼합물의 성분 물질의 수:** 혼합물을 구성하는 성분 물질의 수는 크로마토그래피에서 분리되어 나타나는 물질의 수와 같거나 그 이상이다.

(2) **혼합물을 구성하는 성분 물질의 종류:** 성분 물질이 용매를 따라 이동한 거리와 용매가 이동한 거리의 비(전개율, R_f)는 성분 물질의 종류에 따라 다르고 전개율이 같으면 같은 물질이다. 따라서 전개율을 통해 성분 물질의 종류를 알 수 있다.

$$전개율(R_f)=\frac{성분\ 물질이\ 이동한\ 거리}{용매가\ 이동한\ 거리}=\frac{b}{a}$$

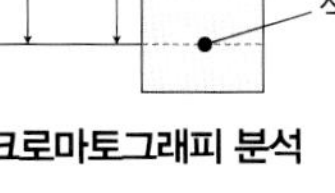

크로마토그래피 분석

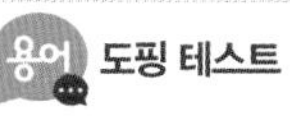
용어 도핑 테스트
운동 경기에 출전하는 선수들이 좋은 기록을 얻기 위해서 금지된 약물을 복용하는 경우가 있다. 크로마토그래피는 매우 적은 양의 성분도 분리할 수 있는 방법이므로 선수들의 금지된 약물 복용을 검사하는 데 매우 유용하게 쓰인다.

잉크의 색소 구성
잉크를 구성하는 성분 색소는 잉크 제조 회사에 따라 다르나 보통 다음과 같은 색소로 구성되어 있다.
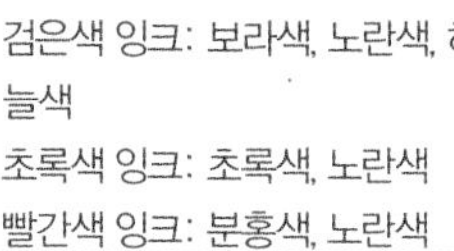
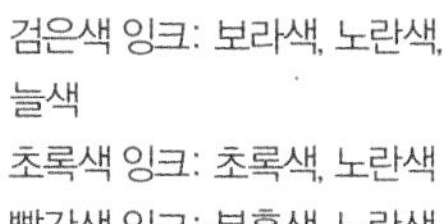
- 검은색 잉크: 보라색, 노란색, 하늘색
- 초록색 잉크: 초록색, 노란색
- 빨간색 잉크: 분홍색, 노란색

(3) 여러 가지 색깔의 잉크 분석: 폭이 넓은 거름종이에 여러 가지 색깔의 사인펜 잉크를 점으로 찍은 다음, 잉크의 점들이 물에 잠기지 않게 비커에 세워 놓으면 잉크의 분리 과정을 관찰할 수 있다.

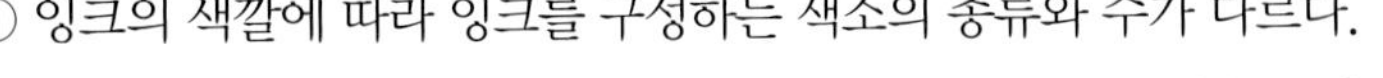

크로마토그래피를 이용한 잉크 분리

① 잉크의 색깔에 따라 잉크를 구성하는 색소의 종류와 수가 다르다.

② 전개된 색소를 보고 사인펜 잉크에 포함된 성분의 최소 개수를 알 수 있다.

위조 서류 구별

서류를 위조하는 데 사용된 펜이나 위조 서류 인쇄에 사용된 잉크의 성분 색소는 잉크 제조 회사에 따라 다르기 때문에 위조 서류나 인쇄물의 글씨를 긁어내어 용매에 녹인 후 크로마토그래피를 할 때 나타나는 색소를 분석하면 위조 여부를 알아 낼 수 있다.

자료 더하기 생활 속에서 이용되는 혼합물 분리하기

생활 속에서 혼합물을 분리할 때는 필요에 따라서 여러 가지 물질의 특성을 이용하기도 하고, 물질의 특성과 함께 과학적인 지식을 함께 활용하기도 한다.

① 아스피린: 해열 진통제로 쓰이는 아스피린은 버드나무 껍질에서 얻은 물질을 가공한 후, 재결정을 이용해 순도를 높여 의약품으로 만든다.

② 향수: 화학 물질을 이용하여 만드는 경우도 있지만, 기본적으로 식물의 꽃이나 잎에서 향을 내는 성분을 추출하여 향수를 만든다.

③ 생명 빨대(라이프스트로우): 오염된 물을 깨끗한 물로 정수하는 장치로, 두 겹의 망과 아이오딘이 배인 수지, 활성탄 등으로 구성되어 있어 크고 작은 입자와 세균, 바이러스와 같은 작은 입자도 걸러 낼 수 있다.

④ 도시 광산: 폐 휴대 전화나 폐 자동차 등으로부터 산업에 필요한 금속을 분리하여 다시 사용하는 것으로 제품을 분류하여 잘게 부순 후, 용액에 넣어 추출하고, 분리, 정제 등의 과정을 거쳐서 금속을 얻는다.

⑤ 수돗물 정수하기: 일상생활에서 강물을 바로 사용하기 어려우므로, 강물의 모래를 가라앉히고, 부유물을 엉키게 하기 위해 약품을 투입하는 등 여러 가지 단계를 거쳐서 정화를 하여 깨끗한 수돗물로 만들어 사용한다.

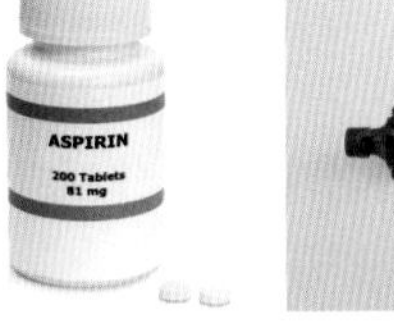

아스피린 | 생명 빨대(라이프스트로우) | 정수장

학습 내용 Check

정답과 해설 075쪽

1. ________는 성분 물질이 용매가 거름종이에 흡수되어 이동하는 ________ 차이를 이용하여 분리하는 방법이다.

2. 크로마토그래피는 매우 적은 양의 혼합물도 분리할 수 있고 분리하는 장치가 간단하며 분리하는 데 걸리는 시간이 (길다, 짧다).

3. 혼합물을 구성하는 성분 물질이 용매를 따라 이동한 거리와 용매가 이동한 거리의 비를 ________이라고 한다.

탐구 물과 에탄올의 혼합물 분리하기

물과 에탄올 혼합물을 끓는점 차이를 이용하여 분리하는 방법과 원리를 설명할 수 있다.

과정

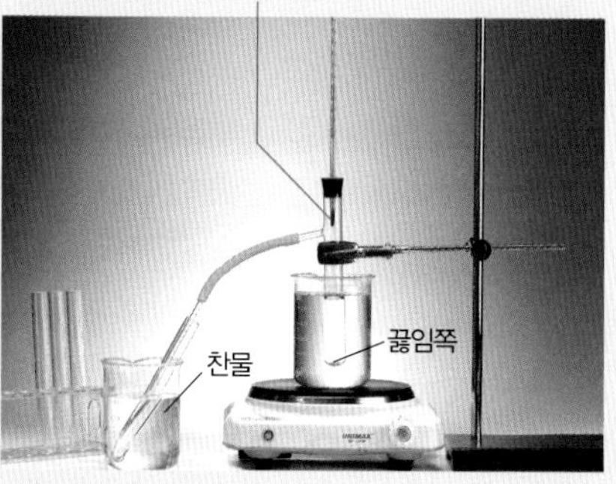

온도계 끝이 가지 달린 시험관의 가지 부분에 오도록 설치하여 끓어 나오는 물질의 온도를 측정한다.

❶ 가지 달린 시험관에 끓임쪽을 넣고 물과 에탄올을 혼합한 용액을 넣은 후 온도계를 꽂은 고무마개로 막는다.

❷ 유리관을 끼운 고무관을 가지 달린 시험관의 가지에 연결하고 유리관은 비커 안의 찬물이 담긴 시험관에 넣는다.

❸ 비커를 가열하면서 1분 간격으로 혼합 용액의 온도를 측정한다.

❹ 가지 달린 시험관 속의 액체가 5 mL 정도로 줄어들 때까지 가열하면서 끓어 나오는 물질을 4개의 시험관 A, B, C, D에 모은다.

- 시험관 A: 가열을 시작한 후부터 처음으로 온도 변화가 매우 작아질 때까지
- 시험관 B: 온도 변화가 거의 없을 때
- 시험관 C: 다시 온도가 올라가기 시작한 후부터 두 번째로 온도 변화가 작아질 때까지
- 시험관 D: 두 번째로 온도 변화가 없을 때

유의점 증류가 끝나면 증류된 액체가 역류되지 않도록 유리관을 시험관에서 빼 놓는다.

❺ 1분 간격으로 측정한 혼합 용액의 온도를 측정 시간에 따른 온도 변화 그래프로 그려 본다.

1. 시간에 따른 혼합 용액의 가열 곡선과 각 구간에서 시험관에 모이는 물질은 다음과 같다.

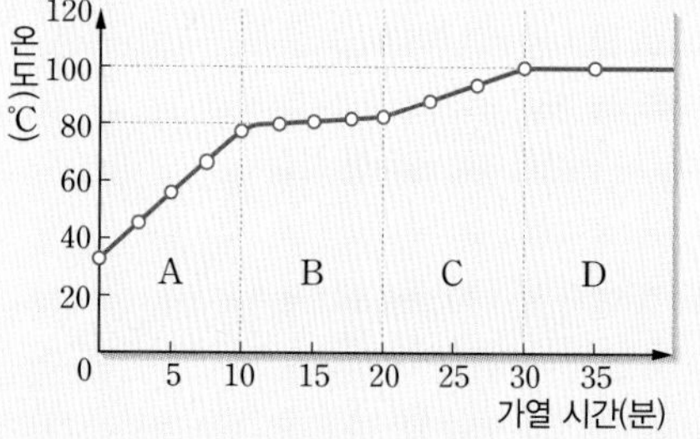

- A 구간: 거의 없음
- B 구간: 에탄올이 주로 나옴
- C 구간: 에탄올 조금과 물 조금
- D 구간: 물이 나옴

2. 물과 에탄올 혼합물을 가열하면 끓는점이 낮은 에탄올이 먼저 기화하여 분리되고, 끓는점이 높은 물이 나중에 분리된다.

탐구 확인 문제

정답과 해설 075쪽

1 위 탐구에 대한 보기의 설명 중 옳은 것을 모두 고르시오.

보기

ㄱ. 시험관 B에 모인 액체는 주로 에탄올이다.
ㄴ. 시험관 D에 모인 액체는 불이 잘 붙는다.
ㄷ. 물질의 끓는점 차이를 이용한 분리 방법이다.
ㄹ. 가지 달린 시험관에 끓임쪽을 넣어 혼합물이 넘쳐 흐르는 것을 방지한다.

2 (적용) 그림은 물과 메탄올 혼합물의 가열 곡선이다.

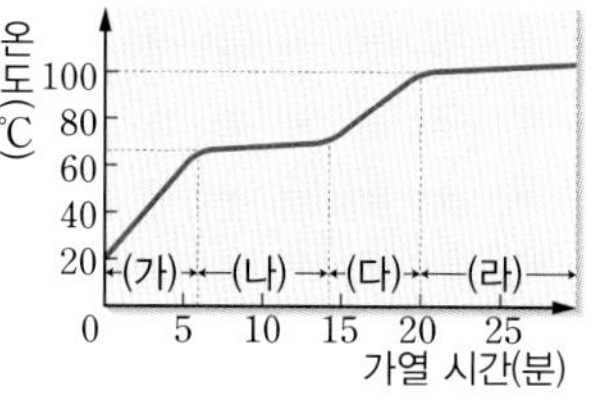

메탄올이 주로 끓어 나오는 구간과 물이 끓어 나오는 구간을 각각 쓰시오.

탐구 재결정으로 순수한 질산 칼륨 분리하기

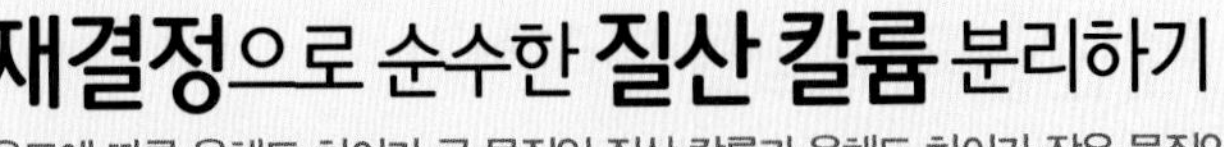

온도에 따른 용해도 차이가 큰 물질인 질산 칼륨과 용해도 차이가 작은 물질인 염화 나트륨이 섞여 있는 혼합물을 분리하여 재결정의 원리를 설명할 수 있다.

과정

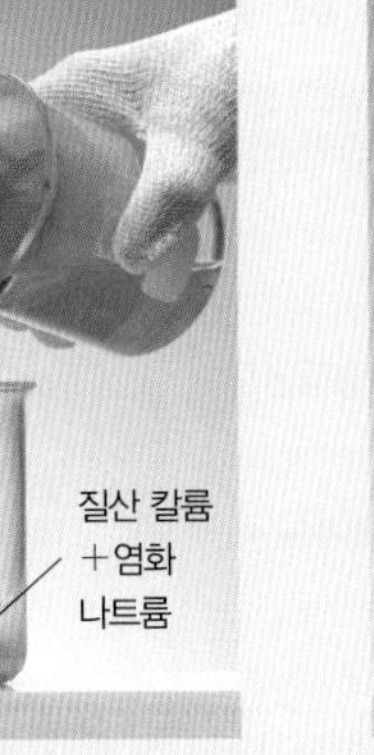

❶ 비커에 질산 칼륨 60 g과 염화 나트륨 5 g이 섞인 혼합물을 넣고 60 ℃ 물 100 g을 부어 혼합물을 모두 녹인다.

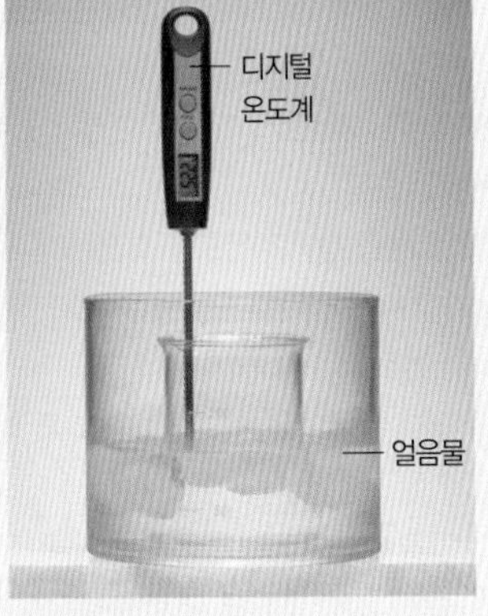

❷ 얼음물이 담긴 수조에 과정 ❶의 비커를 넣고, 10 ℃까지 냉각하면서 변화를 관찰한다.

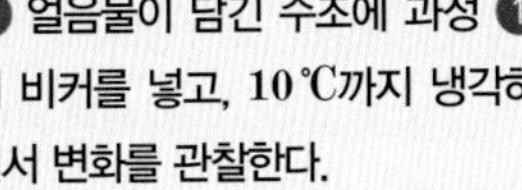

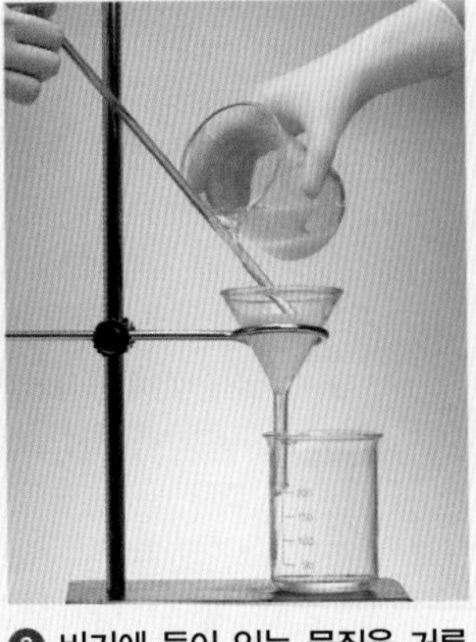

❸ 비커에 들어 있는 물질을 거름 장치로 걸러 고체 물질을 모은다.

유의점 혼합물을 거를 때 액체가 거름종이 위로 넘치지 않도록 천천히 붓는다.

결과 해석 및 정리

1. 10 ℃에서 질산 칼륨의 용해도는 20 g/물 100 g이므로 물 100 g에 최대로 녹을 수 있는 질량은 20 g이고, 10 ℃에서 염화 나트륨의 용해도는 35.7 g/물 100 g이므로 물 100 g에 최대로 녹을 수 있는 질량은 35.7 g이다. → 거름종이에 걸러진 물질은 질산 칼륨이다.
2. 처음 용액 속에 녹아 있던 질산 칼륨 60 g 중에서 10 ℃에서 물 100 g에 최대로 녹을 수 있는 20 g을 뺀 40 g이 결정으로 석출된다. 이때 염화 나트륨은 10 ℃에서 물 100 g에 최대로 녹을 수 있는 질량이 35.7 g이므로 처음 용액에 녹아 있던 5 g은 그대로 녹아 있다.

탐구 확인 문제

정답과 해설 075쪽

1 위 탐구에 대한 설명으로 옳은 것은 ○, 옳지 않은 것은 ×로 표시하시오.

(1) 온도에 따른 용해도 차이를 이용한 분리 방법이다. .... ( )

(2) 질산 칼륨은 염화 나트륨보다 온도에 따른 용해도 차이가 더 크다. .... ( )

(3) 과정 ❷에서 용액 중에 석출되는 결정은 질산 칼륨이다. .... ( )

(4) 과정 ❸에서 거름종이에 걸러지는 물질은 염화 나트륨이다. .... ( )

2 적용 오른쪽 그림은 붕산과 염화 나트륨의 온도 변화에 따른 용해도 곡선이다. 80 ℃의 물 100 g에 염화 나트륨과 붕산을 각각 15 g씩 모두 녹인 후, 20 ℃로 냉각시킬 때 석출되는 물질의 이름을 쓰고, 석출되는 양은 몇 g인지 구하시오.

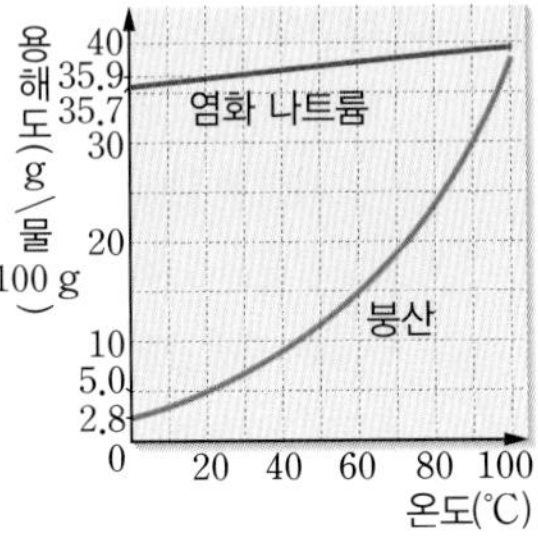

중단원 핵심 정리

1 밀도 차이를 이용한 혼합물의 분리

① **액체 물질을 이용한 분리**: 고체 혼합물을 액체에 넣을 때 밀도가 큰 물질은 가라앉고, 밀도가 작은 물질은 위로 떠올라 분리된다.

예 속이 찬 볍씨 고르기, 신선한 달걀 고르기, 사금 채취 등

② **바람을 이용한 분리**: 혼합물을 바람에 날리면 밀도가 작은 고체가 멀리 날아가 밀도가 큰 고체와 분리된다.

예 키를 이용한 곡식의 분리

③ **서로 섞이지 않는 액체 혼합물의 분리**: **분별 깔때기**로 밀도가 작아 위에 뜬 액체와 밀도가 커서 아래에 가라앉은 액체를 나누어 받아내어 분리한다.

마개
꼭지

예 바다에 기름이 유출되어 바닷물 위에 뜬 기름을 분리할 수 있다.

2 끓는점 차이를 이용한 혼합물의 분리

① **증류**: 끓는점 차이가 큰 두 가지 이상의 물질이 섞여 있는 액체 혼합물을 가열할 때 나오는 기체를 냉각시켜 순수한 액체를 얻는 방법

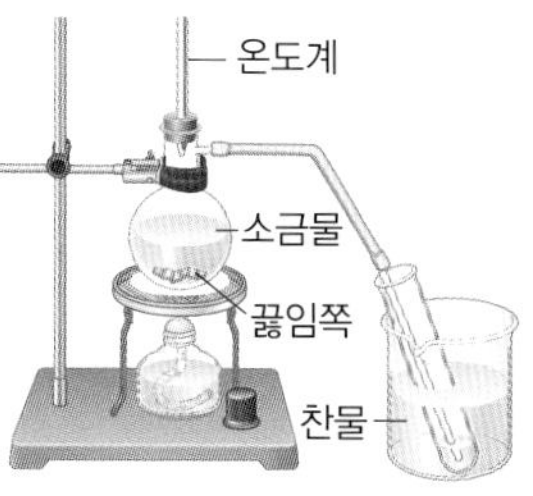

소금물의 증류

예 소금물을 증류하여 순수한 물을 얻는다.

② **분별 증류**: 끓는점 차이가 크지 않은 액체 물질의 혼합물을 끓는점 차이를 이용하여 각 성분 물질을 분리해 내는 방법

예 원유를 분별 증류하여 석유 가스, 휘발유, 등유, 경유, 중유를 얻는다.

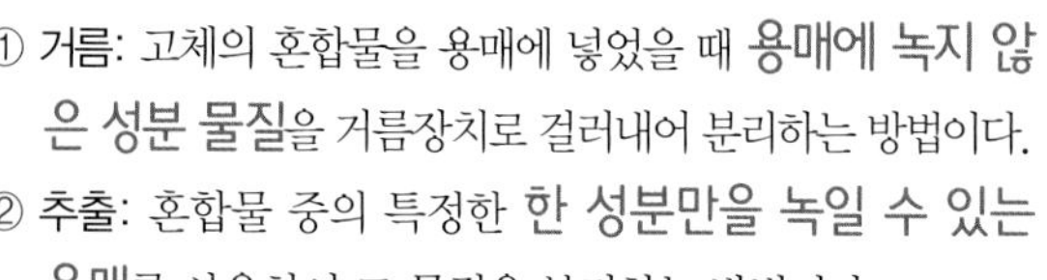

3 용해도 차이를 이용한 혼합물의 분리

① **거름**: 고체의 혼합물을 용매에 넣었을 때 **용매에 녹지 않은 성분 물질**을 거름장치로 걸러내어 분리하는 방법이다.

② **추출**: 혼합물 중의 특정한 **한 성분만을 녹일 수 있는 용매**를 사용하여 그 물질을 분리하는 방법이다.

③ **재결정**: **온도에 따른 용해도 차이**가 큰 고체와 용해도 차이가 작은 고체가 섞인 혼합물을 높은 온도의 용매에 녹인 후 냉각시킬 때 석출되는 결정을 걸러서 분리하는 방법이다.

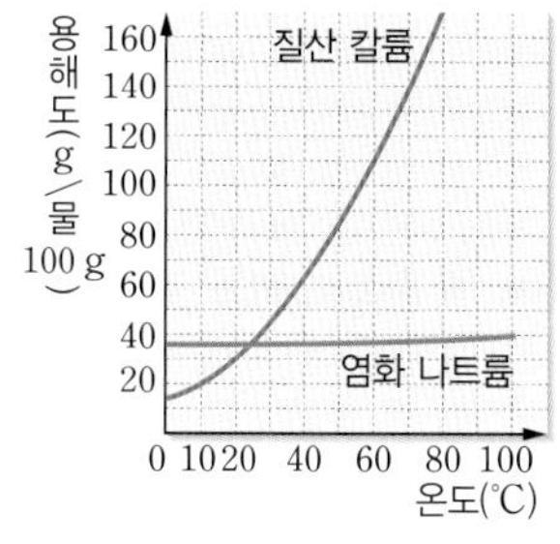

예 질산 칼륨과 염화 나트륨의 혼합물 분리

4 크로마토그래피

① **크로마토그래피**: 성질이 비슷한 물질들의 혼합물은 각 성분 물질이 **용매를 따라 이동하는 속도 차이**에 의해 각 성분으로 분리된다.

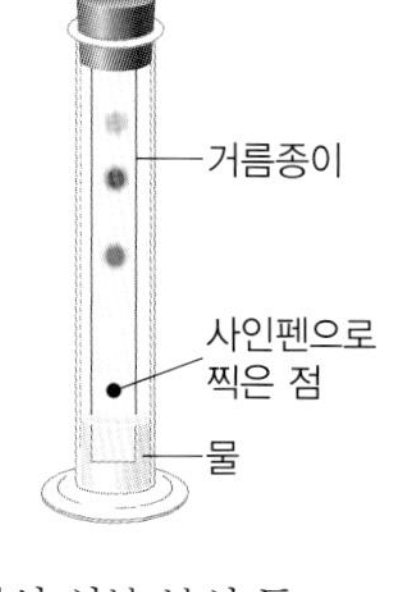

예 잉크의 색소와 꽃잎의 색소 분리, 식물 잎의 엽록소 분리, 도핑 테스트, 혈액이나 소변의 성분 분석 등

② **크로마토그래피의 장점**

- 적은 양의 혼합물도 분리할 수 있고, 성질이 매우 비슷한 성분들의 혼합물도 분리할 수 있다.
- 혼합물의 구성 성분이 많아도 한 번에 분리할 수 있다.
- 분리하는 장치가 간단하고 분리 시간이 짧다.

개념 확인 문제

03. 혼합물의 분리

01 오른쪽 그림과 같이 신선한 달걀과 오래된 달걀을 소금물에 넣었다. 빈칸에 알맞은 말을 쓰시오.

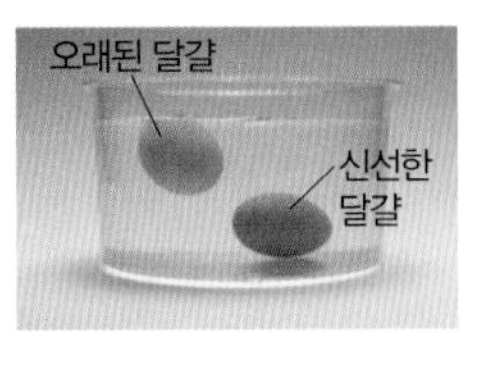

> 달걀을 소금물에 넣었을 때 가라앉거나 뜨는 까닭은 (㉠) 차이 때문이며, 소금물보다 (㉠)가 더 큰 것은 (㉡)이다.

02 다음은 여러 가지 혼합물을 분리하여 이용하는 경우이다. 밀도 차이를 이용하여 혼합물을 분리하는 것을 보기에서 모두 고른 것은?

보기
- ㄱ. 볍씨를 소금물에 넣어 쭉정이 골라내기
- ㄴ. 소금물을 물을 증발시켜 순수한 물 얻기
- ㄷ. 강가에서 흐르는 물로 사금 찾아내기
- ㄹ. 밀가루를 체로 쳐서 알갱이 고르기
- ㅁ. 한약재를 물에 넣고 끓여서 약 성분 얻기

① ㄱ, ㄷ ② ㄴ, ㄹ ③ ㄷ, ㅁ
④ ㄱ, ㄴ, ㄹ ⑤ ㄴ, ㄷ, ㅁ

03 곰국을 끓일 때는 국물을 식힌 후 국물 위에 뜨는 지방 덩어리를 떠내서 제거한다. 이 과정에서 이용한 물질의 특성은?

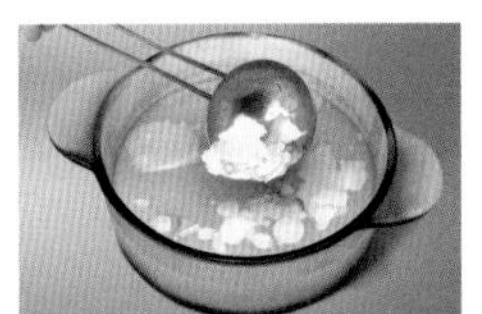

① 밀도와 끓는점 차이
② 녹는점과 끓는점 차이
③ 용해도와 밀도 차이
④ 끓는점과 용해도 차이
⑤ 용매를 따라 이동하는 속도 차이

[04~05] 그림은 물과 식용유를 섞은 액체 혼합물을 분리하는 장치를 나타낸 것이다.

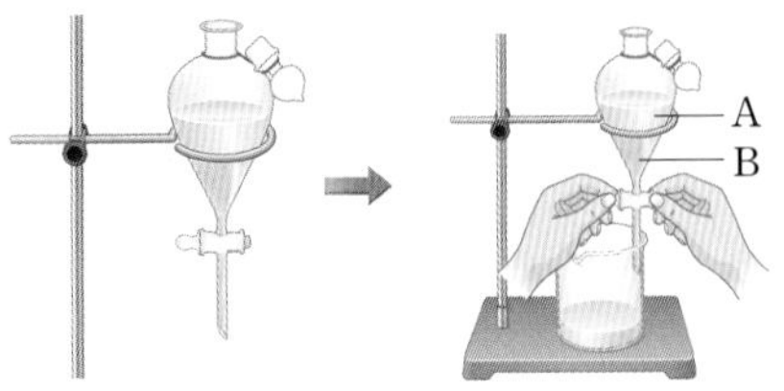

04 (중요) 위의 혼합물 분리 실험에 대한 설명으로 옳지 않은 것을 모두 고르면? (정답 2개)

① A는 물, B는 식용유이다.
② 식용유의 밀도가 물보다 작다.
③ 물과 식용유는 서로 섞이지 않는다.
④ 이 장치는 밀도 차이를 이용한 분리이다.
⑤ B를 빼낼 때는 분별 깔때기의 마개를 닫아야 한다.

05 위의 장치로 분리할 수 있는 것을 보기에서 모두 골라 기호를 쓰시오.

보기

ㄱ. 소금과 설탕	ㄴ. 물과 에탄올
ㄷ. 물과 콩기름	ㄹ. 간장과 식용유
ㅁ. 모래와 소금	ㅂ. 물과 휘발유

06 오른쪽 그림과 같이 바다에서 기름이 유출되면 기름막이를 둘러 기름이 퍼지는 것을 막은 다음, 원유를 뜰채로 떠내어 제거한다. 이때 이용한 물질의 특성은?

① 고체의 녹는점 ② 액체의 어는점
③ 액체의 끓는점 ④ 액체의 밀도
⑤ 액체의 겉보기 성질

[07~08] 오른쪽 그림은 어떤 혼합물을 둥근바닥 플라스크에 넣고 가열하여 성분 물질을 분리하는 장치를 나타낸 것이다.

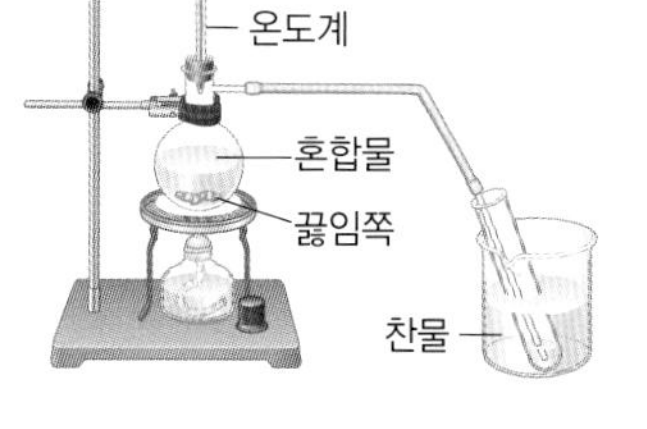

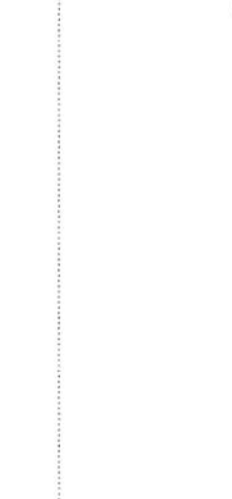

07 이 실험에서 이용한 물질의 특성은 무엇인지 쓰시오.

중요

08 이 장치와 같은 원리를 이용하여 분리하기에 적합한 것을 모두 고르면? (정답 2개)

① 물과 기름의 분리
② 탁주에서 소주 분리
③ 소금물에서 물 분리
④ 볍씨에서 쭉정이 분리
⑤ 붕산과 소금의 혼합물 분리

09 그림은 어떤 액체 혼합물을 분리하는 장치를 나타낸 것이다.

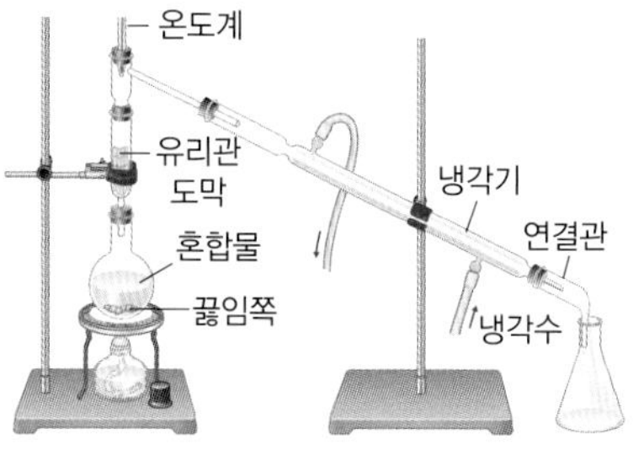

이 장치에 대한 설명으로 옳지 않은 것은?

① 이 장치로 물과 에탄올 혼합물을 분리할 수 있다.
② 냉각수는 분리된 기체 물질을 다시 액화시킨다.
③ 끓임쪽은 성분 물질의 끓는점을 높여 준다.
④ 끓는점 차이를 이용하여 분리하는 장치이다.
⑤ 유리관 도막은 혼합물의 분리 효과를 높인다.

[10~11] 물과 에탄올 혼합물을 시험관에 넣고 (가)와 같이 가열하였더니 시간에 따른 온도 변화가 (나)와 같이 나타났다.

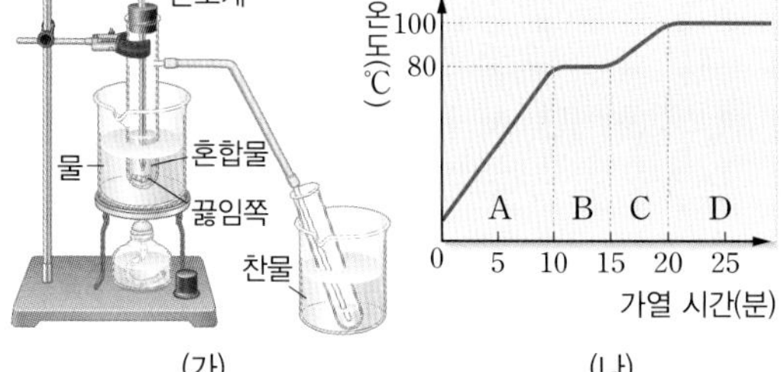

중요

10 이에 대한 설명으로 옳은 것은?

① 승화와 액화를 이용한 장치이다.
② 용해도 차이로 분리하는 장치이다.
③ 물중탕은 혼합물을 빨리 가열하는 장치이다.
④ 찬물에 담긴 시험관에서 에탄올을 먼저 얻는다.
⑤ 끓는점이 높은 물질이 먼저 끓어 나와 분리된다.

11 그림 (나)에서 에탄올이 주로 분리되는 구간(㉠)과, 물이 분리되는 구간(㉡)의 기호를 쓰시오.

12 그림은 증류탑에서 원유를 분리할 때, 여러 가지 물질이 분리되는 과정을 나타낸 것이다.

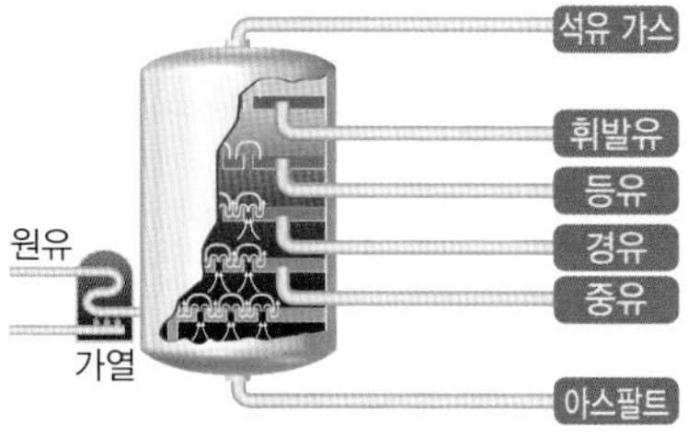

이에 대한 설명으로 옳지 않은 것은?

① 증류탑 내부의 온도는 위로 갈수록 낮다.
② 가장 먼저 분리되는 물질은 아스팔트이다.
③ 증류탑 안에서 분별 증류가 계속 일어난다.
④ 휘발유, 등유, 경유, 중유의 순으로 분리된다.
⑤ 끓는점이 낮은 물질일수록 증류탑의 위쪽에서 분리된다.

13 그림은 수증기를 제거한 액체 공기를 증류탑에서 분리하는 장치이다. 이에 대한 설명으로 옳지 않은 것은? (단, A, B, C는 질소, 산소, 아르곤 중 하나이고, 끓는점은 질소 −196 ℃, 산소 −183 ℃, 아르곤 −186 ℃이다.)

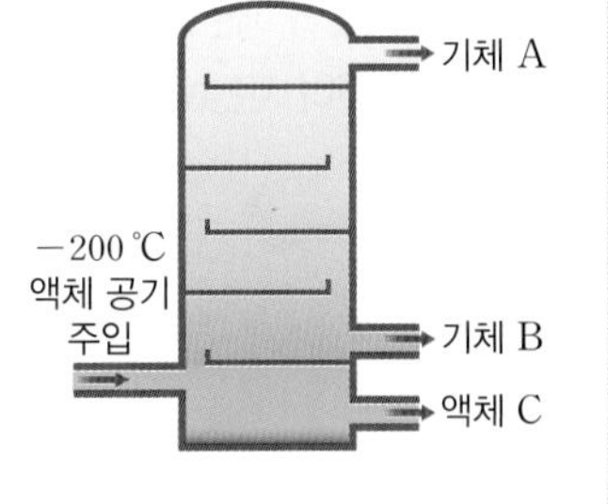

① 액체 공기는 균일 혼합물이다.
② 액체 C의 끓는점이 B보다 높다.
③ 기체 B는 주로 산소로 이루어져 있다.
④ 증류탑의 위쪽에서 분리된 기체 A는 질소이다.
⑤ 증류탑은 끓는점 차이를 이용한 분리 장치이다.

14 그림과 같은 장치를 이용하여 분리할 수 있는 혼합물로 적당한 것은?

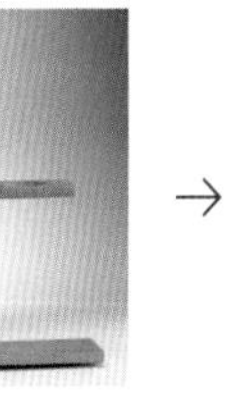

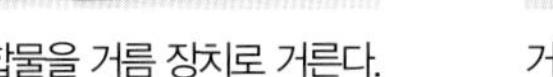

혼합물을 거름 장치로 거른다. → 거른 액을 가열한다.

① 모래가 섞인 쌀 ② 쭉정이가 섞인 볍씨
③ 갯벌이 섞인 천일염 ④ 붕산이 약간 섞인 소금
⑤ 황산 구리(Ⅱ)와 질산 칼륨이 섞인 혼합물

15 그림은 유리 조각을 채운 유리관에 물을 흘려보내면서 기체 혼합물을 주입시켜 혼합물을 분리하는 장치이다. 이 장치를 이용하여 분리하기 어려운 기체 혼합물은? (단, 20 ℃, 1 기압에서 기체들의 물에 대한 용해도는 질소 0.0018, 산소 0.0040, 염화 수소 72.1, 이산화 황 10.6, 암모니아 51.8이다.)

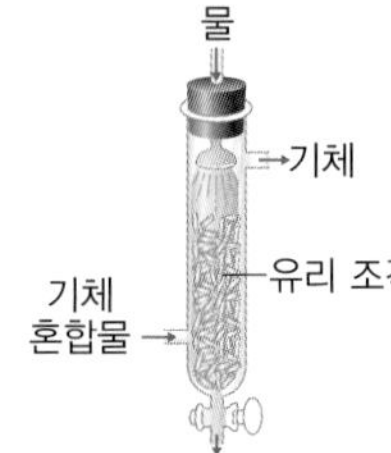

① 산소와 암모니아 ② 질소와 이산화 황
③ 산소와 이산화 황 ④ 질소와 염화 수소
⑤ 염화 수소와 암모니아

16 다음은 생활 속에서 사용하는 혼합물의 분리 방법을 설명한 것이다.

- 뜨거운 물이 담긴 컵에 녹차 티백을 넣으면 얼마 후 물의 색깔이 변한다.
- 한약을 물과 함께 약탕기에 넣고 끓이면 한약 성분이 물에 녹아 나온다.

위 혼합물을 분리하는 공통적인 방법의 이름과 사용한 물질의 특성을 쓰시오.

17 그림과 같이 같은 양의 고체 A와 B가 섞여 있는 혼합물을 높은 온도의 물에 모두 녹인 후, 일정 온도로 냉각시켰더니 B가 결정으로 석출되었다.

이에 대한 설명으로 옳지 않은 것은?

① A와 B는 물에 잘 녹는 물질이다.
② B는 온도가 낮을수록 용해도가 증가한다.
③ (가)에서 A는 불포화 상태이다.
④ (나)의 용질 중에 B는 포화 상태이다.
⑤ (나)의 용액을 거름종이로 걸렀을 때 용액에는 A와 B가 모두 녹아 있다.

18 중요 오른쪽 그림은 질산 칼륨과 염화 나트륨의 용해도 곡선을 나타낸 것이다. 질산 칼륨 50 g과 염화 나트륨 20 g을 60 ℃ 물 100 g에 넣고 모두 녹인 다음, 0 ℃로 냉각시킬 때 석출되어 분리되는 물질의 이름을 쓰고, 석출되는 양은 몇 g인지 구하시오.

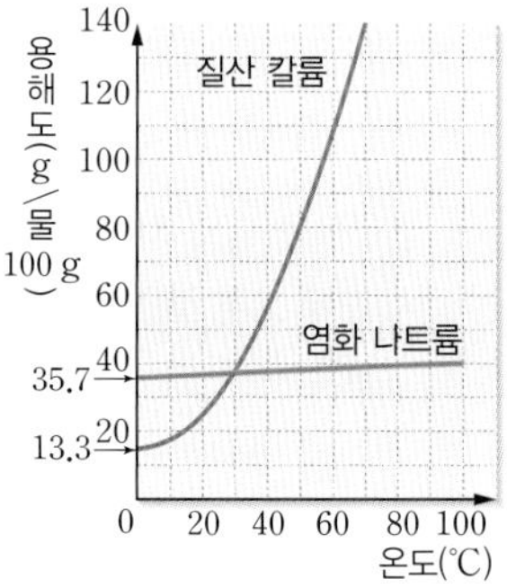

19 중요 재결정에 대한 설명으로 옳지 않은 것은?

① 온도에 따른 용해도 차이를 이용한다.
② 천일염에서 순수한 소금을 얻을 때 사용한다.
③ 잎의 엽록소 분리나 식품의 농약 검사 등에 이용된다.
④ 혼합물을 뜨거운 용매에 녹였다가 서서히 냉각시킨다.
⑤ 온도에 따른 용해도 차이가 큰 물질일수록 순수한 물질로 분리하기가 쉽다.

20 거름종이의 한 쪽 끝에 검은 수성 사인펜의 잉크로 점을 찍은 후 물이 담긴 비커에 그림과 같이 놓아 두었다.

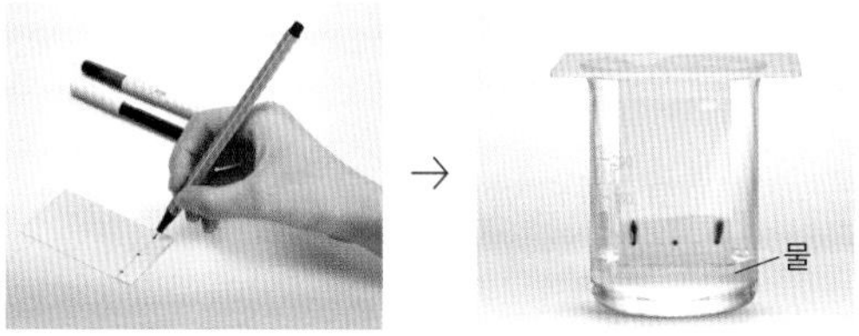

이에 대한 설명으로 옳은 것은?

① 사인펜 잉크는 순물질이다.
② 점은 물에 잠기도록 설치해야 한다.
③ 잉크 성분의 이동 속도가 모두 일정하다.
④ 적은 양으로도 혼합물을 분리할 수 있다.
⑤ 물에 대한 용해도 차이를 이용한 분리 방법이다.

21 중요 그림은 거름종이에 5종류의 물질 A, B, C, D, E의 점을 찍어서 용매에 담가 두었다가 꺼낸 결과이다.

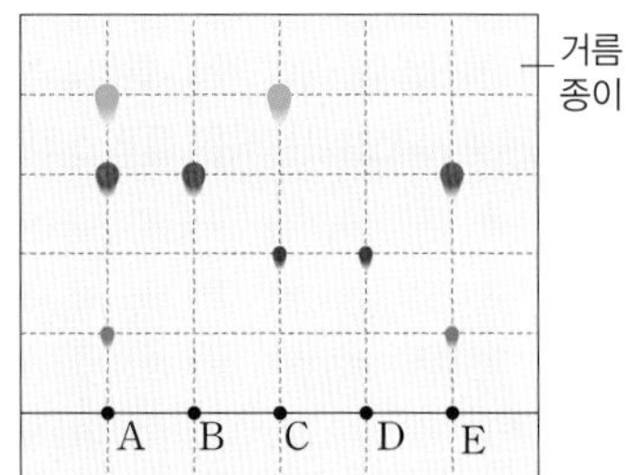

이에 대한 설명으로 옳은 것은?

① A는 순물질이다.
② B와 E의 녹는점은 같다.
③ B와 C는 같은 성분을 포함하고 있다.
④ C와 D는 같은 성분을 포함하고 있다.
⑤ 성분 물질의 수가 가장 많은 것은 E이다.

22 다음과 같은 고체 물질이 섞여 있는 혼합물을 분리하고자 한다.

모래, 소금, 철가루, 나프탈렌

이 혼합물을 분리하는 여러 가지 방법으로 옳은 것을 보기에서 모두 골라 짝 지은 것은?

보기
ㄱ. 물에 녹여 거른다.
ㄴ. 분별 깔때기를 사용한다.
ㄷ. 에탄올에 녹여 거른다.
ㄹ. 자석을 혼합물에 넣고 저어 준다.
ㅁ. 증발 접시에 넣고 가열한다.

① ㄱ, ㄷ　② ㄱ, ㄴ, ㄹ
③ ㄷ, ㄹ, ㅁ　④ ㄱ, ㄷ, ㄹ, ㅁ
⑤ ㄴ, ㄷ, ㄹ, ㅁ

실력 강화 문제

03. 혼합물의 분리

01 그림과 같이 에탄올에 여러 가지 플라스틱 조각을 넣고 물을 약간 넣은 후, 떠오르는 작은 플라스틱 조각들을 분리하였다.

→

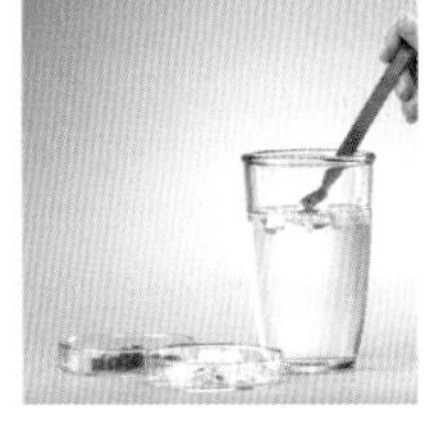

이 과정에서 이용한 물질의 성질을 모두 고른 것은?

보기
ㄱ. 녹는점이 다른 성질
ㄴ. 밀도의 크기가 다른 성질
ㄷ. 에탄올과 물에 잘 녹지 않는 성질

① ㄱ ② ㄴ ③ ㄷ
④ ㄱ, ㄴ ⑤ ㄴ, ㄷ

02 그림과 같은 방법으로 분리할 수 없는 것은?

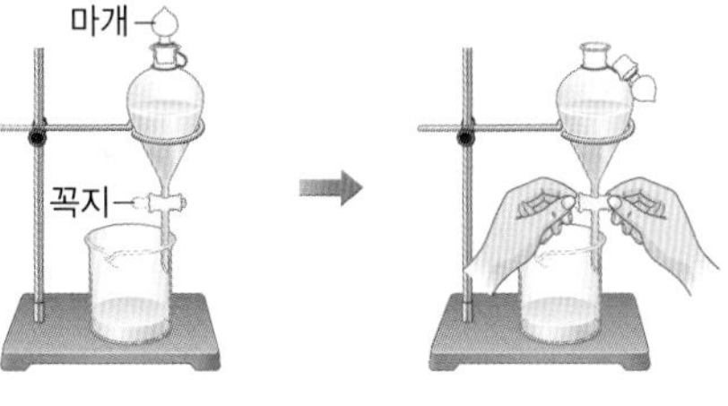

① 물과 에탄올 ② 간장과 참기름
③ 물과 식용유 ④ 물과 사염화 탄소
⑤ 식초와 올리브유

03 혼합물을 밀도 차이로 분리하는 경우로 옳은 것을 보기에서 모두 고른 것은?

보기
ㄱ. 강가에서 사금 채취하기
ㄴ. 사탕수수 즙에서 설탕 얻기
ㄷ. 소금물로 속이 찬 볍씨 고르기
ㄹ. 바닷물에서 식수 구하기

① ㄱ, ㄴ ② ㄱ, ㄷ ③ ㄴ, ㄷ
④ ㄴ, ㄹ ⑤ ㄷ, ㄹ

04 표는 두 가지 액체 물질의 성질을 나타낸 것이다.

액체	끓는점(℃)	어는점(℃)	밀도(g/cm^3)	용해성
A	78.3	−114.1	0.8	서로 잘 섞임
B	100	0	1	

A와 B의 혼합물을 분리하기에 가장 적당한 방법은?

① 추출 ② 거름 ③ 재결정
④ 분별 증류 ⑤ 크로마토그래피

05 오른쪽 그림과 같이 탁주를 소줏고리에 넣고 분리할 때 이용하는 (가) 두 가지 상태 변화와 이때 이용한 (나) 물질의 특성을 쓰고 그림과 같은 (다) 분리 방법을 무엇이라고 하는지 쓰시오.

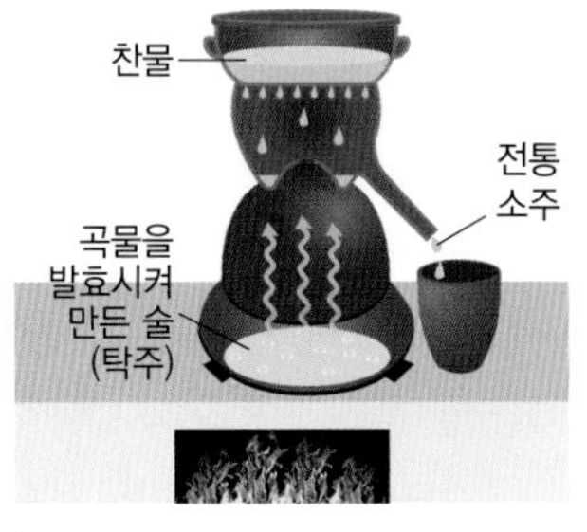

06 오른쪽 그림은 소금물에서 순수한 물을 얻는 과정이다. 이에 대한 설명으로 옳지 않은 것은?

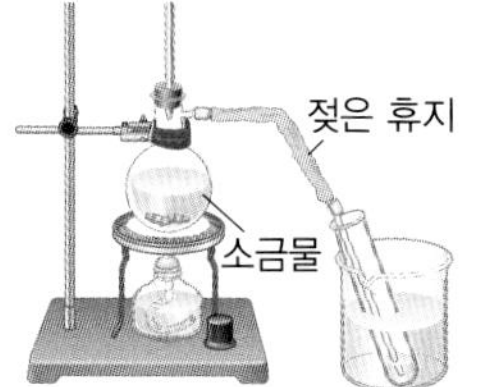

① 소금물은 균일 혼합물이다.
② 이 분리 방법을 추출이라고 한다.
③ 시험관에 순수한 물이 분리된다.
④ 젖은 휴지는 냉각 효과를 일으킨다.
⑤ 끓는점 차이를 이용한 분리 방법이다.

07 혼합물을 분리할 때 이용하는 물질의 특성이 나머지 넷과 다른 것은?

① 원유의 분리
② 산소와 질소의 분리
③ 물과 에탄올의 분리
④ 식초에서 물과 아세트산의 분리
⑤ 질산 칼륨과 염화 나트륨 혼합물의 분리

08 그림은 사인펜 잉크로 색소점을 찍은 다음, 용매를 이용하여 크로마토그래피 실험을 한 결과이다.

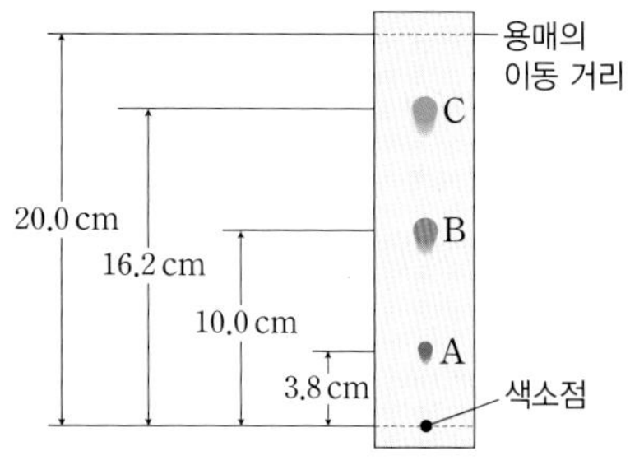

이 결과에 대한 보기의 설명으로 옳은 것을 모두 골라 기호를 쓰시오.

보기
ㄱ. 잉크는 최소 3가지 색소로 이루어져 있는 혼합물이다.
ㄴ. C의 전개율이 B보다 더 크다.
ㄷ. 각 성분 색소의 이동 속도는 일정하다.
ㄹ. 모든 용매에서 같은 결과가 나타난다.

09 다음은 복잡한 혼합물을 분리하는 과정을 정리한 것이다. B, C, E는 각각 어느 물질인지 쓰시오.

철가루, 모래, 소금, 나프탈렌, 톱밥
자석
A 붙는 물질
남는 물질
물에 녹여 거름
걸러진 용액
증발
B 고체
남는 고체
물에 녹여 저음
가라앉는 물질
C 뜨는 물질
에탄올에 녹여 거름
걸러진 용액
증발
E 고체
D 남는 고체

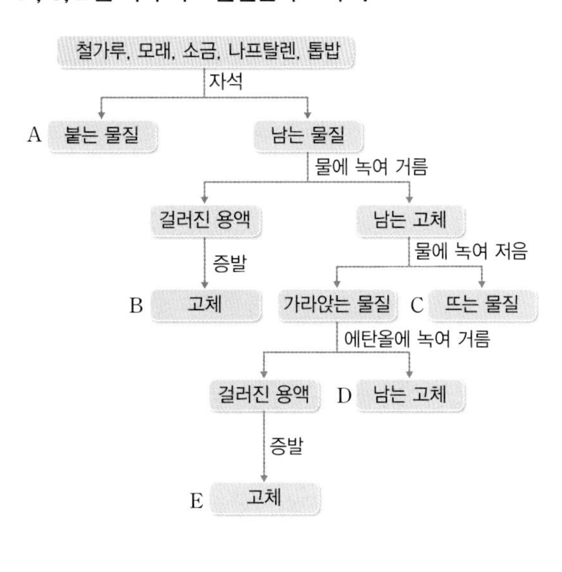

10 혼합물을 분리하는 예와 이용하는 물질의 특성을 옳게 짝지은 것은?

① 바닷물로부터 식수를 얻는다. — 용해도
② 천일염에서 순수한 소금을 얻는다. — 끓는점
③ 혈액을 원심 분리기에 넣고 회전시켜 혈구와 혈장으로 분리한다. — 밀도
④ 운동선수의 약물 복용 여부를 검사하기 위해 도핑 테스트를 실시한다. — 녹는점
⑤ 거름종이 위에 원두커피 가루를 넣고 뜨거운 물을 부으면 거름종이 아래로 커피 성분이 물에 녹아 나온다. — 밀도

서술형 문제

03. 혼합물의 분리

☞ 제시된 Keyword를 이용하여 문제를 해결해 보자.

1 그림은 소금물에 볍씨를 넣어 분리하는 모습이다. 이때 소금물의 농도를 15 % 정도로 맞춘다고 한다.

쭉정이
소금물
속이 찬 볍씨

만약 소금물의 농도를 15 %보다 낮게 맞추었을 때 예상되는 결과를 설명하시오.

Keyword 밀도, 속이 찬 볍씨, 쭉정이

2 키에 곡식을 담은 후 키질을 하면 속이 찬 곡식이 쭉정이나 검부러기와 분리되어 키 안쪽에 남게 된다.

이 방법에서 이용한 원리를 물질의 특성을 이용하여 설명하시오.

Keyword 밀도, 바람

3 그림과 같이 어떤 액체 혼합물을 둥근바닥 플라스크에 넣고 가열하여 성분 물질을 분리하였다.

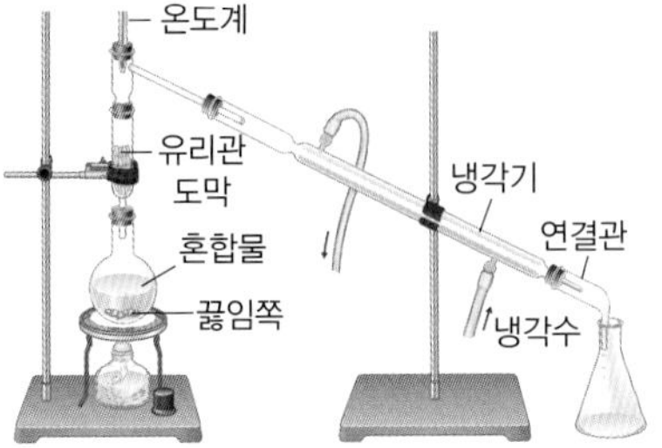

이에 대한 설명 중 옳지 않은 것을 모두 고르고, 그 내용을 옳게 고쳐 설명하시오.

(가) 끓임쪽은 액체가 갑자기 끓어 넘치는 것을 방지한다.
(나) 액체의 끓는점 차이를 이용한 분별 증류 장치이다.
(다) 끓는점이 높은 물질이 먼저 끓어 나와 분리된다.
(라) 냉각기에 찬물을 위쪽에서 넣으면 냉각 효과를 최대로 높일 수 있다.

Keyword 끓는점, 분리

4 그림은 물과 메탄올 혼합물의 가열 곡선이다.

온도(℃)
100
80
60
40
20
0
5 10 15 20 25
가열 시간(분)

물과 메탄올의 혼합물을 분리할 때 이용하는 방법과 그 원리를 끓는점과 관련지어 설명하시오.

Keyword 끓는점, 분별 증류

5 **그림은 햇빛을 이용하여 바닷물에서 식수를 얻는 장치를 나타낸 것이다.**

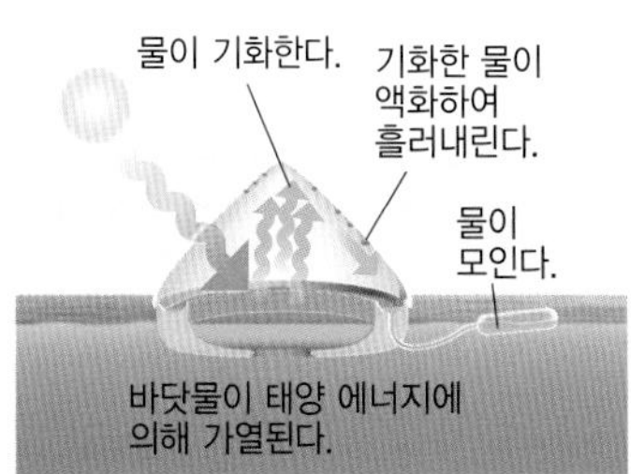

이 장치를 이용하여 바닷물에서 식수를 얻는 과정을 상태 변화와 분리 방법을 포함하여 설명하시오.

Keyword 기화, 액화, 증류

6 **그림과 같이 붕산 50 g과 염화 나트륨 20 g이 섞여 있는 혼합물을 80 ℃의 물 100 g이 들어 있는 비커에 넣어 모두 녹인 다음 20 ℃로 냉각시켰다.**

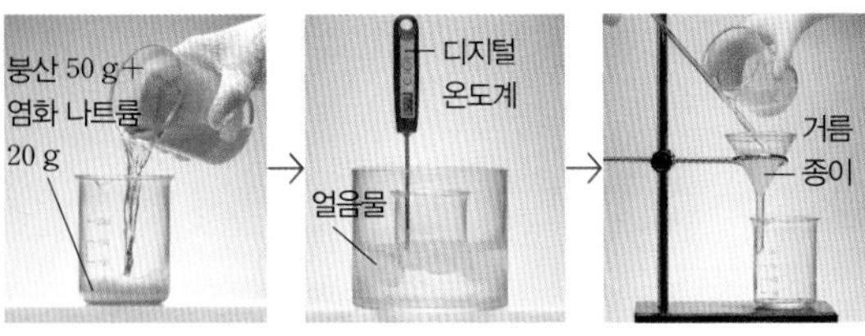

이 실험에서 거름종이로 용액을 거를 때 분리되는 고체 물질의 이름과 질량은 몇 g인지 쓰고, 이때 이용한 물질의 특성에 대해 설명하시오. (단, 20 ℃에서 물 100 g에 대한 용해도는 염화 나트륨 36, 붕산 50이다.)

Keyword 온도, 용해도 차이, 결정

7 **오른쪽 그림은 어떤 액체 혼합물을 분리하는 장치를 나타낸 것이다.**

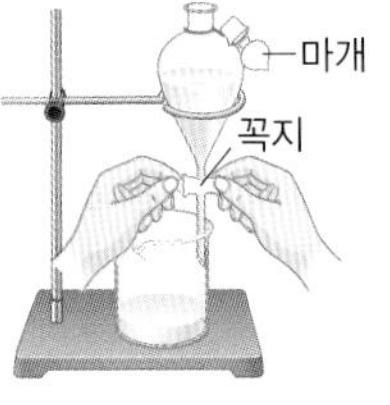

(1) 물질의 어떤 특성을 이용하여 혼합물을 분리하는 것인지 설명하시오.

Keyword 밀도

(2) 이 장치로 혼합물을 분리할 때는 먼저 마개를 열고 분리해야 하는데, 그 까닭을 설명하시오.

Keyword 대기압

8 **다음은 혼합물의 분리 장치를 나타낸 것이다.**

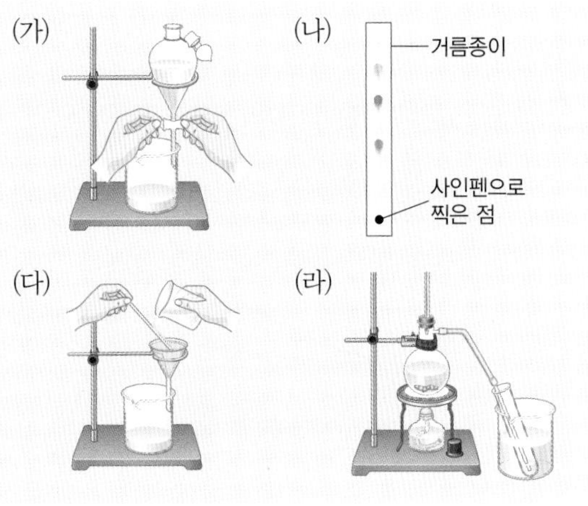

꽃잎에서 추출한 색소를 분리하려고 할 때 가장 적당한 것을 골라 기호를 쓰고, 이때 이용되는 물질의 특성을 설명하시오.

Keyword 용매, 이동 속도

최상위권 도전 문제

☞ 제시된 Tip을 이용하여 문제를 해결해 보자.

1 **그림은 온도에 따른 물의 부피 변화를 나타낸 것이다.**

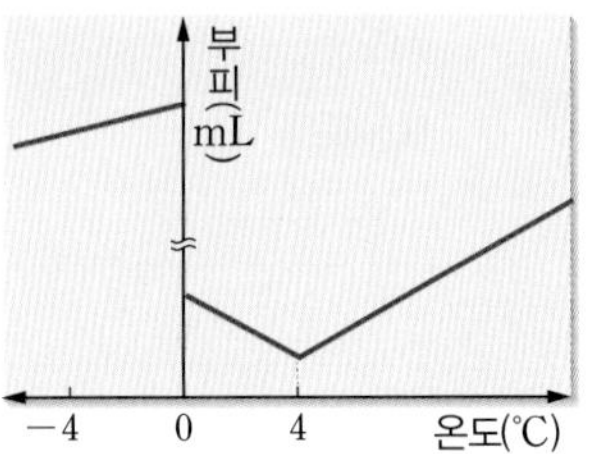

이에 대한 설명으로 옳지 않은 것을 모두 고르면? (정답 2개)

① 물이 얼음이 되면 밀도가 감소한다.

② −4 ℃ 얼음의 밀도는 4 ℃ 물의 밀도보다 작다.

③ 온도에 따라 부피는 변하지만 밀도는 항상 일정하다.

④ 4 ℃ 이하에서 온도가 낮아지면 물의 밀도는 증가한다.

⑤ 겨울철 호수의 가장 깊은 곳에 있는 물의 온도는 4 ℃이다.

Tip

그림에서 물의 부피가 가장 작을 때의 온도가 4 ℃이므로, 같은 질량일 때 온도 변화에 따른 물의 밀도 변화를 유추할 수 있다.

2 **그림은 임의의 물질 A~D의 용해도 곡선이다.**

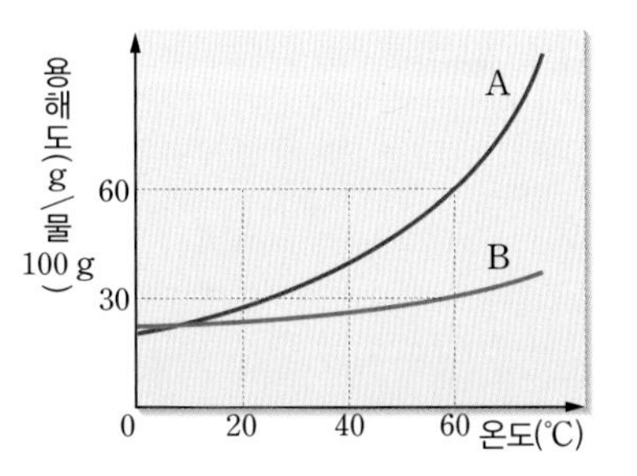

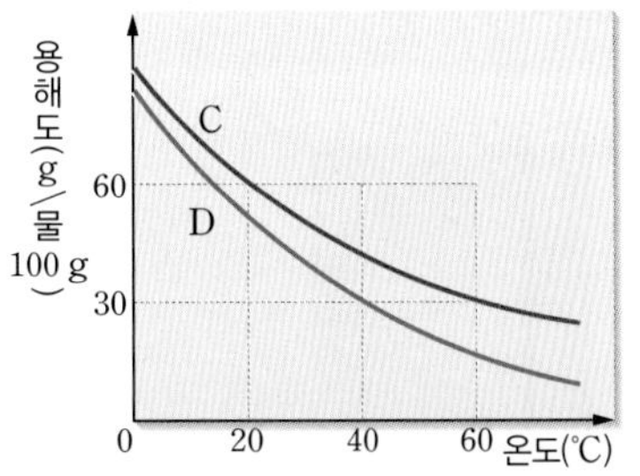

이에 대한 설명으로 옳은 것을 보기에서 모두 고른 것은?

보기

ㄱ. 고체 물질은 A이고 B, C, D는 기체이다.

ㄴ. C와 D가 같은 물질이라면 압력이 높은 것은 C이다.

ㄷ. A와 B의 혼합물을 분리하려면 높은 온도의 물에 모두 녹였다가 물의 온도를 낮추어 결정을 석출하는 재결정을 여러 번 하여 분리할 수 있다.

① ㄱ ② ㄴ ③ ㄱ, ㄴ

④ ㄴ, ㄷ ⑤ ㄱ, ㄴ, ㄷ

Tip

온도에 따라 물에 최대로 녹을 수 있는 양인 용해도 이외에는 결정으로 석출되므로 그림에서 각 온도의 용해도 차이를 구하면 석출되는 결정의 양을 구할 수 있다.

재결정

불순물이 포함된 고체 물질을 높은 온도의 용매에 녹인 후, 서서히 냉각하여 순수한 결정을 얻는 방법

정답과 해설 079쪽

3

오른쪽 그림은 어떤 고체 용질 X의 용해도 곡선이다. 이에 대한 설명으로 옳은 것을 보기에서 모두 고른 것은?

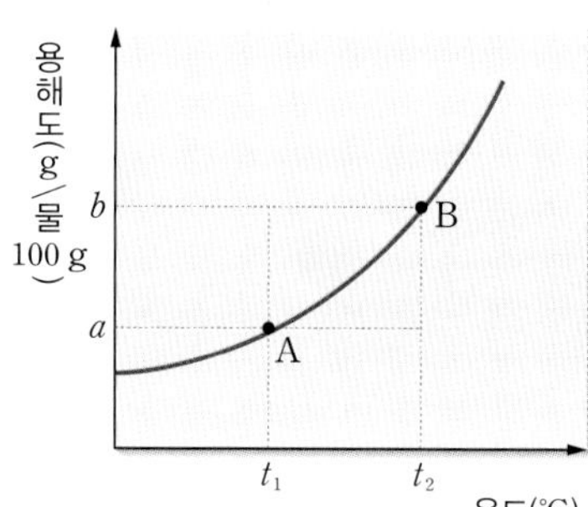

보기

ㄱ. t_1 ℃에서 100g의 포화 용액 속에는 ag의 용질이 녹아 있다.

ㄴ. t_2 ℃의 포화 용액 $(100+b)$g의 온도를 t_1 ℃로 낮추면 $(b-a)$g의 용질이 석출된다.

ㄷ. A와 B의 퍼센트 농도의 비는 $\frac{\text{A의 퍼센트 농도}}{\text{B의 퍼센트 농도}}=\frac{a}{b}$이다.

① ㄱ　② ㄴ　③ ㄷ
④ ㄴ, ㄷ　⑤ ㄱ, ㄴ, ㄷ

Tip 용해도는 포화 용액에서 용매 100 g에 녹아 있는 용질의 g 수이다. 따라서 용해도 곡선 상의 지점은 물 100 g에 그 용해도만큼의 용질이 녹아 있다는 것이다.

4

표는 1 기압에서 온도에 따른 물 100 g에 용해되는 염화 수소(HCl), 이산화 탄소(CO_2), 질산 칼륨(KNO_3)의 질량을 조사하여 나타낸 것이다.

물질 \ 온도	20 ℃	40 ℃	60 ℃
A	0.173 g	0.104 g	0.071 g
B	32 g	64 g	110 g
C	72 g	63 g	55 g

이 자료를 근거로 판단할 때 물질 A, B, C를 옳게 짝 지은 것은? (단, 20~60 ℃에서 염화 수소와 이산화 탄소는 기체, 질산 칼륨은 고체 상태로 존재한다.)

	A	B	C
①	염화 수소	이산화 탄소	질산 칼륨
②	염화 수소	질산 칼륨	이산화 탄소
③	이산화 탄소	염화 수소	질산 칼륨
④	이산화 탄소	질산 칼륨	염화 수소
⑤	질산 칼륨	이산화 탄소	염화 수소

Tip 일정한 압력에서 온도에 따른 고체와 기체의 용해도 변화를 생각해 본다.

5 그림은 콩을 이용하여 콩기름을 얻는 과정을 나타낸 것이다.

(가) 콩가루를 헥세인에 넣으면 지방이 녹는다.

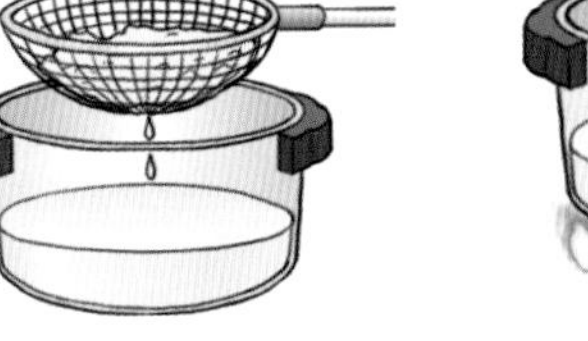

(나) 혼합물 중에서 고체 물질을 체로 걸러낸다.

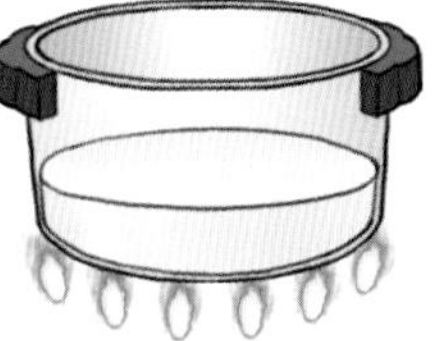

(다) 거른 용액을 가열하여 헥세인을 증발시키면 콩기름이 남는다.

과정 (가)~(다)에서 콩가루에서 콩기름을 분리하는 과정에서 이용한 물질의 특성 두 가지를 쓰시오.

Tip
콩가루를 헥세인에 녹이면 콩기름은 헥세인에 녹고 다른 여러 가지 성분들은 녹지 않는다.

헥세인
실온에서 무색의 액체로 특유의 냄새가 있는 물질로, 용매로도 사용한다.

6 그림은 압력에 따른 물의 끓는점 변화를 나타낸 것이다.

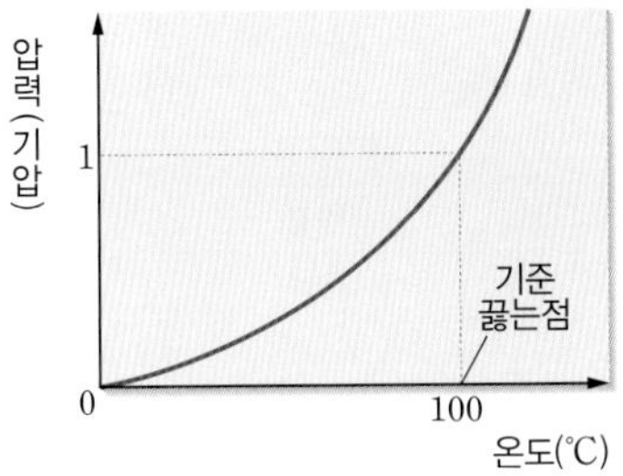

이를 이용하여 설명할 수 있는 현상으로 옳은 것은?

① 헬륨을 채운 풍선은 위로 떠오른다.
② 겨울철 호수의 물은 표면부터 언다.
③ 압력솥으로 밥을 하면 밥이 빨리 된다.
④ 탄산음료의 뚜껑을 열면 기포가 발생한다.
⑤ 여름철 어항의 물고기들이 수면 밖으로 입을 내밀고 뻐끔거린다.

Tip
일반적으로 물질의 끓는점은 1 기압에서의 끓는점이다. 그러나 끓는점은 압력에 따라 변할 수 있다.

7 그림은 공기로부터 질소, 산소, 아르곤을 분리하는 과정을 나타낸 것이다.

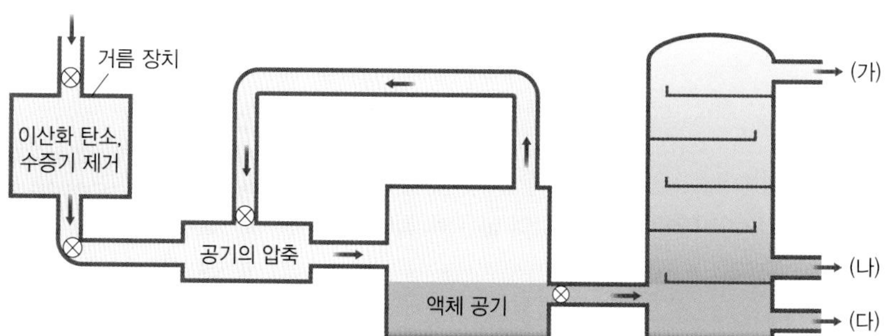

−200 ℃ 정도의 액체 공기가 증류탑에 주입될 때 질소, 산소, 아르곤은 증류탑의 (가), (나), (다) 층 중 주로 어디에서 분리되어 나올지 쓰시오. (단, 산소의 끓는점은 −183 ℃, 아르곤의 끓는점은 −186 ℃, 질소의 끓는점은 −196 ℃이다.)

> **Tip**
> 공기를 이루는 여러 가지 기체들은 각각 물질의 특성에 따라 끓는점이 다르다. 이를 이용하여 특정 기체를 분리할 수 있다.

8 다음은 물을 용매로 하여 수성 사인펜 잉크의 성분을 분석한 종이 크로마토그래피의 결과와 전개율(R_f)을 구하는 식을 나타낸 것이다.

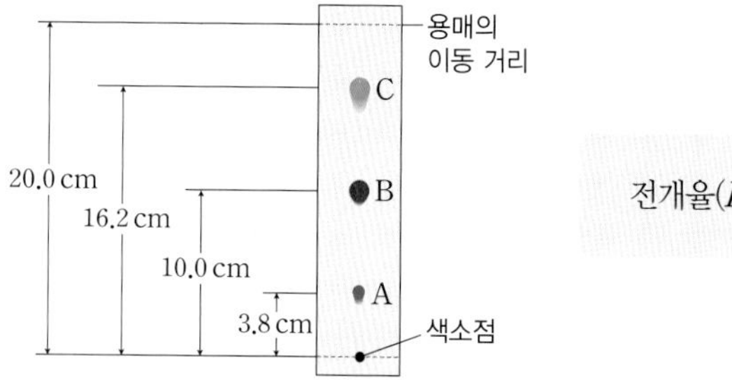

$$\text{전개율}(R_f) = \frac{\text{성분 물질의 이동 거리}}{\text{용매의 이동 거리}}$$

이에 대한 설명으로 옳은 것을 보기에서 모두 고른 것은?

보기

ㄱ. A의 전개율은 3.8이다.
ㄴ. 색소의 전개율이 클수록 이동 속도가 빠르다.
ㄷ. A, B, C 중 용매와의 인력이 가장 큰 것은 C이다.
ㄹ. 사인펜 잉크의 크로마토그래피는 용매의 종류에 상관 없이 일정하게 나타날 것이다.

① ㄱ, ㄴ ② ㄱ, ㄷ ③ ㄴ, ㄷ
④ ㄴ, ㄹ ⑤ ㄷ, ㄹ

> **Tip**
> 특정 용매에 대한 성분 물질의 전개율은 물질에 따라 다르므로 물질의 특성에 해당하며, 용매와의 인력이 클수록 더 많이 이동하고 이동 속도도 빠르다.

> **전개율**
> 성분 물질이 용매를 따라 이동한 거리와 용매가 이동한 거리의 비(전개율, R_f)는 성분 물질의 종류에 따라 다르고, 전개율이 같으면 같은 물질이다. 따라서 전개율을 통해 성분 물질의 종류를 알 수 있다.

창의·사고력 향상 문제

예제

그림은 빨간 색소를 섞은 식용유를 에탄올이 담긴 컵에 스포이트를 사용하여 넣은 후 컵에 물을 조금씩 넣으면서 식용유의 움직임을 관찰하는 과정을 나타낸 것이다.

이 실험에서 사용하는 재료의 특성을 참고하여 물음에 답하시오.

액체	끓는점(℃)	어는점(℃)	밀도(g/mL)	용해성
에탄올	78.3	−114.1	0.8	서로 잘 섞임
물	100	0	1	
식용유	240	−5	0.82	물과 에탄올에 섞이지 않음

❶ 물을 계속 넣을 때 식용유는 어떻게 움직이는지 설명하시오.

❷ 이 실험은 어떤 물질의 특성을 확인하기 위해서 설계된 실험인지를 설명하고, 그 원리에 대해 설명하시오.

해결 전략 클리닉

먼저 식용유와 에탄올, 식용유와 물, 물과 에탄올은 서로 잘 섞이는 액체들인지를 생각해 보고 다음과 같은 답안 요령으로 접근해 보자.

(1) 실험 과정을 보고 표에서 필요한 정보가 무엇인지를 확인한다.
(2) 식용유를 에탄올에 넣었을 때 그 위치가 어디에 있을지를 판단한다.
(3) 물을 에탄올에 섞을 때 혼합된 액체의 밀도가 어떻게 변할지를 생각한다.
(4) 식용유와 혼합 액체의 밀도를 비교하여 식용유의 움직임을 서술한다.

모범 답안

❶ 식용유가 점점 위로 올라온다.

❷ 이 실험은 서로 섞이지 않는 액체들이 밀도 차이에 의해 분리될 것이라고 가정하고 실시된 것으로, 에탄올에 물을 섞으면 밀도가 점점 커지므로, 상대적으로 밀도가 작은 식용유가 점점 위로 떠오른다.

출제 의도

액체 물질에 따라 서로 섞이지 않는 성질과 밀도가 다른 액체를 혼합하면 밀도가 달라진다는 것을 이해하고 있는가?

문제 해결을 위한 배경 지식

- **밀도**: 단위 부피당 물질의 질량으로, 밀도가 큰 물질은 아래로 가라앉고, 밀도가 작은 물질은 위로 뜬다.
- **용해성**: 어떤 용질이 특정한 용매에 대하여 녹는 성질이다.

Keyword

(1) 식용유
(2) 혼합 액체의 밀도

완벽한 답안 작성을 위한 tip

(1) 식용유의 위치가 혼합 액체의 위로 올라감을 설명하면 완벽한 답안이 될 수 있다.
(2) 에탄올에 물을 섞을 때 밀도가 커지고 이 혼합 액체의 밀도가 식용유보다 커짐을 비교하여 설명하면 답안이 될 수 있다.

실전 문제

정답과 해설 080쪽

1 논리적 서술형

다음은 퓨즈에 대한 설명이다.

퓨즈는 납과 주석 등의 혼합물로, 전선에 규정 값 이상의 과도한 전류가 흐르면 전류를 자동으로 차단하는 장치이다. 회로에 과전류가 흐를 경우, 전류에 의해 발생하는 열로 퓨즈가 녹아 끊어진다.

퓨즈는 혼합물의 어떤 성질을 이용한 것인지 설명하시오.

Tip

혼합물은 두 가지 이상의 순물질이 섞여 있는 물질이다.

Keyword

혼합물, 순물질, 녹는점

2 창의적 문제 해결형

오른쪽 그림은 가스가 누출 되었을 때 가스 누출을 알려주는 경보기이다. 일상생활에서 우리가 주로 사용하는 가스에는 액화 천연가스(LNG)와 액화 석유 가스(LPG)가 있으며, 액화 천연가스, 액화 석유 가스, 공기의 밀도는 표와 같다.

(1 기압, 20 ℃)

기체	액화 천연가스 (LNG)	액화 석유 가스 (LPG)	공기
밀도(g/mL)	0.00075	0.00186	0.00121

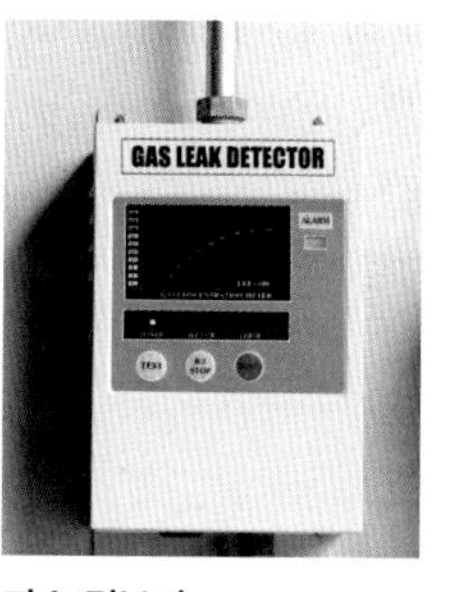

가스 경보기

액화 천연가스와 액화 석유 가스의 가스 누출 경보기는 각각 어디에 설치해야 하는지 쓰고, 그 까닭을 설명하시오.

Tip

공기보다 밀도가 큰 기체와 밀도가 작은 기체가 각각 어디에 존재할지 생각해 본다.

Keyword

기체의 밀도

3 단계적 문제 해결형

강이나 바닷가 근처에 설치된 발전소에서는 발전을 할 때 기계가 높은 열을 받지 않도록 냉각수로 기계의 열을 식힌다. 이때 발전소에서 사용한 높은 온도의 물을 충분히 식히지 않고 강이나 바다로 흘려보내면 강이나 바다의 생태계에 문제가 생길 수 있다.

(1) 일정한 압력에서 온도 변화에 따른 기체의 용해도 변화를 설명하시오.

(2) 발전소에서 사용한 냉각수를 충분이 식히지 않고 강이나 바다로 흘려보냈을 때 강이나 바다의 생태계에 문제가 생기는 까닭을 기체의 용해도를 이용하여 서술하시오.

Tip

충분히 식히지 않은 높은 온도의 냉각수가 바다에 방출되면 수온이 상승하여 생물에게 필요한 산소 부족 현상을 일으킨다는 것을 설명하여야 한다.

Keyword

냉각수, 수온, 기체의 용해도

4 단계적 문제 해결형

소금물에서 물을 얻기 위해 그림과 같이 소금물이 들어 있는 그릇 안에 작은 컵을 넣고 그릇의 윗부분을 비닐로 씌운 후, 비닐의 가운데에 무거운 돌을 올려놓았다.

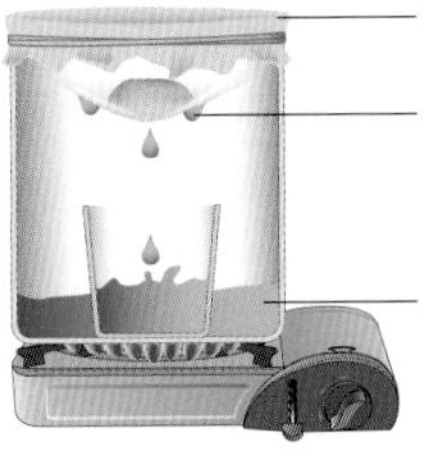

비닐
물
소금물

(1) 소금물에서 물을 얻기 위해 그림과 같이 장치하였을 때 이용한 혼합물의 분리 방법을 설명하시오.

(2) 장치를 이용하여 물을 얻을 수 있는 방법을 설명하시오.

Tip

소금물에 녹아 있는 소금은 물보다 끓는점이 매우 높다는 성질을 이용하여 식수를 구할 수 있다.

Keyword

증류, 기화, 액화

5 **창의적** 문제 해결형

그림은 사탕수수를 사용하여 설탕을 만드는 과정을 순서 없이 나열한 것이다.

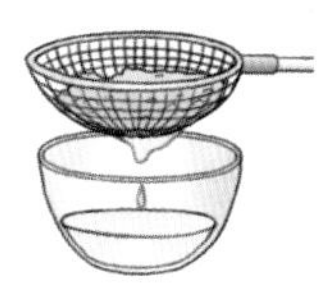

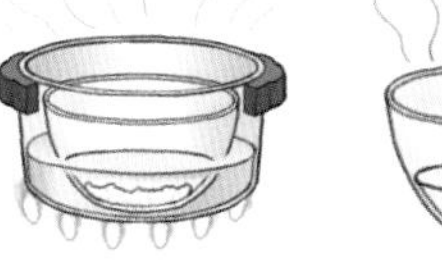
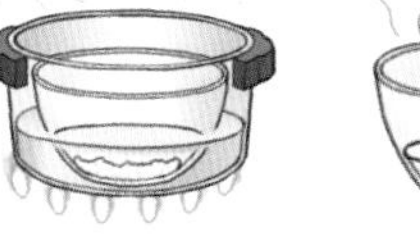

(가) 사탕수수를 으깬 즙을 걸러 낸다.

(나) 사탕수수를 으깨고 물을 넣어 설탕 성분을 녹여 낸다.

(다) 거른 즙을 천천히 가열하여 물을 증발시킨다.

(라) 증발시킨 즙을 냉각시켜 설탕 결정을 만든다.

그림을 참고하여 설탕을 만드는 과정 (가)~(라)를 순서대로 나열하고, 과정 (라)에서 이용한 물질의 특성과 혼합물의 분리 방법은 무엇인지 설명하시오.

Tip

사탕수수에서 설탕 성분을 분리하여 설탕 결정을 얻어내는 과정으로 설명한다.

Keyword

석출, 결정

6 **논리적** 서술형

농산물의 병충해를 방지하기 위해 농촌이나 과수원에서는 농약을 뿌리기도 한다. 만약 식품에 농약이 남아 있는 경우에는 그 양이 매우 적어도 우리 몸에 해로울 수 있기 때문에 식품에 농약이 남아 있는지 크로마토그래피를 이용하여 검사한다. 이때 크로마토그래피를 이용하는 것이 편리한 까닭을 설명하시오.

Tip

크로마토그래피의 장점을 토대로 식품에 남아 있는 농약의 양과 성분 물질의 특징을 생각해 본다.

Keyword

크로마토그래피

Science Talk

정당한 스포츠를 위한 검사

도핑 테스트

운동 경기에 출전하는 선수들은 더 좋은 기록을 얻기 위해 금지된 약물을 복용하는 경우가 있는데, 이를 도핑(Dopping)이라고 한다. 도핑은 약물의 도움을 받아 운동 능력을 강화하여 정정당당한 승부를 불가능하게 하므로 스포츠 정신에 어긋나며, 선수의 건강을 심하게 해치기도 한다. 따라서 올림픽이나 월드컵과 같이 세계적인 스포츠 대회는 선수들의 정정당당한 경쟁을 위해 도핑 테스트를 실시한다. 도핑 테스트란 선수들이 금지된 약물을 사용했는지 알아보는 검사를 말한다. 실제로 도핑 테스트에서 일부 선수들이 금지된 약물을 사용한 것이 적발되어 제재를 받거나, 메달을 취소당하는 사례도 가끔 볼 수 있다.

첫 도핑 테스트가 정식으로 실시된 시점은 1968년 그레노블 동계올림픽이라고 알려져 있다. 이전 1960년 로마 올림픽 사이클 경기 중 한 선수가 약물을 과다 복용하여 사망한 사건이 있었고, 이 사건으로 스포츠 경기에서 도핑 테스트가 실시되었다. 도핑 테스트로 검사하는 약물은 신경 흥분제나 근육 강화제, 적혈구 생성 촉진제 등 운동 선수들에게 투여가 금지된 것이다. 시합 기간 동안 도핑 테스트는 어떻게 이루어질까?

도핑 테스트는 선수들의 혈액이나 소변을 채취해서 실시한다. 보통 경기 기간 중에 검사를 받을 때는 선수는 경기 시작 12시간 전부터 경기 직후까지 검사를 받는다. 또, 경기 기간 외에 검사를 받을 때는 경기 중 검사를 제외하고 실시되는 모든 도핑 검사로, 사전 예고 없이 진행된다. 사실 선수가 약물을 복용했다고 해도 소변이나 혈액에 남아 있는 양은 매우 적다. 그래서 그 적은 양의 약물을 찾아내는 것이 도핑 테스트의 핵심이다. 이를 위해 다양한 첨단 과학이 이용되며, 그중에서도 가장 일반적인 방법은 크로마토그래피의 원리를 이용한 것이다.

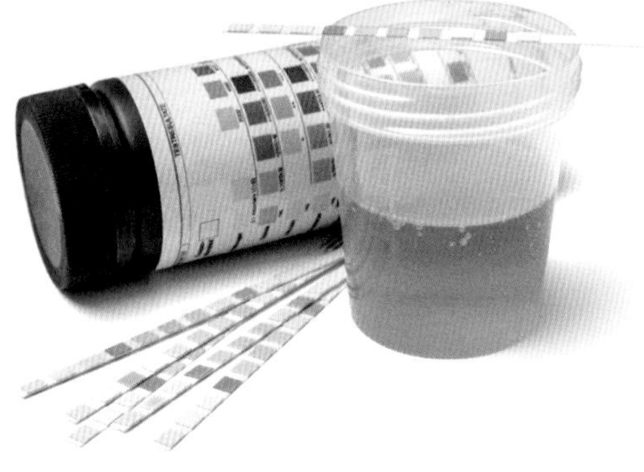

크로마토크래피는 원래 식물의 색소를 분리하기 위해 개발된 방법이었다.

크로마토그래피라는 용어는 그리스 어의 Chroma(색)과 graphein(기록하다)에서 유래되었으며, 1906년 식물학자인 츠베트에 의해 발명되었다. 그는 크로마토그래피를 이용하여 식물 잎의 색소를 분리하였다. 츠베트 이후, 잘 사용되지 않던 크로마토그래피는 1930년 이후부터 생물학적으로 중요한 물질을 확인하는 데 사용되기 시작했다. 크로마토그래피는 극소량의 물질을 분리해 낼 수 있는 장점이 있으며 현재는 색소 분리뿐만 아니라 단백질의 성분 검출, 아미노산의 분리 등에 다양하게 이용되고 있다.

특히, 도핑 테스트에는 주로 기체 크로마토그래피의 원리가 이용되는데, 일반적으로 규조토가 고르게 담긴 관 안에 시료와 헬륨 기체를 동시에 통과시켜 시료의 각 성분을 분석한다.

사람의 생명 활동을 조절하는 호르몬은 특정한 양을 넘어설 수 없고, 호르몬 사이에 서로 일정한 상관관계가 있어, 일정한 비율을 유지한다. 그러나 도핑 약물을 투여하면 이 호르몬 비율의 균형이 깨지게 된다. 즉, 도핑 테스트는 크로마토그래피를 통해 선수의 소변 샘플에 포함된 호르몬을 분리하여, 그 양과 비율의 균형을 검사하는 것이다.

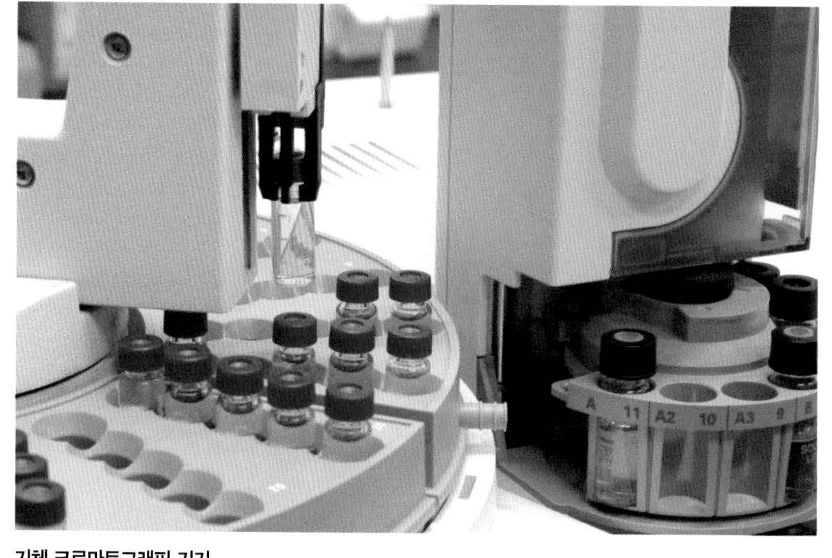

기체 크로마토그래피 기기

현재 우리나라의 도핑 검사 기술은 국제 대회에 참가하는 운동 선수들의 금지 약물 사용을 관리, 감시, 제재하기 위한 국제 기구인 세계반도핑기구(WADA)의 기준을 충족하고 있다.

금지 목록의 약물을 오남용하는 것은 선수 본인에게 해로우며 공정하게 경쟁해야 하는 스포츠 정신을 손상시키는 행동인 만큼 하지 말아야 하며, 사전에 막을 수 있도록 하여 도핑으로 인한 악영향을 최소화하도록 노력해야 한다.

Ⅶ 수권과 해수의 순환

01 수권

02 해수의 순환

지구 표면의 약 70 %는 바다로 이루어져 있다. 우주에서 본 지구가 푸르게 보이는 까닭도 이 때문이다.
이 단원에서는 지구계를 구성하는 수권의 분포와 해수의 특징을 알아보고, 우리나라 주변 해류의 특징과 조석 현상에 대해 알아보자.

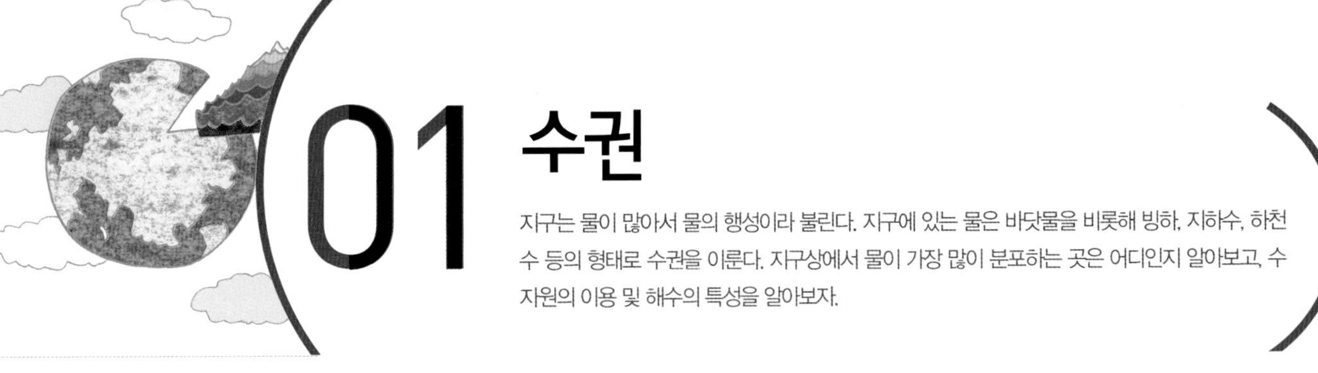

01 수권

지구는 물이 많아서 물의 행성이라 불린다. 지구에 있는 물은 바닷물을 비롯해 빙하, 지하수, 하천수 등의 형태로 수권을 이룬다. 지구상에서 물이 가장 많이 분포하는 곳은 어디인지 알아보고, 수자원의 이용 및 해수의 특성을 알아보자.

수권의 역할

- 지구 기후 유지: 물은 비열이 크므로 온도 변화가 쉽게 일어나지 않아 지구의 온도를 일정하게 유지되도록 한다.
- 생명체 유지: 수권은 생명체의 기본 물질인 물을 제공한다. 생물체 내의 대부분을 차지하는 물은 물질 대사를 주관하고 화학 반응을 일으켜 생명 유지 활동에 필요한 에너지를 만든다.
- 지형 변화: 물의 순환 과정을 통해 지표면을 변화시킨다.
- 열 운반: 해수는 저위도 지방에서 고위도 지방으로 열을 이동시킨다.

1 수권

1. 수권의 구성

(1) **수권**: 지구 표면의 약 70 %는 바다로 이루어져 있는데, 이처럼 지구의 표면에서 물이 분포하는 영역을 수권이라고 한다.

(2) **수권의 구성**: 수권의 물은 바닷물인 해수와 소금기가 거의 없는 담수로 구분한다. 해수가 약 97.47 %로 대부분을 차지하며, 육지의 물(담수)은 약 2.53 %로 빙하, 지하수, 호수와 하천수의 형태로 존재한다.

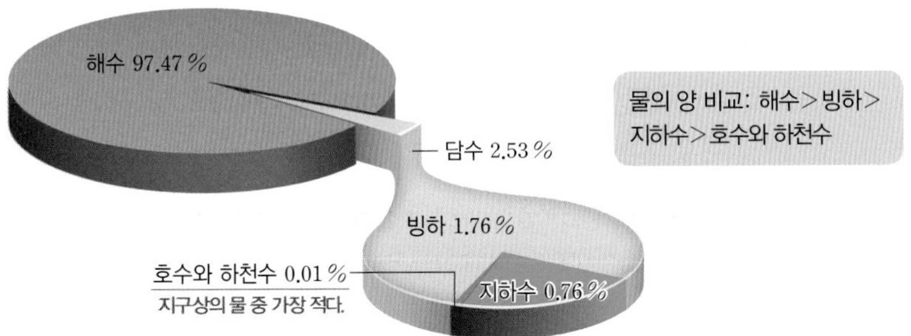

수권의 분포 수권의 대부분은 해수가 차지하며, 담수 중에는 빙하가 가장 많은 양을 차지한다.

① 해수: 지구상의 물의 대부분을 차지하며, 짠맛이 난다.

② 빙하: 극지방이나 고산 지대에 내린 눈은 여름에도 녹지 않고 계속 쌓이는데, 쌓인 눈이 녹지 않고 굳어서 생긴 두꺼운 얼음덩어리가 낮은 곳으로 이동하는 것을 빙하라고 한다. 담수 중 가장 많은 양을 차지한다.

용어 빙하

눈이 쌓이고 다져진 후, 재결정되어 형성된 두꺼운 얼음층은 중력 때문에 낮은 곳으로 천천히 미끄러져 내려오게 되는데, 이것을 빙하라고 한다. 대부분의 빙하는 하루에 수 cm에서 수 m 정도의 속력으로 아래로 서서히 이동한다.

③ 지하수: 지하의 지층이나 암석 사이의 빈틈을 채우고 있거나 흐르는 물을 지하수라고 한다. 담수 중 두 번째로 많은 양을 차지한다. 과학 용어 사전 235쪽

④ 호수와 하천수: 지구상의 물 중 매우 적은 양을 차지하며, 비교적 쉽게 수자원으로 이용할 수 있다.

2. 자원으로서의 물

물은 생명체를 이루는 기본 물질이며, 생명 유지에 필수적이다. 또한, 일상생활에서 이용될 뿐만 아니라 농작물을 재배하거나 공업 제품을 생산하는 데에도 물이 필요하다. 또, 바다와 강은 운송 통로로 이용되기도 한다. 이처럼 물은 생명을 유지하고, 인류의 문명을 유지하는 데 없어서는 안 되는 소중한 자원이다.

(1) **수자원**: 수권에서 자원으로 사용할 수 있는 물 — 주로 짠맛이 나지 않는 담수를 활용한다.

(2) **수자원의 이용**: 수자원은 사용 용도에 따라 농업용수, 공업용수, 생활용수, 하천 유지용수 등으로 나눌 수 있다. (과학 용어 사전 235쪽)

① 농업용수: 농사를 짓거나 가축을 기를 때 사용하는 물로, 식량 생산에 필수적인 물이다. 주로 지하수나 저수지의 물을 끌어다 사용한다.

② 공업용수: 공업 제품의 생산 과정과 시설을 관리할 때 사용되는 물로, 제품 처리용, 냉각용, 세정용, 보일러용 등으로 사용된다.

③ 생활용수: 식수를 비롯하여 빨래, 목욕, 청소 등의 일상적인 생활을 위해 필요한 물과 도시 활동에 필요한 물이다.

④ 하천 유지용수: 하천의 수질을 개선하거나 가뭄 때 하천을 유지하고, 하천이 정상적인 기능을 할 수 있도록 하는 데 필요한 물이다.

우리나라의 수자원 이용

수자원을 농업용수로 가장 많이 이용하고 있다.

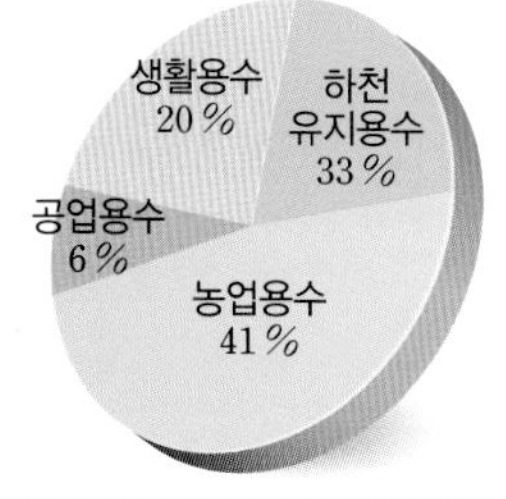

(3) **활용 가능한 수자원의 양**: 인구가 늘어나고 산업이 발달하여 삶의 질이 향상되면서 필요한 물의 양은 점점 많아지고 있다. 수자원은 주로 하천수나 호수를 활용하고 있으며, 부족하면 지하수를 개발하여 활용한다. 그런데 수권 전체에서 하천수, 호수, 지하수가 차지하는 비율은 약 0.77 %로 매우 낮으므로 우리가 이용할 수 있는 물의 양은 극히 적은 양이다.

우리나라의 수자원의 특징

- 전체 강수량 중 바다로 유실되는 양이 비교적 많다.
- 전체 강수량의 대부분이 여름철에 집중되어 계절별로 강수량의 편차가 크다.

(4) **수자원으로서 지하수의 가치**

① 지하수의 장점: 담수 중 두 번째로 많은 양을 차지하며, 하천수나 호수에 비해 양이 풍부하다. 또, 간단한 정수 과정을 거치면 바로 사용할 수 있으며, 빗물이 지층의 빈틈으로 스며들어 채워지기 때문에 지속적으로 활용할 수 있다.

빗물 · 하천수 등 주입
정화된 지하수를 꺼내서 사용
지표
땅속 미생물이 오염 물질 분해
지하수대
미생물
땅속 깊은 곳의 지하수는 가뭄에도 마르지 않고 유지됨

지하수

② 지하수의 활용: 식수나 농업용수로 많이 이용되며, 냉난방 등에도 이용할 수 있다. 섬이나 가뭄이 자주 드는 지역에서는 지하수 댐을 설치하여 지하수의 흐름을 막아 활용하기도 한다.

③ 무분별한 개발로 지반 침하, 지하수 고갈 또는 오염이 발생하지 않도록 주의한다.

(5) **수자원의 확보 방안**

① 오염을 막기 위해 폐수 처리 시설을 강화하고, 오염물 배출을 엄격히 제한한다.

② 해수의 담수화나 댐 건설, 빗물의 저장 등을 통해 수자원의 공급을 늘린다.

학습 내용 Check

정답과 해설 082 쪽

1. 수권의 대부분은 ________가 차지한다.

2. ________는 담수 중 두 번째로 많은 양을 차지하며, 간단한 정수 과정으로 바로 사용할 수 있다.

2 해수의 특징

해수의 태양 복사 에너지 흡수
해수의 표층 수온을 결정하는 태양 복사 에너지는 수심 100 m 이내에서 대부분 흡수되고, 수심 300 m 이상인 곳에는 거의 도달하지 않기 때문에 수심에 따라 수온의 변화가 생긴다.

1. 해수의 연직 수온 분포

해수는 깊이에 따른 수온 분포에 따라 혼합층, 수온 약층, 심해층으로 구분한다. 탐구 148쪽

(1) 혼합층

① 해수 표면 부근에서는 흡수한 태양 복사 에너지양이 많아 수온이 높고, 표면에서 부는 바람에 의해 해수가 고르게 섞여 수온이 일정한 층이 나타나는데, 이 층을 혼합층이라고 한다.

② 혼합층의 두께는 바람이 세게 부는 지역일수록 두껍게 나타난다.

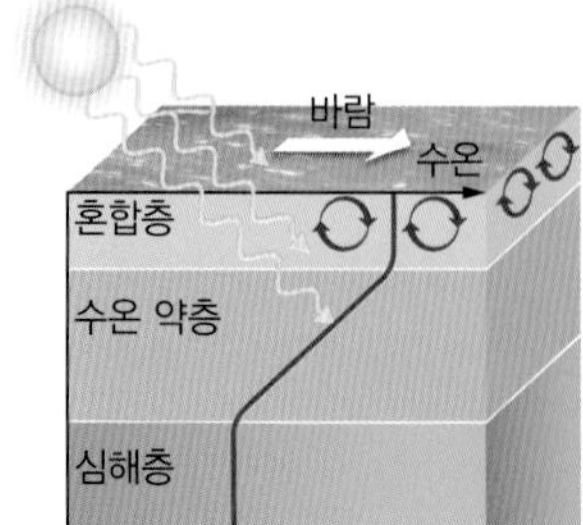

해수의 연직 수온 분포

(2) 수온 약층

① 혼합층 아래에 수심이 깊어질수록 수온이 급격하게 감소하는 층이다.

② 수온 약층은 아래쪽으로 갈수록 차고 무거운 해수가 있기 때문에 해수의 연직 운동이 일어나기 어려운 안정한 층이다. 따라서 수온 약층은 혼합층과 심해층 사이에서 물질이나 에너지 교환을 차단하는 역할을 한다.

(3) 심해층

① 수온 약층 아래에 태양 복사 에너지가 도달하지 못해 수온이 4 ℃ 이하로 매우 낮고, 깊이에 따른 수온 변화가 거의 없는 층이다.

② 심해층은 태양 복사 에너지의 영향을 거의 받지 못하므로 위도와 계절에 상관없이 수온이 거의 일정하게 유지된다.

우리나라 주변 바다의 표층 수온 분포
- 겨울철에는 수온이 낮고, 여름철에는 수온이 높다.
- 황해는 동해보다 계절에 따른 표층 수온 변화가 크게 나타난다. 이는 황해가 동해보다 육지의 영향을 많이 받기 때문이다.
- 해수의 온도는 육지의 기후에 영향을 준다. 우리나라에서 12월의 최저 기온은 바다의 영향을 받는 해안 지방이 내륙 지방보다 높게 나타난다.

2. 염분

(1) 염류: 해수에 녹아 있는 여러 가지 물질

→ 해수 속에는 염화 나트륨(NaCl)이 가장 많이 녹아 있고, 이 외에 염화 마그네슘($MgCl_2$), 황산 마그네슘($MgSO_4$), 황산 칼슘($CaSO_4$) 등과 같은 물질들이 녹아 있다. — 염류는 주로 육지로부터 강물 등에 녹아 흘러 들어오거나 해저 화산 활동 등에 의해 공급된다.

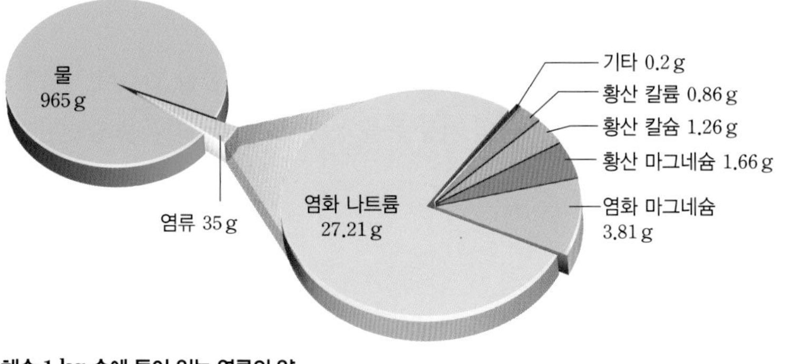

해수 1 kg 속에 들어 있는 염류의 양

(2) 염분: 해수 1 kg에 녹아 있는 염류의 총량을 g 수로 나타낸 것을 염분이라고 한다. 염분의 단위는 psu(실용염분단위) 또는 ‰(퍼밀)을 사용하며, 전 세계 해수의 평균 염분은 약 35 psu이다. 과학 용어 사전 236쪽

해수 1 kg에 염류가 35 g 녹아 있으므로 염분은 35 psu이다.

해수 1000 g = 물 965 g + 염류 35 g

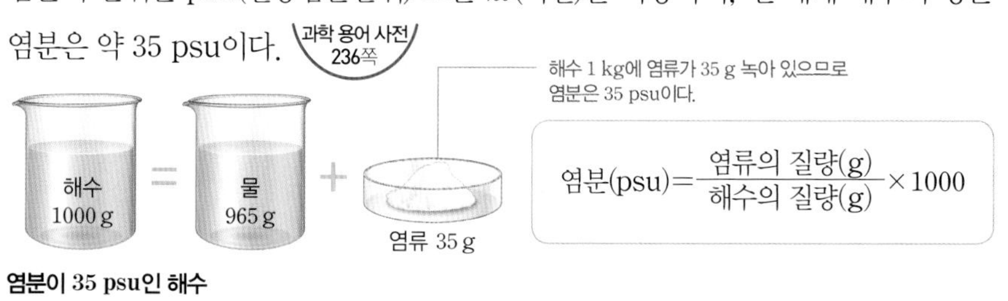

$$염분(psu)=\frac{염류의\ 질량(g)}{해수의\ 질량(g)}\times 1000$$

염분이 35 psu인 해수

(3) 염분의 변화 요인: 해수의 염분은 강수량과 증발량, 담수의 유입량, 해수의 결빙이나 해빙 등의 영향을 받아 해역마다 다르게 나타난다.

증발량이 많으면 바닷물이 증발하여도 염류는 남아 있기 때문에 염분이 높아지고, 강수량이 많으면 물의 양이 늘어나기 때문에 염분이 낮아진다.

① 강수량과 증발량: 증발량이 많을수록 염분이 높아지고, 강수량이 많을수록 염분이 낮아진다. 즉, (증발량−강수량) 값이 클수록 염분이 높다.

② 담수의 유입량: 강물이 흘러드는 해양의 주변부는 중앙부보다 염분이 낮다.

③ 해빙과 결빙: 빙하가 녹는 해역에서는 염분이 낮아지고, 바닷물이 어는 해역에서는 염분이 높아진다.

(4) 우리나라 주변 바다의 표층 염분 분포: 강수량이 많은 여름철이 겨울철에 비해 염분이 낮고, 육지로부터 공급되는 강물의 유입량이 많은 황해가 동해보다 염분이 낮다.

3. 염분비 일정 법칙 염분은 장소에 따라 다르고 한 장소에서도 계절에 따라 다르다. 그러나 해수는 끊임없이 순환하며 골고루 섞이므로 해수 중에 녹아 있는 염류들 사이의 비율은 염분과 관계없이 항상 일정하다. 집중 분석 149쪽

염류	염화 나트륨	염화 마그네슘	황산 마그네슘	황산 칼슘	황산 칼륨	기타	계
전체 염류에서 차지하는 비율(%)	77.7	10.9	4.7	3.6	2.5	0.6	100

해수에 들어 있는 염류의 비율

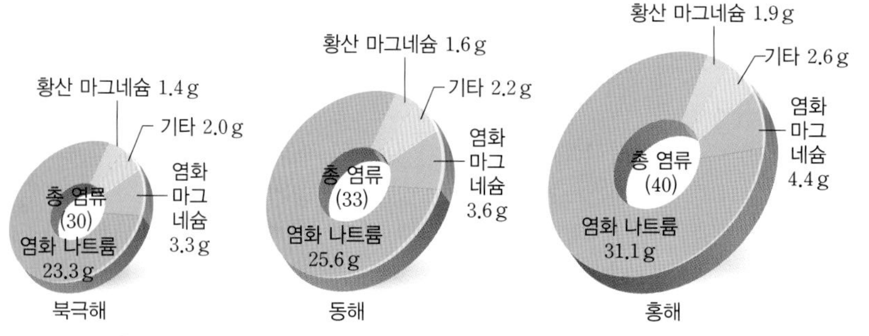

북극해, 동해, 홍해의 해수 1 kg에 들어 있는 염류의 양(g)

학습 내용 Check

정답과 해설 082 쪽

1. 해수의 표면에 수온이 높고 일정한 층을 ________이라고 한다.

2. 해수 1 kg에 녹아 있는 염류의 총량을 g 수로 나타낸 것을 ________이라고 한다.

실용염분단위(psu)

1기압, 15 ℃ 상태에서 해수 표본의 전기 전도도를 측정하여 구한 염분의 단위이다. 측정이 간편하므로 최근에는 염분 측정값을 주로 psu 단위로 표시하고 있다. psu는 ‰과 거의 같은 값을 갖는다.

해빙

얼음이 녹는 현상

결빙

물이 얼어 얼음이 되는 현상

위도에 따른 염분 분포

위도	염분	염분 변화 요인
적도	낮다	증발량 < 강수량
중위도	높다	증발량 > 강수량
고위도	낮다	빙하의 해빙

탐구 해수의 연직 수온 분포 알아보기

깊이에 따른 수온을 측정하여 해수의 층상 구조에 영향을 주는 요인을 설명할 수 있다.

유의점 가열 장치가 물 표면을 고르게 비추도록 설치한다.

과정 및 결과

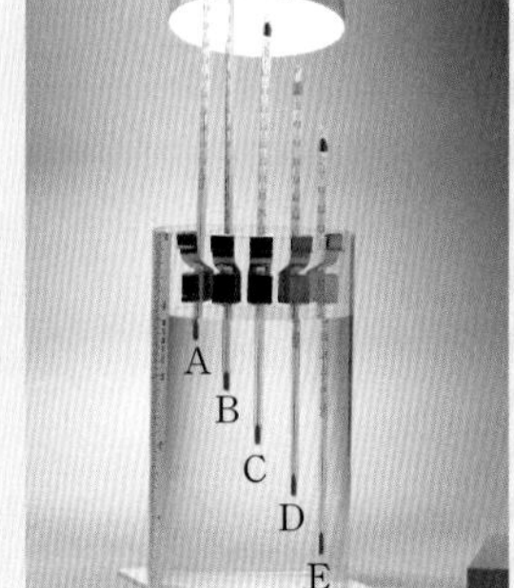
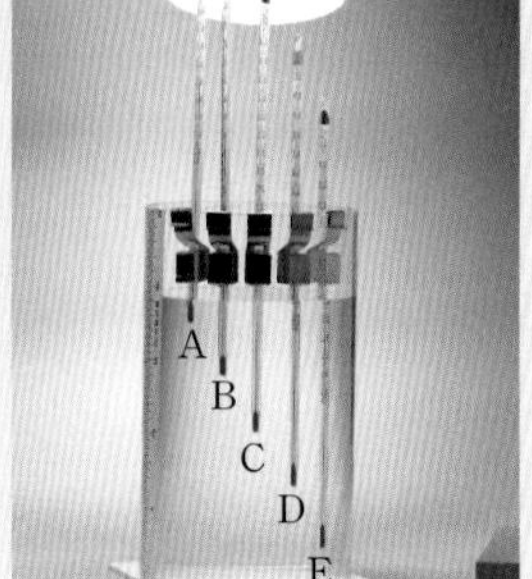
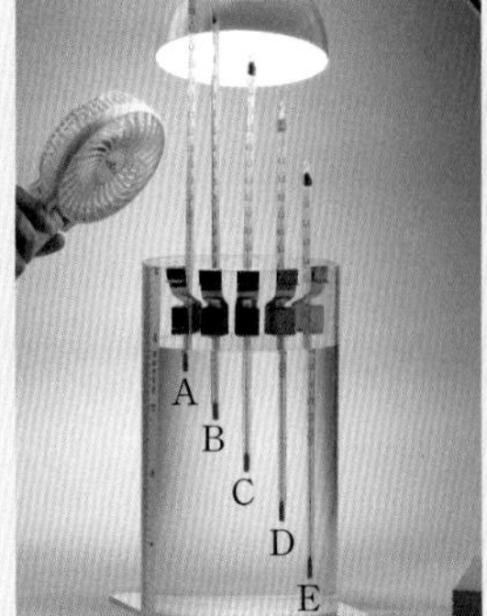

❶ 수조에 물을 채우고, 온도계 5개를 일정한 깊이 간격으로 장치한 후, 각 온도계의 처음 온도를 측정하여 기록한다.

❷ 수면 위쪽에 가열 장치를 비추어 가열하고, 각 온도계의 온도가 일정하게 유지될 때 온도를 측정한다. → 깊어질수록 수온이 낮아진다.

❸ 가열 장치를 켠 상태에서 선풍기로 바람을 일으킨 후, 수온이 다시 일정해졌을 때 각 온도계의 온도를 측정한다. → 수면 부근에 수온이 일정한 층이 생긴다.

❹ 가열 전, 가열 후, 바람을 일으킨 후의 깊이에 따른 온도를 그래프로 나타내 본다.

온도계	깊이 (cm)	온도(℃)		
		(가) 가열 전	(나) 가열 후	(다) 바람을 일으킨 후
A	1	20	25	24
B	3	20	24	24
C	5	20	22	22
D	7	20	20	20
E	9	20	20	20

결과 해석 및 정리

1 실험에서 전등은 태양, 선풍기는 바람에 해당한다.

2 가열 후 깊어질수록 수온이 낮아지는 층(수온 약층)이 생긴다. → 깊어질수록 전등의 에너지가 적게 도달하기 때문

3 선풍기로 바람을 일으키면 수면 부근에 수온이 일정한 층(혼합층)이 생긴다. → 바람에 의해 혼합되기 때문

탐구 확인 문제

정답과 해설 082쪽

1 빈칸에 알맞은 말을 쓰시오.

(1) 실험 ❸의 결과 ＿＿＿＿＿개 층으로 구분된다.

(2) 해수의 연직 수온 분포에 영향을 주는 요인은 태양 복사 에너지에 의한 가열과 ＿＿＿＿＿의 혼합 작용이다.

2 적용 일반적으로 저위도 지방보다 중위도 지방에서 바람이 강하게 분다. 이로 인해 해수의 연직 수온 분포가 다르게 나타나는데, 어떤 차이가 있는지 설명해 보자.

집중분석

염분비 일정 법칙 계산하기

수년 동안 여러 해양으로부터 채취된 해수의 표본들을 분석한 결과, 염분에 상관없이 해수를 이루는 주요 성분들의 상대적인 비율은 항상 일정하다는 것을 알게 되었다. 염분비 일정 법칙을 이해하고, 이를 이용한 계산을 연습해 보자.

정답과 해설 082쪽

1 염분을 아는 해수에서 염류의 양 구하기

염분이 40 psu인 해수 1 kg 속에 염화 나트륨이 30 g 녹아 있다면, 염분이 32 psu인 해수 1 kg을 증발시켜 얻을 수 있는 염화 나트륨의 양은 몇 g인가?

풀이 해수의 전체 염류에서 특정 염류가 차지하는 비율은 모두 일정하므로 다음과 같은 비례식을 세워 염류의 양을 구한다.

40 psu : 30 g = 32 psu : x

$\therefore x=24$ g

2 두 바다의 염류비를 이용하여 염류의 양 구하기

표는 A, B 두 해역의 해수 1 kg에 포함된 염류의 양을 나타낸 것이다.

해역	염화 나트륨(g)	염화 마그네슘(g)	황산 마그네슘(g)
A	23.3	3.3	(나)
B	31.1	(가)	1.9

(가)와 (나)에 들어갈 값을 구하시오.(단, 소수 둘째 자리에서 반올림하시오.)

풀이 해수에 녹아 있는 염류 사이의 질량비는 일정하므로 알고 있는 값을 기준으로 비례식을 세운다.

23.3 g : 31.1 g = 3.3 g : (가), (가) ≒ 4.4 g

23.3 g : 31.1 g = (나) : 1.9 g, (나) ≒ 1.4 g

연습 문제

01 표는 동해와 북극해의 해수 1 kg에 녹아 있는 염류의 질량(g)을 나타낸 것이다.

해역	염화 나트륨	염화 마그네슘	기타	총 염류의 양
동해	x		3.8	33
북극해	23.3	3.2		30

동해의 해수에 녹아 있는 염화 나트륨(x)의 양(g)을 구하시오. (단, 소수 둘째 자리에서 반올림하시오.)

02 염분이 36 psu인 해수 200 g에 염화 나트륨이 5.4 g 녹아 있다. 염분이 40 psu인 해수 400 g에 포함된 염화 나트륨의 양은 몇 g인지 구하시오.

연습 문제

03 표는 A와 B 두 해역의 해수 1 kg에 녹아 있는 염류의 양(g)을 나타낸 것이다.

염류	A 해역	B 해역
염화 나트륨	25.6	31.3
염화 마그네슘	3.6	x

B 해역의 해수 2 kg에 녹아 있는 염화 마그네슘의 양(g)을 구하시오. (단, 소수 둘째 자리에서 반올림하시오.)

04 표는 (가)~(다) 해역의 해수 1 kg에 녹아 있는 염류의 양(g)을 나타낸 것이다.

해역	염화 나트륨	염화 마그네슘	황산 마그네슘
(가)	A		1.7
(나)	26.6	B	1.6
(다)	23.3	3.3	C

A~C에 들어갈 값을 각각 구하시오. (단, 소수 둘째 자리에서 반올림하시오.)

해수의 수온과 염분 분포

해수의 수온 분포는 수심에 따라 변하기도 하지만, 위도에 따라 달라지기도 한다. 해수의 위도별 연직 수온 분포가 어떻게 나타나는지와 함께 위도별 표층 염분은 어떻게 나타나는지 알아보자.

① 위도별 연직 수온 분포

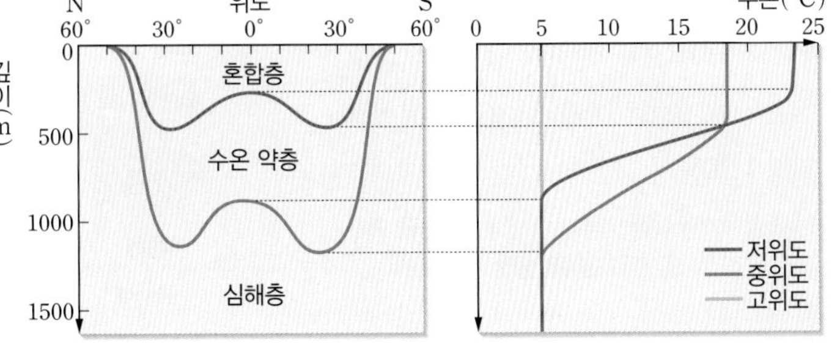

- 저위도 해역: 태양 복사 에너지를 많이 받아 표층 수온이 높다. 바람이 약해 혼합층이 잘 발달하지 않거나 얇게 발달하는 반면, 표층과 심해층의 수온 차이가 커서 수온 약층은 뚜렷하게 발달한다.
- 중위도 해역: 바람이 강하게 불어 혼합층이 두껍게 발달한다.
- 고위도 해역: 태양 복사 에너지를 적게 받아 표층과 심층의 수온 차가 거의 없기 때문에 혼합층과 수온 약층이 거의 발달하지 않는다.

② 위도별 표층 염분의 변화

표층 염분에 가장 큰 영향을 주는 요인은 증발량과 강수량으로, 염분은 (증발량－강수량)에 대체로 비례한다.

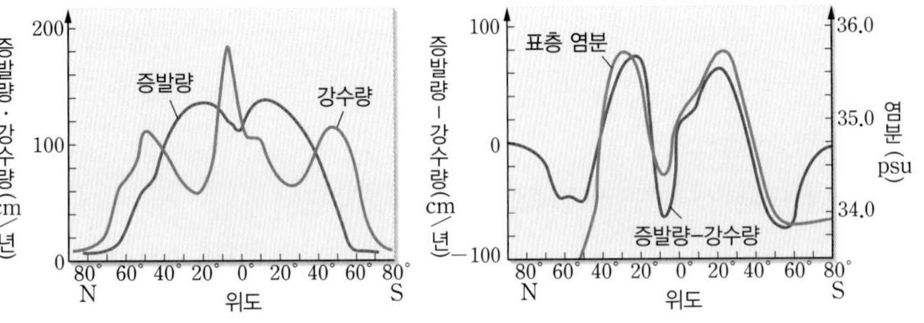

- 중위도 해역: 고기압이 우세하여 주로 맑고 건조한 날씨가 나타나므로 강수량보다 증발량이 많다. → 염분이 높다.
- 저위도 해역: 저기압이 우세하여 주로 흐린 날씨가 나타나므로 증발량보다 강수량이 많다. → 염분이 낮다.
- 극 해역: 기온이 낮아 증발량이 적고 빙하가 녹아 대체로 표층 염분이 낮다. 반면 결빙이 일어나는 지역에서는 표층 염분이 높게 나타난다.

한눈에 보는

중단원 핵심 정리

01. 수권

1 수권

① 수권의 구성

- 해수(97.47 %)와 담수(2.53 %)로 구분된다.
- 담수: 빙하(1.76 %) > 지하수(0.76 %) > 호수와 하천수(0.01 %)

해수 97.47 %

담수 2.53 %

빙하 1.76 %

지하수 0.76 %

호수와 하천수 0.01 %

② 자원으로서의 물

- 수자원: 수권의 물 중에서 자원으로 이용 가능한 물 → 주로 하천수나 호수로부터 얻으며, 부족한 경우 지하수를 개발하여 이용한다.
- 우리가 이용할 수 있는 물의 양은 지구 전체의 물 중 매우 적은 양이다.

③ 수자원의 이용: 농업용수, 공업용수, 생활용수, 하천 유지용수 등

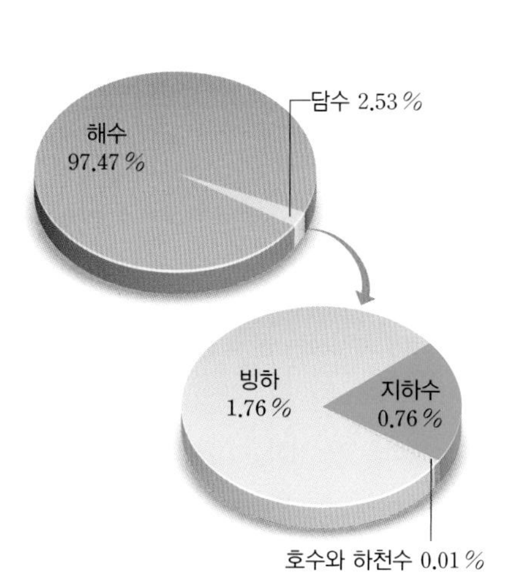

2 해수의 특징

① 해수의 연직 수온 분포

구분	특징
혼합층	• 수온이 높고 바람에 의해 해수가 혼합되어 수온이 일정한 층 • 바람이 강할수록 두꺼워진다.
수온 약층	• 혼합층 아래에서 깊이가 깊어질수록 수온이 급격하게 낮아지는 안정한 층 • 혼합층과 심해층 사이에서 물질과 에너지 교환을 차단한다.
심해층	• 수온 약층 아래에서 수온이 매우 낮고 일정한 층 • 연중 수온 변화가 거의 없다.

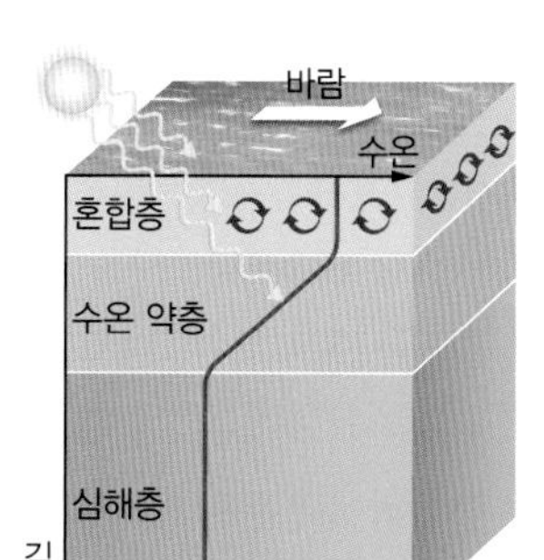

② 염분: 해수 1 kg 속에 포함된 염류의 양을 g 수로 나타낸 것(단위: psu)

$$염분(psu) = \frac{염류의\ 양(g)}{해수의\ 양(g)} \times 1000$$

- 염분의 변화 요인: 증발량과 강수량, 담수의 유입, 해수의 결빙, 해빙 등
- 우리나라 주변 바다의 표층 염분 분포

계절에 따른 염분 분포	겨울철 > 여름철 → 여름철에는 겨울철보다 강수량이 많기 때문
장소에 따른 염분 분포	동해 > 황해 → 황해는 동해보다 하천수의 유입량이 많기 때문

③ 염분비 일정 법칙: 해수는 끊임없이 순환하며 골고루 섞이므로 해수 중에 녹아 있는 염류들 사이의 비율은 염분에 관계없이 항상 일정하다.

개념 확인 문제

01. 수권

01 그림은 수권을 구성하는 물의 분포를 나타낸 것이다.

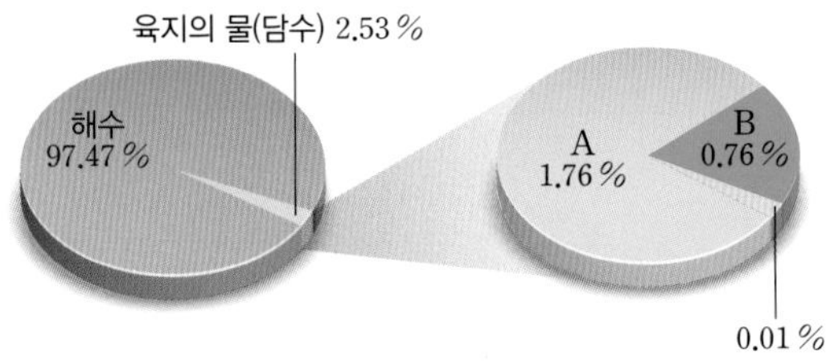

A와 B에 해당하는 물의 형태를 옳게 짝 지은 것은?

	A	B		A	B
①	빙하	지하수	②	빙하	호수
③	지하수	빙하	④	지하수	하천수
⑤	호수	지하수			

중요

02 표는 지구상에 여러 형태로 존재하는 수권의 분포(%)를 나타낸 것이다.

구분	A	B	C	D
분포(%)	97.47	1.76	0.76	0.01

A~D에 대한 설명으로 옳지 않은 것은?

① A는 해수이다.
② B는 주로 고위도나 고산 지대에 분포한다.
③ 수자원으로 주로 사용되는 물은 C이다.
④ D의 대부분은 지표 위에 있는 물이다.
⑤ B~D는 대부분 소금기가 없는 담수이다.

03 다음에서 설명하고 있는 수권의 형태로 옳은 것은?

- 담수 중에서 두 번째로 양이 많다.
- 빗물에 의해 지속적으로 채워진다.
- 가뭄이 있을 때 수자원으로 유용하게 이용된다.

① 하천수 ② 빙하 ③ 지하수
④ 호수 ⑤ 해수

04 오른쪽 그림은 우리나라의 수자원 용도 및 비율을 나타낸 것이다. 이에 대한 설명으로 옳은 것을 보기에서 모두 고른 것은?

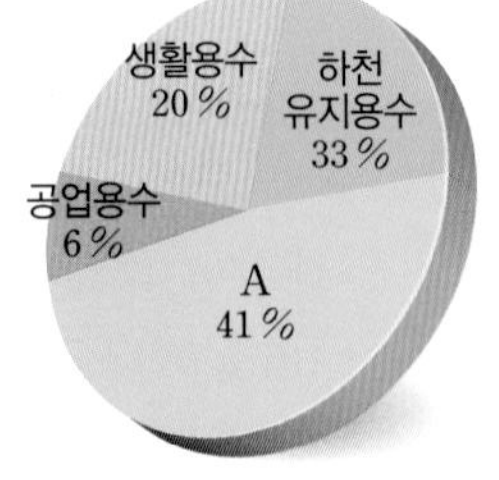

보기
ㄱ. A는 경작지의 면적이 넓을수록 증가한다.
ㄴ. 생활용수는 생활 수준이 향상될수록 증가한다.
ㄷ. 하천 유지용수는 하천의 기능을 유지하는 데 필요한 물이다.

① ㄱ ② ㄷ ③ ㄱ, ㄴ
④ ㄴ, ㄷ ⑤ ㄱ, ㄴ, ㄷ

05 우리나라는 물부족 국가에 속한다. 부족한 수자원을 확보하는 방법으로 옳은 것을 보기에서 모두 고른 것은?

보기
ㄱ. 폐수 처리 시설 강화
ㄴ. 해수의 담수화 장치 설치
ㄷ. 식목 사업 및 산림 면적의 확대

① ㄱ ② ㄷ ③ ㄱ, ㄴ
④ ㄴ, ㄷ ⑤ ㄱ, ㄴ, ㄷ

06 그림은 위도에 따른 표층 해수의 수온 분포를 나타낸 것이다.

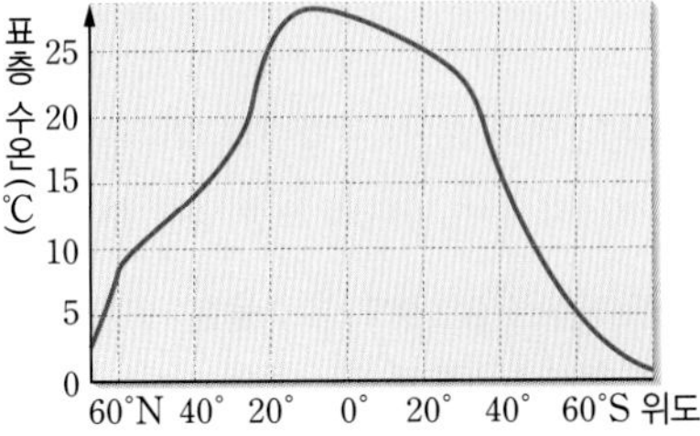

위도에 따른 표층 수온 분포에 가장 큰 영향을 주는 요인은 무엇인지 쓰시오.

07 (중요) **오른쪽 그림과 같이 장치를 하고 전등을 켠 채로 2분 동안 휴대용 선풍기로 바람을 일으킨 후, 수온 변화를 측정하였다. 이에 대한 설명으로 옳지 <u>않은</u> 것은?**

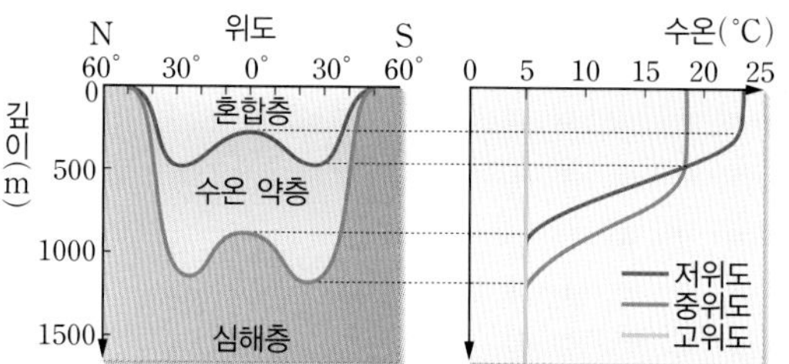

① 전등은 태양, 선풍기의 바람은 바람의 역할을 한다.
② 전등의 세기가 강할수록 수면의 수온이 높아진다.
③ 바람을 일으키면 표층에 수온이 일정한 층이 나타난다.
④ 바람을 더 강하게 하면 표층의 수온이 일정한 층이 없어진다.
⑤ 바닥 근처 깊은 곳에서는 수온 변화가 거의 나타나지 않는다.

[08~09] 그림은 해수의 연직 수온 분포를 나타낸 것이다.

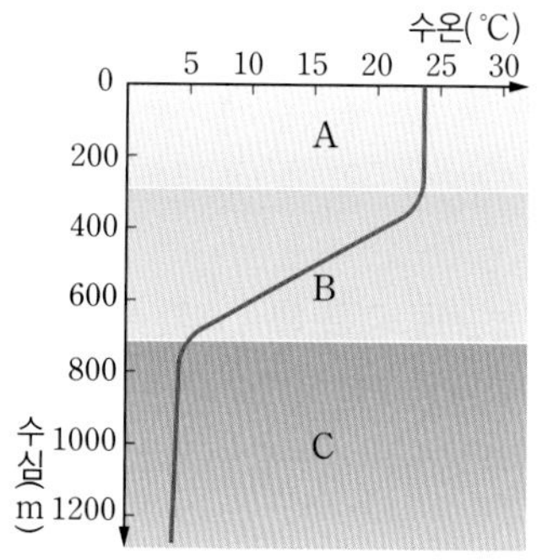

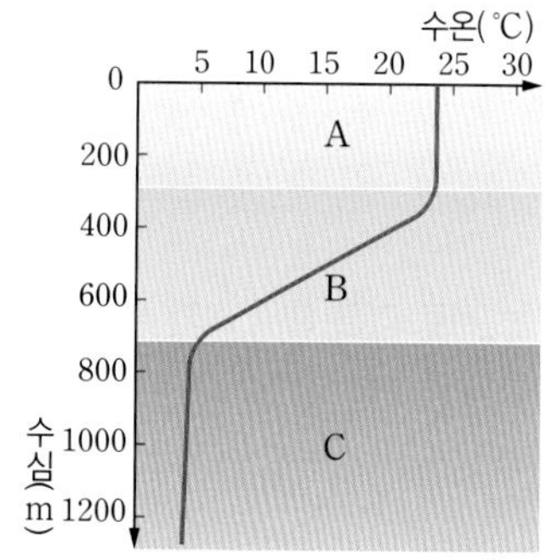

08 **A~C층의 명칭을 쓰시오.**

09 (중요) **A~C층에 대한 설명으로 옳은 것을 보기에서 모두 고른 것은?**

보기
ㄱ. A층의 두께는 바람의 세기가 셀수록 두껍다.
ㄴ. B층은 연직 방향으로 대류가 활발하게 일어난다.
ㄷ. C층은 계절에 따른 수온의 변화가 크다.

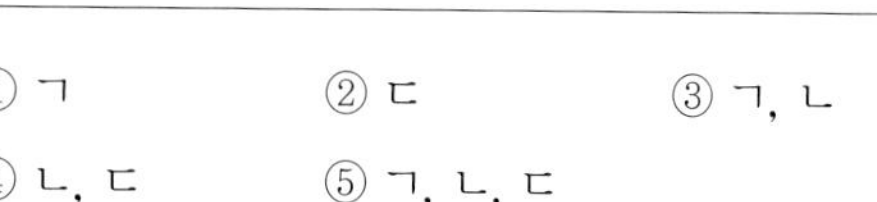

① ㄱ ② ㄷ ③ ㄱ, ㄴ
④ ㄴ, ㄷ ⑤ ㄱ, ㄴ, ㄷ

10 **그림은 위도별 해수의 층상 구조와 수온의 연직 분포를 나타낸 것이다.**

N 위도 S
60° 30° 0° 30° 60°
깊이(m) 0 500 1000 1500
혼합층
수온 약층
심해층
수온(°C) 0 5 10 15 20 25
저위도
중위도
고위도

이에 대한 설명으로 옳은 것을 보기에서 모두 고른 것은?

보기
ㄱ. 표층 수온은 저위도로 갈수록 높다.
ㄴ. 중위도는 저위도보다 바람이 강하다.
ㄷ. 고위도 해역에는 혼합층만 나타난다.

① ㄱ ② ㄷ ③ ㄱ, ㄴ
④ ㄴ, ㄷ ⑤ ㄱ, ㄴ, ㄷ

11 **염분에 대한 설명으로 옳지 <u>않은</u> 것은?**

① 단위는 주로 psu를 사용한다.
② 해수 1 kg에 포함된 염류의 총 g 수이다.
③ 염류 중 가장 많은 성분은 염화 나트륨이다.
④ 염분은 시간과 장소에 관계없이 일정하다.
⑤ 염류는 대부분 해저 화산 폭발이나 육지의 물질이 강물 등에 녹아 바다에 공급된다.

12 **전 세계 해양에서 표층 염분의 평균값은 약 35 psu이지만, 특정 해역에서는 그 값이 평균값보다 크거나 작게 나타난다. 표층 해수의 염분이 상대적으로 높게 나타날 수 있는 해역을 보기에서 모두 고른 것은?**

보기
ㄱ. 해수의 결빙이 일어나는 해역
ㄴ. 강수량에 비해 증발량이 많은 해역
ㄷ. 육지로부터 하천수가 많이 유입되는 해역

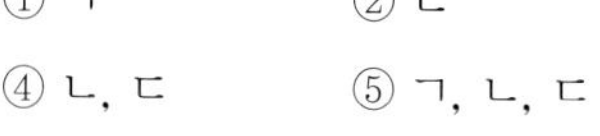

① ㄱ ② ㄷ ③ ㄱ, ㄴ
④ ㄴ, ㄷ ⑤ ㄱ, ㄴ, ㄷ

13 그림은 여러 해역의 강수량과 증발량을 나타낸 것이다.

증발량 / 강수량 그래프: A, B, C, D

A~D 해역 중 (가) 염분이 가장 높을 것으로 예상되는 곳과 (나) 염분이 가장 낮을 것으로 예상되는 곳을 옳게 짝 지은 것은?

	(가)	(나)		(가)	(나)
①	A	B	②	A	D
③	B	C	④	C	B
⑤	D	A			

14 그림은 우리나라 주변 해역에서 여름철의 평균 표층 염분 분포를 나타낸 것이다.

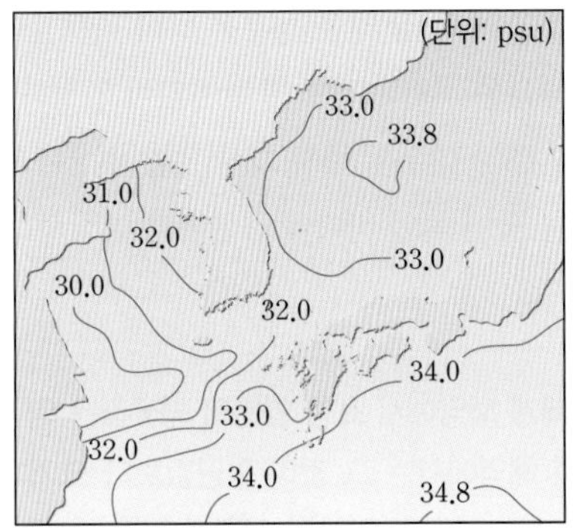

이에 대한 설명으로 옳은 것을 보기에서 모두 고른 것은?

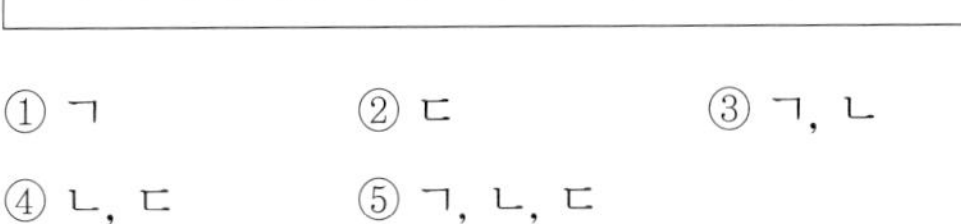

보기
ㄱ. 동해보다 황해의 염분이 낮다.
ㄴ. 동해는 황해보다 하천수의 유입이 많다.
ㄷ. 전 세계 해양의 평균 염분보다 높게 나타난다.

① ㄱ ② ㄷ ③ ㄱ, ㄴ
④ ㄴ, ㄷ ⑤ ㄱ, ㄴ, ㄷ

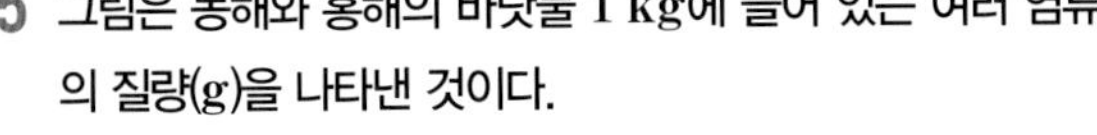

15 (중요) 그림은 동해와 홍해의 바닷물 1 kg에 들어 있는 여러 염류의 질량(g)을 나타낸 것이다.

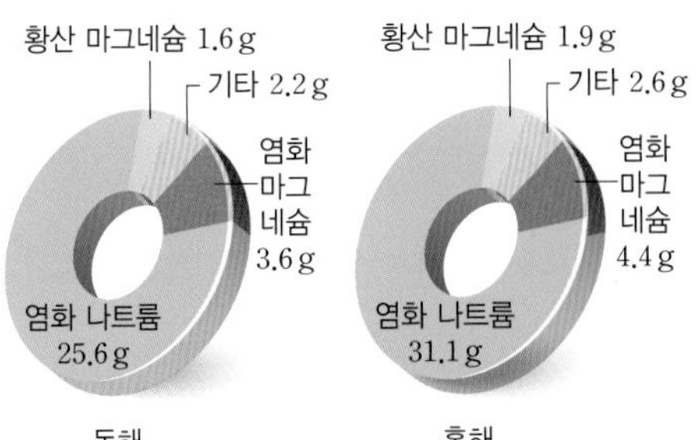
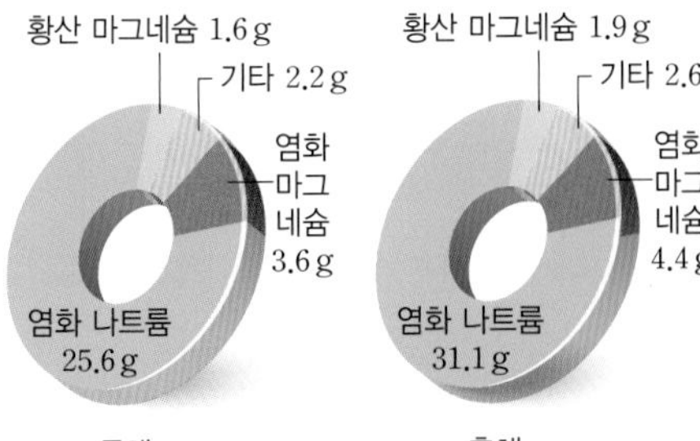
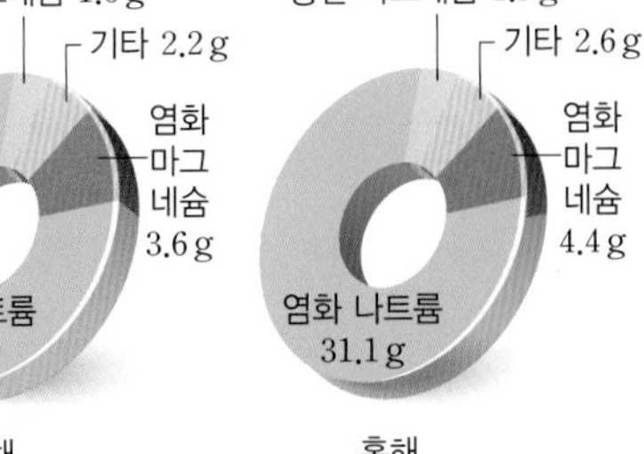
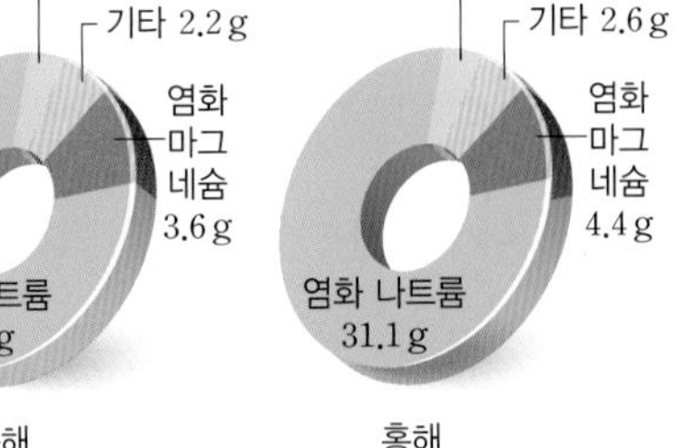

이에 대한 설명으로 옳지 않은 것은?

① 두 해역 중 염분이 높은 곳은 홍해이다.
② 염분이 높으면 염화 나트륨의 양도 많다.
③ 두 해역의 해수에 녹아 있는 염류들의 종류는 같다.
④ 두 해역의 해수 1 kg에 녹아 있는 염류의 총량은 같다.
⑤ 해수에 녹아 있는 염류 중 한 성분의 양을 알면 전체 염류의 양을 알 수 있다.

[16~17] 표는 서로 다른 해역 A와 B에서 해수 1 kg에 녹아 있는 염류의 g 수를 나타낸 것이다.

구분	염화 나트륨	염화 마그네슘	황산 마그네슘	황산 칼슘	기타
해역 A	27.2	3.8	1.7	1.2	1.1
해역 B	24.5	(가)	1.5	1.1	1.0

16 해역 A에서 해수의 염분은 얼마인가?

① 32 psu ② 33 psu ③ 35 psu
④ 36 psu ⑤ 37 psu

17 (중요) (가)에 들어갈 염류의 양은 얼마인가?

① 약 2.2 g ② 약 2.5 g ③ 약 3.0 g
④ 약 3.4 g ⑤ 약 3.8 g

실력 강화 문제

01. 수권

정답과 해설 084쪽

01 그림은 지하수가 생성되는 경로를 나타낸 것이다.

하천수와 비교할 때 지하수의 장점에 대한 설명으로 옳은 것을 보기에서 모두 고른 것은?

보기
ㄱ. 증발에 의한 손실이 거의 없다.
ㄴ. 계절에 따른 수온의 변화가 작다.
ㄷ. 지하로 스며들면서 자연 정화가 된다.

① ㄱ ② ㄷ ③ ㄱ, ㄴ
④ ㄴ, ㄷ ⑤ ㄱ, ㄴ, ㄷ

02 다음은 해수의 층상 구조가 생성되는 원리를 알아보는 실험이다.

[실험 과정]
(가) 수조에 물을 넣고 일정 깊이로 온도계를 설치한 후 수온을 측정한다.
(나) 전등으로 가열한 후 수온을 측정한다.
(다) 전등을 켠 상태로 약 3분 동안 바람을 일으킨 후 수온을 측정한다.

전등
막대
소금물
5 cm

과정 (나)와 (다)에서 형성된 해수 층상 구조의 이름을 각각 쓰시오.

03 그림은 위도별 해수의 연직 수온 분포를 나타낸 것이다.

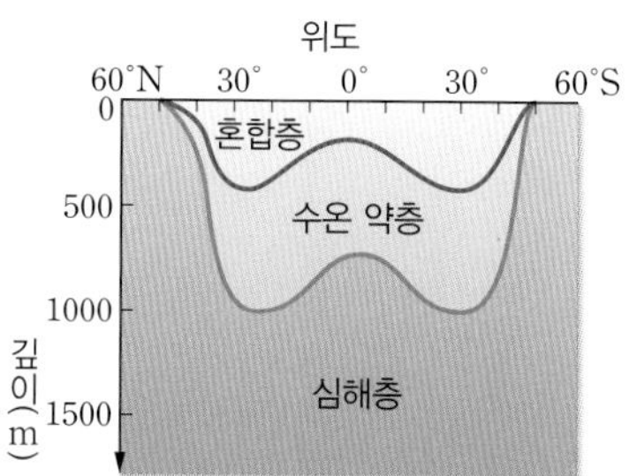

이에 대한 설명으로 옳은 것을 보기에서 모두 고른 것은?

보기
ㄱ. 위도 약 30° 해역은 적도 해역보다 바람이 강하다.
ㄴ. 수심 약 300 m에서 가장 안정한 해역은 중위도이다.
ㄷ. 고위도는 표층과 심해층의 수온이 거의 비슷하다.

① ㄱ ② ㄴ ③ ㄱ, ㄷ
④ ㄴ, ㄷ ⑤ ㄱ, ㄴ, ㄷ

04 그림은 위도별 (증발량－강수량) 값과 표층 염분의 분포를 나타낸 것이다.

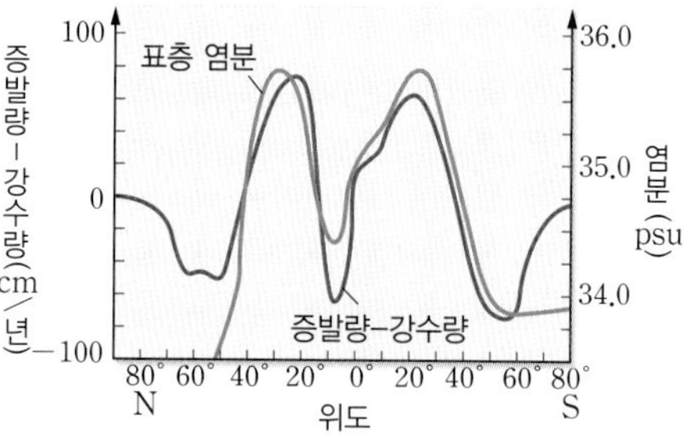

이에 대한 설명으로 옳은 것을 보기에서 모두 고른 것은?

보기
ㄱ. (증발량－강수량) 값이 큰 곳은 대체로 염분이 높다.
ㄴ. 표층 염분이 가장 높은 해역은 위도 약 30° 해역이다.
ㄷ. 고위도 해역은 빙하가 녹기 때문에 표층 염분이 낮게 나타난다.

① ㄱ ② ㄷ ③ ㄱ, ㄴ
④ ㄴ, ㄷ ⑤ ㄱ, ㄴ, ㄷ

서술형 문제

01. 수권

☞ 제시된 Keyword를 이용하여 문제를 해결해 보자.

1 그림은 수권에 분포하는 물을 나타낸 것이다.

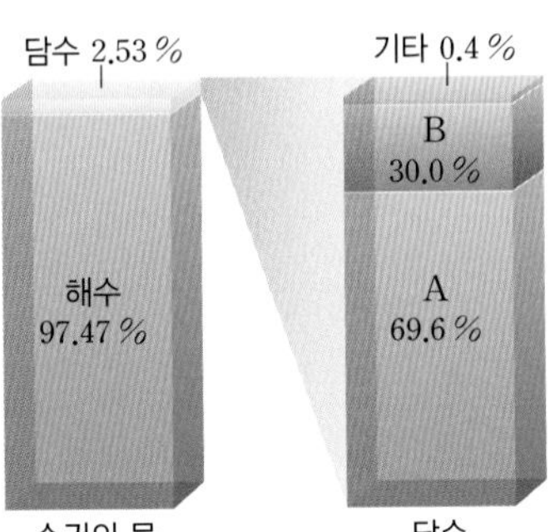

A와 B에 해당하는 물의 형태와 이들이 분포하는 곳을 설명하시오.

Keyword 빙하, 지하수

2 우리는 지표면에 드러나 있는 하천수와 호수를 주로 활용하고 있지만, 부족하면 땅속의 지하수를 끌어올려 활용한다.

지하수를 개발하는 것의 장점과 단점을 한 가지씩 설명하시오.

Keyword 분포하는 양, 오염

3 그림 (가)와 (나)는 해수의 층상 구조가 생성되는 과정을 나타낸 것이다.

그림 (가)와 (나)에서 각각 생성되는 해수의 층을 쓰고, 그 생성 원인을 설명하시오.

Keyword 수온 약층, 혼합층

4 그림은 우리나라 동해에서 계절에 따른 해수 온도의 연직 분포를 나타낸 것이다.

동해에서 여름과 겨울에 각각 발달하는 층을 포함하여 계절에 따른 층상 구조의 차이를 설명하시오.

Keyword 혼합층, 바람, 수온 약층

5 **그림은 어느 해역의 해수 1 kg에 녹아 있는 염류의 종류와 g 수를 나타낸 것이다.**

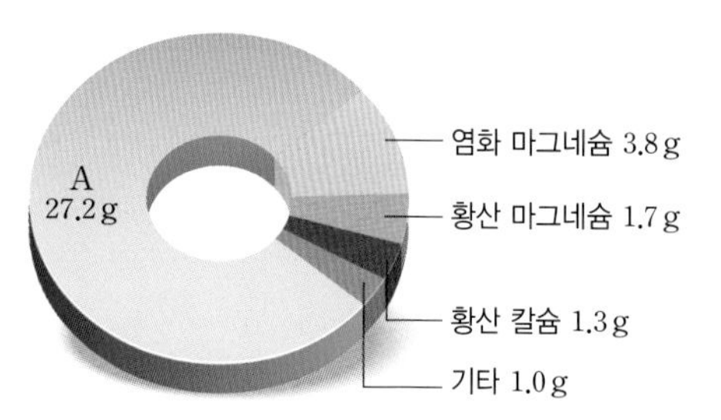

(1) A는 무엇인지 쓰시오.

(2) 이 해역의 염분(psu)은 얼마인지 계산 과정과 함께 설명하시오.

Keyword 염분, 염류의 총량

6 **표는 전 세계 해수 1 kg에 평균적으로 녹아 있는 여러 가지 염류의 양을 나타낸 것이다.**

염류	양(g)
염화 나트륨	27.21
염화 마그네슘	3.81
황산 마그네슘	1.66
황산 칼슘	1.26
황산 칼륨	0.86
탄산 칼슘	0.12
기타	0.08

(1) 염분비 일정 법칙이란 무엇인지 설명하시오.

Keyword 염분, 염류, 비율

(2) 염분이 30 psu인 해수 1 kg에 들어 있는 염화 나트륨의 양을 구하는 비례식을 세우고, 값을 구하시오.(단, 반올림하여 소수 첫째 자리까지 나타낸다.)

Keyword 염분비 일정 법칙

7 **그림은 우리나라 주변 해역에서 겨울철과 여름철의 표층 염분 분포를 나타낸 것이다.**

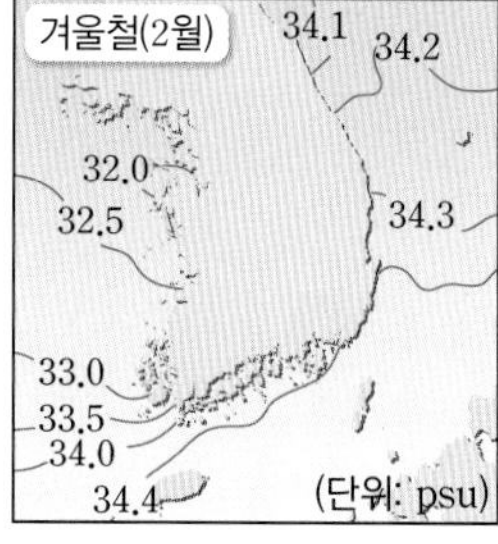

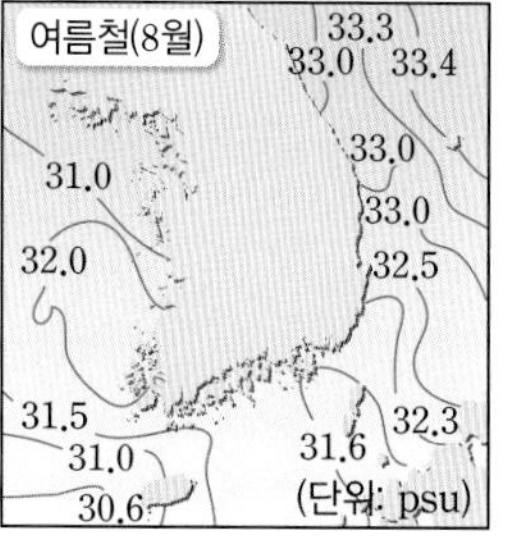

겨울철과 여름철의 염분을 비교하고, 차이가 나타난 까닭을 설명하시오.

Keyword 염분, 강수량

8 **그림은 전 세계 표층 해수의 평균 염분 분포를 나타낸 것이다.**

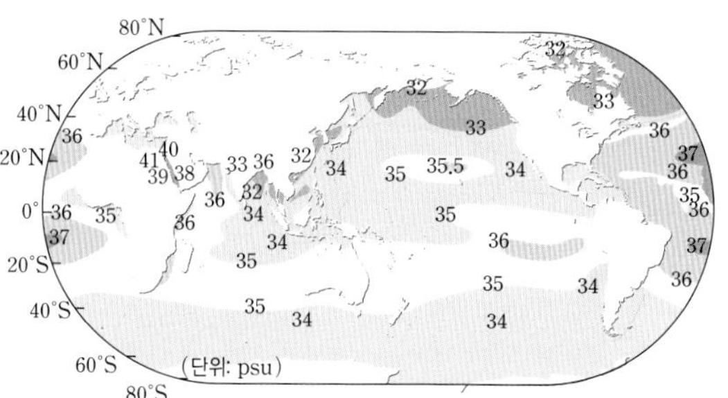

(1) 적도를 포함한 저위도보다 중위도에서 염분이 높게 나타나는 까닭을 설명하시오.

Keyword 증발량, 강수량, 염분

(2) 남극 대륙 주변은 다른 해역에 비해 염분이 낮게 나타난다. 그 까닭을 설명하시오.

Keyword 빙하, 염분

02 해수의 순환

아메리카 대륙을 발견한 콜럼버스는 바람과 해류를 이용하여 움직이는 범선을 사용하였다고 한다. 옛날부터 바다를 항해하는 사람들은 바닷물도 강물처럼 일정한 방향으로 흐른다는 것을 알고, 이를 항해에 이용하였다. 이 단원에서는 우리나라 주변의 해류를 알아보고, 조석 현상과 조석 현상의 이용에 대해 알아보자.

전 지구적으로 부는 바람과 해류
지구에서 대기 전체 규모로 일어나는 공기의 흐름을 대기 대순환이라고 한다. 지구에는 대기 대순환에 의한 바람인 무역풍, 편서풍, 극동풍과 같이 지속적으로 부는 바람이 있는데, 이러한 바람의 영향으로 해수 표층에서 해류가 생긴다.

난류와 한류의 특징

구분	난류	한류
수온	높다	낮다
이동 방향	저위도 → 고위도	고위도 → 저위도
염분	높다	낮다
산소	적다	많다
영양 염류	적다	많다

1 우리나라 주변의 해류

1. 해류 해수에는 강물처럼 일정한 방향의 흐름이 있는데, 이처럼 일정한 방향으로 지속적으로 흐르는 해수의 흐름을 해류라고 한다. — 해류는 지속적으로 부는 바람 때문에 발생한다.

(1) **난류**: 저위도에서 고위도로 흐르는 따뜻한 해류를 난류라고 하며, 한류에 비해 수온이 높다. 예 쿠로시오 해류, 동한 난류, 황해 난류 등

(2) **한류**: 고위도에서 저위도로 흐르는 차가운 해류를 한류라고 하며, 난류에 비해 수온이 낮다. 예 연해주 한류, 북한 한류 등

2. 우리나라 주변의 해류

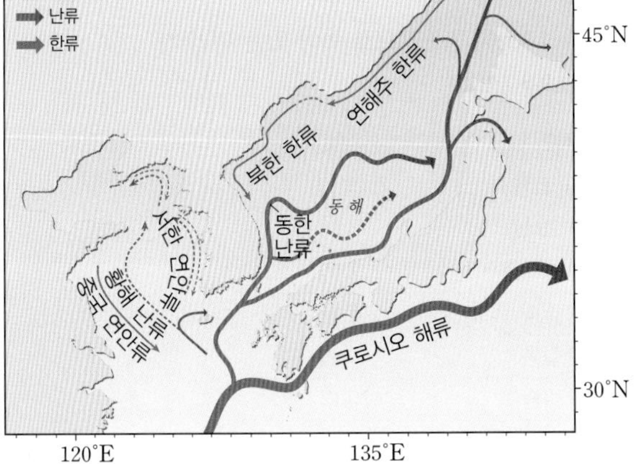

(1) **쿠로시오 해류**: 우리나라 주변에서 규모가 가장 큰 해류로, 북태평양의 서쪽 해역을 따라 북쪽으로 흐르며 쿠로시오 해류의 일부는 우리나라 쪽으로 흘러와 동한 난류와 황해 난류를 이룬다. — 우리나라 주변 난류의 근원이다.

(2) **동한 난류**: 우리나라의 동해안을 따라 북쪽으로 흐르는 난류이다.

(3) **황해 난류**: 황해 중앙부를 따라 북쪽으로 흐르는 난류이다.

(4) **연해주 한류**: 오호츠크해에서 아시아 대륙의 동쪽 연안을 따라 남쪽으로 흐르는 해류로, 일부는 동해안을 따라 남하하여 북한 한류를 이룬다.

(5) **북한 한류**: 북한 동쪽 연안을 따라 남쪽으로 흐르는 한류이다.

(6) **서한 연안류**: 우리나라의 서쪽 연안을 따라 흐르는 해류이다.

탐구 더하기 우리나라 주변의 해류가 미치는 영향 알아보기

오른쪽 그림은 겨울철 우리나라 주변 바다의 수온 분포를 나타낸 것이다.

5 10 15 20 25 30 수온(℃)

① 같은 위도의 동해안과 서해안 중 수온이 더 높은 곳은 동해안이다.

② 같은 위도의 동해안과 서해안의 수온이 다르게 나타나는 까닭은 동해안이 서해안보다 난류의 영향을 더 강하게 받기 때문이다.

③ 난류가 흐르는 해역은 대체로 수온이 높고, 한류가 흐르는 해역은 대체로 수온이 낮다.

3. 우리나라 주변 해류의 영향 우리나라 주변을 흐르는 난류와 한류는 우리나라의 기후와 어종 분포에 영향을 미친다.

(1) **기후에 미치는 영향**: 우리나라의 겨울철에 같은 위도의 해안 지방은 내륙 지방보다 기온이 대체로 높다. 이는 동한 난류와 황해 난류가 흐르면서 열을 공급해 주기 때문이다. 한편, 동해와 황해에서는 모두 난류가 흐르지만, 같은 위도의 동해안 지역이 서해안 지역보다 기온이 더 높게 나타난다. 이는 동한 난류의 세력이 황해 난류보다 강하기 때문이다.

(2) **어종 분포에 미치는 영향**: 난류는 수온이 높아 용존 산소량이 상대적으로 적기 때문에 플랑크톤의 양이 적지만, 한류는 수온이 낮아 용존 산소량이 많기 때문에 플랑크톤이 풍부하다. 수온과 플랑크톤의 종류 등에 따라 물고기의 서식지가 달라지기 때문에 해류의 종류에 따라 각 바다의 어장 분포가 달라지고, 잡히는 어종도 다르다.

용어 플랑크톤
물의 흐름에 따라 물속에 수동적으로 떠 있는 생물들로, 크기가 매우 작아 육안으로는 잘 보이지 않고 현미경을 통해서만 볼 수 있다.

4. 조경 수역 한류와 난류가 만나는 곳을 조경 수역이라고 한다. 동해에서는 북한 한류와 동한 난류가 만나 조경 수역이 형성되며, 조경 수역에는 플랑크톤, 용존 산소량, 영양 염류가 풍부하여 좋은 어장을 이룬다.

└ 영양 염류: 바닷물 속에 들어 있는 규산염, 인산염, 질산염 등을 말한다. 이것이 풍부하면 식물성 플랑크톤의 개체 수가 많아져 어류가 풍부해진다.

조경 수역의 위치 변화
동한 난류는 북한 한류와 만나 동해안의 원산만 근처에서 조경 수역을 형성하는데, 계절에 따라 그 위치가 달라진다. 여름철에는 동한 난류의 영향이 강하여 조경 수역의 위치가 북상하고, 겨울철에는 북한 한류의 영향이 강하여 조경 수역의 위치가 남하한다.

학습 내용 Check

정답과 해설 085 쪽

1. 우리나라 주변 난류의 근원은 ________ 해류이다.

2. ________ 한류는 북한 동쪽 연안을 따라 남쪽으로 흐르는 한류이다.

3. 동해안에서는 난류와 한류가 만나는 ________이 형성되어 좋은 어장이 만들어진다.

조석

1. 조석 밀물과 썰물에 의해 해수면의 높이가 하루에 약 두 번씩 주기적으로 높아졌다 낮아지는 현상을 조석이라고 한다. 탐구 161쪽

(1) **밀물과 썰물:** 먼 바다에서 해안으로 해수가 밀려오는 것을 밀물이라 하고, 해수가 해안에서 먼 바다로 빠져나가는 것을 썰물이라고 한다.

(2) **만조와 간조:** 밀물로 해수면이 가장 높아진 때를 만조, 썰물로 해수면이 가장 낮아진 때를 간조라고 한다.

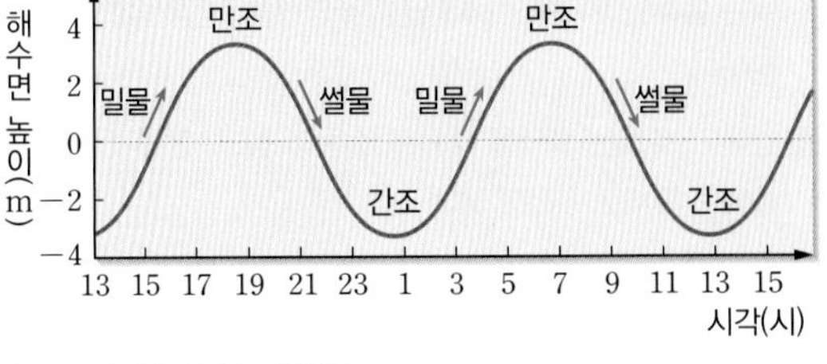

(3) **조류:** 해안에서 밀물과 썰물에 의한 해수의 흐름으로, 조류의 방향은 대체로 하루에 네 번 바뀐다.

하루 동안 해수면의 높이 변화

(4) **조차:** 만조와 간조 때 해수면의 높이 차이

(5) **사리:** 한 달 중 조차가 가장 크게 나타날 때 과학 용어 사전 236쪽

(6) **조금:** 한 달 중 조차가 가장 작게 나타날 때

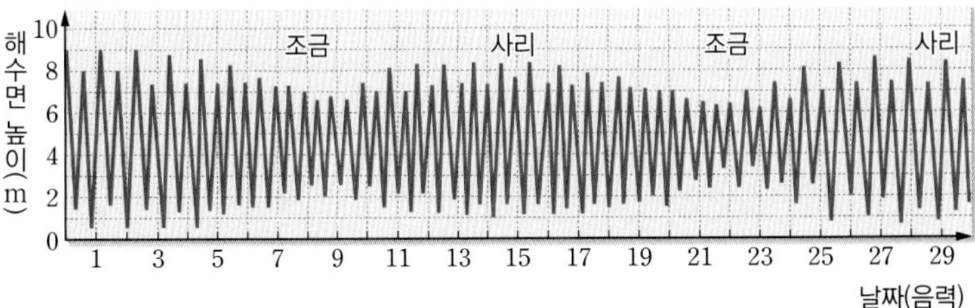

한 달 동안 해수면의 높이 변화

2. 조석 주기 조석 주기는 만조에서 다음 만조 또는 간조에서 다음 간조까지의 시간으로, 약 12시간 25분이 걸린다. 따라서 만조와 간조는 각각 하루에 2회 정도씩 일어나며 매일 약 50분씩 늦어지게 된다.

3. 조석 현상의 이용 조차는 매일 조금씩 달라지므로 만조와 간조가 일어나는 시간을 알면 실생활에 이용할 수 있다. 고기잡이배가 바다로 나가거나 들어올 때, 갯벌에서 조개 등을 캘 때, 바다 갈라짐이 나타나는 지역으로 여행갈 때에도 활용한다.

사리와 조금일 때 태양, 지구, 달의 위치

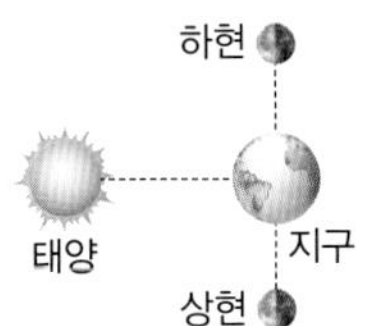

삭이나 망일 때에는 달과 태양이 일직선상에 위치하여 조석 현상을 일으키는 달의 힘과 태양의 힘이 합쳐지므로 한 달 중 조차가 가장 커진다.

상현이나 하현일 때에는 달과 태양이 직각을 이루어 조석 현상을 일으키는 달의 힘과 태양의 힘이 상쇄되므로 한 달 중 조차가 가장 작아진다.

바다 갈라짐 현상

사리일 때 간조가 되면 해수면의 높이가 낮아져 바닷길이 열리기도 한다.

학습 내용 Check

정답과 해설 085쪽

1. 썰물로 해수면이 가장 낮아진 때를 ________, 밀물로 해수면이 가장 높아진 때를 ________라고 한다.
2. 만조와 간조 때 해수면의 높이 차이를 ________라고 한다.
3. 한 달 중 해수면의 높이 차이가 가장 클 때를 ________, 가장 작을 때를 ________이라고 한다.

탐구 실시간 조석 자료 해석하기

조석 자료를 해석하여 밀물과 썰물이 나타나는 시간을 알고, 사리와 조금의 차이를 설명할 수 있다.

과정 및 결과

❶ 국립해양조사원 누리집(http://www.khoa.go.kr)에서 '스마트 조석 예보'에 접속해 조사하고 싶은 지역과 날짜를 선택하여 조석 자료를 찾아본다.

[자료 1] 2018년 9월 3일 인천의 조석 자료 요약

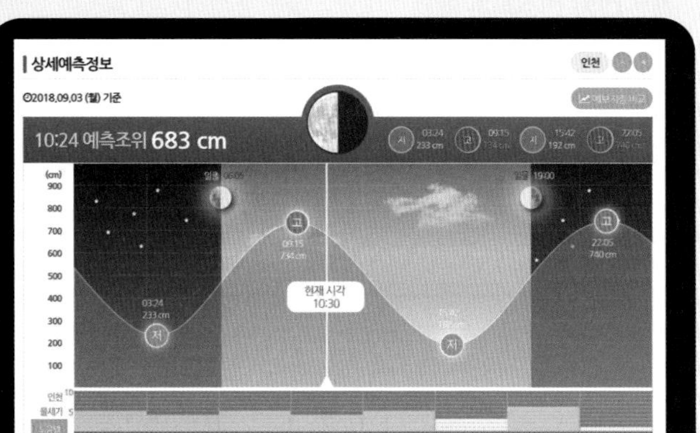

[자료 2] 2018년 9월 3일 인천의 조석 자료

❷ 찾은 자료에서 해수면의 높이를 확인하여 표에 기록한다.

만조			간조		
시 : 분	09:15	22:05	시 : 분	03:24	15:42
높이(cm)	734	740	높이(cm)	233	192

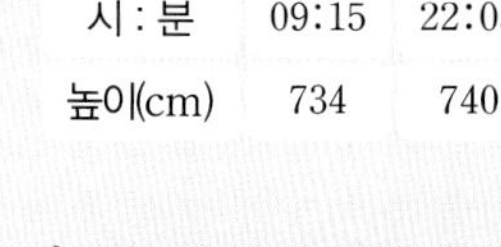

결과 해석 및 정리

1 만조와 간조는 하루 동안 각각 약 2번씩 나타난다.

2 현재 시각인 10시 30분경 해수는 해안에서 먼 바다 쪽으로 빠져나가는 썰물이다.

3 갯벌 체험을 한다면 적합한 시간대는 해수면의 높이가 낮아진 오후 3시 42분 전후이다.

탐구 확인 문제

정답과 해설 086쪽

1 위 탐구에 대한 설명으로 옳은 것은 ○, 옳지 않은 것은 ×로 표시하시오.

(1) 조석 주기는 약 6시간이다. ·························· (　　)

(2) 하루 동안 만조와 간조는 각각 약 2번씩 나타난다. ·························· (　　)

(3) 갯벌 체험은 하루 중 해수면이 가장 높아졌을 때 하는 것이 좋다. ·························· (　　)

2 적용 그림은 한 달 동안 해수면의 높이 변화를 나타낸 것이다.

해수면 높이(m): 8, 4, 0, −4, −8
음력(일): 5, 10, 15, 20, 25, 30
A, B, C, D

A~D 중 바다 갈라짐 현상을 체험하기 가장 적당한 때를 모두 쓰시오.

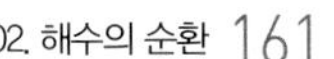

해수의 순환

표층 해류는 표층의 해수가 일정한 방향과 속도로 움직이는 현상으로, 해수면 가까이에서 지속적으로 부는 바람에 의해 만들어진다. 따라서 지구 전체적인 규모로 부는 바람과 해류의 방향은 대부분 일치한다.

① 대기 대순환과 해류

해수 표층에서의 해수의 흐름을 해류라고 한다. 이러한 해류는 지구에서 대기 전체 규모로 일어나는 공기의 흐름인 대기 대순환에 의해 일정한 방향으로 부는 바람과 해수면의 마찰에 의해 발생한다.

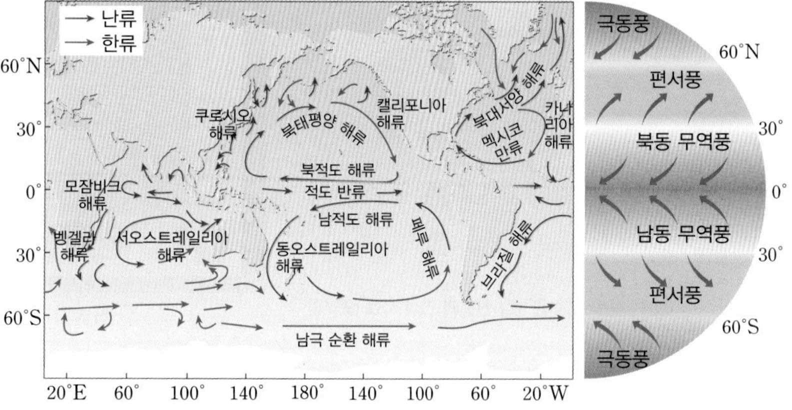

전 세계 주요 표층 해류와 대기 대순환

❶ 대기 대순환에 의한 바람: 연중 일정한 방향으로 불기 때문에 표층 해류를 발생시킨다.

- 적도~위도 30° 지역: 동쪽에서 서쪽으로 무역풍이 분다.
- 위도 30°~60° 지역: 서쪽에서 동쪽으로 편서풍이 분다.
- 위도 60° 이상 지역: 동쪽에서 서쪽으로 극동풍이 분다.

❷ 바람에 의한 해류

- 무역풍이 부는 저위도: 동에서 서로 흐르는 북적도 해류와 남적도 해류가 발생한다.
- 편서풍이 부는 중위도: 서에서 동으로 흐르는 북태평양 해류, 북대서양 해류, 남극 순환 해류 등이 발생한다.

② 심층 순환

해수의 순환은 표층에서만 일어나는 것이 아니라 심해에서도 일어나는데, 수온 약층 아래의 심해에서 일어나는 해수의 순환을 심층 순환이라고 한다. 심층 순환은 해수의 온도와 염분의 차이에 의한 밀도 차이로 발생하기 때문에 열염 순환이라고도 한다.

③ 해수 순환의 역할

해류는 저위도에서 고위도로 이동하면서 고위도에 열을 공급하고, 고위도에서 저위도로 이동하면서 주위로부터 열을 공급받는다. 그 결과 해수의 순환은 저위도의 남은 열을 고위도로 운반하여 각 해양의 수온을 일정하게 유지시켜 준다. 즉, 표층 순환과 심층 순환은 지구 전체의 열순환을 담당하고 있다.

중단원 핵심 정리

1 우리나라 주변의 해류

① 해류: 일정한 방향으로 지속적으로 흐르는 해수의 흐름

② 난류와 한류

- 난류: 저위도에서 고위도로 흐르는 따뜻한 해류
- 한류: 고위도에서 저위도로 흐르는 차가운 해류

③ 우리나라 주변의 해류

쿠로시오 해류	일본 남쪽을 거쳐 북동쪽으로 흐르는 해류로, 우리나라 주변 난류의 근원
동한 난류	우리나라 동해안을 따라 북쪽으로 흐르는 해류
북한 한류	북한 동쪽 연안을 따라 남쪽으로 흐르는 해류
황해 난류	우리나라 황해 중앙부를 따라 북쪽으로 흐르는 해류

④ 조경 수역: 한류와 난류가 만나는 해역

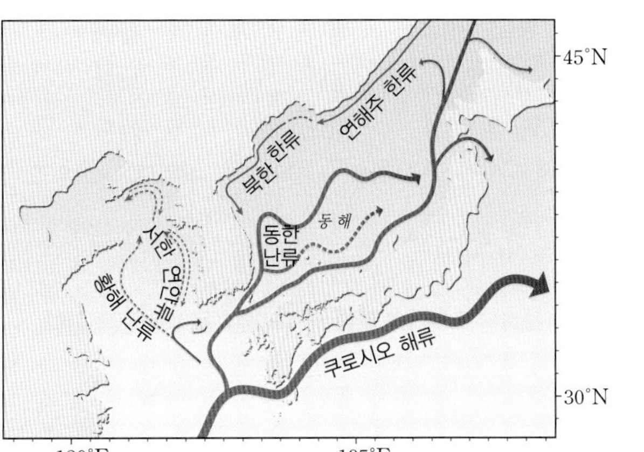

조석

① 조석: 해수면의 높이가 주기적으로 높아졌다 낮아지는 현상

- 만조: 밀물에 의해 해수면이 가장 높아진 때
- 간조: 썰물에 의해 해수면이 가장 낮아진 때

② 조차: 만조와 간조 때 해수면의 높이 차이

- 사리: 한 달 중 조차가 가장 크게 나타날 때
- 조금: 한 달 중 조차가 가장 작게 나타날 때

③ 조석 주기: 만조(간조)에서 다음 만조(간조)까지의 시간으로, 약 12시간 25분이 걸린다. 따라서 만조와 간조는 각각 하루에 약 두 번씩 일어나며 매일 약 50분씩 늦어진다.

④ 조석 현상의 이용: 고기잡이, 조개 캐기, 바다 갈라짐 체험 등

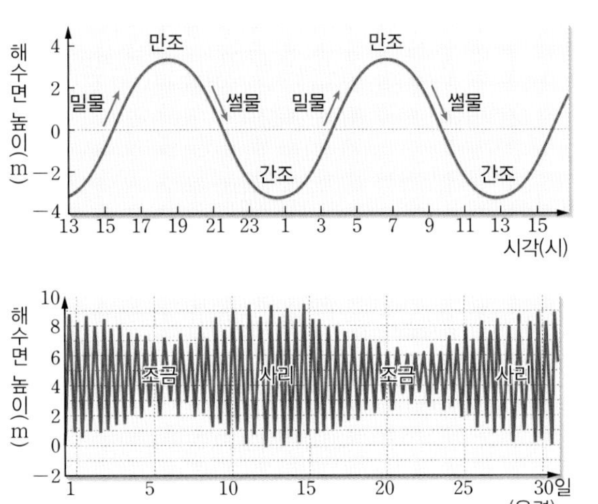

개념 확인 문제

02. 해수의 순환

01 난류와 한류의 특징을 비교한 것 중 옳지 않은 것은?

	구분	난류	한류
①	수온	높다	낮다
②	산소	적다	많다
③	염분	높다	낮다
④	영양 염류	적다	많다
⑤	이동 방향	고위도 → 저위도	저위도 → 고위도

[02~03] 그림은 우리나라 주변 해류의 분포를 나타낸 것이다.

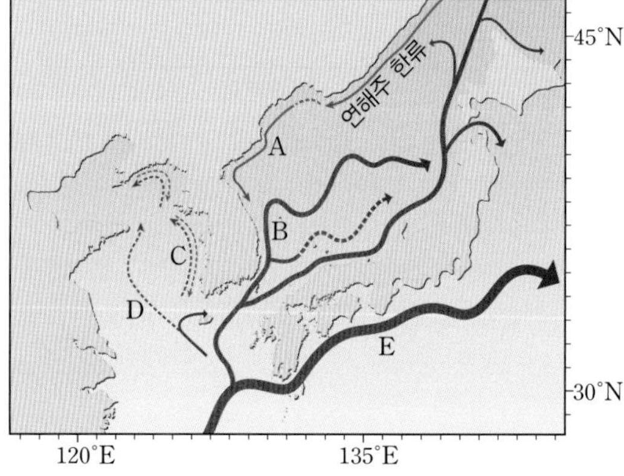

02 (중요) A~E 중 우리나라 주변 해역을 흐르는 난류의 근원이 되는 해류의 기호와 이름을 쓰시오.

03 이에 대한 설명으로 옳은 것을 보기에서 모두 고른 것은?

보기
ㄱ. A는 B와 E에 비해 수온이 높다.
ㄴ. B는 우리나라 동해안을 따라 북쪽으로 흐른다.
ㄷ. E는 염분과 수온이 높은 해류이다.

① ㄱ ② ㄷ ③ ㄱ, ㄴ
④ ㄴ, ㄷ ⑤ ㄱ, ㄴ, ㄷ

04 어느 해 여름철 우리나라 남동부 해역의 A 지점을 항해하던 유조선이 좌초되어 기름이 유출되었다.

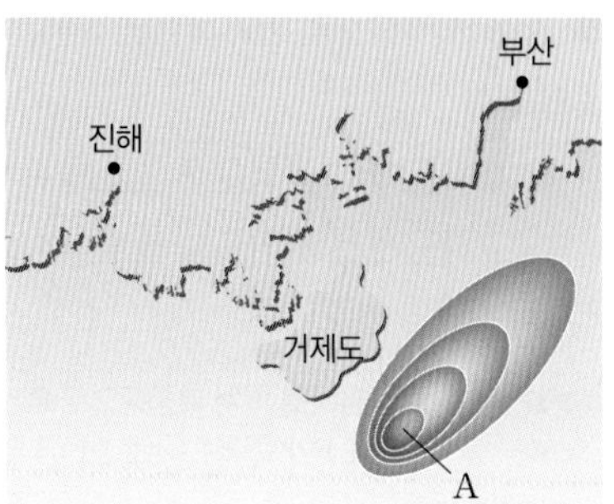

기름띠가 그림과 같이 퍼져 나갔다면, 퍼져 나간 방향에 가장 큰 영향을 미친 요인은 무엇인가?

① 조차 ② 염분 ③ 해류
④ 수온 ⑤ 밀물과 썰물

05 그림은 우리나라 여름철 동해안에 형성된 조경 수역의 위치를 나타낸 것이다.

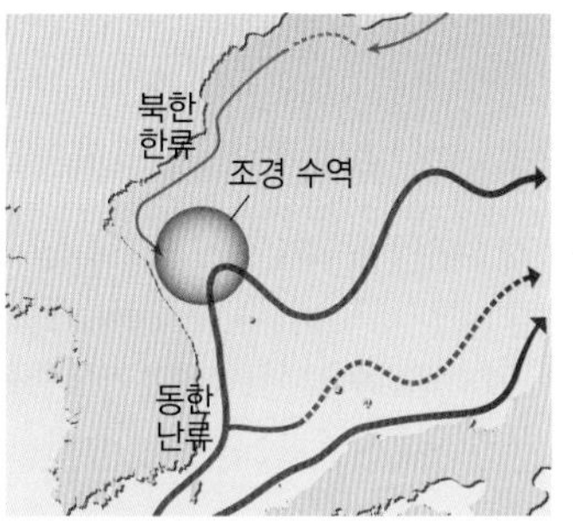

이에 대한 설명으로 옳은 것을 보기에서 모두 고른 것은?

보기
ㄱ. 조경 수역은 한류와 난류가 만나서 형성된다.
ㄴ. 겨울철에는 조경 수역이 여름철보다 북쪽에 형성될 것이다.
ㄷ. 조경 수역은 한류성 어종과 난류성 어종이 함께 분포하여 좋은 어장을 이룬다.

① ㄱ ② ㄴ ③ ㄱ, ㄷ
④ ㄴ, ㄷ ⑤ ㄱ, ㄴ, ㄷ

중요

06 그림은 겨울철 우리나라 주변 바다의 수온 분포를 나타낸 것이다.

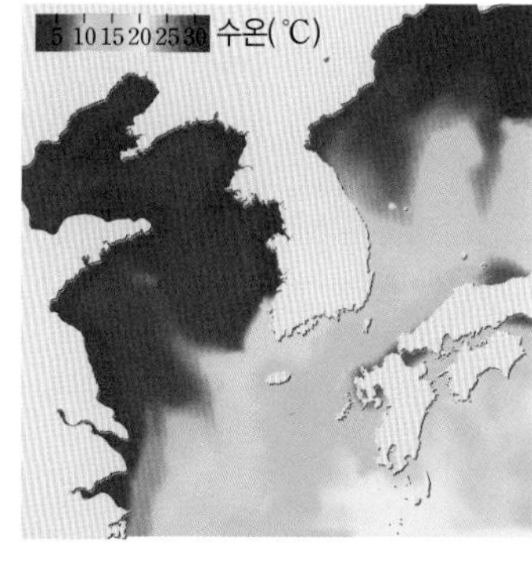

같은 위도에서 동해가 황해보다 수온이 높은 까닭과 가장 관련이 깊은 동해의 특징은?

① 수심이 깊다.
② 염분이 높다.
③ 일사량이 많다.
④ 해양의 면적이 넓다.
⑤ 난류의 세력이 강하다.

07 다음은 조석의 여러 가지 현상을 설명한 것이다.

(가) 해안에서 밀물과 썰물에 의한 해수의 흐름
(나) 만조와 간조의 해수면의 높이 차가 가장 클 때
(다) 만조와 간조의 해수면의 높이 차가 가장 작을 때

(가)~(다)에 해당하는 용어를 옳게 짝 지은 것은?

	(가)	(나)	(다)
①	조류	조금	사리
②	조류	사리	조금
③	조금	조류	사리
④	조금	사리	조류
⑤	사리	조류	조금

08 그림은 어느 날 인천 앞바다에서 일정한 시간 간격으로 바닷물의 흐름을 측정하여 나타낸 것이다.

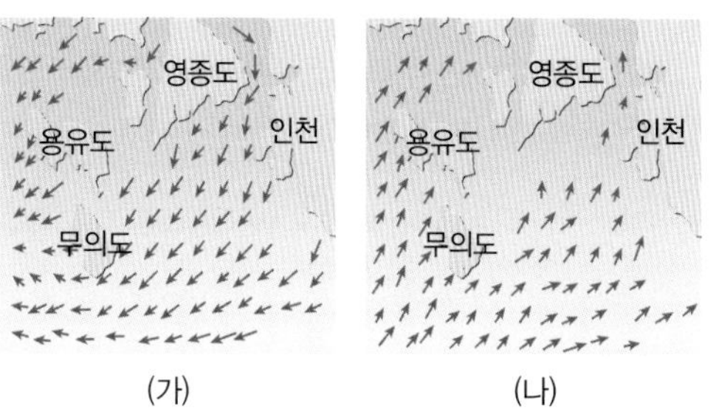

이에 대한 설명으로 옳은 것은?

① (가)는 밀물, (나)는 썰물이다.
② (나)와 같은 때에 갯벌이 드러난다.
③ (가)와 (나)는 주기적으로 반복된다.
④ 이와 같은 바닷물의 흐름을 해류라고 한다.
⑤ (가)와 같은 흐름이 시작된 후 약 12시간 25분이 지나면 (나)와 같은 흐름이 나타난다.

09 그림은 어느 해 인천 앞바다에서 한 달 동안 해수면의 높이 변화를 측정하여 나타낸 것이다.

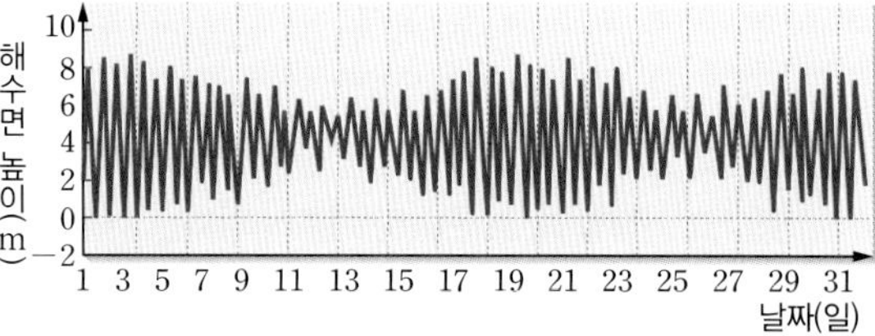

이에 대한 설명으로 옳은 것을 보기에서 모두 고른 것은?

보기
ㄱ. 20일경에는 사리가 나타났다.
ㄴ. 만조와 간조는 하루에 각각 한 번씩 나타난다.
ㄷ. 한 달 동안 조차는 계속 감소하였다.

① ㄱ ② ㄴ ③ ㄱ, ㄷ
④ ㄴ, ㄷ ⑤ ㄱ, ㄴ, ㄷ

실력 강화 문제

02. 해수의 순환

정답과 해설 086쪽

01 그림 (가)와 (나)는 우리나라 주변 바다의 2월과 8월의 평균 수온 분포를 나타낸 것이다.

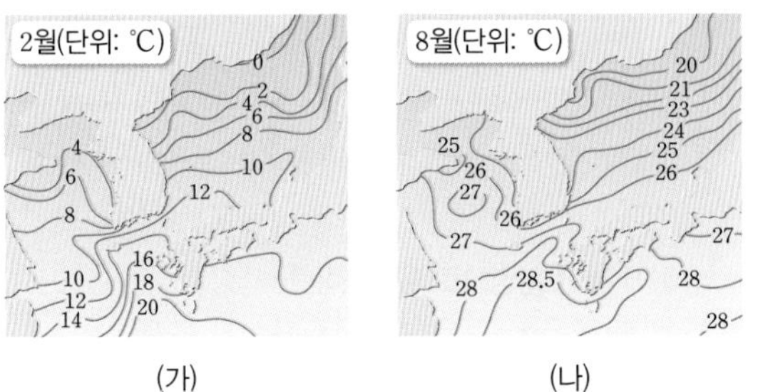

이에 대한 설명으로 옳은 것을 보기에서 모두 고른 것은?

보기
ㄱ. 동한 난류는 겨울보다 여름에 더 북상한다.
ㄴ. 동해는 황해보다 난류의 영향을 많이 받는다.
ㄷ. 동해와 남해는 황해에 비해 수온의 연교차가 크다.

① ㄱ ② ㄷ ③ ㄱ, ㄴ
④ ㄴ, ㄷ ⑤ ㄱ, ㄴ, ㄷ

02 그림과 같이 거제도와 쓰시마 섬 사이에서 기름이 유출되었다고 가정할 때, A~D 중 기름이 퍼지는 것을 막는 장치를 설치하기에 가장 적절한 곳을 고르시오.

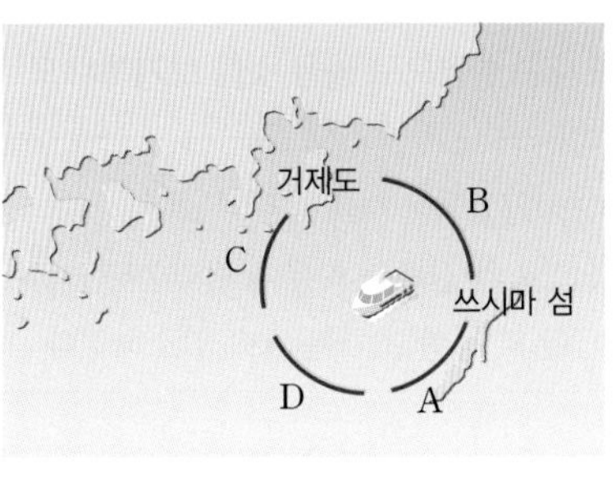

03 표는 어느 날 서해 앞바다에서 간조와 만조 때 해수면의 높이를 측정한 것이다.

시간	바닷물의 높이(cm)
3시 13분	160.2
9시 25분	765.9
15시 38분	225.6
21시 50분	670.2

이에 대한 설명으로 옳은 것을 보기에서 모두 고른 것은?

보기
ㄱ. 이 날 최대 조차는 605.7 cm이다.
ㄴ. 조석 주기는 약 12시간 25분이다.
ㄷ. 4시에서 9시 사이에는 썰물이 나타난다.

① ㄱ ② ㄷ ③ ㄱ, ㄴ
④ ㄴ, ㄷ ⑤ ㄱ, ㄴ, ㄷ

04 다음은 한국판 '모세의 기적'이라고 불리는 진도 앞바다의 축제에 관한 내용이다.

진도군 고군면 회동리와 의신면 모도리 사이의 약 5 km 해안에서 큰 조차 때문에 바닷길이 열리는 현상이 나타난다. 이와 같은 현상을 관측하기 위해 매년 4~5월에 축제가 열리며 (   ) 때 바닷길이 열린다.

빈칸에 들어갈 말로 옳은 것은?

① 사리 때의 간조 ② 사리 때의 만조
③ 조금 때의 간조 ④ 조금 때의 만조
⑤ 보름 이후의 만조

서술형 문제

02. 해수의 순환

정답과 해설 087쪽

☞ 제시된 Keyword를 이용하여 문제를 해결해 보자.

1 **그림은 우리나라 주변에서 흐르는 해류를 나타낸 것이다.**

(1) 해류 A의 이름을 쓰고, 수온과 염분은 어떻게 나타나는지 설명하시오.

Keyword 수온, 염분

(2) B와 C 해류가 만나는 해역을 무엇이라고 하는지 쓰고, 계절에 따른 위치 변화를 설명하시오.

Keyword 한류, 난류

2 **그림은 우리나라 주변 바다에서 잡히는 어종의 분포를 나타낸 것이다.**

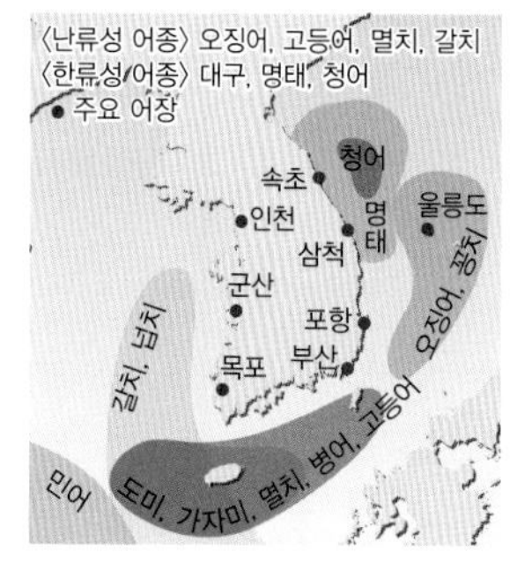

동해에서 잡히는 어종의 분포로부터 동해의 수온 분포의 특징을 설명하시오.

Keyword 난류, 한류

3 **다음은 조력 발전에 대한 내용이다.**

> 조력 발전은 바닷물이 가장 높이 올라왔을 때 물을 가두었다가 물이 빠지는 힘을 이용해 전기를 생산하는 방식으로, 우리나라의 서해안과 남해안은 조력 발전에 유리한 입지 조건을 갖추고 있다.

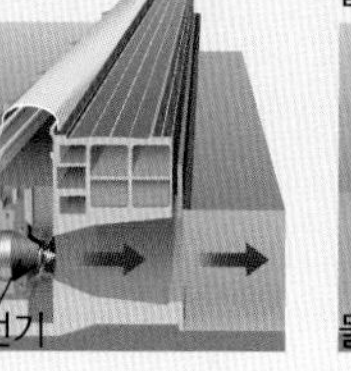

우리나라 서해안과 남해안을 조력 발전에 적합한 곳으로 판단하는 까닭은 무엇인지 설명하시오.

Keyword 서해안, 남해안, 조석 간만의 차

4 **그림은 어느 해안 지방에서 하루 동안 해수면이 가장 높아졌을 때와 가장 낮아졌을 때의 모습을 나타낸 것이다.**

(가) (나)

(가)와 (나)를 각각 무엇이라고 부르는지 쓰고, 이러한 현상을 실생활에 활용하는 예를 한 가지만 설명하시오.

Keyword 만조, 간조

최상위권 도전 문제

☞ 제시된 Tip을 이용하여 문제를 해결해 보자.

VII. 수권과 해수의 순환

1 그림은 우리나라 주변 해역의 8월 표층 염분 분포를, 표는 두 해역 A, B의 해수 1 kg에 녹아 있는 염류의 함량을 나타낸 것이다.

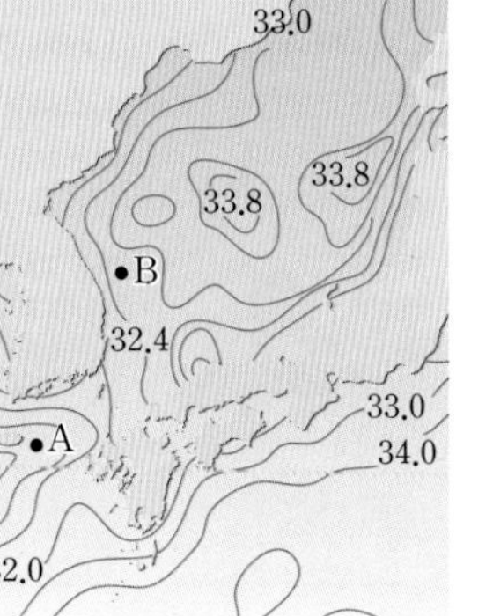

염류	A 해역	B 해역
염화 나트륨	22.9	25.3
염화 마그네슘	3.2	3.5
황산 마그네슘	(　　)	1.6
황산 칼슘	(　　)	1.2
기타	(　　)	1.0
합계	(　　)	32.6

이에 대한 설명으로 옳은 것을 보기에서 모두 고른 것은?

보기
ㄱ. A 해역의 염분은 B 해역의 염분보다 낮다.
ㄴ. A 해역은 중국 연안에서 나오는 하천수의 영향을 받고 있다.
ㄷ. B 해역은 A 해역에 비해 난류의 영향을 많이 받는다.

① ㄱ ② ㄷ ③ ㄱ, ㄴ ④ ㄴ, ㄷ ⑤ ㄱ, ㄴ, ㄷ

Tip
염분은 1 kg의 해수에 들어 있는 염류의 총 g 수이며, 해안의 염분은 하천수의 영향을 많이 받는다.

2 오른쪽 그림은 어느 해역의 연직 수온 분포를 나타낸 것이다. 풍속이 느려지고 입사하는 태양 복사 에너지의 양이 증가할 때, 예상되는 변화에 대한 설명으로 옳은 것을 보기에서 모두 고른 것은?

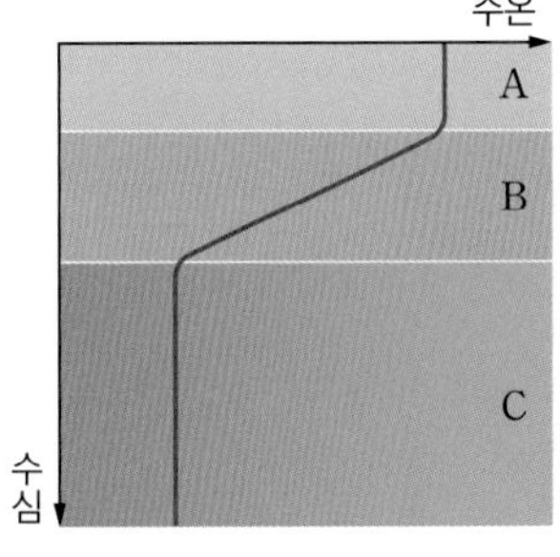

보기
ㄱ. A층과 C층의 수온 차이는 커질 것이다.
ㄴ. B층의 두께는 얇아질 것이다.
ㄷ. C층의 수온은 처음과 거의 차이가 없을 것이다.

① ㄱ ② ㄴ ③ ㄱ, ㄷ ④ ㄴ, ㄷ ⑤ ㄱ, ㄴ, ㄷ

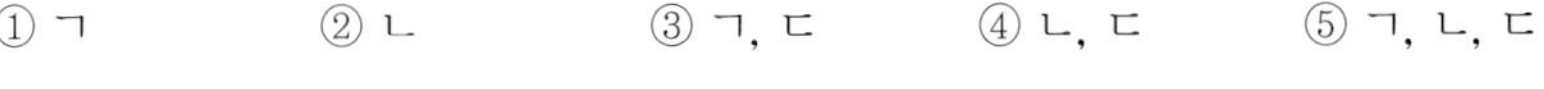

Tip
혼합층은 태양 복사 에너지를 가장 많이 흡수하며, 바람의 영향을 가장 많이 받는다.

정답과 해설 087쪽

3 그림은 대한 해협의 어느 지점에서 매월 수심에 따른 수온(℃)을 측정하여 등수온선으로 나타낸 것이다.

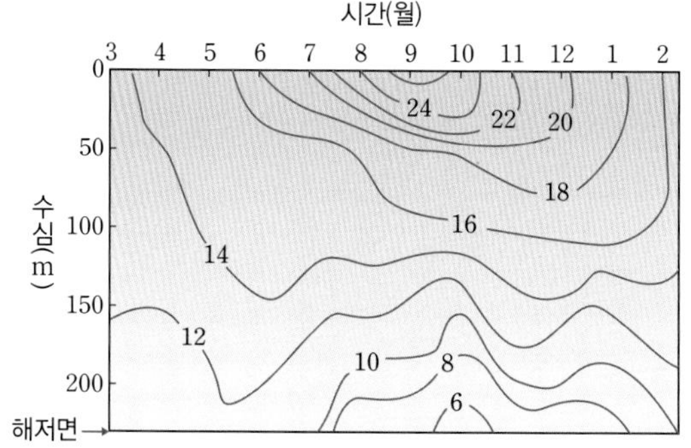

이에 대한 설명으로 옳은 것을 보기에서 모두 고른 것은?

보기

ㄱ. 8~9월에는 바람이 약하고 수온이 높아진다.
ㄴ. 수온 약층은 여름에서 겨울로 갈수록 잘 발달한다.
ㄷ. 해저면에서의 수온 변화는 표층 수온 변화와 비례한다.

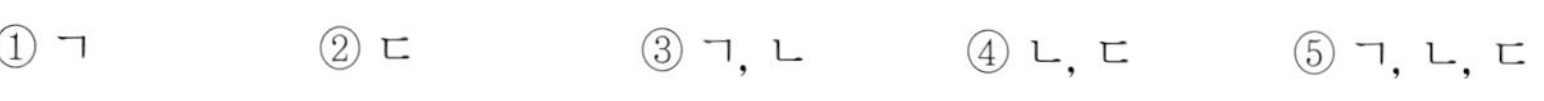

① ㄱ ② ㄷ ③ ㄱ, ㄴ ④ ㄴ, ㄷ ⑤ ㄱ, ㄴ, ㄷ

Tip
수온 약층은 깊이에 따라 수온이 급격히 변하는 층이므로 등수온선이 깊이에 따라 조밀하게 나타난다.

4 그림은 태평양에서 (증발량−강수량) 값의 분포를 나타낸 것이다.

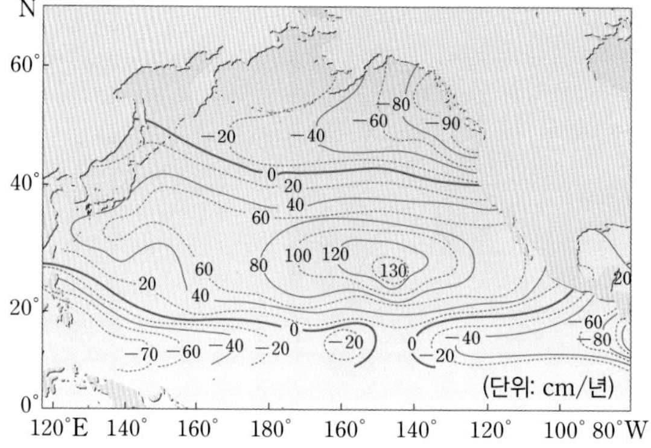

이에 대한 설명으로 옳은 것을 보기에서 모두 고른 것은?

보기

ㄱ. 표층 염분은 중위도 대양의 중앙부에서 높다.
ㄴ. 저위도는 중위도보다 고기압이 우세하게 나타난다.
ㄷ. 고위도 해역은 강수량이 증발량보다 많다.

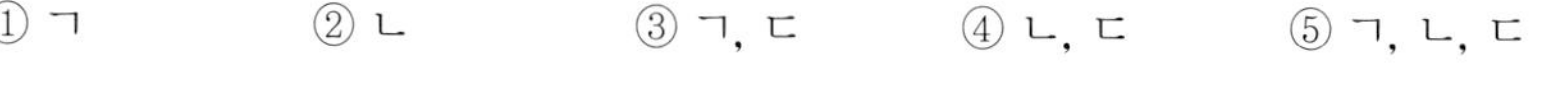

① ㄱ ② ㄴ ③ ㄱ, ㄷ ④ ㄴ, ㄷ ⑤ ㄱ, ㄴ, ㄷ

Tip
염분은 증발량에 비례하고, 강수량에 반비례하며, 중위도 지역은 고기압이 우세하게 나타나므로 증발량이 강수량보다 많다.

최상위권 도전 문제

5 그림은 우리나라 주변의 해류와 태평양의 주요 해류를 나타낸 모식도이다.

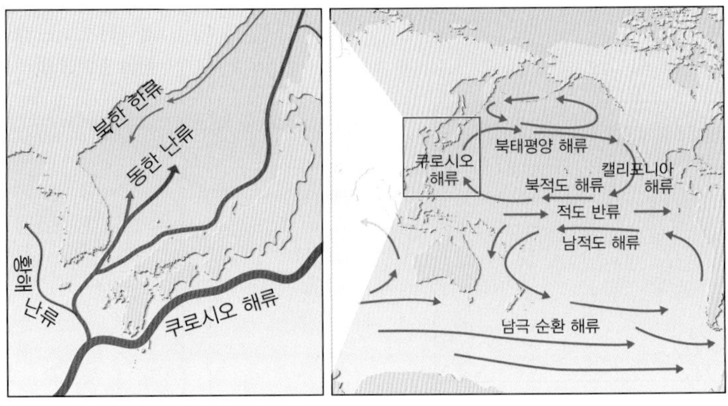

이에 대한 설명으로 옳은 것을 보기에서 모두 고른 것은?

보기

ㄱ. 쿠로시오 해류는 난류이고, 캘리포니아 해류는 한류이다.
ㄴ. 동해에는 난류와 한류가 만나 조경 수역이 형성된다.
ㄷ. 북적도 해류는 무역풍, 북태평양 해류는 편서풍의 영향으로 발생한다.

① ㄱ ② ㄴ ③ ㄱ, ㄷ ④ ㄴ, ㄷ ⑤ ㄱ, ㄴ, ㄷ

Tip
북태평양에서의 해수의 순환을 아열대 순환이라고 하며, 무역풍과 편서풍의 영향을 받는다.

무역풍: 위도 30° 부근에서 적도를 향해서 부는 바람으로, 지구 자전의 영향을 받아 북반구에서는 북동풍, 남반구에서는 남동풍으로 분다.

편서풍: 아열대 고압대(위도 30°)에서 아한대 저압대(위도 60°)로 부는 바람으로, 지구 자전의 영향을 받아 북반구에서는 남서풍, 남반구에서는 북서풍으로 분다.

6 그림은 우리나라 근해에서 2018년 3월 31일과 4월 28일에 측정한 해수의 수온 분포를 나타낸 것이다.

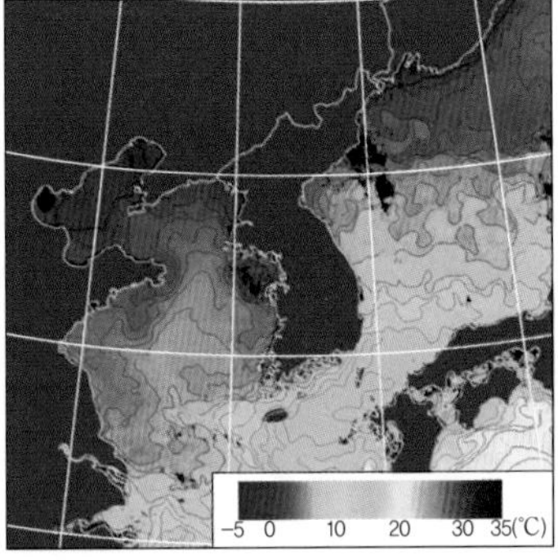

3월 31일

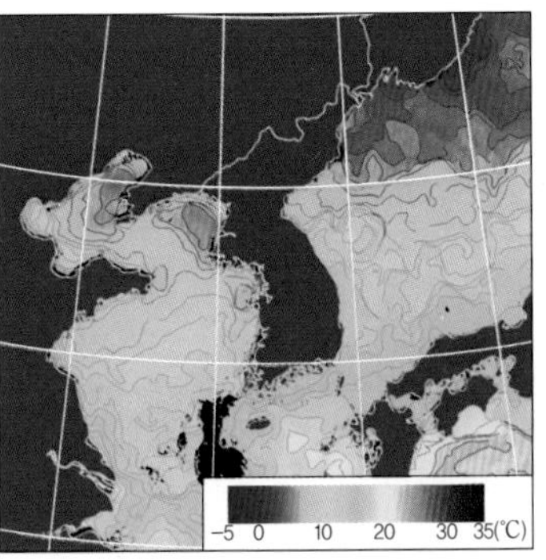

4월 28일

위 자료를 해석하여 알 수 있는 사실로 옳은 것을 보기에서 모두 고른 것은?

보기

ㄱ. 쿠로시오 해류의 세력이 강해지고 있다.
ㄴ. 동해의 조경 수역이 북상하고 있다.
ㄷ. 황해는 난류의 영향을 받지 않는다.

① ㄱ ② ㄷ ③ ㄱ, ㄴ ④ ㄴ, ㄷ ⑤ ㄱ, ㄴ, ㄷ

Tip
3월부터는 북반구 해역의 난류 세력이 강해진다.

7 그림은 국립해양조사원에서 발표한 2018년 5월 1일 인천 앞바다의 조석표이다.

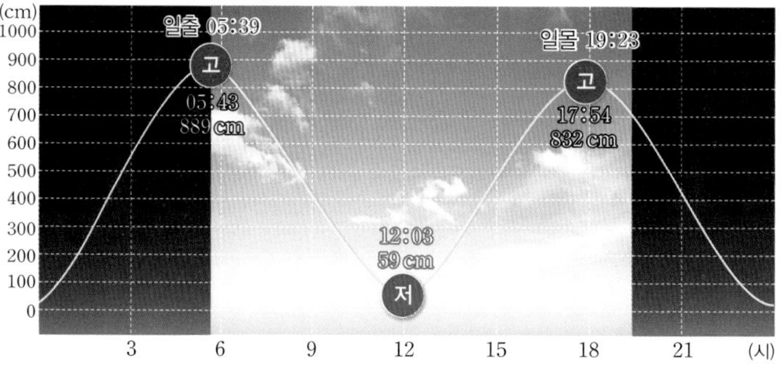

이에 대한 설명으로 옳은 것을 보기에서 모두 고른 것은? (단, 이날은 음력으로 16일이다.)

보기

ㄱ. 이 날 달의 위상은 상현달이었다.
ㄴ. 이 날 오전 6시경~정오까지는 썰물이 나타나다가 정오 무렵부터 오후 6시 정도까지 밀물이 나타났다.
ㄷ. 다음 날부터는 조차가 점점 커지게 될 것이다.

① ㄱ ② ㄴ ③ ㄱ, ㄴ ④ ㄱ, ㄷ ⑤ ㄴ, ㄷ

Tip
음력 16일경 달의 위상은 보름달(망) 무렵이다. 조차는 삭이나 망일 때 가장 크다.

조차
만조와 간조의 해수면 높이 차를 조차라고 한다.

8 표는 우리나라 어느 해안에서 6월 1일~20일의 조석표를 나타낸 것이다.

▲: 고조, ▼: 저조 단위(cm)

날짜	시:분(높이)	시:분(높이)	시:분(높이)	시:분(높이)
1일	03:51 (811)▲	10:15 (177)▼	16:04 (766)▲	22:19 (094)▼
5일	00:18 (034)▼	06:28 (901)▲	12:56 (116)▼	18:43 (803)▲
10일	04:08 (182)▼	10:21 (776)▲	16:56 (202)▼	23:06 (714)▲
15일	03:41 (864)▲	10:03 (150)▼	15:55 (795)▲	22:13 (061)▼
20일	00:57 (070)▼	07:10 (883)▲	13:33 (145)▼	19:20 (790)▲

이에 대한 설명으로 옳은 것을 보기에서 모두 고른 것은?

보기

ㄱ. 만조에서 다음 만조가 일어나는 주기는 약 6시간이다.
ㄴ. 5일 전후에 사리가 나타났다.
ㄷ. 10일경에는 보름달을 관측할 수 있다.

① ㄱ ② ㄴ ③ ㄱ, ㄷ ④ ㄴ, ㄷ ⑤ ㄱ, ㄴ, ㄷ

Tip
태양과 달이 일직선상에 위치하는 삭이나 망일 때 조차가 가장 큰 사리가 나타나고, 태양과 달이 직각을 이루는 상현이나 하현일 때 조차가 가장 작은 조금이 나타난다.

창의·사고력 향상 문제

예제

다음은 해수의 층상 구조가 나타나는 원인과 과정에 대해 설명한 것이다.

해수는 밀도에 따라 층이 나누어지는데, 해수의 밀도는 주로 수온과 염분의 영향을 받는다. 일반적으로 수온이 낮을수록, 염분이 높을수록 밀도가 커지고, 밀도가 큰 해수는 아래쪽에 위치한다. 태양 복사 에너지의 양, 증발량과 강수량 등은 수온과 염분을 변화시켜 해수의 밀도에 영향을 미치게 된다.
이때 해수의 수온 변화 정도는 염분 변화 정도와 비교하면 훨씬 크므로, 수온이 염분보다 해수의 밀도에 더 큰 영향을 준다.

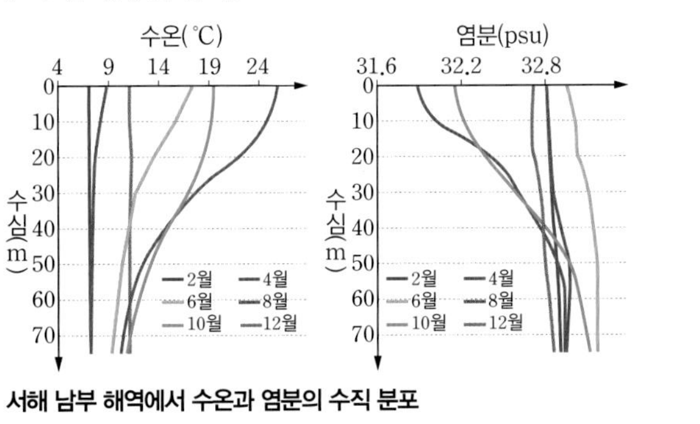

서해 남부 해역에서 수온과 염분의 수직 분포

(1) 수온 약층은 매우 안정한 층이다. 그 까닭을 자료에서 수온과 염분의 변화를 이용하여 설명하시오.

(2) 주어진 자료에서 수온 약층이 가장 발달하는 시기는 언제이고, 이때 이 해역의 기상학적 특징을 설명하시오.

출제 의도
수온 약층의 생성 원리와 특징을 설명할 수 있는가?

문제 해결을 위한 배경 지식
- **혼합층**: 바람의 혼합 작용으로 수온이 일정한 해수의 표층
- **수온 약층**: 깊이에 따라 수온이 급격히 감소하는 안정한 층
- **해수의 밀도**: 해수의 밀도는 주로 수온과 염분의 영향을 받는데, 일반적으로 수온이 낮을수록, 염분이 높을수록 크다.

해결 전략 클리닉

해수의 층상 구조는 밀도의 차이 때문에 생긴다. 밀도에 영향을 주는 요소에는 어떤 것이 있으며, 이러한 요소는 계절에 따라 어떻게 다른지에 대한 해석으로 접근해 보자.

❶ 수온 약층은 수심이 깊어질수록 밀도가 증가하므로 안정한 층이다.
❷ 여름에는 수온 약층에서 수온과 염분의 연직 변화가 크게 나타난다.

모범 답안

(1) 수온 약층에서는 수심이 깊어짐에 따라 수온이 급격히 낮아지고 염분이 높아진다. 해수의 밀도는 수온에 반비례하고 염분에 비례하는데, 수온 약층에서는 수심이 깊어짐에 따라 해수의 밀도가 증가하므로 안정한 특징을 나타낸다.

(2) 8월에는 태양 복사 에너지가 많이 도달하여 표층 수온이 높아지며, 바람이 약해 혼합층의 두께가 얇아지므로 상대적으로 수온 약층이 발달한다.

Keyword
(1) 밀도, 수온, 염분
(2) 표층 수온, 혼합층

완벽한 답안 작성을 위한 tip
(1) 수온과 염분에 의해 밀도 차이가 생기며, 밀도의 분포를 이용하여 해수의 안정도를 설명하면 완벽한 답안이 될 수 있다.
(2) 수온 약층이 발달한다는 것은 해수 표층과 심층의 온도 차이가 커야 하므로 표층 수온이 높아야 함을 설명하면 완벽한 답안이 될 수 있다.

실전 문제

정답과 해설 088쪽

1 논리적 서술형

다음은 물의 순환과 각 해양에서의 물수지에 대한 설명이다.

> 물은 태양 복사 에너지를 받아 증발하고, 응결 과정을 통해 그림과 같이 지구계를 순환하고 있다. 표는 지구의 물수지를 남반구 · 북반구 해양과 4개의 대양으로 나누어 상댓값으로 나타낸 것이다.

구분	강수량−증발량	담수의 유입량
북반구 해양	−0.19	0.78
남반구 해양	−1.06	0.47
태평양	0.51	0.38
대서양	−1.15	0.61
인도양	−0.62	0.18
북극해	0.01	0.08

표에서 지구 전체 해양의 (강수량−증발량) 값을 구해서 육지에서 해양으로 이동하는 물의 양과 이동하는 형태를 설명하시오.

Tip
해양에서 손실되는 물의 양과 해양으로 유입되는 물의 양을 비교해 본다.

Keyword
강수량, 증발량, 담수

2 창의적 문제 해결형

그림 (가)는 위도에 따른 해양의 층상 구조를, (나)는 고위도, 중위도, 저위도 세 해역의 깊이에 따른 수온 분포를 측정하여 나타낸 것이다.

(가) (나)

(나)에서 A~C는 각각 어느 위도에서 측정한 것인지 쓰고, A와 B에서 층상 구조의 차이가 나타나는 까닭을 두 가지 설명하시오.

Tip
혼합층의 생성 원리를 생각해 본다.

Keyword
태양 복사 에너지, 바람, 혼합층

3 단계적 문제 해결형

다음은 염분과 염분비 일정 법칙에 대해 설명한 것이다.

염분은 해수 1kg에 들어 있는 염류의 총 g 수이며, 단위는 ‰ 또는 psu를 사용한다. 한편, 해역에 따라 염분은 달라도 해수 속에 들어 있는 염류들의 상호 비율은 일정한데, 이를 염분비 일정 법칙이라고 한다.

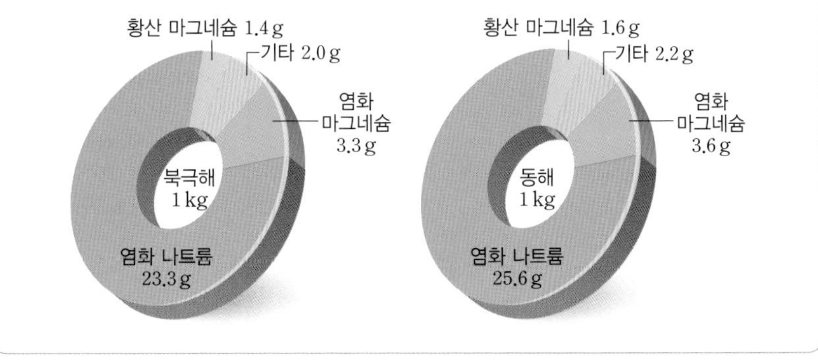

북극해와 동해의 염분을 구하고, 염화 나트륨을 예로 들어 염분비 일정 법칙이 성립됨을 설명하시오.

Tip
염분의 정의와 염분비 일정 법칙의 개념을 생각해 본다.

Keyword
염분, 염분비 일정 법칙

4 논리적 서술형

다음은 우리나라 주변 바다의 평균 염분 분포에 대한 설명이다.

우리나라는 삼면이 바다로 둘러싸여 있으며, 지형적인 특징과 해류의 분포 및 계절적인 요인에 의해 해수의 염분이 달라진다.

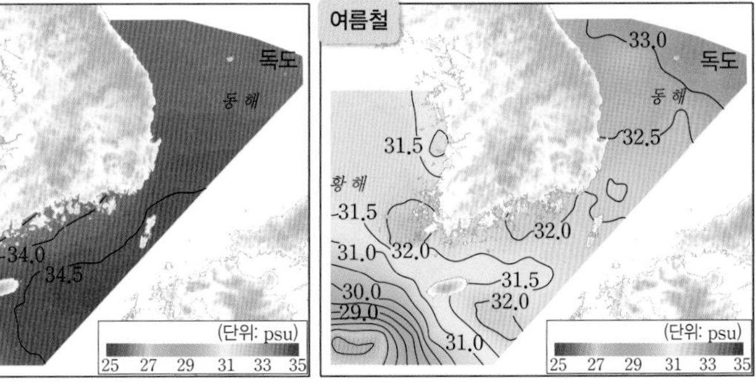

우리나라에서 여름철이 겨울철보다 염분이 낮은 까닭과 동해보다 황해의 염분이 낮은 까닭을 설명하시오.

Tip
해수의 표층 염분에 영향을 주는 요인에는 어떤 것들이 있는지 생각해 본다.

Keyword
강수량, 하천수

5 논리적 서술형

다음은 우리나라 동해에서 형성되는 조경 수역에 대한 설명이다.

우리나라 동해에서는 난류와 한류가 만나 조경 수역이 형성된다. 여름에는 북한의 원산만 근처에서, 겨울에는 남쪽의 울산 앞바다 근처에서 조경 수역이 형성된다. 이러한 조경 수역에서는 어장이 활성화되어 어획량이 증가한다.

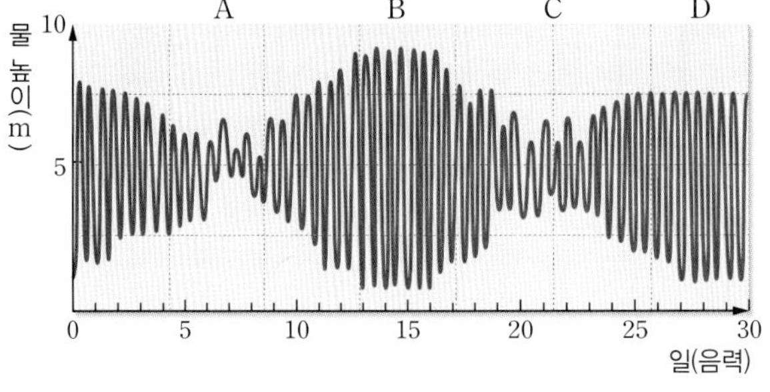

조경 수역이 형성되는 위치가 계절에 따라 달라지는 까닭과 조경 수역에서 좋은 어장이 형성되는 까닭을 설명하시오.

Tip

조경 수역이 생기는 까닭을 생각해 본다.

Keyword

난류, 한류, 영양 염류, 플랑크톤

6 창의적 문제 해결형

그림은 음력 한 달 동안 우리나라 서해안의 어느 지역에서 해수면의 높이 변화를 측정한 것이다.

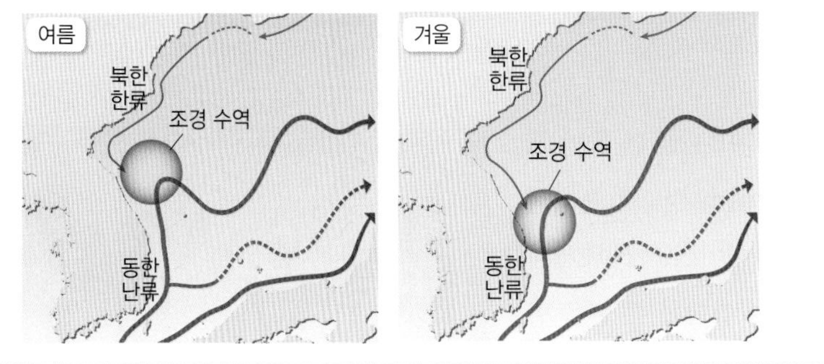

A와 C, B와 D일 때 해수면의 높이 차이를 달의 모양과 관련지어 설명하시오.

Tip

조석 예보 자료를 이용하여 한 달 동안의 조석 변화를 그래프로 나타내면 조차는 달의 위상에 따라 달라진다는 것을 알 수 있다. 즉, 음력 15일경 보름달을 볼 수 있는 망과 음력 29일경 달을 볼 수 없는 삭에는 조차가 가장 커지는 사리가 나타나고, 음력 7일경의 상현과 음력 22일경의 하현에는 조차가 가장 작아지는 조금이 나타난다.

Keyword

사리, 조금

Sc!ence Talk

세계 물 부족을 해결하려는 노력,

해수 담수화

아랍 에미리트의 두바이는 일 년 동안 내리는 평균 강수량이 30 mm 정도에 불과한 건조한 사막 도시이다. 이미 오래전에 두바이의 인구는 지하수로는 감당할 수 없을 만큼 늘어났으며, 오늘날 지하수로 감당할 수 있는 도시의 물 수요는 0.5% 정도이다. 두바이는 물을 어디에서 얻을까?

두바이에서는 물 부족 문제를 해결하기 위해 대규모의 해수 담수화 시설을 건설하였다. 전통적인 해수 담수화 방법에는 증발식과 역삼투 방식이 있다.

증발식은 해수에 열을 가해 증발시킨 후, 해수에 녹아 있는 염류를 걸러 내고 순수한 물을 얻는 방식이다. 이 원리를 이용하여 많은 양의 담수를 만들어내기 위해서는 바닷물을 가열해서 여러 단계를 거쳐 수증기로 만들고 이를 응축시키는 과정을 반복하는데, 이를 다단 증발 담수화라고 한다.

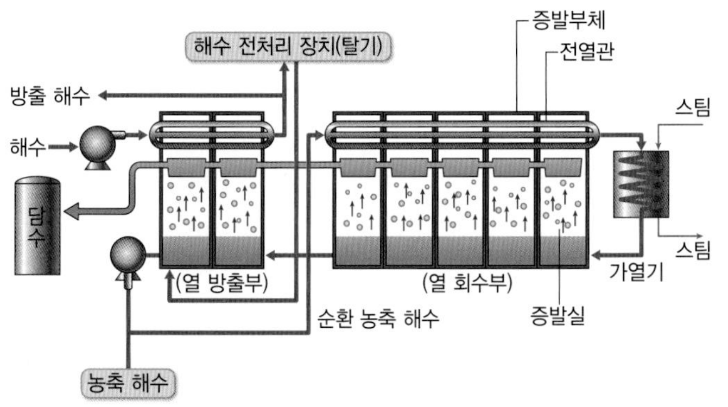

다단 증발 담수화 장치의 원리

현재는 다단 증발 방식보다 효율성을 높인 다단 효용 증발법이 개발되었는데, 이는 높은 온도의 증기가 통과하는 튜브 위로 바닷물을 뿌려 증기를 발생시키는 방식이다.

역삼투압 방식은 강한 압력으로 바닷물을 여과시켜 나트륨 및 다양한 이온을 걸러내어 마실 수 있는 물로 바꾸는 방법으로, 이 방법에는 삼투압 이상의 압력이 필요한데 이때의 압력을 역삼투압이라고 한다. 이 과정에서 많은 에너지와 비용이 필요하지만, 최근에는 필터 기술의 발달과 해수 담수화 플랜트의 대형화 추세로 설치 비용이 낮아지고 있다.

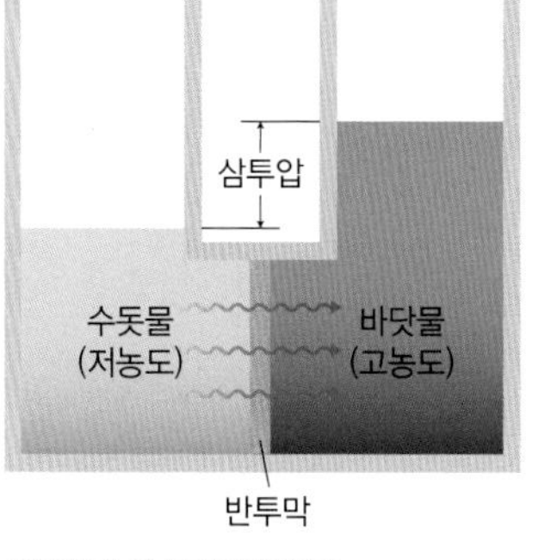

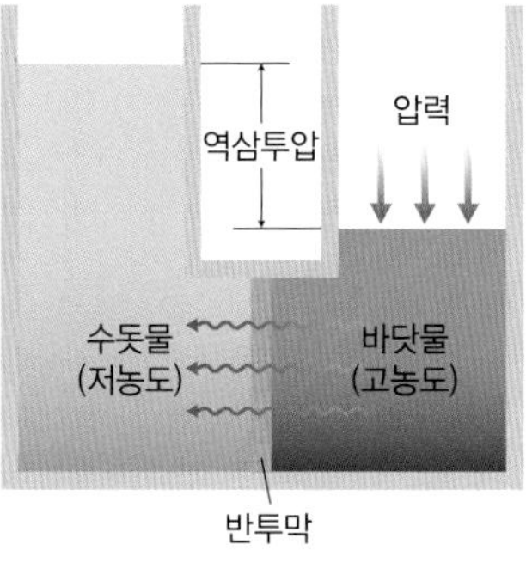

삼투압과 역삼투압의 원리

최근 우리나라에서는 해안에서 자라는 염생 식물인 맹그로브(mangrove)의 뿌리를 모방한 생체 모방형 해수 담수화 장치를 개발하고 있다. 염생 식물이란 바닷가 주변에서 서식하는 식물로, 일반적으로 식물은 염분이 존재하는 지역에서 살 수 없는 반면, 염생 식물은 뛰어난 여과 능력이 있어 염분이 높은 환경에서도 서식할 수 있다. 연구진은 맹그로브 뿌리를 모방한 필터로 실험한 결과, 기존의 해수 담수화 기술과 유사한 염분 제거 성능을 보였다고 한다. 이는 해수 담수화에 들이는 에너지의 양을 크게 줄이면서 저렴하고 효율적인 신기술이 될 수 있다.

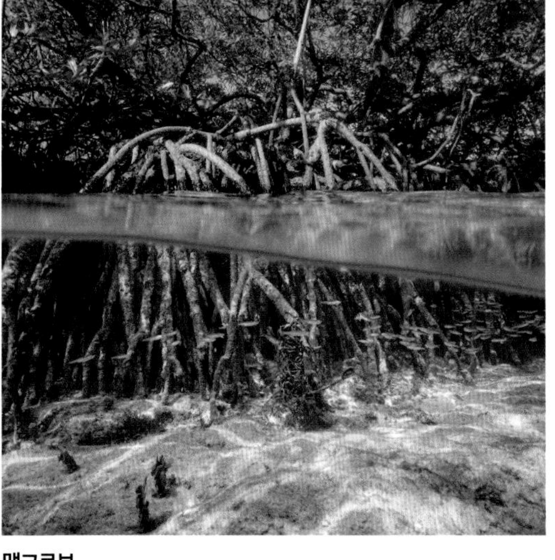

맹그로브

지구 온난화와 수자원의 지역 불균형 등으로 물 자원의 고갈이 심화되는 상황에서 물 산업의 성장과 그 중요성이 날로 커지고 있다. 이에 따라 전 세계적으로 해수 담수화 기술 개발에 많은 투자와 노력을 기울이고 있다. 우리나라도 체계적으로 해수 담수화 기술을 개발하고 있으며 그 기술력을 인정받고 있는 만큼 앞으로의 발전 가능성이 기대된다.

Ⅷ 열과 우리 생활

01 열의 이동

02 비열과 열팽창

여름에 피서를 바닷가로 가는 까닭은 무엇일까? 이 단원에서는 온도와 열에 대한 개념을 이해하고 열이 이동하는 방법에는 어떤 것들이 있는지 알아보자. 또 물체마다 열을 받을 때 나타나는 온도 변화와 부피 변화에 대해 알아보자.

01 열의 이동

모닥불 앞에 앉으면 열이 이동하여 모닥불을 향해 앉은 쪽이 반대쪽보다 따뜻하다. 물체의 온도를 객관적으로 나타내는 방법에는 어떤 것이 있을까? 또 열은 어떤 방법으로 이동할까?

1 온도와 열

1. 온도 물체의 따뜻하고 차가운 정도를 측정하여 수치로 나타낸 것이다.

2. 온도의 종류

(1) 섭씨온도: 일상생활에서 사용하는 온도로 1기압에서 물의 어는점을 0 ℃, 끓는점을 100 ℃로 정하고, 그 사이를 100등분한 온도이다. 단위는 ℃(섭씨)를 사용한다.

(2) 절대 온도: 국제단위계에서 쓰는 온도로 단위는 K(켈빈)을 사용한다. 물체를 구성하는 입자의 운동이 완전히 멈출 때의 온도를 0 K로 나타내는데, 0 K는 섭씨온도로 −273 ℃에 해당한다. → 절대 온도(K)=섭씨온도(℃)+273

자료 더하기 온도의 종류

1. 섭씨온도: 스웨덴의 과학자 셀시우스(Celsius, Anders, 1701~1744)가 정한 온도 체계이다.
2. 화씨온도: 독일의 과학자 파렌하이트(Fahrenheit, Daniel Gabriel, 1686~1736)가 정한 온도 체계로, 섭씨온도보다 온도의 간격이 작아서 온도를 더 자세하게 표현할 수 있다는 장점 때문에 일부 국가에서 사용하고 있다.
3. 절대 온도: 과학에서 주로 사용하는 온도의 단위로 이론적으로 생각할 수 있는 최저의 온도인 −273 ℃를 0 K(켈빈)으로 정하고, 섭씨온도와 동일한 눈금 간격으로 나타낸 온도이다.

100 ℃ 212 °F 373 K
100 ℃ 180 °F 100 K
0 ℃ 32 °F 273 K
−273 ℃ −460 °F 0 K
섭씨온도 화씨온도 절대 온도

3. 온도와 입자 운동

(1) 입자 운동: 물체를 이루는 입자가 스스로 움직이는 현상이다. (입자 운동은 물체의 상태에 따라 다르다.)

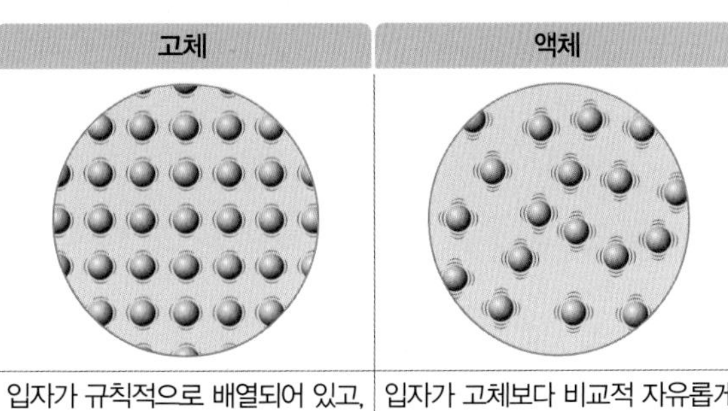

고체	액체	기체
입자가 규칙적으로 배열되어 있고, 제자리에서 진동 운동을 한다.	입자가 고체보다 비교적 자유롭게 운동할 수 있다.	입자 사이의 거리가 멀어서 입자가 매우 활발하게 운동한다.

사람이 느끼는 물체의 온도
한 손은 찬물에, 다른 한 손은 따뜻한 물에 담그고 있다가 두 손을 모두 미지근한 물에 넣으면 찬물에 담그고 있던 손은 미지근한 물이 따뜻하게 느껴지고, 따뜻한 물에 담그고 있던 손은 미지근한 물이 차게 느껴진다. 이처럼 우리 피부의 감각으로는 물체의 온도를 정확하게 나타낼 수 없다.

찬물 미지근한 물 따뜻한 물

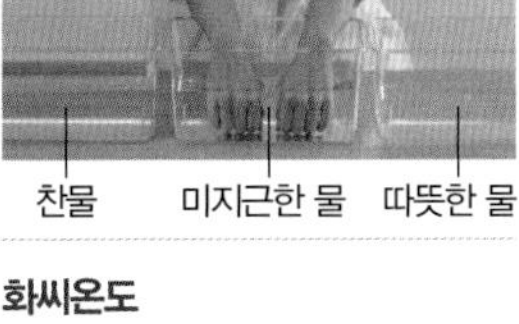

화씨온도
1기압에서 순수한 물의 어는점을 32 °F, 끓는점을 212 °F로 정하고, 그 사이를 180등분한 온도이다.

$$화씨온도(°F)=\frac{9}{5}\times 섭씨온도(℃)+32$$

용어 온도계
온도를 측정하는 기구로 알코올 온도계, 수은 온도계, 저항 온도계, 적외선 온도계 등이 있다.

용어 입자
크기가 매우 작아서 눈에 보이지 않을 정도의 작은 물체를 의미한다. 과학에서는 일반적으로 물질을 이루는 원자나 분자와 같은 작은 알갱이를 입자라고 한다.

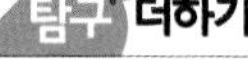

탐구 더하기 찬물과 뜨거운 물에서 잉크가 퍼지는 정도 비교하기

같은 크기의 비커에 같은 양의 찬물과 뜨거운 물을 넣은 후 각각 잉크를 한 방울씩 물에 떨어뜨리면 찬물보다 뜨거운 물에서 잉크가 더 빨리 퍼져 나간다.

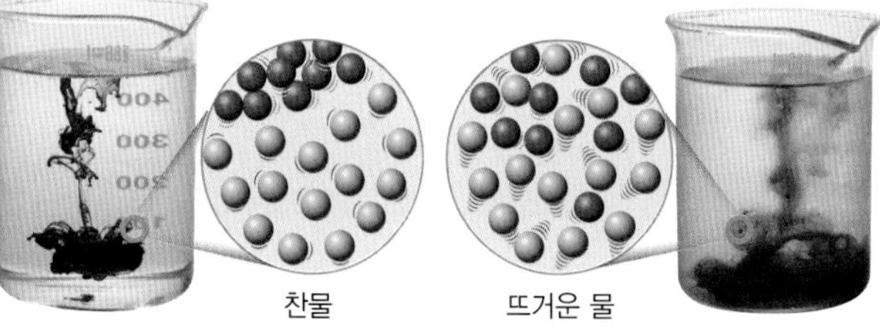
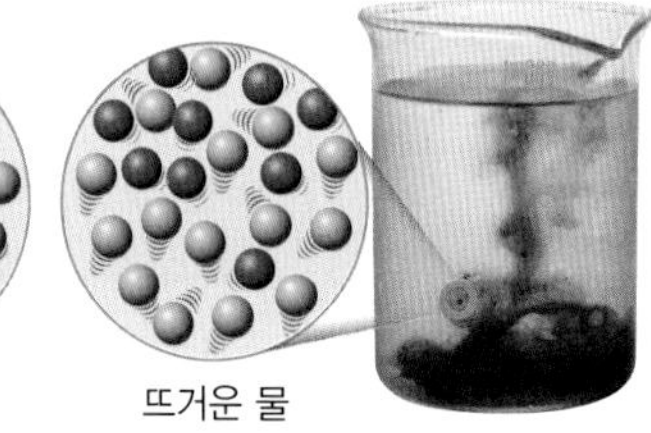

① 물을 이루는 입자는 스스로 움직이는 입자 운동을 한다. → 액체는 고체보다 입자가 비교적 자유롭게 운동할 수 있다.

② 물의 온도가 높을수록 물을 구성하는 입자의 운동이 활발하다. → 온도는 물체를 이루는 입자의 운동이 활발한 정도를 나타낸다.

---

(2) **온도와 입자 운동**: 온도는 물체를 이루는 입자의 운동이 활발한 정도를 나타낸다. 온도가 높아지면 물체의 입자 운동이 활발해지고, 온도가 낮아지면 물체의 입자 운동이 둔해진다.

4. 열과 열량

(1) **열**: 온도가 다른 두 물체가 접촉하였을 때 온도가 높은 물체에서 온도가 낮은 물체로 이동하는 에너지를 열이라고 한다. 단위는 J(줄)을 사용한다.

(2) **열량**: 온도 차에 의해 이동한 열의 양을 열량이라고 하며, 단위는 cal(칼로리), kcal(킬로칼로리) 등을 사용한다.

① 1 kcal: 물 1 kg의 온도를 1 ℃ 높이는 데 필요한 열량이다.

② 1 cal: 물 1 g의 온도를 1 ℃ 높이는 데 필요한 열량이다.

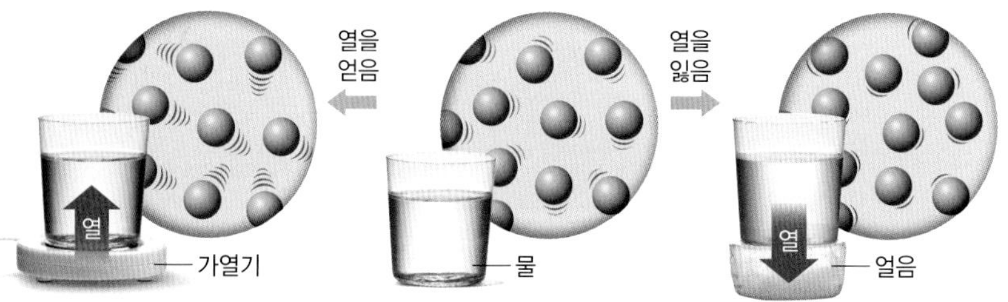
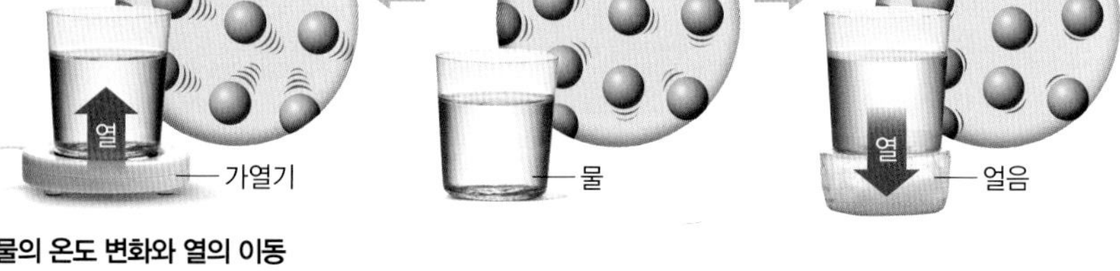

물의 온도 변화와 열의 이동

5. 열평형 (탐구 184쪽)

(1) **온도가 다른 두 물체가 접촉하였을 때 열의 이동**: 고온의 물체에서 저온의 물체로 열이 이동하여, 고온의 물체는 온도가 낮아지고, 저온의 물체는 온도가 높아진다.

구분	구성 입자의 운동	온도 변화
열을 잃은 물체	입자 운동이 둔해진다.	온도가 낮아진다.
열을 얻은 물체	입자 운동이 활발해진다.	온도가 높아진다.

불 없이 물의 온도 높이기

보온병에 물을 넣고 흔들면 보온병을 흔들기 전보다 물 입자의 운동이 더 활발해지므로 물의 온도가 높아진다.

카멜레온 온도 알림이 만들기

열 변색 물감이나 열 변색 붙임딱지를 이용하면 그 종류에 따라 색이 변하는 온도가 다르므로 색깔의 변화로 온도를 쉽게 파악할 수 있는 온도 알림이를 만들 수 있다.

찬물을 부을 때 **뜨거운 물을 부을 때**

열의 이동 방향

뜨거운 물이 담긴 금속 캔과 찬물이 담긴 열량계를 접촉시키면 금속 캔 속 물에서 열량계 속 물로 열이 이동하며, 시간이 충분히 지나서 열평형 상태가 되면 두 물의 온도가 변하지 않는다.

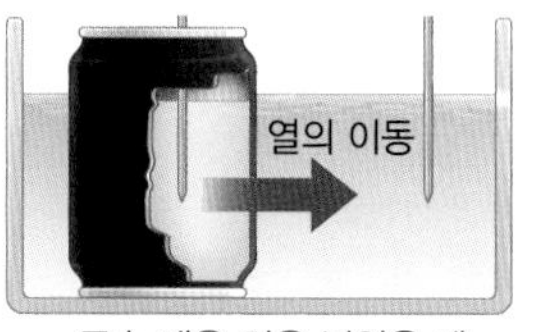

열의 이동

금속 캔을 처음 넣었을 때

온도가 변하지 않음

충분히 시간이 지난 후

(2) 열평형 상태: 서로 접촉한 두 물체의 온도가 같아져서 물체의 온도가 더 이상 변하지 않는 상태를 열평형 상태라고 한다.

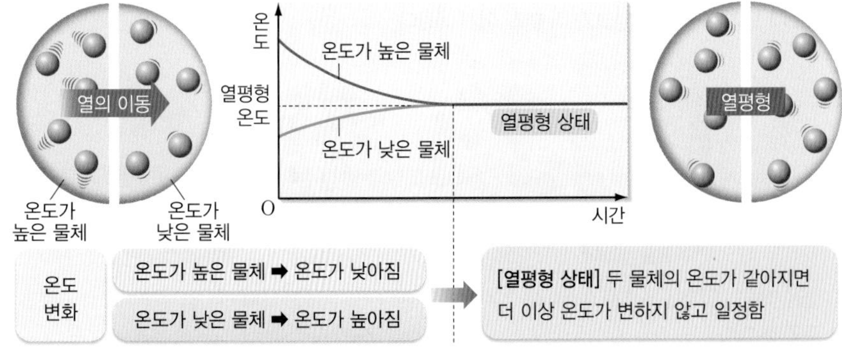

(3) 달걀과 물의 열평형: 갓 삶은 달걀을 찬물에 담가 두고 시간이 지나면 열평형 상태를 이루어 달걀과 물의 온도가 같아진다.

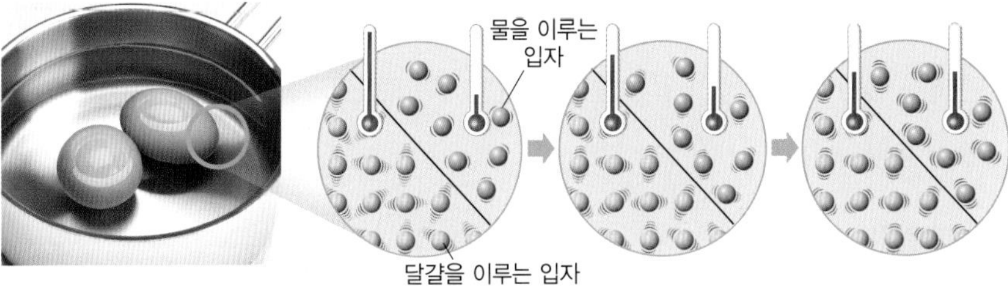

(4) 열평형 상태의 이용

① 온도계는 물체와 접촉하여 물체의 온도를 측정한다.

② 과일을 차가운 물에 오랫동안 담가 두면 과일이 시원해진다.

③ 음식물을 냉장고에 넣어 두면 음식물과 냉장고 속 공기가 열평형 상태가 되어 음식물의 온도가 냉장고 속 공기의 온도와 같아진다.

온도계 / 차가운 물에 담가 둔 과일 / 냉장고 속의 음식물

열평형 상태일 때의 온도

고온의 물체에서 저온의 물체로 열이 이동할 때 두 물체의 온도 차가 점점 작아지면 이동하는 열의 양도 점점 줄어들다가 열평형 상태가 되면 더 이상 두 물체의 온도가 변하지 않는다. 열평형 상태일 때의 온도는 고온의 물체의 처음 온도보다 낮고, 저온의 물체의 처음 온도보다 높다.

열화상 사진

물체에서 복사된 열을 이용하여 온도를 색깔로 나타내어서 물체의 온도를 한눈에 볼 수 있게 한 사진이다.

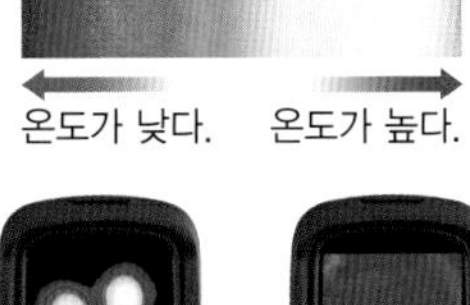

열화상 사진으로 본 달걀과 물의 열평형

의자와 공기의 열평형

추운 겨울날 아침에 밖에 놓여 있는 금속과 나무로 된 의자를 손으로 만지면 금속 부분은 열을 잘 전도하기 때문에 차갑게 느껴지고, 나무 부분은 열을 잘 전도하지 않기 때문에 금속보다 덜 차갑게 느껴진다. 그러나 의자가 공기와 열평형 상태를 이루고 있으므로 금속과 나무 부분의 온도는 공기의 온도와 같다.

학습 내용 Check

정답과 해설 090쪽

1. 물체의 따뜻하고 차가운 정도를 측정하여 수치로 나타낸 것을 ________라고 한다.

2. 온도가 높아지면 물체의 입자 운동이 ________지고, 온도가 낮아지면 물체의 입자 운동이 ________진다.

3. 열은 온도가 ________은 물체에서 온도가 ________은 물체로 이동하는 에너지이다.

4. 서로 접촉한 두 물체의 온도가 같아져서 온도가 변하지 않는 상태를 ________ 상태라고 한다.

2 열의 이동 방법과 열의 효율적 이용

1. 열의 이동 방법
대체로 열이 이동할 때 전도, 대류, 복사 중 두 세 가지 방법이 함께 이루어진다.

(1) 전도: 물체를 이루는 입자의 운동이 이웃한 입자에 차례로 전달되어 열이 이동하는 방법이다. 과학 용어 사전 237쪽

(2) 대류: 기체나 액체를 이루는 입자가 직접 이동하여 열을 전달하는 방법이다.

(3) 복사: 열이 물질의 도움 없이 직접 이동하는 방법이다. 과학 용어 사전 237쪽

태양의 열이 복사의 방법으로 지구로 전달된다.

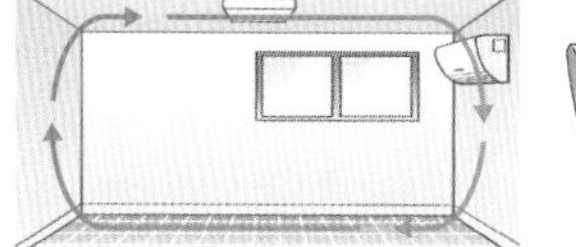

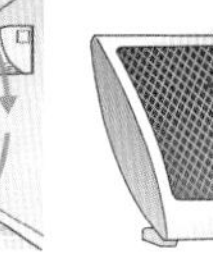
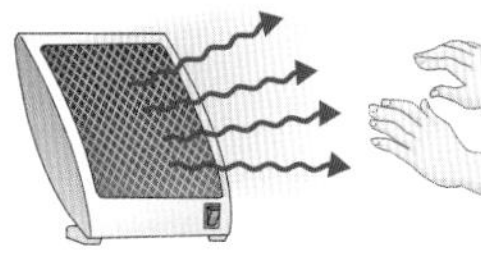
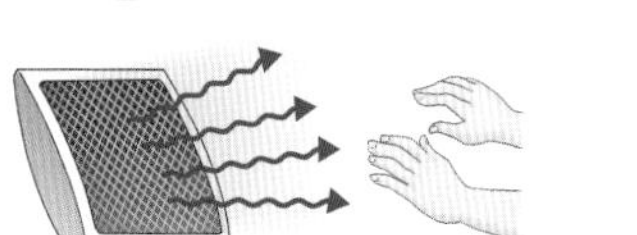

전도 전기장판 위에 앉아 있으면 엉덩이가 따뜻해진다.

대류 에어컨을 켜면 방 안 공기가 시원해진다.

복사 전기난로를 향한 얼굴이 등보다 따뜻해진다.

2. 냉난방 기구를 효율적으로 사용하는 방법
대류가 잘 일어나게 하기 위해 냉방기는 위쪽에 설치하고, 난방기는 아래쪽에 설치한다.

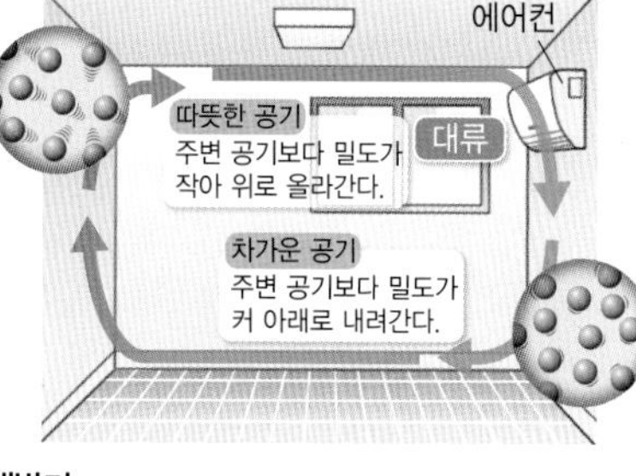

냉방기

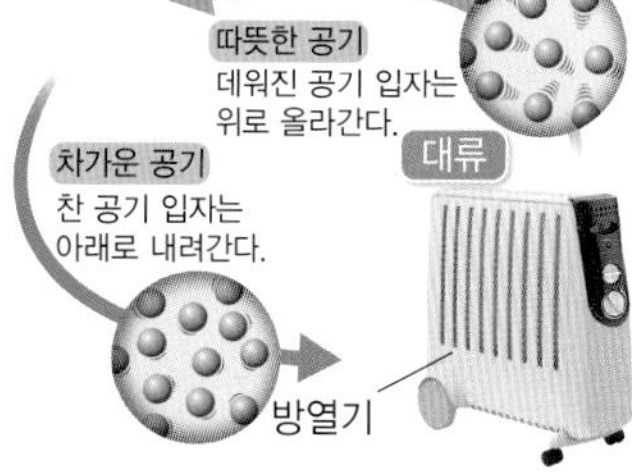

난방기

3. 단열
열의 이동을 막는 것을 단열이라고 한다. 과학 용어 사전 237쪽

전도, 대류, 복사로 인한 열의 이동을 모두 막아야 단열이 잘 된다.

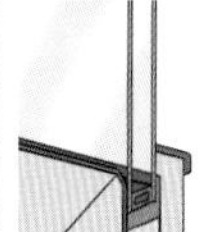

전도를 막는 방법	대류를 막는 방법	복사를 막는 방법
 옷감 사이의 공기가 전도에 의한 열의 이동을 막는다.	이중창 사이를 진공으로 하여 전도와 대류에 의한 열의 이동을 막는다.	보온병 내부의 은도금한 면에서 반사가 일어나 복사에 의한 열의 이동을 막는다.

(1) 단열재: 주택 등에서 단열을 할 목적으로 쓰이는 재료로, 전도가 잘 일어나지 않는 물질을 사용한다. 예 스티로폼, 양모, 유리 섬유 등

대부분은 내부에 많은 양의 공기를 가지고 있어 열의 이동을 효과적으로 차단한다.

(2) 패시브 하우스: 단열의 효과를 높여 열의 효율을 높인 건축물이다.

학습 내용 Check
정답과 해설 090 쪽

1. 물체를 이루는 입자의 운동이 이웃한 입자에 차례로 전달되어 열이 이동하는 방법을 ________ 라고 한다.

2. 대류는 기체나 액체를 이루는 입자가 직접 이동하여 ________을 전달하는 방법이다.

3. 전기난로를 향한 얼굴이 등보다 따뜻한 까닭은 열이 ________의 방법으로 전달되기 때문이다.

4. 열의 이동을 막는 것을 ________이라고 한다.

금속 막대를 가열할 때 열의 이동

금속 막대의 한쪽 끝을 가열하면 가열한 쪽의 입자의 운동이 이웃한 입자에 차례로 전달되어 열이 금속 막대를 따라 이동한다.

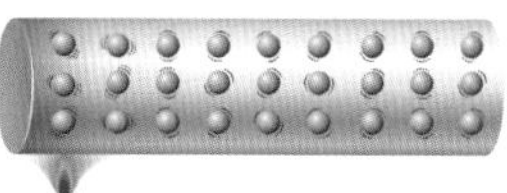

물체를 가열하면 가열한 쪽의 입자가 활발하게 움직인다.

입자의 운동이 이웃한 입자에 연속적으로 전달되어 열이 이동한다.

물을 가열할 때 열의 이동

물을 가열하면 그 부분의 온도가 높아지면서 입자 운동이 활발해지고, 부피가 증가한다. 따라서 온도가 높아진 물은 위로 올라가고, 위쪽에 있던 상대적으로 차가운 물이 아래로 내려오면서 물이 전체적으로 순환하여 열이 전달된다.

패시브 하우스의 단열 방법

- 외부 차양: 집 안에 들어오는 햇빛의 양을 조절한다.
- 단열재: 일반 주택보다 두꺼운 단열재를 사용한다.
- 옥상 녹화: 지붕의 흙과 풀의 수분이 증발하면서 실내 온도를 낮춘다.

탐구 뜨거운 물과 찬물의 온도 변화 측정하기

온도가 다른 두 물체가 열평형에 도달하는 과정을 온도-시간 그래프를 이용하여 설명할 수 있다.

유의점 온도계가 열량계와 금속 캔의 바닥이나 벽에 닿지 않도록 주의한다.

과정 및 결과

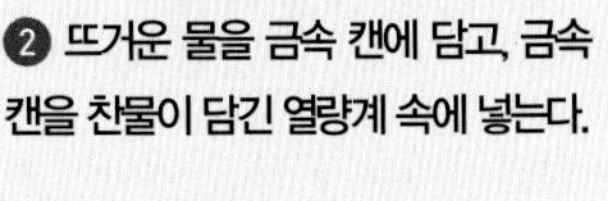

❶ 열량계에 찬물을 넣는다.

❷ 뜨거운 물을 금속 캔에 담고, 금속 캔을 찬물이 담긴 열량계 속에 넣는다.

❸ 뜨거운 물과 찬물의 온도 변화를 2분 간격으로 측정한다.

❹ 열량계와 금속 캔 속 물의 시간에 따른 온도 변화를 그래프로 나타낸다.

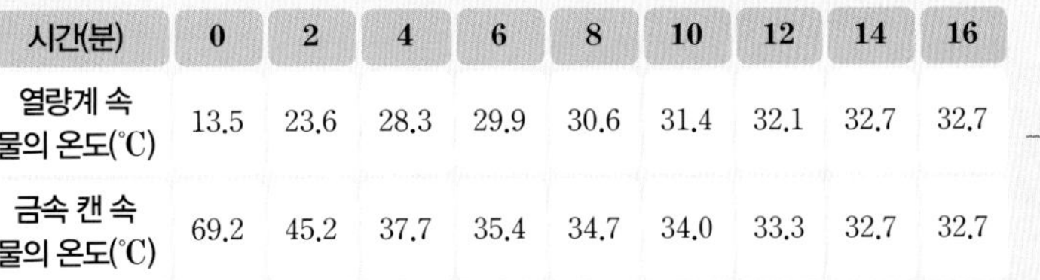

시간(분)	0	2	4	6	8	10	12	14	16
열량계 속 물의 온도(℃)	13.5	23.6	28.3	29.9	30.6	31.4	32.1	32.7	32.7
금속 캔 속 물의 온도(℃)	69.2	45.2	37.7	35.4	34.7	34.0	33.3	32.7	32.7

→

결과 해석 및 정리

1. 온도가 높은 금속 캔 속 물의 온도는 낮아지고, 온도가 낮은 열량계 속 물의 온도는 높아진다.
2. 열은 온도가 높은 물체에서 온도가 낮은 물체로 이동하므로 금속 캔 속 뜨거운 물에서 열량계 속 찬물로 열이 이동한다. → 금속 캔 속 물이 잃은 열량과 열량계 속 물이 얻은 열량은 같다.
3. 금속 캔 속 물과 열량계 속 물의 온도가 같아진 상태를 열평형 상태라고 한다.

탐구 확인 문제

정답과 해설 090쪽

1 빈칸에 알맞은 말을 쓰시오.

(1) 열을 잃은 물체는 온도가 ________ 진다.

(2) 두 물체가 접촉한 시간이 충분히 지나 더 이상 온도가 변하지 않는 상태를 ________ 상태라고 한다.

2 위 탐구에 대한 설명으로 옳은 것은?

① 금속 캔 속 물은 열을 얻는다.
② 열량계 속 물의 온도는 낮아진다.
③ 약 8분 후에 열평형 상태가 되었다.
④ 금속 캔 속 물에서 열량계 속 물로 열이 이동한다.
⑤ 시간이 충분히 지나면 열량계 속 물이 금속 캔 속 물보다 온도가 높아진다.

3 (적용) 오른쪽 그림과 같이 온도가 다른 두 물체를 접촉시켰더니, 시간이 지나 두 물체의 온도가 같아졌다. 이에 대한 설명으로 옳지 않은 것은? (단, 열은 두 물체 사이에서만 이동한다.)

높은 온도	낮은 온도

① 두 물체는 열평형 상태가 되었다.
② 두 물체 사이에 이동한 에너지를 열이라고 한다.
③ 열은 높은 온도의 물체에서 낮은 온도의 물체로 이동한다.
④ 열평형 상태일 때의 온도는 두 물체의 처음 온도보다 낮다.
⑤ 열평형 상태가 되면 두 물체의 온도는 더 이상 변하지 않는다.

중단원 핵심 정리

01. 열의 이동

1-1 온도와 열

① 온도: 물체의 따뜻하고 차가운 정도를 측정하여 수치로 나타낸 것

온도는 입자의 운동이 활발한 정도를 뜻한다.

② 열: 온도가 높은 물체에서 온도가 낮은 물체로 이동하는 에너지

낮은 온도 / 높은 온도

열을 얻음 / 열을 잃음

입자의 운동이 둔해진다.

입자의 운동이 활발해진다.

1-2 열평형

① 열의 이동: 온도가 다른 두 물체가 접촉하면 온도가 높은 물체에서 온도가 낮은 물체로 열이 이동한다.

온도가 높은 물체	열을 잃는다. → 온도가 낮아진다.
온도가 낮은 물체	열을 얻는다. → 온도가 높아진다.

② 열평형: 접촉한 두 물체의 온도가 같아져 물체의 온도가 더 이상 변하지 않는 상태이다.

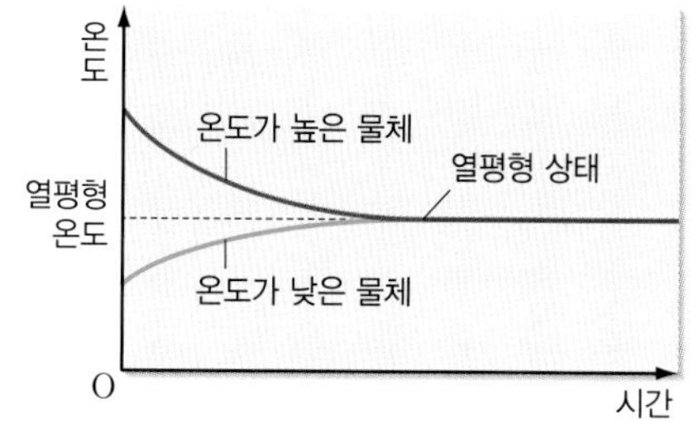

열의 이동 방법과 열의 효율적 이용

① 열의 이동 방법

전도	대류	복사
물체를 이루는 입자의 운동이 이웃한 입자에 차례로 전달되어 열이 이동하는 방법	기체나 액체를 이루는 입자가 직접 이동하여 열을 전달하는 방법	물질의 도움 없이 직접 열이 전달되는 방법

② 냉난방기의 효율적 이용: 냉방기는 위쪽에, 난방기는 아래쪽에 설치한다.

③ 단열: 열의 이동을 막는 것 → 전도, 대류, 복사로 인한 열의 이동을 모두 막아야 단열이 잘 된다.

- 스타이로폼, 양모 등 전도가 잘 일어나지 않는 재질을 단열재에 쓴다.
- 외부 차양, 두꺼운 단열재, 옥상 녹화 등을 이용하여 단열의 효율을 높여 실내 온도를 적절히 유지하는 주택을 패시브 하우스라고 한다.

개념 확인 문제

01. 열의 이동

01 온도에 대한 설명으로 옳은 것을 보기에서 모두 고른 것은?

보기
ㄱ. 물체가 열을 얻으면 온도가 높아진다.
ㄴ. 온도는 물체를 이루는 입자의 운동이 활발한 정도를 나타낸다.
ㄷ. 사람의 손으로 온도를 정확하게 측정할 수 있다.

① ㄱ ② ㄷ ③ ㄱ, ㄴ
④ ㄱ, ㄷ ⑤ ㄴ, ㄷ

02 (중요) 오른쪽 그림은 섭씨온도계로 측정한 물의 온도를 나타낸 것이다. 이에 대한 설명으로 옳지 않은 것은?

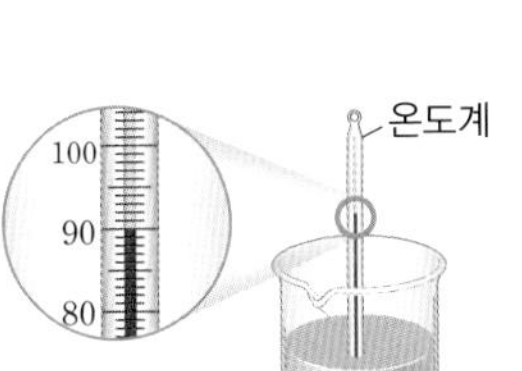

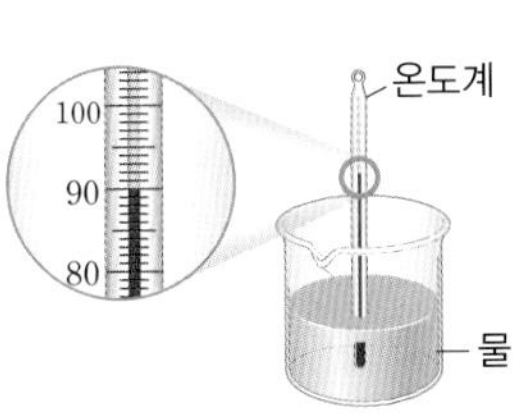
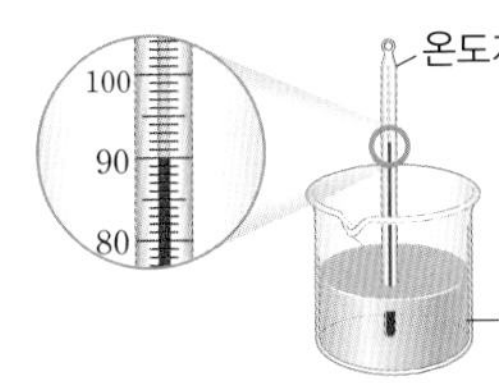

① 물의 온도는 90 ℃이다.
② 물이 열을 잃으면 온도가 낮아진다.
③ 물의 온도를 절대 온도로 나타내면 373 K(켈빈)이다.
④ 물의 온도가 높아지면 물 입자의 운동이 활발해진다.
⑤ 물의 온도는 물의 따뜻하고 차가운 정도를 수치로 나타낸 것이다.

03 그림은 고체, 액체, 기체를 이루는 입자의 상태를 순서 없이 모형으로 나타낸 것이다.

(가) (나) (다)

이에 대한 설명으로 옳지 않은 것은?
① (가)는 고체 상태를 나타낸다.
② (나)는 기체 상태를 나타낸다.
③ (나)에 열을 가하면 입자 운동이 더 활발해진다.
④ (나)의 입자는 (다)의 입자보다 활발하게 운동한다.
⑤ (가)는 열을 잃어도 입자 운동의 활발한 정도가 변하지 않는다.

04 그림 (가), (나)는 두 컵에 담긴 물의 입자 운동을 모형으로 나타낸 것이다.

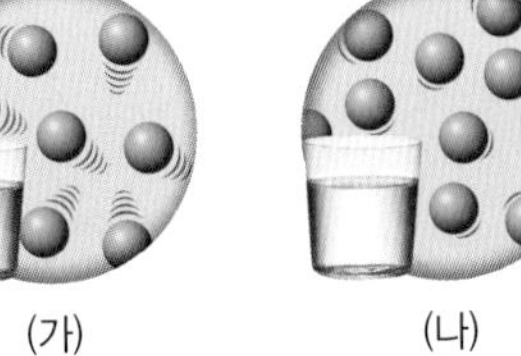

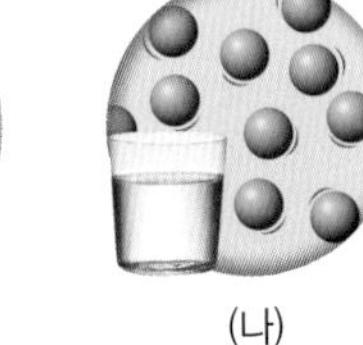

(가) (나)

이에 대한 설명으로 옳은 것은?
① (가)는 (나)보다 물의 온도가 낮다.
② (나)는 (가)보다 입자 운동이 활발하다.
③ (가)의 물이 열을 잃으면 입자 운동이 둔해진다.
④ 물의 온도가 높을수록 입자 사이의 간격이 좁다.
⑤ (나)의 온도가 높아지면 입자 운동이 더 둔해진다.

05 오른쪽 그림과 같이 온도가 높은 물체 A와 온도가 낮은 물체 B를 접촉시켰다. 이에 대한 설명으로 옳지 않은 것은? (단, 열은 A와 B 사이에서만 이동한다.)

A ㉠ B

① A와 B의 온도가 높아진다.
② A는 열을 잃고, B는 열을 얻는다.
③ A를 이루는 입자의 운동이 점점 둔해진다.
④ ㉠은 A에서 B로 이동하는 에너지인 열이다.
⑤ B를 이루는 입자의 운동이 점점 활발해진다.

06 처음 온도가 다른 네 물체 A~D를 둘씩 접촉시켰더니 다음과 같이 변하였다.

- A와 접촉한 B의 온도가 점점 높아진다.
- C와 접촉한 B의 입자 운동이 점점 둔해진다.
- A와 D가 접촉하면 D에서 A로 열이 이동한다.

A~D의 처음 온도를 옳게 비교한 것은?
① A=B=C=D ② A>B>C=D
③ B>C>D>A ④ C>D>B>A
⑤ D>A>B>C

[07~08] 그림과 같이 찬물이 담긴 열량계에 뜨거운 물이 담긴 금속 캔을 넣었다. (단, 외부와의 열 출입은 없다.)

07 이 실험에 대한 설명으로 옳은 것을 보기에서 모두 고른 것은?

> 보기
> ㄱ. 열량계 속 물의 온도는 낮아진다.
> ㄴ. 금속 캔 속 물의 입자 운동은 점점 둔해진다.
> ㄷ. 시간이 충분히 지나면 열량계 속 물과 금속 캔 속 물의 입자 운동 정도가 같아진다.

① ㄱ ② ㄴ ③ ㄱ, ㄴ
④ ㄱ, ㄷ ⑤ ㄴ, ㄷ

08 금속 캔 속의 물(A)과 열량계 속 물(B)의 온도 변화를 나타낸 그래프로 적절한 것은?

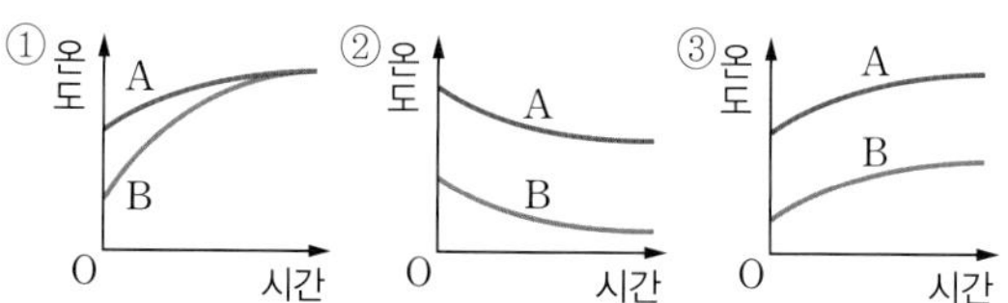

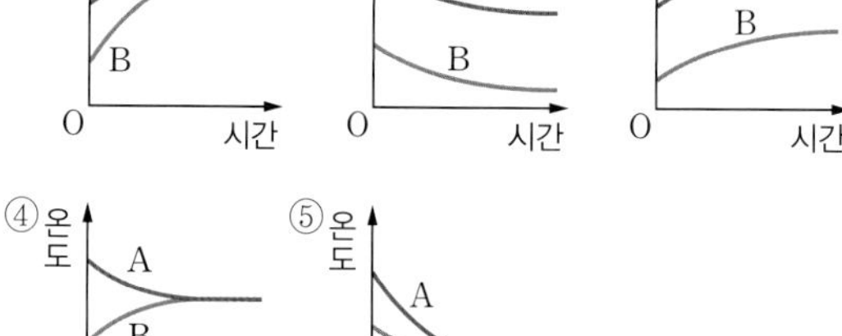

09 (중요) 세 물체 A~C를 온도가 2 ℃로 일정하게 유지되는 냉장고에 넣었다.

물체	A	B	C
질량(kg)	0.1	0.2	0.2
부피(cm^3)	300	300	100

하루가 지났을 때 세 물체의 온도를 옳게 비교한 것은?

① A=B=C ② A>B=C
③ B>A>C ④ C>A=B
⑤ C>A>B

[10~11] 그림은 뜨거운 달걀을 찬물에 넣었을 때의 모습을 입자 모형으로 나타낸 것이다. (단, 외부와의 열 출입은 없다.)

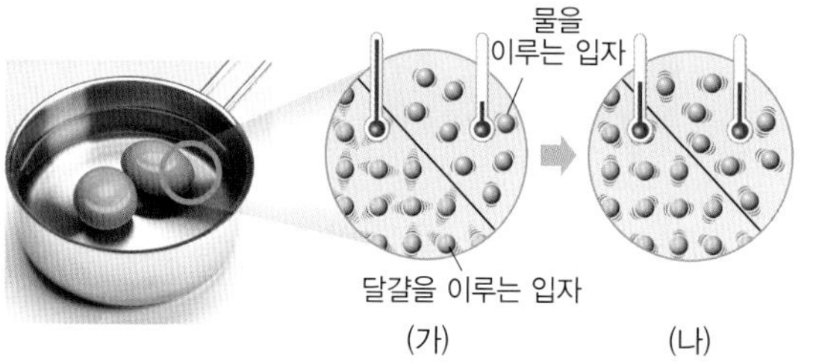

10 (나)와 같이 접촉한 달걀과 물의 온도가 같아지는 상태를 무엇이라 하는지 쓰시오.

11 이에 대한 설명으로 옳은 것은?

① (가)에서 물은 열을 잃는다.
② (가)에서 물은 온도가 점점 낮아진다.
③ (가)에서 열이 물에서 달걀로 이동한다.
④ (가)에서 달걀을 이루는 입자의 운동이 활발해진다.
⑤ (나)에서 달걀과 물을 이루는 입자의 운동이 활발한 정도가 같다.

12 그림은 온도가 높은 물체 A와 온도가 낮은 물체 B가 접촉할 때 시간에 따른 두 물체의 온도 변화를 나타낸 것이다.

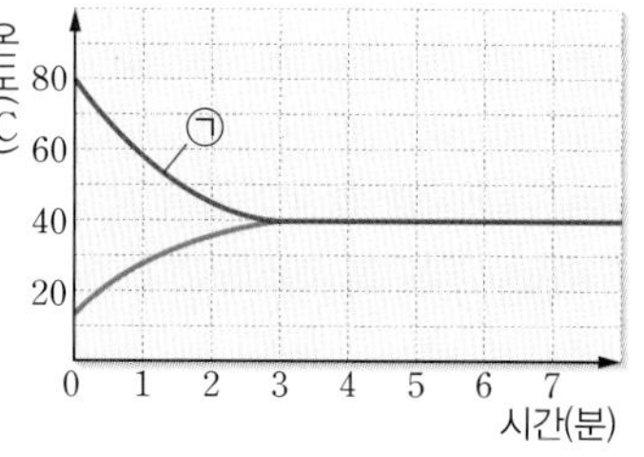

이에 대한 설명으로 옳지 않은 것은? (단, 외부와의 열 출입은 없다.)

① ㉠은 A의 온도 변화이다.
② 약 3분 후부터 두 물체의 온도가 같아진다.
③ A의 온도 변화는 B의 온도 변화보다 크다.
④ 열평형 상태일 때 두 물체의 온도는 40 ℃이다.
⑤ 열평형 상태가 될 때까지 A가 잃은 열량이 B가 얻은 열량보다 크다.

13 그림은 금속 막대의 한쪽 끝을 가열할 때 금속을 이루는 입자의 모습을 모형으로 나타낸 것이다.

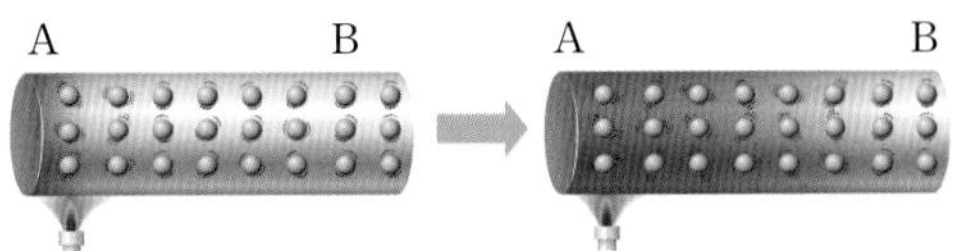

이에 대한 설명으로 옳지 않은 것은?

① 가열한 부분의 온도가 높아진다.
② 이웃한 입자에 차례로 열이 전달된다.
③ 시간이 지나면 B 부분의 온도도 높아진다.
④ 열을 얻은 부분은 입자 운동이 활발해진다.
⑤ A 부분에서 B 부분으로 고온의 입자가 이동한다.

중요

14 오른쪽 그림은 전기장판으로 바닥을 따뜻하게 할 때의 모습을 나타낸 것이다. 이에 대한 설명으로 옳은 것을 보기에서 모두 고르시오.

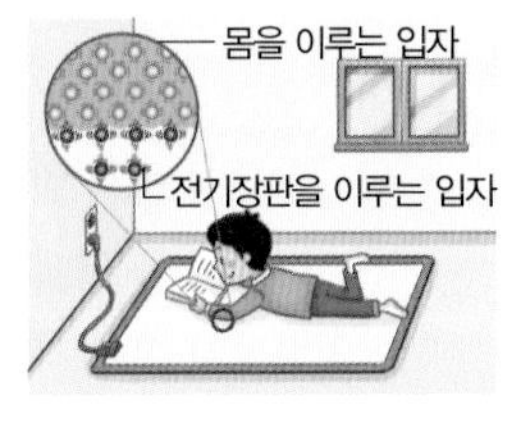

보기

ㄱ. 대류에 의해 몸으로 열이 전달된다.
ㄴ. 몸을 이루는 입자가 열을 얻어 입자 운동이 활발해진다.
ㄷ. 전기장판을 이루는 입자가 직접 몸으로 이동하여 열을 전달한다.

15 그림과 같이 뜨거운 물과 찬물이 각각 담긴 두 플라스크 사이에 끼웠던 칸막이를 제거하였다.

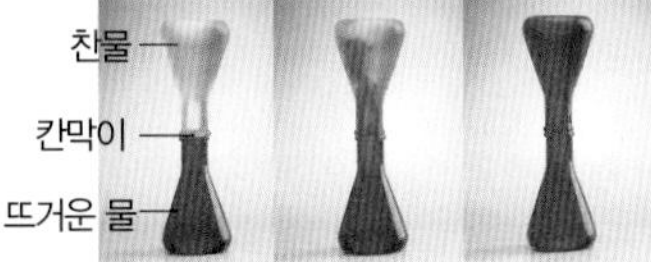

이에 대한 설명으로 옳지 않은 것은?

① 뜨거운 물이 위로 올라간다.
② 대류에 의해 두 물이 섞인다.
③ 위쪽에 있는 찬물은 움직이지 않는다.
④ 물 입자가 직접 이동하여 열을 전달한다.
⑤ 뜨거운 물이 찬물보다 입자의 운동이 활발하다.

16 오른쪽 그림은 태양에서 방출된 열이 지구에 도달하는 모습을 나타낸 것이다. 이와 같은 열의 이동 방법은?

① 대류　② 반사　③ 복사
④ 열평형　⑤ 전도

17 단열에 대한 설명으로 옳지 않은 것은?

① 열의 이동을 막는 것을 단열이라고 한다.
② 단열재는 전도가 잘 되는 물질로 만든다.
③ 전도, 대류, 복사로 인한 열의 이동을 모두 막아야 단열이 잘 된다.
④ 단열이 잘 된 집은 냉난방 효율이 높아 에너지 소비를 줄일 수 있다.
⑤ 단열재의 재료로 스타이로폼, 양모, 유리 섬유 등을 이용한다.

18 그림은 패시브 하우스를 나타낸 것이다.

이에 대한 설명으로 옳지 않은 것은?

① 이중 유리창으로 외부로 빠져나가는 열을 막는다.
② 일반 주택에서 사용하는 단열재보다 두꺼운 단열재를 설치한다.
③ 외부 차양은 계절에 따라 집 안으로 들어오는 햇빛의 양을 조절한다.
④ 옥상 녹화를 하면 물과 흙에 있던 물이 증발하면서 실내 온도를 높여 준다.
⑤ 단열의 효율을 높여 화식 연료를 사용하지 않고도 실내 온도를 적절하게 유지하는 주택이다.

실력 강화 문제

01. 열의 이동

정답과 해설 091쪽

01 표는 섭씨온도와 절대 온도를 비교한 것이다.

구분	섭씨온도	절대 온도
물의 어는점(1기압일 때)	(㉠)℃	273 K
물의 끓는점(1기압일 때)	100 ℃	(㉡) K

이에 대한 설명으로 옳지 않은 것은?

① ㉠은 0이다.
② ㉡은 373이다.
③ −273 K은 입자 운동이 완전히 멈출 때의 온도이다.
④ 섭씨온도로 −273 ℃는 절대 온도로 0 K에 해당한다.
⑤ 섭씨온도는 1기압에서 물의 어는점과 끓는점 사이를 100등분한 온도이다.

02 그림 (가)와 같이 입자 운동을 하는 어떤 금속을 물속에 넣었더니 시간이 충분히 지난 후 (나)와 같은 모습이 되었다.

(가) (나)

이에 대한 설명으로 옳은 것은? (단, 외부와의 열 출입은 없다.)

① 물의 온도는 처음보다 낮아진다.
② 물과 금속은 모두 열을 얻는다.
③ 금속의 온도는 처음보다 높아진다.
④ (나)일 때 금속의 온도는 물의 온도와 같다.
⑤ 물의 입자 운동은 시간이 충분히 지난 후 둔해진다.

03 오른쪽 그림과 같이 일정 온도 이상이 되면 색이 변하는 시온 스티커를 가늘게 잘라 알루미늄, 구리, 유리 막대에 각각 붙이고, 각 막대의 한쪽 끝을 알코올램프로 동시에 가열하였더니 구리 - 알루미늄 - 유리 순으로 시온 스티커의 색이 변하였다. 이에 대한 설명으로 옳지 않은 것은?

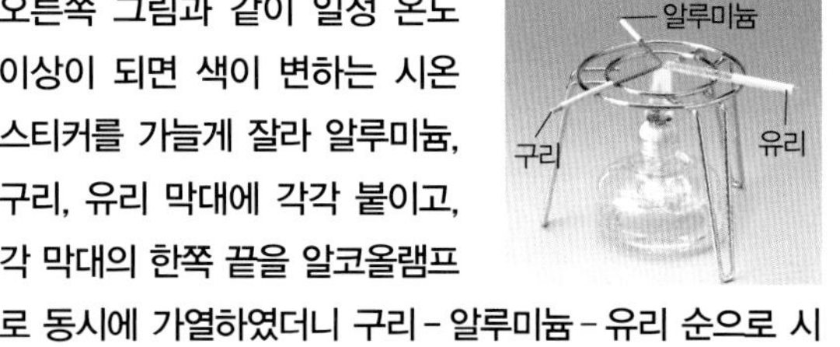

① 전도에 의해 막대를 따라 열이 전달된다.
② 스티커는 불꽃과 가까운 쪽부터 색이 변한다.
③ 열이 전달되는 빠르기는 물질마다 다르다.
④ 유리 막대가 구리 막대보다 열이 빠르게 전도된다.
⑤ 입자의 운동이 이웃한 입자에 차례로 전달되어 막대를 따라 열이 이동한다.

04 그림과 같이 사각형의 유리관에 물을 가득 채운 후 유리관 왼쪽 아래에 알코올램프를 켜고, 유리관의 윗부분에서 잉크를 떨어뜨렸다.

이에 대한 설명으로 옳은 것을 보기에서 모두 고른 것은?

보기
ㄱ. 물이 시계 반대 방향으로 순환한다.
ㄴ. 알코올램프에 의해 가열된 부분의 물이 가벼워져 위로 올라간다.
ㄷ. 찬물의 활발한 입자 운동이 뜨거운 물에 차례로 전달되어 열이 이동한다.

① ㄴ ② ㄷ ③ ㄱ, ㄴ
④ ㄱ, ㄷ ⑤ ㄱ, ㄴ, ㄷ

서술형 문제

01. 열의 이동

☞ 제시된 Keyword를 이용하여 문제를 해결해 보자.

1 그림과 같이 오른손을 따뜻한 물에, 왼손은 찬물에 담갔다가 잠시 후에 두 손을 동시에 미지근한 물에 담갔다.

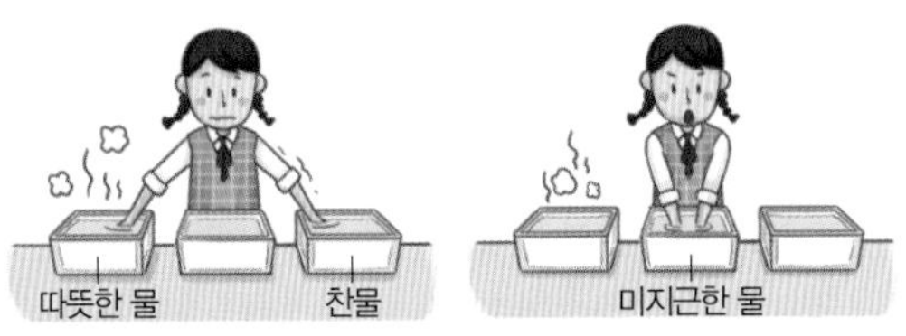

(1) 각각의 손에서 미지근한 물이 어떻게 느껴지는지 설명하시오.

Keyword 오른손, 왼손, 미지근한 물

(2) 위의 결과를 바탕으로 사람의 손으로 물의 온도를 정확하게 측정할 수 있는지 그 까닭과 함께 설명하시오.

Keyword 사람의 손, 물의 온도, 측정

2 그림 (가)는 보온병에 실온의 물을 넣었을 때 물 입자의 운동을 나타낸 것이다.

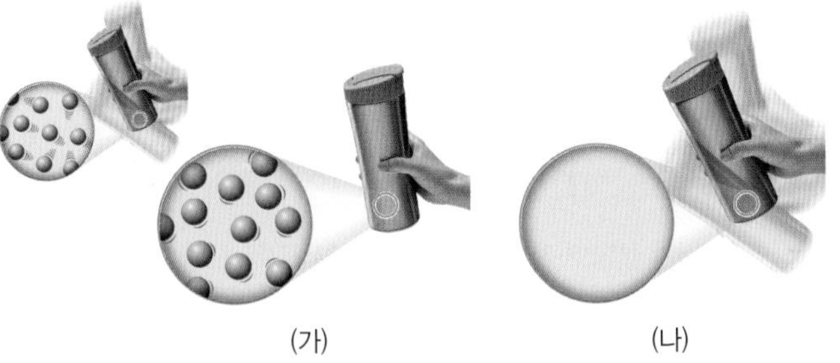

(가) (나)

(1) 보온병을 3분 동안 세게 흔든 후 물 입자의 운동을 그림 (나)에 나타내시오.

(2) 물의 온도와 물 입자의 운동과의 관계를 설명하시오.

Keyword 온도, 입자 운동, 활발한 정도

3 그림은 뜨거운 달걀을 찬물에 넣고 열화상 사진을 찍었을 때의 모습을 나타낸 것이다.

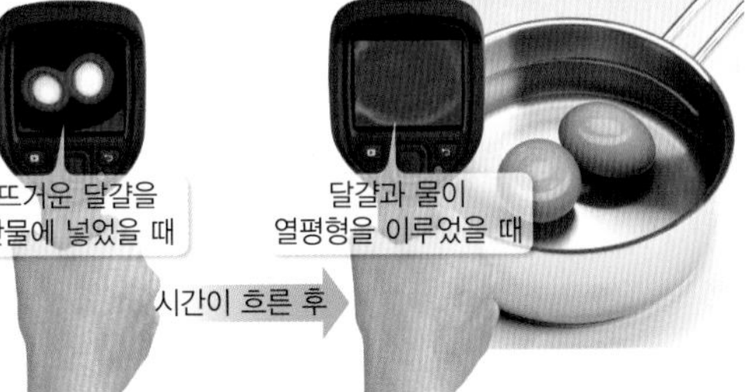

시간이 흐른 후 달걀과 물이 열평형을 이루는 까닭을 열의 이동과 관련지어 설명하시오.

Keyword 열의 이동, 온도 변화, 열평형

4 그림과 같이 손잡이가 고무인 자전거를 추운 겨울철에 밤새 밖에 세워 놓았다.

다음 날 자전거의 고무 손잡이 부분과 금속 부분 중에서 온도가 더 낮은 부분을 고르고, 그렇게 생각한 까닭을 설명하시오.

Keyword 온도, 공기, 열평형

5 그림과 같이 에어컨을 효율적으로 사용하기 위해서는 방의 위쪽에 설치해야 한다.

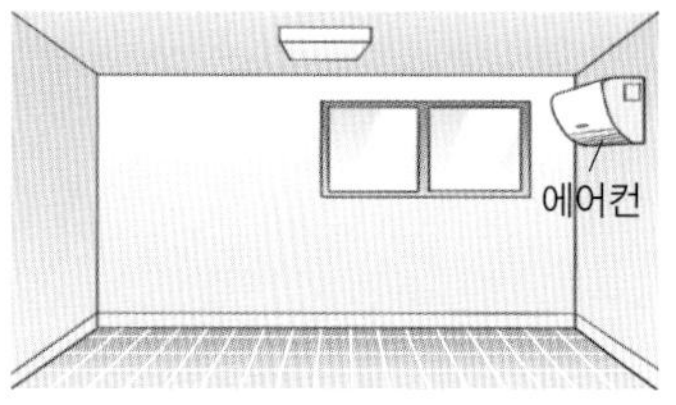

이와 같이 에어컨을 방의 위쪽에 설치해야 효율적인 까닭을 설명하시오.

Keyword 차가운 공기, 뜨거운 공기, 대류

6 그림과 같이 물을 넣은 두 시험관에 톱밥을 넣어 가라앉힌 후 (가)는 시험관의 중간 부분을, (나)는 시험관의 바닥 부분을 각각 가열하였다.

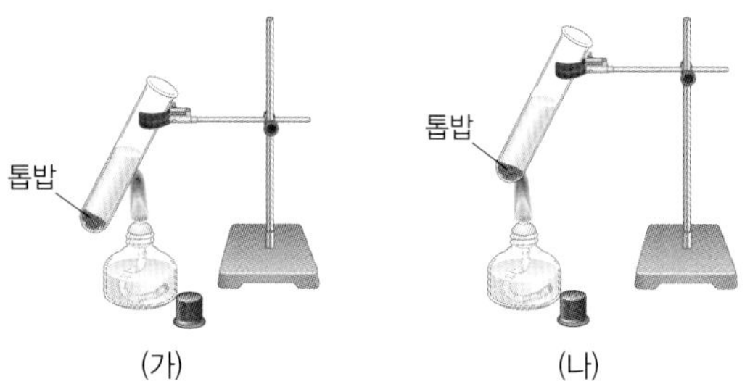

두 시험관에 넣은 톱밥의 움직임에 어떤 차이가 있는지 그 까닭과 함께 설명하시오.

Keyword 대류, 시험관 중간, 시험관 전체

7 그림은 열의 이동 방법을 교실에서 책을 뒤쪽으로 전달하는 경우에 비유한 것이다.

(가)~(다) 중 복사에 비유되는 경우를 고르고, 그렇게 생각한 까닭을 설명하시오.

Keyword 책의 전달, 열의 이동, 복사

8 그림은 보온병의 구조를 나타낸 것이다.

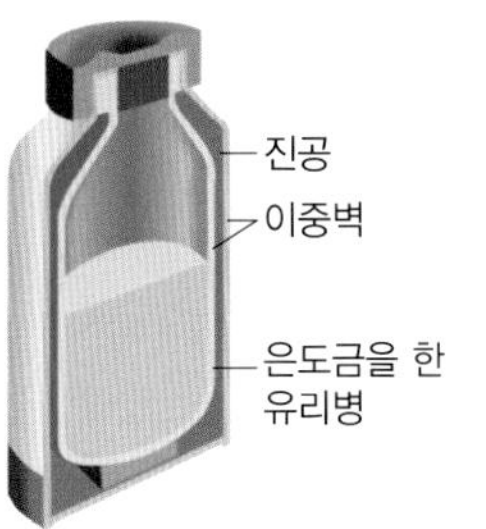

(1) 이중벽 사이를 진공으로 만든 까닭을 열의 이동 방법과 관련지어 설명하시오.

Keyword 전도, 대류, 열의 이동

(2) 유리병의 안쪽 면에 은도금을 한 까닭을 열의 이동 방법과 관련지어 설명하시오.

Keyword 복사, 열의 이동

02 비열과 열팽창

무더운 여름철 바닷가 모래밭을 맨발로 걸으면 뜨겁지만 바닷물 속에 들어가면 시원하게 느껴진다. 이처럼 같은 열을 받아도 물질마다 온도가 다른 까닭은 무엇일까? 또한 물체의 온도가 변하면 물체의 길이나 부피에 어떤 변화가 생길까?

J(줄)과 kcal(킬로칼로리)
일과 에너지의 단위로는 J(줄)을 사용하지만, 온도가 다른 두 물체 사이에 이동하는 에너지인 열의 양을 나타내는 단위로는 kcal(킬로칼로리)나 cal(칼로리)를 함께 사용하고 있다. 1 cal는 약 4.2 J에 해당하므로 1 kcal/(kg·℃)는 약 4200 J/(kg·℃)에 해당한다.

비열과 열량, 질량, 온도 변화 관계
- 같은 종류의 물질인 경우(비열이 같은 경우): 열량이 많을수록 온도 변화가 크다. (온도 변화는 열량에 비례)
- 같은 물질이고, 열량이 같은 경우: 질량이 클수록 온도 변화가 작다. (온도 변화는 질량에 반비례)
- 질량과 열량이 같은 경우: 비열이 클수록 온도 변화가 작다. (온도 변화는 비열에 반비례)
- 같은 종류의 물질이고 온도 변화가 같은 경우(비열과 온도 변화가 같은 경우): 질량이 클수록 이동하는 열량이 많다. (열량은 질량에 비례)

1 비열

1. 비열 어떤 물질 1 kg의 온도를 1 ℃만큼 변화시키는 데 필요한 열량을 비열이라고 하며, 단위는 kcal/(kg·℃) 또는 J/(kg·℃)를 사용한다. 집중 분석 198쪽

2. 비열과 열량과 온도 변화 탐구 196쪽 과학 용어 사전 237쪽

$$\text{비열}(\text{kcal}/(\text{kg}\cdot℃))=\frac{\text{열량}(\text{kcal})}{\text{질량}(\text{kg})\times\text{온도 변화}(℃)},\quad c=\frac{Q}{m\Delta T}$$

$$\text{열량}(\text{kcal})=\text{비열}(\text{kcal}/(\text{kg}\cdot℃))\times\text{질량}(\text{kg})\times\text{온도 변화}(℃),\ Q=cm\Delta T$$

(1) **비열과 온도 변화의 관계:** 같은 질량의 두 물질에 같은 양의 열을 가하면 비열이 큰 물질이 작은 물질에 비해 온도 변화가 작다. 즉, 비열은 온도 변화에 반비례한다.

(2) **질량과 온도 변화의 관계:** 같은 종류의 두 물질에 같은 양의 열을 가하면 질량이 작을수록 온도 변화가 크다. 즉, 질량은 온도 변화에 반비례한다.

온도(℃) / 시간(분) / O / 비열이 작은 물질 / 비열이 큰 물질

비열과 온도 변화의 관계

온도(℃) / 시간(분) / O / 질량이 작은 물질 / 질량이 큰 물질

질량과 온도 변화의 관계

자료 더하기 질량과 열량에 따른 물의 온도 변화

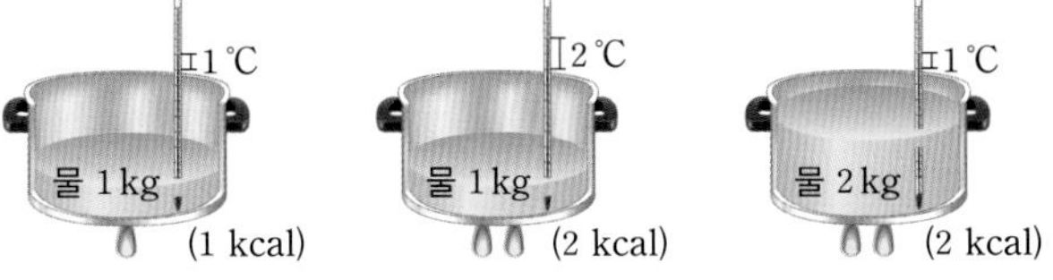

질량이 같은 물체에 다른 열량을 가하면 물체의 온도 변화는 가한 열량에 비례한다. 즉, 비열이 1 kcal/(kg·℃)인 물 1 kg에 각각 1 kcal와 2 kcal의 열량을 가하면 1 kcal의 열량을 받은 물은 1 ℃ 높아지나 2 kcal의 열량을 받은 물은 2 ℃ 높아진다. 반면 질량이 다른 물체에 같은 열량을 가하면 물체의 온도 변화는 질량에 반비례한다. 따라서 비열이 1 kcal/(kg·℃)인 물 1 kg과 2 kg에 각각 2 kcal의 열량을 가하면 1 kg의 물은 2 ℃ 높아지지만, 2 kg의 물은 1 ℃ 높아진다.

3. 여러 가지 물질의 비열 물질에 따라 비열이 다르다. 비열은 물질의 특성으로 물질마다 고유한 값을 가진다.

물질	구리	철	알루미늄	모래	물	공기름	에틸알코올
비열(kcal/(kg·℃))	0.09	0.11	0.21	0.19	1.00	0.40	0.58

4. 물에 의한 현상 물은 다른 물질에 비해 비열이 매우 크기 때문에 같은 열량을 가해도 다른 물질에 비해 온도 변화가 작다.

(1) 바다: 비열이 큰 물로 이루어져 있어서 지구의 급격한 기온 변화를 막아 주는 역할을 한다. 또한 바다에 가까운 해안 지방이 내륙 지방보다 일교차가 작다.

(2) 몸속에 있는 물: 우리 몸속의 물은 체온을 유지하는 데 중요한 역할을 한다. 물의 비열이 크므로 외부의 급격한 온도 변화가 있더라도 몸속의 온도 변화는 작다.

5. 비열을 활용한 사례

(1) 비열이 큰 물의 활용

① 냉각수: 과열된 기계의 온도를 낮추어 준다.

② 찜질 팩 속의 물: 뜨거운 물은 빨리 식지 않고, 찬물은 오랫동안 차가운 상태를 유지할 수 있다.

③ 난방용 보일러: 비열이 큰 물을 사용하여 오랫동안 높은 온도를 유지한다.

찜질 팩

(2) 무쇠솥과 돌솥: 질량이 같을 때 무쇠보다 돌을 이루는 물질의 비열이 커서 온도가 잘 변하지 않는다. 따라서 무쇠솥에 담긴 밥보다 돌솥에 담긴 밥을 더 오랫동안 따뜻하게 먹을 수 있다.

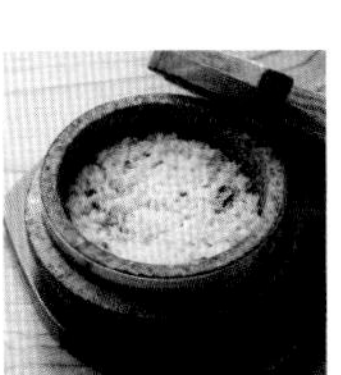
무쇠솥 돌솥

(3) 음식의 조리: 비열이 작은 양은 냄비는 라면과 같이 면발이 불지 않게 빨리 끓여야 하는 음식에 쓰이고, 비열이 큰 뚝배기나 돌솥은 데워진 후에는 잘 식지 않으므로 오랫동안 약한 열을 가해야 하는 음식에 사용한다.

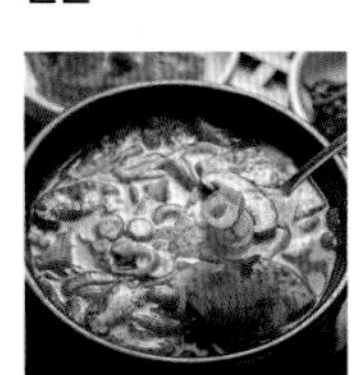
냄비 뚝배기

학습 내용 Check 정답과 해설 094 쪽

1. 어떤 물질 1 kg의 온도를 1 ℃만큼 변화시키는 데 필요한 열량을 ________이라고 한다.
2. 비열의 단위는 ________ 또는 J/(kg·℃)를 사용한다.
3. 같은 질량의 두 물질에 같은 양의 열을 가하면 비열이 큰 물질이 비열이 작은 물질에 비해 온도 변화가 ________다.
4. 물은 다른 물질에 비해 비열이 매우 ________기 때문에 냉각수나 찜질 팩 등에 이용된다.

용어 **일교차**

하루 동안의 최고 기온과 최저 기온의 차이

해륙풍

해안 지방에서 육지와 바다의 비열 차에 의해 낮과 밤에 풍향이 바뀌는 바람이다. 바다가 육지보다 비열이 크기 때문에 낮에는 해풍(바다에서 육지로 부는 바람)이 불고, 밤에는 육풍(육지에서 바다로 부는 바람)이 분다.

해풍(낮)

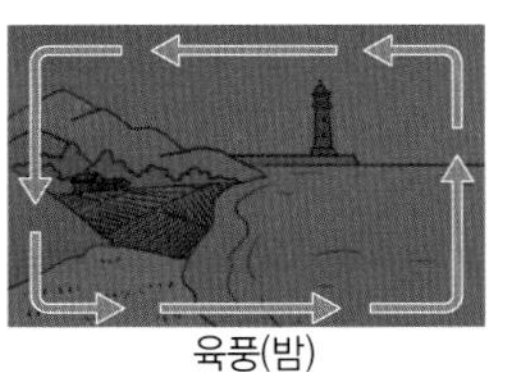
육풍(밤)

바다의 역할

지구는 표면의 약 70 %가 물로 덮여 있는 행성이다. 물은 비열이 크기 때문에 지구의 열에너지를 흡수하는 거대한 열저장고와 같은 역할을 한다. 만약 대기의 기온이 10 ℃ 높아진다고 해도, 이에 해당하는 열량이 바다로 이동한다면 바다의 수온은 0.003 ℃ 높아지는 데 그친다. 따라서 바다는 지구의 급격한 기온 변화를 막아 주는 역할을 한다.

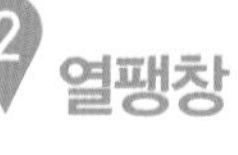

열팽창

1. 열팽창 온도에 따라 물체의 길이와 부피가 변하는 현상을 열팽창이라고 한다. 대부분의 물질은 온도가 높아지면 길이와 부피가 늘어난다. 온도에 따라 물질을 이루는 입자의 운동이 변하여 입자 사이의 거리가 변하기 때문에 물체의 길이, 넓이, 부피가 변한다.

(1) 온도가 높아지면 물질의 입자 운동이 활발해져 입자 사이의 거리가 멀어진다. 따라서 물체의 부피가 커진다.

(2) 온도가 낮아지면 물질의 입자 운동이 둔해져 입자 사이의 거리가 가까워진다. 따라서 물체의 부피가 작아진다.

액체의 높이 변화 관찰
온도가 같은 액체를 가득 채운 유리병을 뜨거운 물에 담그면 액체의 종류에 따라 열팽창 정도가 다르기 때문에 유리관 속 액체의 높이 변화가 다르다.

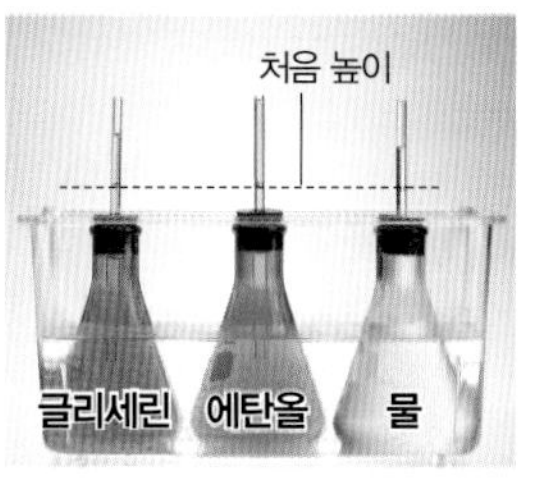

2. 물질의 상태와 열팽창 정도

(1) 고체와 액체의 열팽창: 고체와 액체는 물질에 따라 열팽창 정도가 다르다. 고체와 액체 모두 온도가 높아지면 팽창하며, 일반적으로 액체가 고체보다 열팽창 정도가 크다. 탐구 197쪽 열팽창 정도가 큰 물체는 온도가 높아지면 많이 팽창하고, 온도가 낮아지면 많이 수축한다.

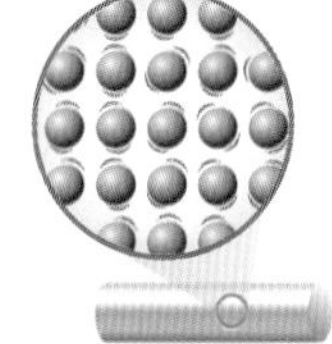

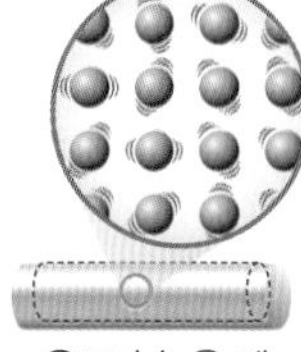
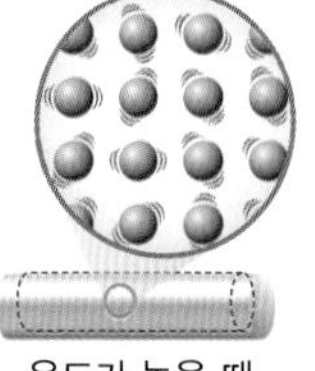

온도가 낮을 때 / 온도가 높을 때

고체의 열팽창

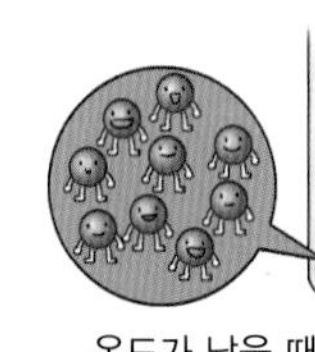

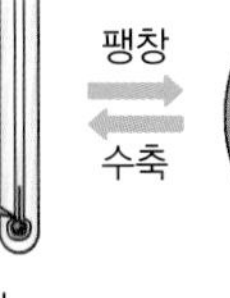

온도가 낮을 때 / 온도가 높을 때

액체의 열팽창

물질	백금	유리	강철	콘크리트	놋쇠	알루미늄	납
늘어나는 길이(mm)	9	9	11	11	19	23	29

처음 길이가 1000 m인 여러 가지 고체의 온도를 1 ℃ 높일 때 늘어나는 길이

물질	수은	물	글리세린	휘발유	메틸알코올	벤젠	아세톤
늘어나는 부피(mL)	0.18	0.2	0.5	0.95	1.2	1.24	1.49

처음 길이가 1000 mL인 여러 가지 액체의 온도를 1 ℃ 높일 때 늘어나는 부피

물의 열팽창
물은 4 ℃일 때 밀도가 가장 크기 때문에 겨울철 강이나 호수의 물의 온도가 낮아져서 물의 온도가 4 ℃에 가까워지면 밀도가 커져 바닥으로 가라앉고, 0 ℃의 물이 위로 올라오게 되어 물의 표면부터 얼게 된다.

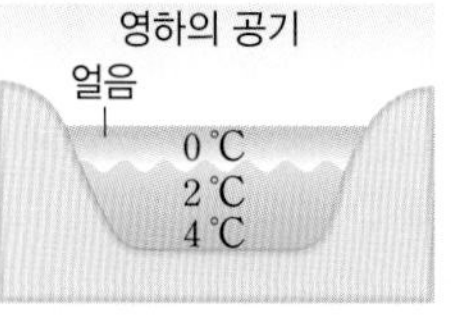

(2) 기체의 열팽창: 기체는 물질에 관계없이 온도가 높아질 때 부피가 늘어나는 정도가 모두 같다. 기체의 열팽창 정도는 고체와 액체에 비해 매우 크다. 과학 용어 사전 238쪽

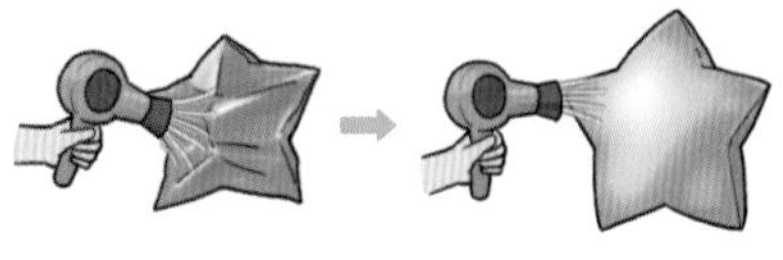

기체의 열팽창

3. 열팽창에 의한 현상

(1) 물: 대부분의 물질은 온도가 높아질수록 부피가 커지지만 물은 0 ℃~4 ℃ 사이에서는 온도가 높아질수록 부피가 작아진다.

(2) 전선의 길이 변화: 계절에 따라 전선의 길이가 달라진다.

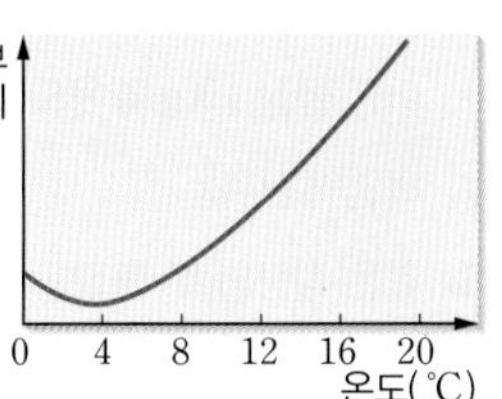

온도에 따른 물의 부피 변화

전선의 길이 변화
여름에는 전선이 열팽창하여 길이가 길어져서 늘어지고, 겨울에는 길이가 줄어들어 팽팽해진다.

4. 열팽창을 활용한 사례

(1) 고체의 열팽창을 이용한 예

① 바이메탈: 열팽창 정도가 다른 두 금속을 붙여서 만든 바이메탈은 온도가 변하면 한쪽으로 휜다. 바이메탈은 전기 주전자나 전기 다리미 등의 온도 조절 장치로 사용된다.

온도가 높아지면 열팽창이 큰 금속이 작은 금속보다 많이 팽창하여 바이메탈이 한쪽으로 휜다.

가열 코일
바이메탈
온도가 높을 때
온도가 낮을 때

바이메탈의 원리

② 일상생활에서 고체의 열팽창의 이용

다리 이음매 부분에 틈을 두어 온도가 높아질 때 다리가 뒤틀리는 것을 막는다.	철도 레일을 길게 하나로 연결하지 않고 군데군데 틈을 두어 휘어지는 것을 막는다.	가스관이나 송유관에 ㄷ자형 관을 이어서 열팽창에 의한 사고를 막는다.

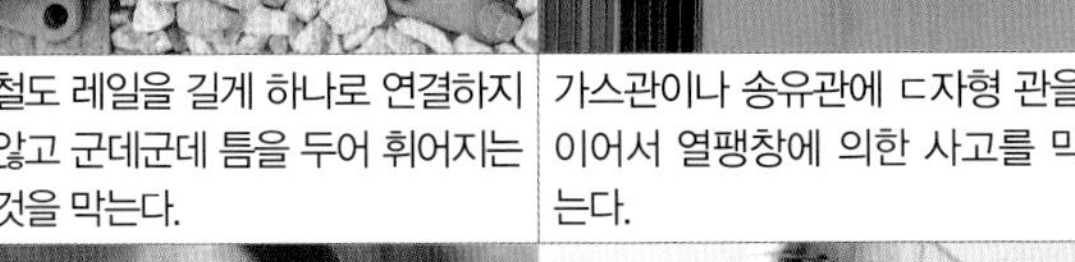

철근 콘크리트는 열팽창 정도가 거의 같은 철근과 콘크리트를 혼합하여 만든다.	충치를 치료할 때 치아 충전재로 치아의 에나멜 성분과 열팽창 정도가 같은 물질을 사용한다.	꽉 끼인 금속 뚜껑을 열기 위해 금속 뚜껑을 따뜻하게 하면 쉽게 열린다.

따뜻하게 하면 금속이 유리보다 더 많이 팽창하여 뚜껑이 잘 열린다.

(2) 액체의 열팽창을 이용한 예

① 알코올 온도계: 유리관 속에 에틸알코올이 들어 있으며, 온도가 높아질 때 에틸알코올이 유리보다 열팽창 정도가 커서 온도 측정을 할 수 있다.

② 음료수 병: 열팽창에 의한 음료의 부피 증가를 고려해 병을 가득 채우지 않는다.

③ 자동차 주유: 주유량은 부피로 계산하므로 기온이 낮을 때 주유하는 것이 유리하다.

학습 내용 Check

정답과 해설 094 쪽

1. 온도에 따라 물체의 길이와 부피가 변하는 현상을 ________이라고 한다.

2. 고체와 액체는 물질에 따라 열팽창 정도가 다르며, 일반적으로 ________가 ________보다 열팽창 정도가 크다.

3. 온도가 높아지면 물질을 이루는 입자의 운동이 ________져서 입자 사이의 거리가 ________진다.

4. 열팽창 정도가 다른 두 금속을 붙여서 만든 ________은 주로 온도 조절 장치로 사용한다.

온도에 따른 바이메탈의 휘어짐

금속 B가 A보다 열팽창 정도가 클 때 온도가 높아지면 바이메탈이 열팽창 정도가 작은 A 쪽으로 휘어지고, 온도가 낮아지면 열팽창 정도가 큰 B 쪽으로 휘어진다.

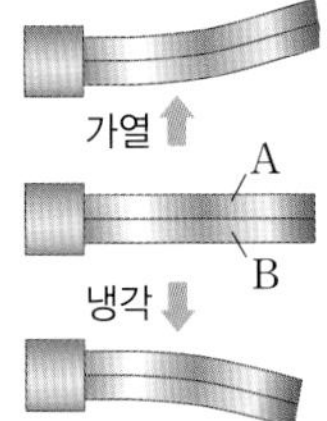

금속 고리에 금속 구 통과시키기

금속 고리를 간신히 통과하는 금속 구를 가열하면 금속 구가 열팽창하여 부피가 커지므로 금속 고리를 통과하지 못한다.

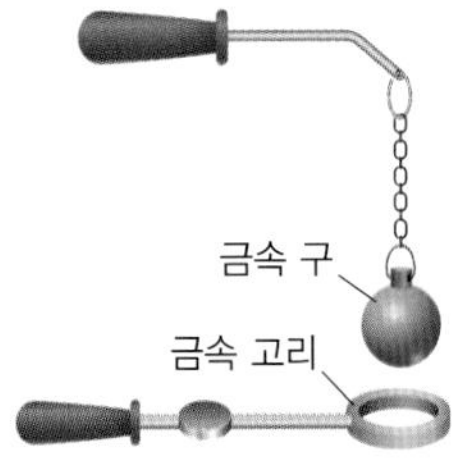

온도계

액체 상태인 에틸알코올이나 수은은 고체인 유리보다 열팽창 정도가 크기 때문에 온도가 변할 때 유리보다 부피가 더 크게 변하여 온도 측정이 가능하다.

- 알코올 온도계: 알코올을 빨간색으로 착색하여 눈에 잘 띄게 만들었다.
- 수은 온도계: 온도에 따른 부피 변화가 알코올보다 일정하여 정확한 온도 측정에 사용된다.

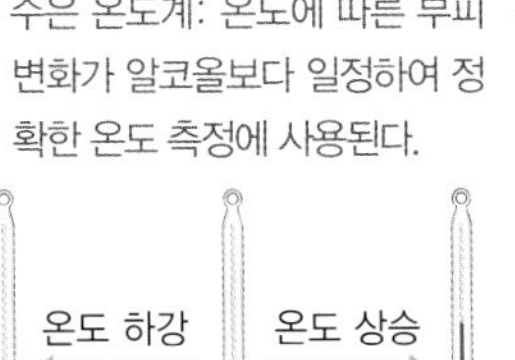

탐구 질량이 같은 두 액체의 비열 비교하기

질량이 같은 두 액체의 비열을 비교할 수 있다.

과정 및 결과

❶ 동일한 금속 컵 2개에 온도가 같은 물과 콩기름을 각각 70 g씩 넣는다.

❷ 두 금속 컵을 가열기에 올려놓고 디지털 온도계를 장치한 후, 두 액체의 처음 온도를 측정한다.

❸ 가열기를 켜서 두 액체를 가열하며 1분 간격으로 온도를 측정하여 표에 기록한다.

❹ 두 액체의 시간에 따른 온도 변화를 그래프로 나타낸다.

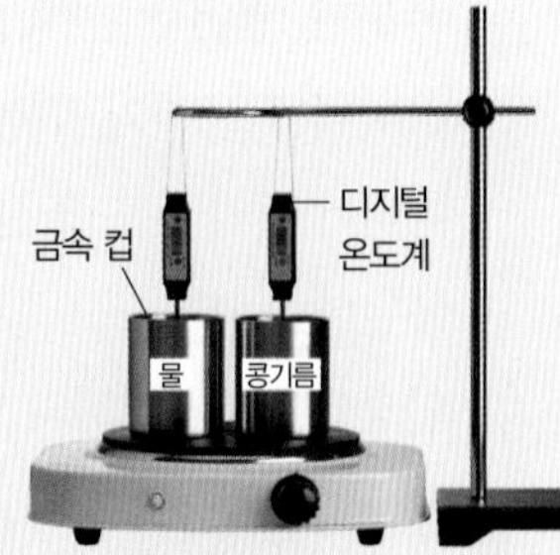

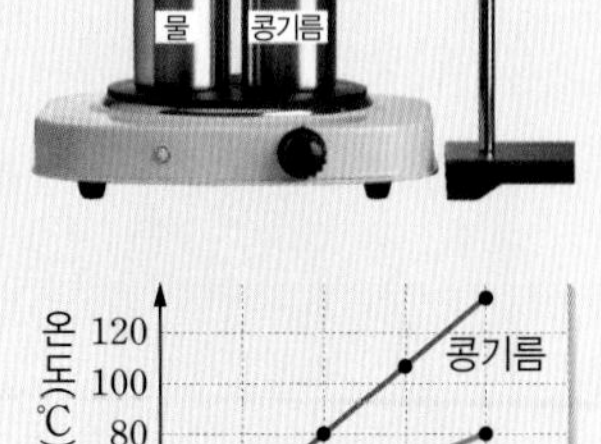

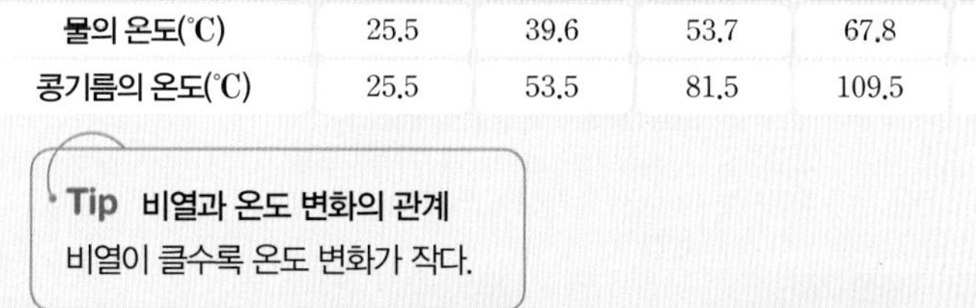

시간(분)	0	1	2	3	4
물의 온도(℃)	25.5	39.6	53.7	67.8	81.9
콩기름의 온도(℃)	25.5	53.5	81.5	109.5	137.5

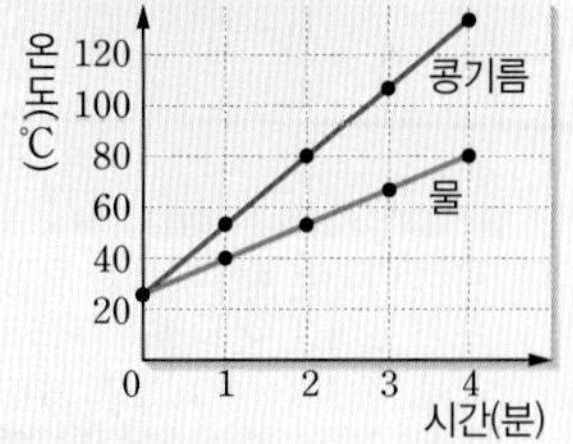

Tip 비열과 온도 변화의 관계
비열이 클수록 온도 변화가 작다.

결과 해석 및 정리

1 질량이 같은 물과 콩기름에 같은 열량을 가했을 때 콩기름의 온도 변화가 물의 온도 변화보다 크다.
→ 비열은 물이 콩기름보다 크다.

2 같은 온도만큼 높이는 데 필요한 열량은 물이 콩기름보다 많다.
→ 질량이 같을 때 비열이 클수록 같은 온도만큼 변화시키는 데 더 많은 열량이 필요하다.

탐구 확인 문제

정답과 해설 094쪽

1 빈칸에 알맞은 말을 쓰시오.

(1) 어떤 물질 1 kg의 온도를 ______ ℃만큼 변화시키는 데 필요한 열량을 비열이라고 한다.

(2) 질량과 열량이 같을 때 비열이 작은 물질일수록 온도 변화가 ______다.

2 위 탐구에 대한 설명으로 옳은 것은 ○, 옳지 않은 것은 ×로 표시하시오.

(1) 물과 콩기름의 온도 변화는 같다. ………………… (　　)

(2) 콩기름의 비열이 물의 비열보다 크다. …………… (　　)

(3) 같은 온도만큼 높일 때 콩기름보다 물에 더 많은 열량이 필요하다. ………………………………………… (　　)

적용 **3** 그림은 질량이 같은 두 물질 A와 B를 같은 세기의 불꽃으로 동시에 가열할 때의 온도 변화를 나타낸 것이다.

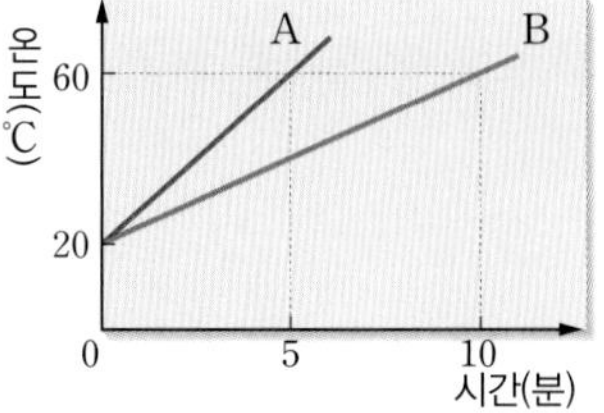

이에 대한 설명으로 옳은 것은?

① A의 비열이 B보다 크다.

② 0~5분 동안 얻은 열량은 A가 B보다 많다.

③ 0~5분 동안의 온도 변화는 B가 A보다 크다.

④ 비열이 작은 물질일수록 온도가 빨리 높아진다.

⑤ 온도가 60 ℃가 되는 데 걸린 시간은 A가 B보다 길다.

탐구 온도와 금속 막대의 길이 관계 알아보기

온도에 따라 물체의 부피가 변하며, 물질에 따라 열팽창 정도가 다르다는 것을 말할 수 있다.

과정

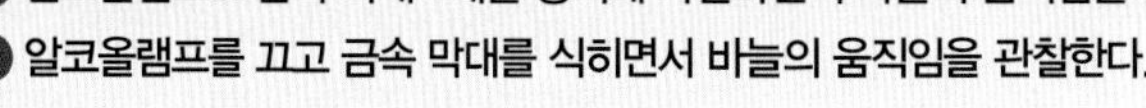

❶ 열팽창 측정 장치에 알루미늄, 구리, 철 막대를 걸고, 바늘의 눈금이 모두 0을 가리키도록 조절한다.
❷ 알코올램프로 금속 막대 3개를 동시에 가열하면서 바늘의 움직임을 관찰한다.
❸ 알코올램프를 끄고 금속 막대를 식히면서 바늘의 움직임을 관찰한다.

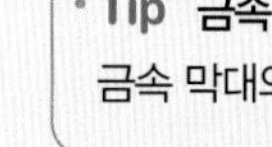

Tip 금속 막대의 길이와 열팽창 측정 장치의 바늘의 관계
금속 막대의 길이가 많이 늘어날수록 바늘이 많이 회전한다.

결과 및 정리

1 금속 막대를 가열하면 금속 막대의 길이가 늘어나는데, 알루미늄 막대의 길이 변화가 가장 크다. → 온도에 따른 금속의 길이 변화는 금속의 종류에 따라 다르다.

2 금속 막대를 식히면 금속 막대의 길이가 줄어드는데, 알루미늄 막대의 길이 변화가 가장 크다. → 온도가 내려갈 때 열팽창 정도가 클수록 금속이 많이 수축된다.

같은 주제 다른 탐구

여러 가지 액체의 열팽창 정도를 비교할 수 있다.

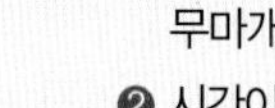

과정

❶ 세 플라스크에 각각 글리세린, 물, 에탄올을 가득 채우고, 가는 유리관을 끼운 고무마개로 막은 후 뜨거운 물이 담긴 수조에 넣는다.
❷ 시간이 지난 후 유리관 속 액체의 높이가 올라간 정도를 비교한다.

처음 높이
글리세린 에탄올 물

결과 및 정리

1. 유리관 속 액체의 높이가 올라간 정도는 에탄올>글리세린>물 순이다.
2. 액체의 종류에 따라 열팽창 정도가 다르며, 열팽창 정도가 큰 액체일수록 온도가 높아지면 부피가 많이 커진다.

탐구 확인 문제

정답과 해설 094쪽

1 빈칸에 알맞은 말을 쓰시오.
(1) 물체의 온도가 높아지면 부피가 ______한다.
(2) 열팽창 정도가 ______수록 가열할 때 부피가 많이 팽창하고, 냉각할 때 부피가 많이 수축한다.

2 위 탐구에 대한 설명으로 옳은 것은 ○, 옳지 않은 것은 ×로 표시하시오.
(1) 구리의 열팽창 정도가 철보다 크다. ……………… (　　)
(2) 에탄올보다 글리세린의 열팽창 정도가 크다. …… (　　)

3 적용 다음은 처음 길이가 1 m이고 단면적이 같은 여러 가지 고체의 온도를 100 ℃ 높였을 때 고체가 늘어난 길이이다.

금속의 종류	백금	강철	놋쇠	알루미늄
늘어난 길이(mm)	0.9	1.1	1.9	2.3

이에 대한 설명으로 옳은 것은?
① 알루미늄의 열팽창 정도가 가장 작다.
② 열팽창 정도는 물질에 관계없이 모두 같다.
③ 온도가 높아지면 백금이 강철보다 길이가 더 늘어난다.
④ 온도가 낮아지면 강철이 놋쇠보다 길이가 더 줄어든다.
⑤ 온도가 낮아지면 알루미늄의 길이가 가장 많이 줄어든다.

집중분석

비열에 관련된 계산 문제

비열은 열량을 질량과 온도 변화의 곱으로 나눈 값이다. 문제에서 주어진 여러 값을 이용하여 비열과 관련된 여러 유형의 문제를 어떻게 해결하는지 자세히 알아보자.

정답과 해설 094쪽

1 온도 변화에 따른 비열 구하기

오른쪽 그림은 어떤 액체 0.1 kg을 가열할 때 시간에 따른 온도 변화를 나타낸 것이다. 5분 동안 액체가 얻은 열량이 4 kcal일 때 액체의 비열을 구하시오.

온도(℃) 100, 80, 60, 40, 20 / 0 1 2 3 4 5 시간(분)

풀이 액체가 받은 열량이 4 kcal이고, 액체의 질량이 0.1 kg일 때 5분 동안 온도가 20 ℃에서 100 ℃로 변하였으므로

비열$=\dfrac{\text{열량}}{\text{질량}\times\text{온도 변화}}=\dfrac{4\text{ kcal}}{0.1\text{ kg}\times(100\text{ ℃}-20\text{ ℃})}$

$=0.5$ kcal/(kg·℃)이다.

2 온도 변화에 따른 질량 구하기

표는 5분 동안 물을 가열할 때의 온도 변화이다.

시간(분)	0	1	2	3	4	5
온도(℃)	20	25	30	35	40	45

물이 5분 동안 흡수한 열량이 5 kcal일 때 물의 질량을 구하시오. (단, 물의 비열은 1 kcal/(kg·℃)이다.)

풀이 물의 온도가 20 ℃에서 45 ℃로 변하였으므로 물의 질량은

질량$=\dfrac{\text{열량}}{\text{비열}\times\text{온도 변화}}=\dfrac{5\text{ kcal}}{1\text{ kcal/(kg·℃)}\times(45\text{ ℃}-20\text{ ℃})}$

$=0.2$ kg이다.

3 온도 변화 구하기

처음 온도가 15 ℃이고 질량이 500 g인 물에 5 kcal의 열을 공급해 주었다. 물의 나중 온도를 구하시오. (단, 물의 비열은 1 kcal/(kg·℃)이다.)

풀이 온도 변화$=\dfrac{\text{열량}}{\text{비열}\times\text{질량}}=\dfrac{5\text{ kcal}}{1\text{ kcal/(kg·℃)}\times0.5\text{ kg}}$

$=10$ ℃

나중 온도=처음 온도+온도 변화=15 ℃+10 ℃=25 ℃

연습 문제

01 어떤 고체 500 g에 2 kcal의 열량을 가하였을 때 고체의 온도가 40 ℃ 높아졌다. 이 고체의 비열은 몇 kcal/(kg·℃)인지 구하시오.

02 어떤 액체 0.2 kg에 5 kcal의 열량을 가하였더니 액체의 온도가 10 ℃에서 35 ℃가 되었다. 이 액체의 비열은 몇 kcal/(kg·℃)인지 구하시오.

연습 문제

03 비열이 0.5 kcal/(kg·℃)인 어떤 액체가 10 kcal의 열을 잃을 때 온도가 10 ℃ 내려갔다. 이 액체의 질량은 몇 kg인지 구하시오.

04 비열이 0.2 kcal/(kg·℃)이고 온도가 5 ℃인 고체에 2 kcal의 열량을 가했더니 고체의 온도가 처음의 3배가 되었다. 이 고체의 질량은 몇 kg인지 구하시오.

연습 문제

05 비열이 0.2 kcal/(kg·℃)이고 질량이 5 kg인 물체가 10 kcal의 열을 흡수하면 온도는 몇 ℃ 상승하는지 구하시오.

중단원 핵심 정리

1-1 비열

- **비열**: 어떤 물질 1 kg의 온도를 1 ℃만큼 변화시키는 데 필요한 열량
- **질량과 온도 변화의 관계**: 물질의 종류와 열량이 같으면 질량이 작을수록 온도 변화가 크다.

> 온도 변화는 질량에 반비례

- **비열과 온도 변화의 관계**: 물질의 질량과 열량이 같으면 비열이 작은 물질일수록 온도 변화가 크다.

> 온도 변화는 비열에 반비례

질량과 온도 변화의 관계		비열과 온도 변화의 관계	
물: 온도 변화가 크다.	물: 온도 변화가 작다.	물: 온도 변화가 작다.	콩기름: 온도 변화가 크다.

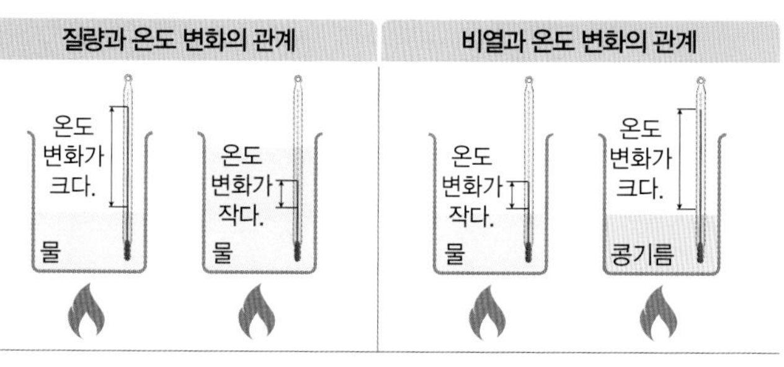

1-2 비열에 의한 현상이나 활용 예

- **일교차**: 바다는 비열이 큰 물로 이루어져 있어 해안 지방이 내륙 지방보다 일교차가 작다.
- **체온**: 몸속의 물은 비열이 크므로 외부의 급격한 온도 변화에도 체온을 유지한다.
- **비열이 큰 물의 이용**: 냉각수, 찜질 팩 속의 물, 난방용 보일러 등
- **무쇠솥과 돌솥**: 비열이 큰 돌솥에 담긴 음식이 더 오랫동안 따뜻하게 유지된다.
- **양은 냄비와 뚝배기**: 비열이 작은 양은 냄비는 음식을 빨리 끓일 때, 비열이 큰 뚝배기는 데워진 후 오랫동안 음식이 식지 않게 할 때 사용된다.

2-1 열팽창

- **열팽창**: 온도에 따라 물체의 길이와 부피가 변하는 현상
- **고체의 열팽창**: 물질마다 열팽창 정도가 다르다.

팽창 / 수축

온도가 낮을 때 / 온도가 높을 때

> 온도가 높아질 때: 고체의 길이와 부피가 늘어난다.

- **액체의 열팽창**: 물질마다 열팽창 정도가 다르다.

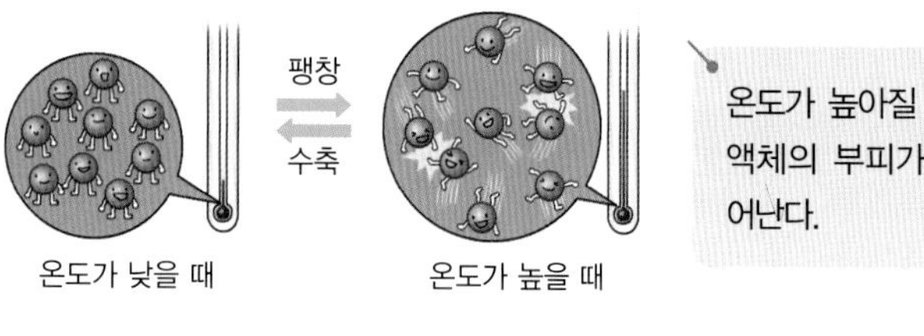

> 온도가 높아질 때: 액체의 부피가 늘어난다.

2-2 열팽창에 의한 현상이나 활용 예

- **바이메탈**: 열팽창 정도가 다른 두 금속을 붙여서 만든다. (열팽창 정도: B>A)

A, B, 가열

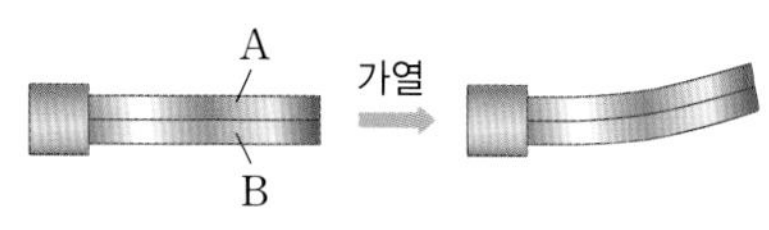

- **다리 이음매의 틈**: 다리 이음매 부분에 틈을 두어 다리가 휘어지거나 끊어지는 것을 막는다.
- **치아 충전재**: 치아 충전재로 치아와 열팽창 정도가 비슷한 물질을 사용한다.

개념 확인 문제

02. 비열과 열팽창

01 (중요) **비열에 대한 설명으로 옳은 것은?**

① 비열의 단위는 kcal/℃를 사용한다.
② 물질의 부피가 클수록 비열이 커진다.
③ 물질의 종류에 관계없이 비열은 같은 값이다.
④ 질량과 열량이 같은 경우 온도 변화는 비열에 반비례한다.
⑤ 어떤 물질 100 g을 1 ℃만큼 변화시키는 데 필요한 열량이다.

02 표는 여러 가지 물질의 비열을 나타낸 것이다.

물질	구리	모래	물
비열(kcal/(kg·℃))	0.09	0.19	1.00

이에 대한 설명으로 옳지 않은 것은?

① 비열은 물질의 특성이다.
② 비열은 질량에 비례하여 커진다.
③ 물은 구리나 모래에 비해 비열이 매우 크다.
④ 물 1 kg을 10 ℃ 높이는 데 10 kcal가 필요하다.
⑤ 질량과 열량이 같으면 비열이 큰 물질일수록 온도 변화가 작다.

03 오른쪽 그림과 같이 동일한 금속 컵에 물과 콩기름을 각각 100 g씩 넣은 후 가열기로 가열할 때의 설명으로 옳지 않은 것은? (단, 콩기름의 비열은 0.4 kcal/(kg·℃)이다.)

① 두 액체가 얻는 열량은 시간에 비례한다.
② 물보다 콩기름의 온도가 더 빠르게 변한다.
③ 콩기름 100 g을 1 ℃ 높이는 데 0.04 kcal가 필요하다.
④ 온도를 10 ℃ 높일 때까지 걸린 시간은 콩기름이 물보다 길다.
⑤ 같은 시간 동안 가열할 때 두 물질의 온도 변화는 비열에 반비례한다.

04 어떤 물질의 비열을 구할 때 꼭 알아야 하는 양을 보기에서 모두 고른 것은?

보기
ㄱ. 질량　ㄴ. 넓이　ㄷ. 밀도
ㄹ. 온도 변화　ㅁ. 얻거나 잃은 열량

① ㄱ, ㄴ　② ㄴ, ㄹ　③ ㄱ, ㄹ, ㅁ
④ ㄴ, ㄷ, ㄹ　⑤ ㄷ, ㄹ, ㅁ

05 (중요) **그림과 같이 처음 온도가 20 ℃인 물 100 g을 전열 장치로 가열하여 물의 온도를 70 ℃로 높이는 데 필요한 열량은? (단, 물의 비열은 1 kcal/(kg·℃)이다.)**

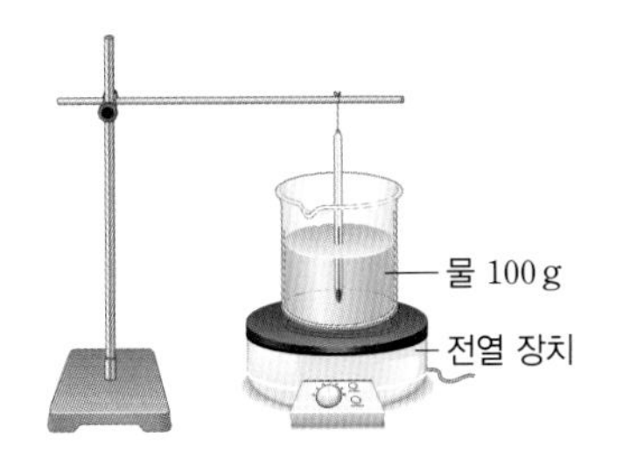

① 1 kcal　② 2 kcal　③ 5 kcal
④ 7 kcal　⑤ 10 kcal

06 그림은 어떤 액체 0.2 kg을 가열할 때 시간에 따른 온도 변화를 나타낸 것이다.

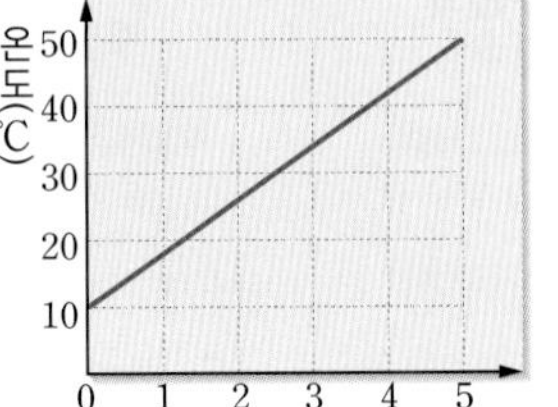

5분 동안 액체가 얻은 열량이 4 kcal일 때, 액체의 비열은?

① 0.1 kcal/(kg·℃)　② 0.2 kcal/(kg·℃)
③ 0.4 kcal/(kg·℃)　④ 0.5 kcal/(kg·℃)
⑤ 1.0 kcal/(kg·℃)

07 그림은 질량이 같은 두 액체 A와 B를 동시에 가열할 때 시간에 따른 온도 변화를 나타낸 것이다.

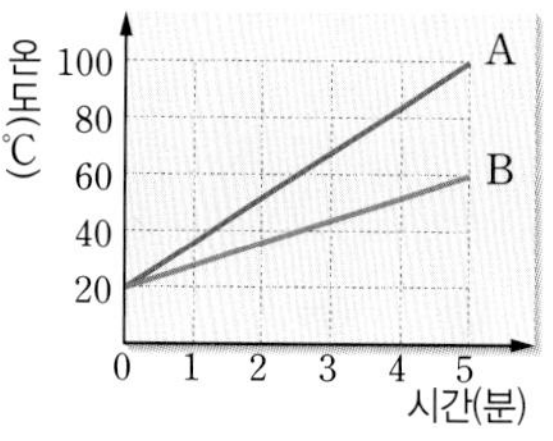

두 액체 A와 B의 비열의 비(A : B)는?

① 1 : 1　② 1 : 2　③ 2 : 1
④ 3 : 5　⑤ 5 : 3

[08~09] 그림과 같이 처음 길이가 같은 세 금속 막대를 동시에 가열할 때 길이가 늘어난 정도가 알루미늄 > 구리 > 철 순이었다.

08 금속 막대를 가열할 때 금속의 길이가 변하는 까닭으로 옳은 것은?

① 금속의 질량이 작아지기 때문이다.
② 금속을 이루는 입자의 무게가 커지기 때문이다.
③ 금속을 이루는 입자의 부피가 커지기 때문이다.
④ 금속을 이루는 입자 사이의 거리가 멀어지기 때문이다.
⑤ 금속을 이루는 입자 사이에 새로운 입자가 생기기 때문이다.

09 이에 대한 설명으로 옳지 않은 것은?

① 금속의 온도가 달라지면 길이가 변한다.
② 세 금속이 열팽창하는 정도는 모두 다르다.
③ 알루미늄이 철보다 열팽창하는 정도가 크다.
④ 온도가 낮아지면 철의 길이 변화가 가장 크다.
⑤ 금속의 온도가 높아지면 입자 운동이 활발해진다.

10 중요 그림은 어떤 고체의 온도가 높을 때와 낮을 때의 모습을 입자 모형으로 나타낸 것이다.

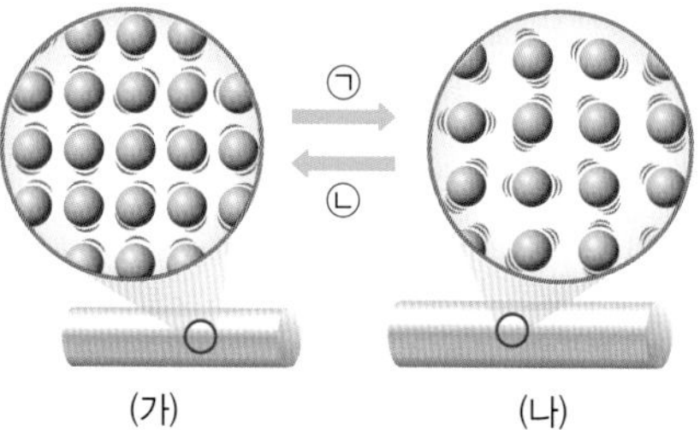

이에 대한 설명으로 옳은 것은?

① (가)는 (나)보다 온도가 높다.
② (나)는 (가)보다 고체의 부피가 작다.
③ ㉠ 과정에서 입자 운동이 둔해진다.
④ ㉡ 과정에서 입자 사이의 거리가 가까워진다.
⑤ 고체는 물질에 관계없이 열팽창 정도가 같다.

11 오른쪽 그림과 같은 금속 고리를 가열했을 때의 모습으로 옳은 것은?(단, 빨간색 점선은 금속 고리의 처음 모습을 나타낸 것이다.)

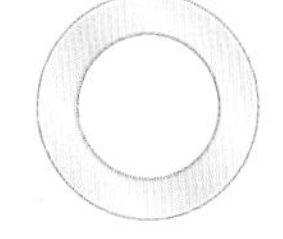

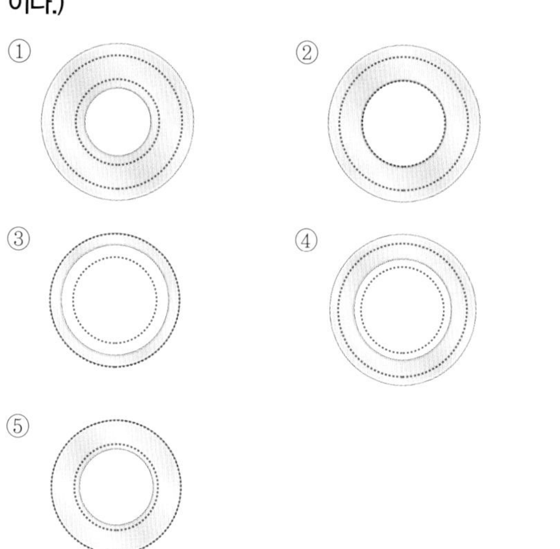

12 그림은 두 종류의 금속 A와 B를 붙여서 만든 바이메탈의 온도를 변화시킬 때의 모습이다.

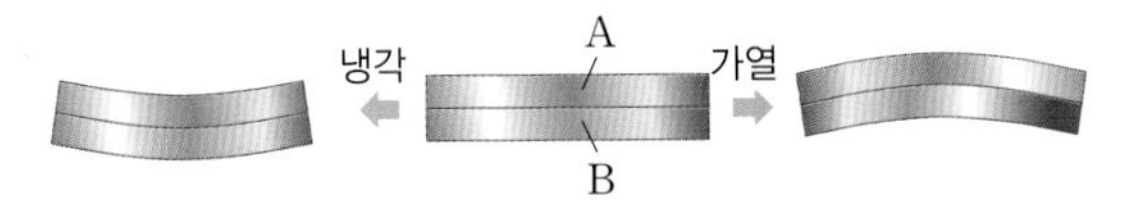

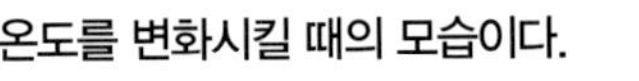

이에 대한 설명으로 옳지 않은 것은?

① 두 금속은 열팽창 정도가 다르다.
② 가열하면 A의 길이가 B보다 많이 늘어난다.
③ 냉각하면 B의 길이가 A보다 많이 줄어든다.
④ 냉각하면 바이메탈이 열팽창 정도가 큰 금속 쪽으로 휘어진다.
⑤ 가열하면 바이메탈이 열팽창 정도가 작은 금속 쪽으로 휘어진다.

중요

13 오른쪽 그림은 다리에 있는 이음매를 여름과 겨울에 보았을 때의 모습이다. 이에 대한 설명으로 옳지 않은 것은?

(가) (나)

① (가)는 겨울에 본 모습이다.
② (나)는 (가)보다 다리의 길이가 길다.
③ 기온이 높아지면 다리의 길이가 늘어난다.
④ (나)의 다리가 열팽창하면 (가)의 모습이 된다.
⑤ 기온이 높아질수록 다리 이음매의 틈이 좁아진다.

14 그림은 어떤 액체의 온도가 변할 때의 모습을 입자 모형으로 나타낸 것이다.

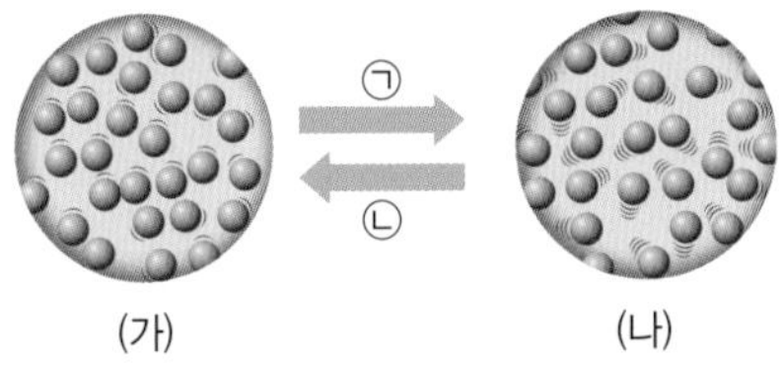

이에 대한 설명으로 옳은 것을 보기에서 모두 고르시오.

보기
ㄱ. ㉠ 과정에서 열을 얻는다.
ㄴ. ㉡ 과정에서 액체의 부피가 팽창한다.
ㄷ. 액체의 종류에 따라 팽창하는 정도가 다르다.

[15~16] 그림 (가)와 같이 실온에서 유리관의 높이가 같도록 세 액체 A~C를 각각 플라스크에 담은 후 뜨거운 물에 담갔더니 (나)와 같은 모습이 되었다.

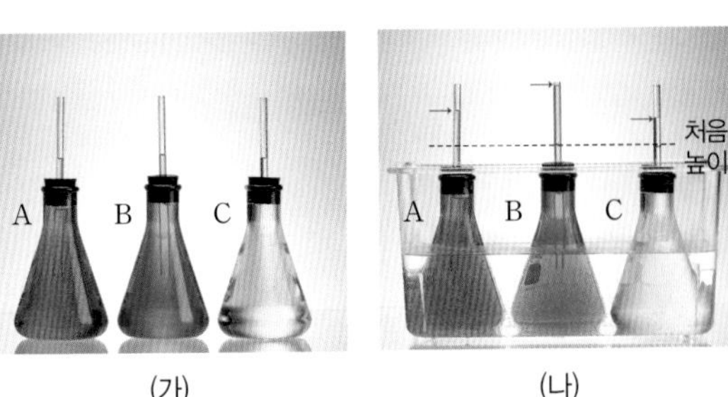

15 이에 대한 설명으로 옳은 것은?

① A의 열팽창 정도가 가장 크다.
② C가 B보다 부피가 더 많이 팽창한다.
③ 액체는 물질에 관계없이 열팽창 정도가 같다.
④ (나)보다 (가)에서 액체 입자의 운동이 활발하다.
⑤ 음료수 병에 음료수를 가득 채우지 않는 원리와 같다.

16 (가)와 같이 실온에 있던 세 액체 A~C를 채운 플라스크를 얼음 물에 담갔을 때 유리관 속의 수면이 가장 많이 내려가는 액체를 골라 기호를 쓰시오.

17 물질의 상태와 열팽창에 대한 설명으로 옳은 것은?

① 열팽창 정도는 고체 > 액체 > 기체 순으로 크다.
② 기체는 물질에 따라 열팽창하는 정도가 다르다.
③ 열팽창하는 정도가 작을수록 부피가 많이 팽창한다.
④ 온도가 높아지면 물질을 이루는 입자 사이의 거리가 멀어진다.
⑤ 고체와 액체는 물질에 관계없이 열팽창하는 정도가 모두 같다.

실력 강화 문제

02. 비열과 열팽창

정답과 해설 096쪽

01 그림과 같이 100 ℃의 물 100 g과 20 ℃의 물 300 g을 섞었을 때 섞은 물의 온도는?(단, 외부와의 열 출입은 없으며, 물의 비열은 1 kcal/(kg·℃)이다.)

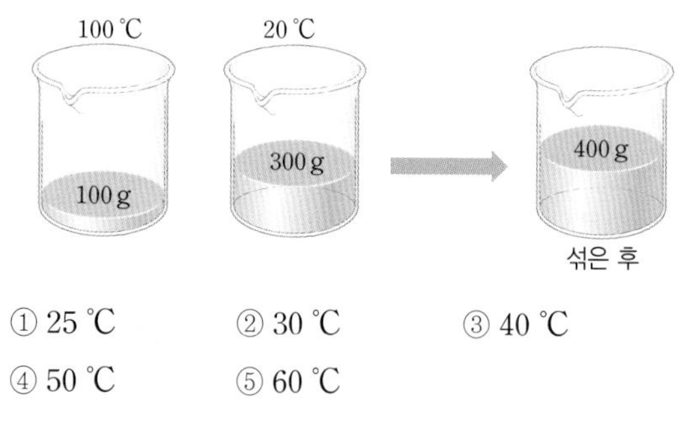

① 25 ℃　② 30 ℃　③ 40 ℃
④ 50 ℃　⑤ 60 ℃

02 표는 세 물질 A~C의 비열과 질량을 나타낸 것이다.

물질	A	B	C
비열(kcal/(kg·℃))	1.0	0.3	0.1
질량(kg)	0.1	0.2	0.5

이에 대한 설명으로 옳은 것은?

① A가 1 kcal의 열을 얻으면 온도가 1 ℃ 높아진다.
② 열량이 같으면 온도 변화는 (비열×질량)에 비례한다.
③ B의 온도를 50 ℃ 높이려면 5 kcal의 열량이 필요하다.
④ 같은 온도만큼 높일 때 A는 C보다 5배의 열량이 필요하다.
⑤ 얻은 열량이 같을 때 A와 B의 온도 변화의 비(A : B)는 3 : 5이다.

03 표는 처음 길이가 1000 m인 고체들의 온도를 1 ℃ 높일 때 늘어나는 길이를 나타낸 것이다.

물질	유리	강철	놋쇠	알루미늄
늘어나는 길이(mm)	9	11	19	23

이에 대한 설명으로 옳은 것을 보기에서 모두 고른 것은?

보기
ㄱ. 온도를 10 ℃ 높일 때 강철의 길이가 가장 많이 늘어난다.
ㄴ. 온도를 5 ℃ 낮출 때 알루미늄의 길이가 가장 많이 줄어든다.
ㄷ. 온도를 30 ℃ 높이면 처음 길이가 1 m인 강철 막대의 길이는 0.033 mm만큼 늘어난다.

① ㄱ　② ㄴ　③ ㄱ, ㄴ
④ ㄱ, ㄷ　⑤ ㄴ, ㄷ

04 그림과 같이 유리관 속에 알코올을 넣어 만든 알코올 온도계를 뜨거운 물에 담갔을 때에 대한 설명으로 옳지 <u>않은</u> 것은?

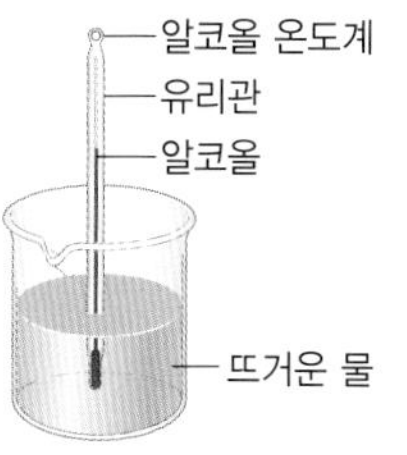

① 온도계로 온도를 정확하게 측정할 수 있다.
② 온도가 높아지면 알코올과 유리관의 부피가 늘어난다.
③ 시간이 충분히 지나면 물과 온도계가 열평형 상태가 된다.
④ 유리관이 알코올보다 열팽창 정도가 커서 온도가 변하면 온도계의 눈금이 변한다.
⑤ 외부와의 열 출입이 없으면 뜨거운 물이 잃은 열량과 온도계가 얻은 열량은 같다.

02. 비열과 열팽창

☞ 제시된 Keyword를 이용하여 문제를 해결해 보자.

1 그림은 따뜻한 밥이 담긴 무쇠솥과 돌솥을 나타낸 것이다.

무쇠솥

돌솥

같은 온도의 따뜻한 밥이 담겨 있을 때, 무쇠솥에 담긴 밥보다 돌솥에 담긴 밥을 더 오랫동안 따뜻하게 먹을 수 있는 까닭을 설명하시오.

Keyword 비열, 온도 변화

2 표는 여러 가지 물질의 비열을 나타낸 것이다.

물질	A	B	C	D
비열(kcal/(kg·℃))	0.09	0.11	0.40	1.00

(1) A 물질 1 kg을 50 ℃ 높이는 데 몇 kcal의 열량이 필요한지 쓰시오.

(2) A~D 중 같은 열량을 흡수할 때 온도 변화가 가장 큰 물질을 고르고, 그 까닭을 설명하시오. (단, A~D의 질량은 같다.)

Keyword 온도 변화, 비열, 반비례

3 질량이 같은 두 액체 A와 B를 동시에 가열하면서 1분 간격으로 온도 변화를 측정하여 표와 같은 결과를 얻었다.

시간(분)	0	1	2	3	4	5
A의 온도(℃)	25	30	35	40	45	50
B의 온도(℃)	25	35	45	55	65	75

(1) 5분 동안 가열할 때 A와 B 중 온도 변화가 큰 액체를 고르시오.

(2) A와 B 중 비열이 큰 액체를 고르고, 비열과 온도 변화의 관계로 설명하시오.

Keyword 질량, 열량, 비열, 온도 변화

4 그림은 일상생활에서 사용하는 찜질 팩의 모습을 나타낸 것이다.

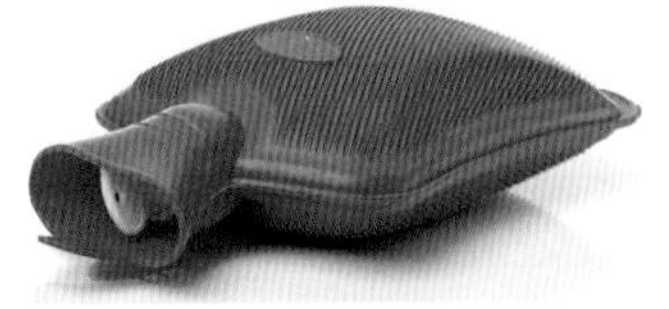

찜질 팩으로 온찜질을 할 때는 뜨거운 물을 넣고, 냉찜질을 할 때는 찬물을 넣는 까닭을 비열과 관련지어 설명하시오.

Keyword 물, 비열, 온도 변화

5 **오른쪽 그림과 같이 금속 고리를 간신히 통과하는 금속 구를 준비한 후 이를 가열하거나 냉각하는 실험을 하였다.**

(1) 금속 구만 가열하면 금속 구가 금속 고리를 통과하지 못하는 까닭을 설명하시오.

Keyword 금속 구, 팽창, 부피

(2) 금속 고리만 냉각하면 금속 구가 금속 고리를 통과하지 못하는 까닭을 설명하시오.

Keyword 금속 고리, 수축, 안쪽 지름

6 **그림은 전기 주전자의 온도 조절 장치로 사용되는 바이메탈의 구조를 나타낸 것이다.**

(1) A와 B 중 열팽창 정도가 큰 금속을 고르시오.

(2) 바이메탈의 온도가 높아지면 전기 주전자에 흐르는 전류가 차단되는 까닭을 설명하시오.

Keyword 온도, 바이메탈, 열팽창 정도

7 **그림과 같이 유리병의 금속 뚜껑이 잘 열리지 않을 때 뚜껑 부분에 뜨거운 물을 흘려주면 금속 뚜껑이 잘 열리게 된다.**

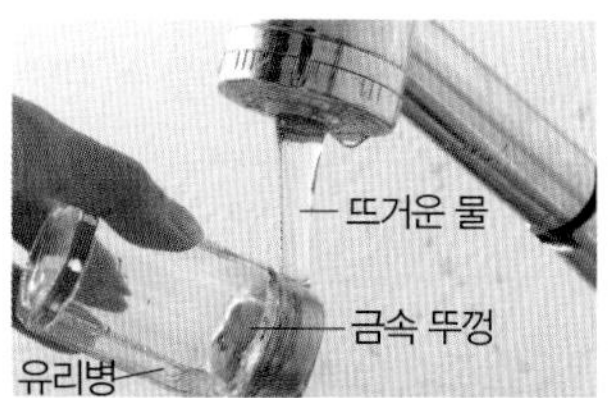

위와 같이 뜨거운 물을 흘려주면 금속 뚜껑이 잘 열리는 까닭을 금속 뚜껑과 유리병의 열팽창 정도와 관련지어 설명하시오.

Keyword 금속 뚜껑, 유리병, 열팽창 정도

8 **그림은 여러 가지 액체를 시험관에 가득 넣고 유리관을 끼운 고무마개로 막은 다음, 시험관을 뜨거운 물이 들어 있는 수조에 넣었을 때의 모습을 나타낸 것이다.**

열팽창 정도가 가장 큰 액체를 고르고, 그 까닭을 설명하시오.

Keyword 열팽창 정도, 온도, 부피

최상위권 도전 문제

☞ 제시된 Tip을 이용하여 문제를 해결해 보자.

1 온도에 대한 설명으로 옳은 것을 보기에서 모두 고른 것은?

보기
ㄱ. 온도 간격 1 K은 1 ℃와 같은 크기이다.
ㄴ. 입자 운동이 멈추었을 때의 온도가 0 ℃이다.
ㄷ. 1기압에서 순수한 물의 어는점은 절대 온도로 173 K이다.
ㄹ. 화씨온도는 1기압에서 순수한 물의 어는점을 32 °F, 끓는점을 212 °F로 정하고, 그 사이를 180등분한 온도이다.

① ㄱ, ㄴ　② ㄱ, ㄹ　③ ㄴ, ㄹ
④ ㄱ, ㄴ, ㄷ　⑤ ㄴ, ㄷ, ㄹ

Tip
절대 온도(K)=섭씨온도(℃)+273
화씨온도(°F)=
$\frac{9}{5}$× 섭씨온도(℃)+32

화씨온도
1기압에서 순수한 물의 어는점을 32 °F, 끓는점을 212 °F로 정하고, 그 사이를 180등분한 온도이다.

2 그림은 처음 온도가 80 ℃인 물체 A와 20 ℃인 물체 B를 접촉시켰을 때, B의 온도를 시간에 따라 나타낸 것이다.

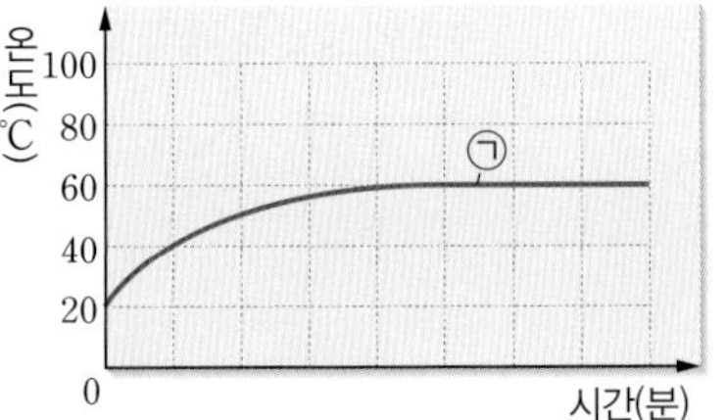

이에 대한 설명으로 옳은 것을 보기에서 모두 고른 것은? (단, 외부와의 열 출입은 없다.)

보기
ㄱ. 열평형 상태가 될 때까지 A가 잃은 열량은 B가 얻은 열량의 2배이다.
ㄴ. 열평형 상태가 될 때까지 두 물체의 온도 변화는 같은 크기이다.
ㄷ. ㉠ 상태가 될 때까지 두 물체 사이에 이동하는 열의 양은 점점 줄어든다.

① ㄱ　② ㄴ　③ ㄷ
④ ㄴ, ㄷ　⑤ ㄱ, ㄴ, ㄷ

Tip
열평형 상태가 되면 접촉한 두 물체의 온도가 같아지므로 A의 나중 온도는 60 ℃이다. 또한 접촉한 두 물체의 온도 차가 클수록 두 물체 사이에 이동하는 열의 양이 많다.

3 그림과 같이 가열 장치로 물이 담긴 냄비의 아래쪽을 가열할 때에 대한 설명으로 옳은 것은?

① 물은 냄비보다 열을 잘 전도하는 물질이다.
② 가열된 부분의 물은 주변의 물보다 밀도가 커진다.
③ 가열 장치에서 냄비까지 복사에 의해 열이 전달된다.
④ 물 입자는 제자리에서 진동만 하면서 열을 전달한다.
⑤ 가열된 부분의 물은 부피가 커지고 입자 운동이 둔해진다.

Tip
가열 장치에서 냄비까지는 열이 복사를 통해 물질의 도움 없이 직접 이동하며, 냄비에서는 열이 전도를 통해 이동한다. 냄비 속의 물은 물 입자가 직접 이동하면서 열을 전달하는 대류가 일어난다.

4 그림과 같이 크기가 같은 3개의 비커에 각각 뜨거운 물을 200 mL씩 넣고 스타이로폼 상자, 아크릴 상자, 나무 상자에 넣은 후, 온도를 측정하였더니 각 비커 속 물의 온도 변화가 표와 같았다.

상자	(㉠)	(㉡)	나무
처음 온도(℃)	56.4	56.4	56.4
20분 후의 온도(℃)	39.8	35.6	37.4

이 실험에 대한 설명으로 옳은 것은?
① ㉠은 아크릴이다.
② ㉠보다 ㉡이 단열재로 적당하다.
③ 나무는 ㉡보다 열을 잘 전달한다.
④ 단열재는 열을 잘 전도하는 물질을 사용한다.
⑤ 외부로 빠져나간 열은 ㉠보다 나무에서 더 크다.

Tip
처음 온도가 모두 같으므로 나중 온도가 높을수록 외부로 열이 많이 빠져나가지 않은 것이다. 열을 잘 전달하지 않는 물질이 단열재로 적합하다.

5 **그림 (가)와 같이 온도가 30 ℃인 200 g의 물이 방 안에 놓여 있었다. 이 컵에 담긴 물을 차갑게 하기 위해 0 ℃의 얼음 덩어리 50 g을 그림 (나)와 같이 물에 넣었다.**

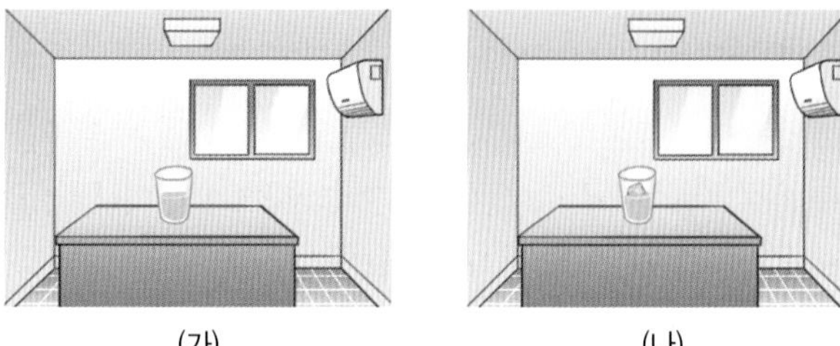

(가) (나)

컵에 넣은 얼음이 모두 녹으면 물 전체의 온도는? (단, 물의 비열은 1 kcal/(kg·℃), 얼음의 융해열은 80 kcal/kg이고, 외부와의 열 출입은 없다.)

① 6 ℃ ② 8 ℃ ③ 15 ℃
④ 20 ℃ ⑤ 40 ℃

Tip
외부와의 열 출입이 없으면 30 ℃의 물이 잃은 열량과 0 ℃의 얼음이 얻은 열량은 같다. 이때 얼음이 얻은 열량은 얼음의 온도와 얼음의 상태를 모두 변화시킨다.

융해열
일정량의 고체가 같은 온도의 액체로 상태 변화할 때 필요한 열량이다. 물질을 가열하면 고체 상태에서 액체 상태가 될 때 물질의 온도가 일정하게 유지되는데, 이때 물질의 상태가 변하는 데 에너지(융해열)가 필요하다.

6 **그림 (가)와 같이 22 ℃의 물 100 g이 담긴 열량계에 처음 온도가 100 ℃이고 질량이 200 g인 어떤 금속을 넣고 열량계 속 물의 시간에 따른 온도 변화를 측정하여 (나)와 같은 결과를 얻었다.**

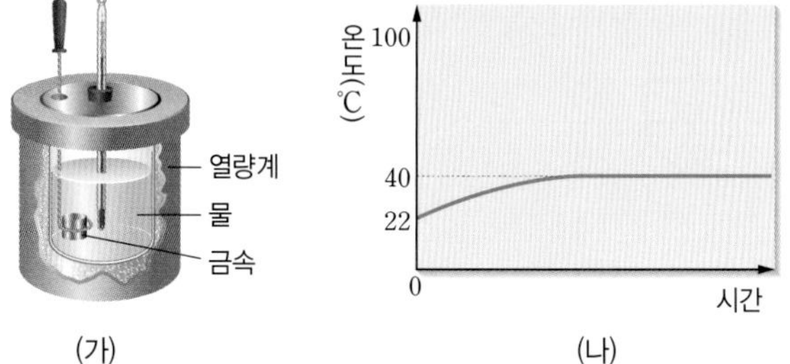

(가) (나)

금속의 비열은? (단, 물의 비열은 1 kcal/(kg·℃)이며, 외부와의 열 출입은 없다.)

① 0.1 kcal/(kg·℃) ② 0.15 kcal/(kg·℃)
③ 0.2 kcal/(kg·℃) ④ 0.26 kcal/(kg·℃)
⑤ 0.52 kcal/(kg·℃)

Tip
외부와의 열 출입이 없으면 고온의 물체가 잃은 열량은 저온의 물체가 얻은 열량과 같다.

열량계
열량을 측정하는 기구로 칼로리미터라고도 한다. 주로 물질의 비열, 반응열, 잠열 또는 연료의 발열량을 측정하는 데 사용한다.

7 **그림과 같이 구리 20 kg과 알루미늄 10 kg을 혼합하여 합금을 만들었다.**

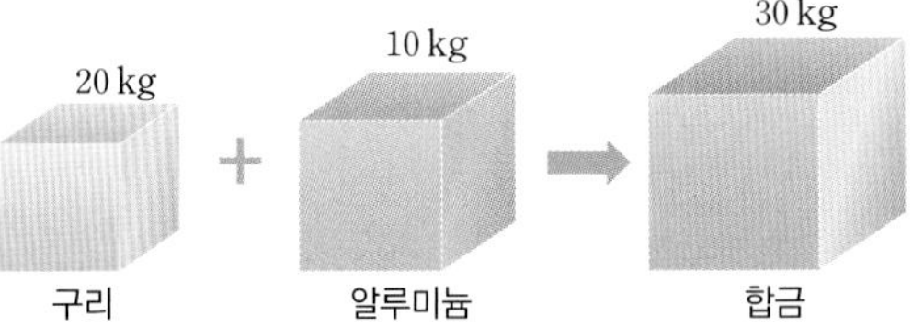

이에 대한 설명으로 옳은 것을 보기에서 모두 고른 것은? (단, 구리와 알루미늄의 비열은 각각 0.09 kcal/(kg·℃), 0.21 kcal/(kg·℃)이고, 열용량=비열×질량이다.)

보기

ㄱ. 합금의 열용량은 3.9 kcal/℃이다.
ㄴ. 합금의 비열은 1.3 kcal/(kg·℃)이다.
ㄷ. 구리 20 kg이 알루미늄 10 kg보다 열용량이 크다.
ㄹ. 비열은 알루미늄>합금>구리 순으로 크다.

① ㄱ, ㄴ　② ㄱ, ㄹ　③ ㄴ, ㄷ
④ ㄱ, ㄴ, ㄹ　⑤ ㄴ, ㄷ, ㄹ

Tip
열용량=비열×질량이고 합금은 혼합물이므로 두 금속의 열용량의 합은 합금의 열용량과 같다.

합금
금속에 다른 원소를 한 가지 이상 첨가하여 얻은, 새로운 성질의 금속이다.

열용량
어떤 물질의 온도를 1 ℃ 또는 1 K 높이는 데 필요한 열량으로, 열을 얻거나 잃었을 때 물체의 온도가 얼마나 쉽게 변하는지를 알려주는 값이다. 열용량의 단위로는 kcal/℃ 또는 J/K을 사용한다.

8 **그림 (가), (나)는 어떤 액체 A를 플라스크에 가득 채워 물의 온도가 다른 두 수조에 각각 넣은 후 시간이 충분히 지났을 때의 모습을 나타낸 것이다.**

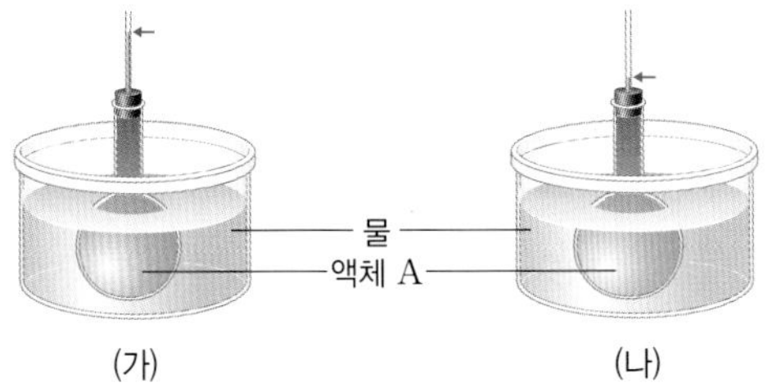

이에 대한 설명으로 옳은 것은? (단, 외부와의 열 출입은 없다.)

① (가)의 물이 (나)의 물보다 물의 온도가 낮다.
② (가)에서 A와 물의 온도가 다르다.
③ A가 플라스크보다 열팽창 정도가 작다.
④ (나)보다 (가)에서 A를 이루는 입자 사이의 거리가 멀다.
⑤ 다른 액체를 플라스크에 채워도 액체의 부피가 변하는 정도는 같다.

Tip
고체와 액체의 열팽창 정도는 물질에 따라 다르며, 액체가 고체보다 열팽창 정도가 크다.

창의·사고력 향상 문제

예제

그림 (가)와 (나)는 해안 지방에서 해륙풍이 부는 모습을 나타낸 것이다. (단, 육지와 바다의 질량은 같다고 가정한다.)

(가) 해풍

(나) 육풍

(1) (가)와 같이 낮에 바다에서 육지 쪽으로 해풍이 부는 과정을 설명하시오.

(2) (나)와 같이 밤에 육지에서 바다 쪽으로 육풍이 부는 과정을 설명하시오.

출제 의도
육지와 바다의 비열의 차로 해륙풍을 설명할 수 있는가?

문제 해결을 위한 배경 지식
- **해륙풍**: 해안 지방에서 낮과 밤에 육지와 바다의 기온 차이로 인해 방향이 바뀌어 부는 바람
- **해풍**: 온도가 상승하는 낮 동안 바다에서 육지 쪽으로 부는 바람
- **육풍**: 온도가 하강하는 밤 동안 육지에서 바다 쪽으로 부는 바람

해결 전략 클리닉

비열이 큰 물에 의해 해안 지방에서 부는 해륙풍의 방향이 어떻게 바뀌는지 다음과 같은 답안 요령으로 접근해 보자.

❶ 주로 물로 이루어진 바다가 육지보다 비열이 커서 온도 변화가 작다.
❷ 낮에는 비열이 작은 육지가 바다보다 온도가 빨리 높아지고, 밤에는 비열이 작은 육지가 바다보다 온도가 빨리 낮아진다.
❸ 뜨거운 공기는 위쪽으로 상승하고 그 자리를 채우기 위해 주변에서 공기가 이동한다.
❹ 해풍은 바다에서 육지 쪽으로 부는 바람이고, 육풍은 육지에서 바다 쪽으로 부는 바람이다.

Keyword
(1) 낮, 비열, 기온
(2) 밤, 비열, 기온

모범 답안

(1) 낮에는 비열이 작은 육지가 비열이 큰 바다보다 기온이 빨리 높아져서 육지 위의 공기가 위로 상승하므로 지표 근처에서는 바다에서 육지 쪽으로 공기가 이동하는 해풍이 분다.
(2) 밤에는 비열이 작은 육지가 비열이 큰 바다보다 기온이 빨리 낮아져서 상대적으로 온도가 높은 바다 위의 공기가 위로 상승하므로 지표 근처에서는 육지에서 바다 쪽으로 공기가 이동하는 육풍이 분다.

완벽한 답안 작성을 위한 tip
(1) 낮 동안 육지와 바다의 비열 차에 의한 기온 상승의 차이와 관련지어 공기의 대류 현상을 설명하면 완벽한 답안이 될 수 있다.
(2) 밤 동안 육지와 바다의 비열 차에 의한 기온 하강의 차이와 관련지어 공기의 대류 현상을 설명하면 완벽한 답안이 될 수 있다.

실전 문제

정답과 해설 099쪽

1 논리적 서술형

그림 (가)와 (나)는 촛불 주위로 손을 가까이 할 때의 모습을 나타낸 것이다.

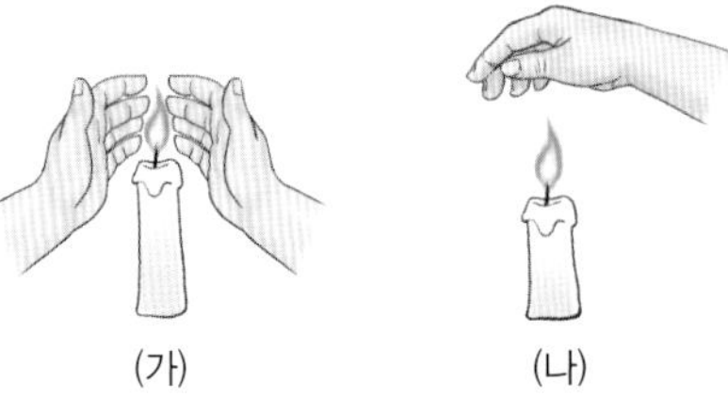

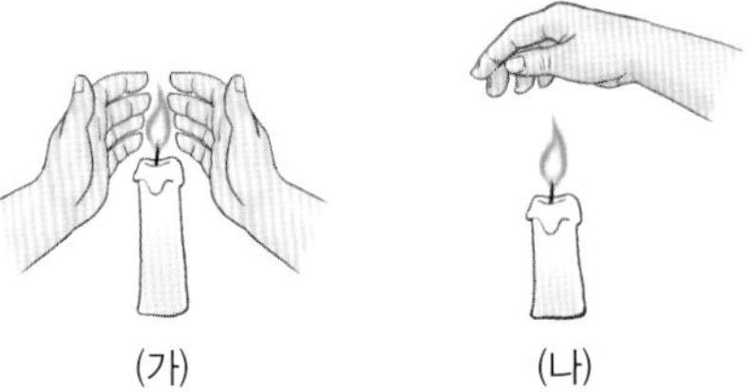

(가) (나)

(1) (가)와 같이 촛불 주위에 손을 가까이 할수록 손이 따뜻해지는 까닭을 열의 이동 방법과 관련지어 설명하시오.

(2) (나)와 같이 촛불 위쪽에 손을 가까이 할 때 손이 따뜻하게 느껴지는 까닭을 열의 이동 방법과 관련지어 설명하시오.

2 단계적 문제 해결형

외부와의 열 출입이 없고, 질량이 없다고 가정한 풍선에 따뜻한 공기와 차가운 공기를 각각 넣고 방 안에 둘 때 그림 (가)는 따뜻한 공기 풍선은 위쪽에, 차가운 공기 풍선은 아래쪽에 둔 것을, (나)는 따뜻한 공기 풍선은 아래쪽에, 차가운 공기 풍선은 위쪽에 둔 것을 나타낸 것이다.

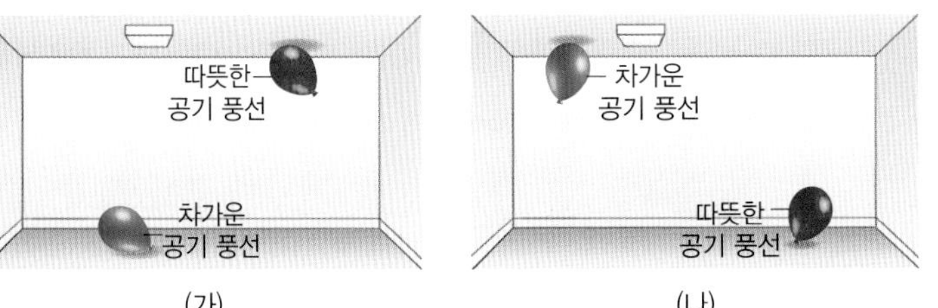

(1) (가)와 (나)에서 풍선의 움직임을 설명하시오.

(2) 에어컨을 설치할 때 방의 위쪽과 아래쪽 중 더 효율적인 것을 그 까닭과 함께 설명하시오.

Tip

열이 직접 이동하는 경우와 공기의 순환에 의해 열이 전달되는 경우를 열의 이동 방법인 전도, 대류, 복사와 관련지어 생각해 본다.

Keyword

(1) 열, 복사, 손
(2) 가열된 공기, 대류, 열

Tip

대류가 일어날 때 차가운 공기와 따뜻한 공기의 이동 방향을 생각해 본다.

Keyword

(1) 차가운 공기, 따뜻한 공기, 대류
(2) 대류, 효율적

3

단계적 문제 해결형

오른쪽 그림과 같이 처음 온도가 100 ℃이고 질량이 100 g인 어떤 금속을 20 ℃의 물 200 g이 담긴 비커에 넣은 후 물의 온도 변화를 측정하여 표와 같은 결과를 얻었다. (단, 외부와의 열 출입은 없다.)

물
금속

시간(분)	0	1	2	3	4	5	6	7
물의 온도(℃)	20	23	26	28	29	30	30	30

(1) 7분 후에 금속의 온도는 몇 ℃인지 쓰고, 그렇게 생각한 까닭을 설명하시오.

(2) 7분 동안 금속이 잃은 열량은 몇 kcal인지 쓰고, 그렇게 생각한 까닭을 설명하시오.

Tip

열평형 상태일 때 접촉한 두 물체의 온도가 같고, 고온의 물체가 잃은 열량과 저온의 물체가 얻은 열량과의 관계를 생각해 본다.

Keyword

(1) 물의 온도, 일정, 열평형 상태

(2) 외부와의 열 출입, 금속이 잃은 열량, 물이 얻은 열량

4

단계적 문제 해결형

그림은 화재경보기에서 A와 B 두 종류의 금속으로 만든 바이메탈이 온도에 따라 휘어지는 모습을 나타낸 것이다.

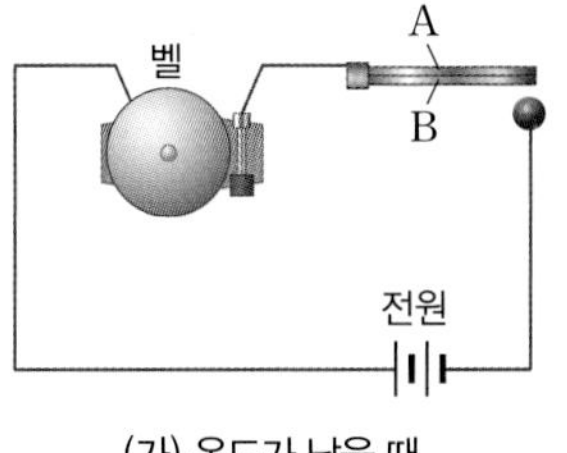

(가) 온도가 낮을 때 (나) 온도가 높을 때

(1) A와 B 두 금속의 열팽창 정도를 등호나 부등호로 비교하시오.

(2) 화재가 발생했을 때 화재경보기가 작동하는 과정을 설명하시오.

Tip

온도가 높아지면 바이메탈이 열팽창 정도가 작은 금속 쪽으로 휘어진다.

Keyword

(2) 온도, 길이 변화, 바이메탈이 휘어지는 방향

5 논리적 서술형

그림 (가)와 (나)는 겨울과 여름에 전신주 사이에서 매달린 전선의 모습을 나타낸 것이다.

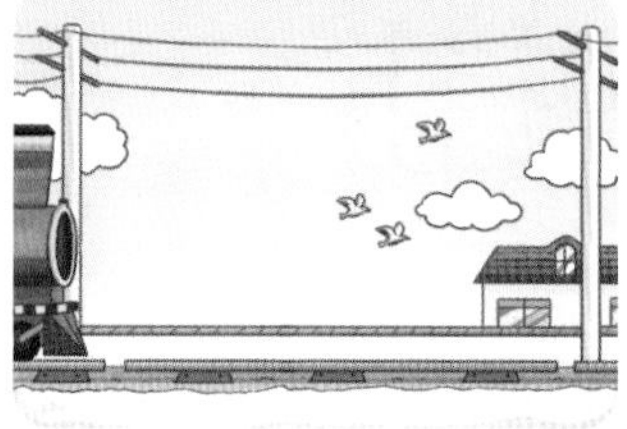

(가) 겨울

(나) 여름

전신주에 전선을 설치하는 사람이 여름에 (가)와 같이 전선을 설치하였을 때의 문제점을 전선의 열팽창과 관련지어 설명하시오.

Tip

겨울에는 기온이 낮아져서 전선의 길이가 짧아진다.

Keyword

겨울, 기온 변화, 길이 변화

6 창의적 문제 해결형

다음은 물의 특성에 대한 설명의 일부이다.

오른쪽 그래프와 같이 물은 4 ℃일 때 부피가 가장 작고, 그보다 온도가 조금 높아지거나 낮아져도 부피가 증가한다. 물이 4 ℃에서 0 ℃가 될 때 온도가 낮아져도 부피가 증가하는 까닭은 액체 상태의 물은 4 ℃일 때 밀도가 1.0 g/cm^{3}이지만 0 ℃에서 고체 상태의 얼음이 되면 입자와 입자 사이의 빈 공간이 증가하여 밀도가 0.9 g/cm^{3}로 작아지기 때문이다.

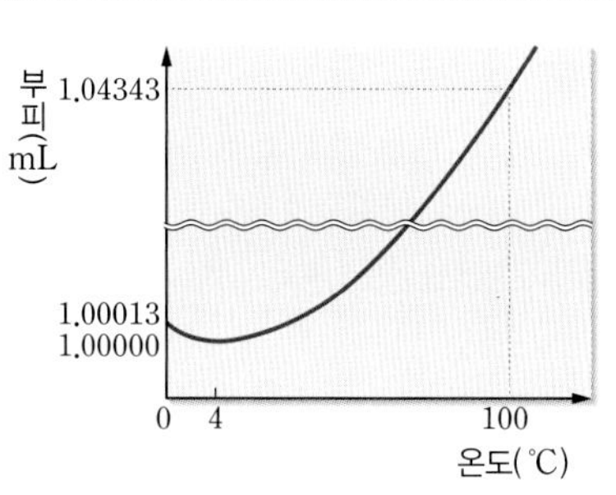

위와 같은 물의 특성 때문에 겨울철에 호수의 물이 얼 때 나타나는 현상을 설명하시오.

Tip

물은 밀도가 클수록 아래쪽에 위치하고, 얼음과 물 중 밀도가 작은 쪽이 위쪽에 위치한다는 점을 생각해 본다.

Keyword

4 ℃의 물, 밀도, 뜨고 가라앉음

Sc!ence Talk

열에 갇힌 도시

열섬(Heat Island) 현상

20세기가 시작되면서 각 나라마다 산업화가 진행되어 도시들이 늘어나는 반면 녹지의 면적은 줄어들었다. 이에 따라 도시에서 만들어지는 인공적인 열과 대기 오염으로 인해 도시 지역이 주변 지역보다 기온이 높아지는 현상이 생기기 시작하였는데, 이러한 현상을 열섬(heat island) 현상이라고 한다.

주변 지역에서 도시 중심으로 갈수록 기온이 높아지기 때문에 도시 지역과 주변 지역의 기온 분포 모습이 마치 섬의 등고선과 비슷한 모습을 띠게 되는데, 도시 지역의 기온이 높은 부분을 가리켜 '섬(island)'이라고 부르게 되었다.

열섬 현상의 발생 원인으로는 우선 공장에서 나오는 매연과 자동차의 배기가스와 같은 대기 오염 물질, 난방기가 배출하는 열과 같은 인공적으로 만들어진 열 등을 들 수 있다. 또한 도시 지역에 건물들이 밀집되면서 도로의 아스팔트나 콘크리트 건물이 햇빛을 흡수한 후 적외선의 형태로 다시 방출하여 기온을 높이는 역할을 하였고, 증산 작용을 하면서 햇빛을 흡수할 수 있는 식물의 서식지가 줄어들면서 기온을 낮추는 역할을 하지 못하게 된 것도 한 원인이 되었다.

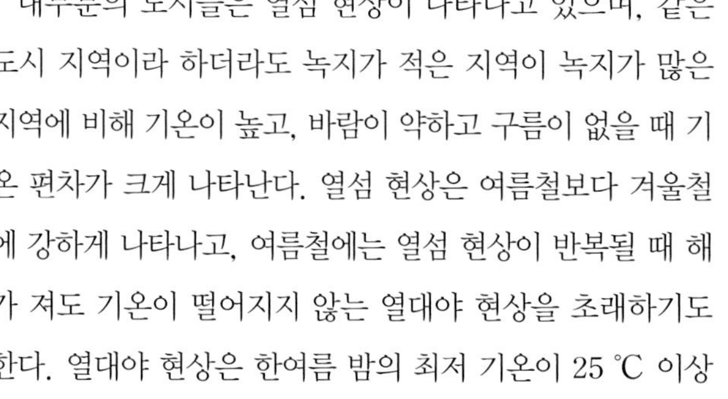

대부분의 도시들은 열섬 현상이 나타나고 있으며, 같은 도시 지역이라 하더라도 녹지가 적은 지역이 녹지가 많은 지역에 비해 기온이 높고, 바람이 약하고 구름이 없을 때 기온 편차가 크게 나타난다. 열섬 현상은 여름철보다 겨울철에 강하게 나타나고, 여름철에는 열섬 현상이 반복될 때 해가 져도 기온이 떨어지지 않는 열대야 현상을 초래하기도 한다. 열대야 현상은 한여름 밤의 최저 기온이 25 ℃ 이상인 현상으로, 우리나라 주변에 고온다습한 북태평양 고기압이 발달했을 때 이러한 현상이 나타나면 사람들이 더위로 인하여 잠들기 어렵다.

열섬 현상에 의한 도시풍

열섬 현상은 도시 지역에서 부는 강한 바람의 원인이 되기도 한다. 도시 지역은 인공적인 열을 많이 방출하여 기온이 높아지기 때문에 상승 기류가 형성되는 반면에, 주변 지역은 하강 기류가 형성되어 주변 지역에서 도시 지역의 중심을 향해 강한 도시풍이 불게 된다.

또한 도시 지역은 주변 지역에 비해 훨씬 많은 양의 먼지가 발생되는데. 이러한 먼지들이 열섬 현상 때문에 흩어지지 못하고 도시 지역의 상공을 뒤덮어 먼지 지붕을 이룰 수 있다. 도시 지역의 상공에 먼지 지붕이 생기면 주변 지역보다 구름이나 안개가 자주 생기며, 햇빛을 차단하기 때문에 비타민 D의 결핍을 초래하기도 한다. 심한 경우에는 대기 속의 오염 물질이 안개 모양의 기체가 되어 스모그의 발생 원인이 될 수도 있다.

이와 같이 도시 지역에서 발생하는 열섬 현상과 관련된 문제를 해결하기 위해 각 나라는 도시에 숲이나 공원을 조성하는 등의 녹화 사업을 추진하고 있으나, 아직까지 근본적인 해결책은 없는 상태이다. 도시 지역의 열섬 현상을 해결할 수 있는 방법을 여러분은 알고 있는가?

IX 재해 · 재난과 안전

01 재해 · 재난과 안전

재해 · 재난은 자주 발생하는 일은 아니지만 한번 발생하면 크고 작은 피해가 많이 생긴다. 우리 주변에서 발생할 수 있는 재해 · 재난에 대해 알아보고 재해 · 재난이 발생했을 때 대처 방안들에 대해 배워 보자.

01 재해 · 재난과 안전

해마다 재해 · 재난이 발생하여 많은 인명과 재산 피해가 일어나고 있다. 재해 · 재난의 종류에는 어떤 것들이 있으며, 각 재해 · 재난이 발생했을 때 어떻게 대처해야 할까?

1 재해 · 재난

재난
한파, 가뭄, 지진, 감염성 질병 확산, 화학 물질 유출 등으로 국민과 국가에 피해를 주는 것

1 **재해 · 재난의 정의** 정상적이지 않은 자연 현상 또는 인위적인 사고가 원인이 되어 발생하는 사회적 · 경제적 피해 예 폭풍, 지진, 대설, 홍수, 화재, 화학 물질 유출 등

2. **재해 · 재난의 종류** 자연 재해 · 재난과 사회 재해 · 재난으로 나눈다.

(1) 자연 재해 · 재난: 자연 현상으로 인하여 발생하는 재해 · 재난

① 상대적으로 넓은 지역에 걸쳐 발생한다. → 예방하기가 쉽지 않다.

② 자연 재해의 예: 태풍, 홍수, 가뭄, 대설, 지진, 지진 해일, 화산 활동 등

지진

홍수

화산

(2) 사회 재해 · 재난: 인위적 부주의로 인하여 발생하는 재해 · 재난

① 상대적으로 좁은 지역에 걸쳐 발생한다. → 주로 인간의 활동에 의해 발생하므로 예방할 수 있다. — 감염성 질병의 확산이나 대규모 기름 유출 등의 사고와 같이 좁은 지역에서 발생한 후, 넓은 지역으로 퍼져 나가 큰 피해를 주는 경우도 있다.

② 사회 재해의 예: 화재, 운송 수단 사고, 화학 물질 유출, 붕괴, 감염성 질병 확산 등

화학 물질 유출

운송 수단 사고

감염성 질병 확산

학습 내용 Check

정답과 해설 101쪽

1. 재해 · 재난의 종류에는 자연 재해 · 재난과 ________ 재해 · 재난이 있다.
2. 자연 현상으로 발생하는 재해 · 재난을 ________이라고 한다.
3. 화재, 폭발, 교통사고 등 인위적 부주의로 발생하는 재해 · 재난을 ________이라고 한다.

2 지진

1. 지진에 따른 피해

(1) 지진: 지구 내부의 에너지가 지표로 나와, 땅이 갈라지며 흔들리는 현상

(2) 지진에 따른 피해

① 산이 무너지거나 땅이 갈라지기도 하며, 이로 인해 건물이 무너지고 화재가 발생하여 인명과 재산 피해가 발생하기도 한다.

② 해저에서 지진이 발생하는 경우에는 바닷물이 해안 지역을 덮치는 지진 해일이 발생할 수도 있다.

2. 지진에 대한 대처 방안

(1) 지진 발생 후 행동 요령: 지진으로 땅이 흔들리는 시간은 비교적 짧지만, 대부분 여러 번 일어난다.

① 지진이 일어날 때: 건물 안에 있을 때는 튼튼한 책상이나 식탁 아래로 몸을 피한다. → 건물 붕괴보다 낙하물과의 충돌로 다칠 확률이 더 높기 때문이다.

② 강한 진동이 멈춘 후 대중교통 이용 중이라면 아래로 웅크리고 넘어지지 않도록 손잡이를 잡는다.

- 가스와 전기를 차단하고, 문을 열어 출구를 확보한다.
- 가방 등으로 머리를 보호하며, 계단을 통해 건물 밖으로 나가 넓은 공간으로 대피한다. 이때 엘레베이터는 사용하지 않는다.

③ 대피 장소에 도착한 후: TV, 라디오, 휴대폰 등을 이용해 재난 정보를 청취하며, 재난 안내에 따라 행동한다.

지진이 일어날 때	강한 진동이 멈춘 후		대피 장소에 도착한 후
튼튼한 책상이나 식탁 아래로 몸을 피한다.	가스와 전기를 차단하고, 출구를 확보한다.	머리를 보호하고, 계단을 통해 건물 밖으로 나간다.	재난 정보를 청취하며, 안내에 따라 행동한다.

(2) 건물을 지을 때: 지진에 대비하여 땅이 불안정한 지역을 피해 건물을 짓고, 건물을 지을 때는 내진 설계를 한다.

내진 설계 건물 벽에 대각선으로 지지대를 설치한다.

학습 내용 Check

정답과 해설 101 쪽

1. 지진 발생 시 건물 안에 있을 때는 빨리 튼튼한 책상이나 식탁 ________로 들어가 몸을 피한다.

2. 지진 발생 후, 강한 진동이 멈추면 ________을 통해 건물 밖으로 나가 넓은 공간으로 대피한다.

3. 지진의 피해를 막기 위해서 건물을 지을 때는 ________를 한다.

진원과 진앙
- 진원: 지구 내부에서 지진이 최초로 발생한 지점. 진원의 깊이가 얕을수록 피해가 크다.
- 진앙: 진원에서 연직으로 지표면과 만나는 지점으로 지진이 발생했을 때 가장 큰 피해를 입는 지역이다.

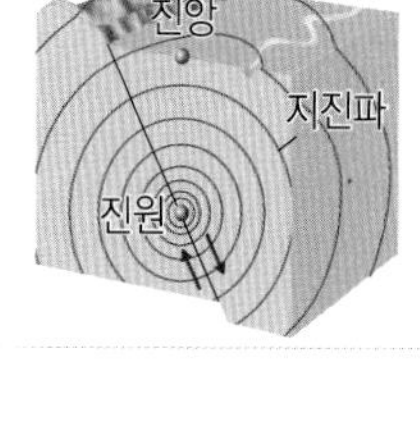

지진 해일
수심이 1 km 이상인 해저에서 지진이 일어나면 지진 해일이 발생할 수 있다. 지진 해일이 일어나면 재빨리 긴급 대피 장소나 높은 곳으로 대피한다.

지진 발생 시 대피장소
지진 발생 초기에는 공터, 운동장 등 구조물 파손 및 낙하물로부터 안전한 외부의 넓은 장소로 대피해야 한다. 지역별 건물 밖 대피장소는 국민재난안전포털에서 검색할 수 있다.

지진으로 인한 피해를 줄이는 방법
- 국가적인 준비: 내진 설계 의무화, 재해 · 재난 경보 시스템 구축
- 가정에서 준비: 가구, 전자제품, 액자 등 쓰러져 피해를 줄 수 있는 물건들을 고정

용어 내진 설계
지진이 일어났을 때 진동을 견디게 건축물의 내구성을 강화하는 것을 말한다.

기상 재해

1. 기상 재해에 따른 피해

(1) 기상 재해: 호우, 태풍, 황사, 홍수, 가뭄, 대설, 폭염 등과 같은 기상 현상이 원인이 되어 발생하는 재해 · 재난 → 기후에 따라 매년 일정한 시기에 발생한다.

(2) 기상 재해의 원인이 되는 주요 기상 현상

① 태풍: 저위도 지역에서 발생하는 열대성 저기압으로, 강한 바람으로 농작물이나 시설물에 피해를 주거나 집중 호우를 동반하여 도로를 무너뜨리거나 산사태를 일으키기도 하며, 해일을 동반하기도 한다. 태풍이 진행하는 방향의 오른쪽 지역은 왼쪽 지역보다 바람이 강하고 강수량도 많아 피해가 더 크다.

② 집중 호우: 초여름에 자주 발생하며, 저지대의 가옥이 침수되거나 농작물 등이 피해를 입기도 한다.

③ 폭설: 교통이 통제되어 마을이 고립되기도 한다.

④ 황사: 호흡기 질환을 일으키고, 항공과 운수 산업에 피해를 주기도 한다.

2. 기상 재해에 대한 대처 방안

기상 재해는 기후에 따라 매년 일정한 시기에 발생하며, 급격하게 진행 상황이 바뀔 수 있으므로 기상 정보를 주의 깊게 들어야 한다.

(1) 여름철 태풍 및 집중 호우 대처 방법

① 비상용품을 준비한다.

② 바람에 날릴 수 있는 물건은 없는지 확인한다.

③ 강풍을 대비해 유리창에는 테이프와 안전 필름을 붙인다.

④ 가스는 미리 차단하며, 감전 위험이 있으므로 전기 시설을 만지지 않도록 한다.

⑤ 침수에 대비해 가재도구는 높은 곳으로 올리고, 배수구의 막힘 여부를 확인한다.

⑥ 기상 재해는 시간에 따라 진행 상황이 급격하게 변하므로 기상 정보를 주의 깊게 듣는다.

⑦ 선박은 항구에 결박하고, 운행 중인 경우에는 태풍의 이동 경로에서 최대한 멀리 대피한다.

⑧ 해안가에서는 태풍의 피해를 줄이기 위해 바람막이숲을 조성하거나 모래 방벽을 쌓기도 한다.

(2) 낙뢰에 대한 대처 방법: 도시의 높은 건물에 피뢰침을 설치한다. → 낙뢰로 생긴 전류를 땅으로 흘려보내서 건물 내부로 전류가 흐르지 않도록 해 준다.

기상 재해에 대한 특보

강풍, 풍랑, 호우, 대설, 건조, 해일(폭풍 해일, 지진 해일), 한파, 태풍, 황사, 폭염 등의 재해에 대한 특보에는 그 정도에 따라 주의보와 경보가 있다.

- 주의보: 재해가 일어날 우려가 있는 경우나 사회, 경제 활동에 큰 영향을 미칠 가능성이 있을 경우 이를 발표하는 예보이다.
- 경보: 중대한 재해가 일어날 수 있음을 경고하는 예보이다.

우리나라 계절별 기상 재해

- 태풍: 7~9월 사이에 태풍의 경로가 집중된다.

- 미세먼지: 봄, 가을, 겨울에 주로 발생한다.
- 황사: 주로 봄철에 발생한다.
- 집중 호우: 초여름에 자주 발생한다.

집중 호우

일반적으로 많은 비가 내리는 것을 호우라고 하며, 특히, 짧은 시간 동안 평균적인 강우보다 많은 비가 올 때를 집중 호우라고 한다.

용어 가재도구

집안 살림에 쓰는 여러 물건

학습 내용 Check

정답과 해설 101쪽

1. 기상 현상이 원인이 되어 나타나는 재해를 ________라고 한다.
2. 기상 재해는 ________에 따라 매년 일정한 시기에 발생한다.
3. 여름철 태풍 및 집중 호우에 대처하기 위해서 가재도구는 (낮은, 높은) 곳으로 올린다.

4 감염성 질병의 확산

1. 감염성 질병의 확산에 따른 피해

(1) 감염성 질병: 세균과 바이러스 등에 의해 발생하는 질병으로, 질병을 일으키는 병원체는 다양한 경로를 통해 사람과 사람 사이로 전파된다. 예 메르스(MERS, 중동 호흡기 증후군), 조류 독감, 유행성 눈병 등

(2) 감염성 질병의 전파 경로: 비교적 쉽고 빠르게 넓은 지역으로 퍼져 나갈 수 있다.

① 악수를 하거나 기침을 하는 등 사람과 사람이 직접 접촉할 때 쉽게 전파된다.

② 공기나 물, 환자가 만졌던 물건, 모기 등의 동물, 음식물 등을 통해 간접적으로 전파되기도 한다.

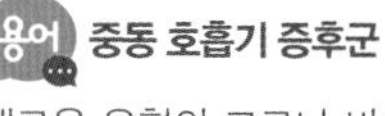
용어 중동 호흡기 증후군
새로운 유형의 코로나 바이러스 감염으로 인한 중증 급성 호흡기 질환이다.

용어 바이러스
살아 있는 세포에 기생하며, 세포 내에서만 증식할 수 있는 감염성 입자이다.

2. 감염성 질병이 확산될 때의 대처 방안

증상, 감염 경로 등의 해당 질병에 대한 정보를 정확하게 알고 대처한다.

① 음식은 충분히 익혀서 먹는다.

② 손을 자주 씻으며, 개인위생을 철저히 한다.

③ 기침을 할 때는 휴지나 옷소매 등으로 입과 코를 가린다.

④ 식재료는 흐르는 깨끗한 물에 씻고, 식수는 끓인 물이나 생수를 사용한다.

⑤ 해외 여행 후, 발열, 호흡기 이상, 구토 등의 증상이 있으면 검역관에게 신고한다.

⑥ 예방 접종을 미리 받고, 설사, 발열 및 호흡기 이상 증상이 나타날 때는 즉시 의사의 진료를 받는다.

감염성 질병이 확산되는 원인
- 병원체의 진화, 모기나 진드기와 같은 매개체의 증가, 인구 이동 등이 있다.
- 최근에는 무분별한 개발로 야생 동물에게만 발생하던 질병이 인간에게 감염되어 나타나기도 한다.

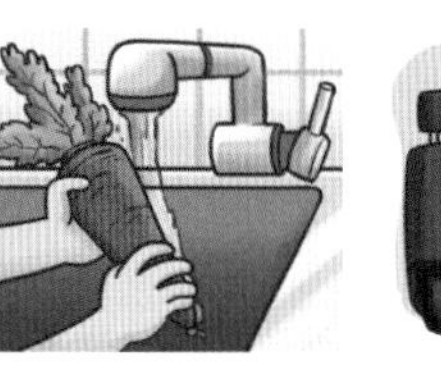

손을 자주 씻는다. / 기침을 할 때, 휴지, 옷소매 등으로 입과 코를 가린다. / 식재료는 흐르는 깨끗한 물에 씻는다. / 예방 접종을 미리 받는다.

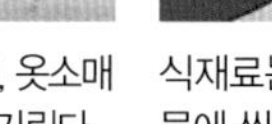
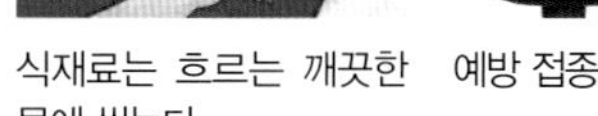

탐구+더하기　오염된 물을 통해 전염되는 콜레라

콜레라는 오염된 음식이나 물을 먹어 발생하는 질병으로, 설사와 탈수 증상이 나타나고, 심한 경우 사망하는 무서운 감염성 질병이다. 과거에는 콜레라가 공기 중으로 퍼져 나가 전염되는 독성 기체라고 생각했다. 그러나 스노우(Snow, J., 1813~1858)라는 의사가 콜레라가 전염되는 원인을 알아내기 위하여 사망자가 발생한 곳을 확인한 결과, 콜레라 환자는 특정 급수 펌프 주변에 많이 분포하였다. 이를 통해 콜레라는 공기를 통해 전염되는 질병이 아니라 오염된 물을 마실 때 전염되는 질병임이 밝혀졌다.

학습 내용 Check

정답과 해설 101 쪽

1. 감염성 질병은 세균, 바이러스와 같이 질병을 일으키는 ________에 의해 감염된다.
2. 감염성 질병이 확산을 막기 위해 기침을 할 때 휴지나 옷소매 등으로 ________과 ________를 가린다.

5 화학 물질 유출

플루오린화 수소 유출 사고
플루오린화 수소는 공기보다 가볍고, 수분을 만나면 부식성이 강한 물질을 만들어 피부나 점막을 손상시키는 위험한 기체이다. 2012년, 우리나라의 한 공장에서 플루오린화 수소 기체가 유출되는 사고가 있었다. 이 사고로 사상자가 발생하고, 인근의 동식물이 죽거나 가스 중독 현상을 보이는 등의 많은 피해가 있었다.

1. 화학 물질 유출의 원인과 피해

(1) **화학 물질 유출의 원인**: 화학 산업 시설을 교체할 때 작업자의 부주의, 시설물의 노후화, 관리의 소홀 등으로 일어난다.

(2) **화학 물질 유출에 따른 피해**: 사람이나 자연환경에 큰 피해를 주며, 짧은 시간 동안에 넓은 지역까지 큰 피해를 줄 수 있다.

2. 화학 물질이 유출되었을 때의 대처 방안

화학 물질이 유출되었을 때 사고 발생 지역과 바람의 방향
• 사고 발생 지역으로 바람이 불 때는 바람이 불어오는 방향으로 대피한다.

• 사고 발생 지역에서 바람이 불어올 때는 바람의 수직인 방향으로 대피한다.

① 화학 물질이 유출된 장소에서 최대한 멀리 벗어나야 한다.
② 사고 발생 지역으로 바람이 불 때는 바람이 불어오는 방향으로 대피한다.
③ 사고 발생 지역에서 바람이 불어올 때는 바람의 수직인 방향으로 대피한다.
④ 유독가스는 대부분 공기보다 밀도가 크므로 높은 곳으로 대피한다.
⑤ 일부 화학 물질은 피부에 접촉하면 수포가 생기거나 호흡하면 폐에 손상을 줄 수 있다. → 대피할 때 비옷이나 큰 비닐 등으로 몸을 감싸고, 코와 입을 가린다.
⑥ 대피 후 옷을 갈아입고, 비눗물로 몸을 씻는다.
⑦ 외부로 대피할 때는 문과 창문을 닫고 음식은 밀폐하여 보관한다.
⑧ 외부 공기와 통하는 에어컨, 환풍기 등의 작동은 멈춘다.

6 화산

1. 화산의 피해 화산이 폭발하면 화산재나 용암 때문에 직접적인 피해가 발생하며, 화산 기체가 대기 중으로 퍼져 항공기 운행 중단 등의 피해를 받을 수 있다.

2. 화산에 대한 대처 방안 화산이 폭발하면 외출을 자제하고 화산재에 노출되지 않도록 하며, 방진 마스크, 손전등, 예비 의약품 등을 미리 준비한다.

7 운송 수단 사고

1. 운송 수단 사고의 원인 주로 안전 관리 소홀, 안전 규정 무시, 기기 자체의 결함 때문에 발생한다.

2. 운송 수단 사고에 대한 대처 방안 안내 방송을 잘 듣고, 운송 수단의 종류에 따른 대피 방법을 미리 알아 둔다.

학습 내용 Check

정답과 해설 101쪽

1. ________이 유출되면 짧은 시간 동안에 넓은 지역까지 큰 피해를 줄 수 있다.
2. 화학 물질 유출 지역에서 바람이 불어올 때는 바람의 ________인 방향으로 대피한다.
3. 화산이 폭발하면 화산재나 ________ 때문에 직접적인 피해가 발생할 수 있다.

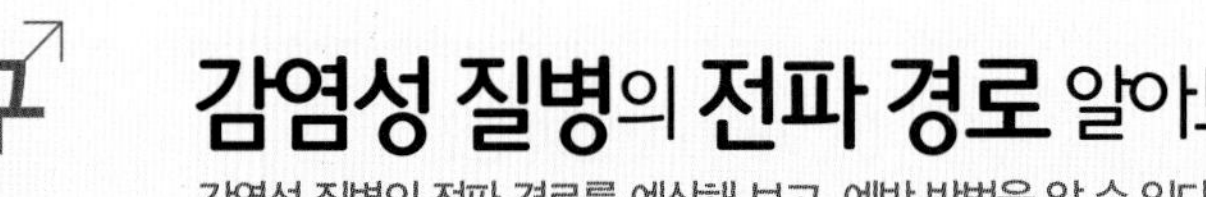

탐구 감염성 질병의 전파 경로 알아보기

감염성 질병의 전파 경로를 예상해 보고, 예방 방법을 알 수 있다.

과정 및 결과

❶ 실험용 장갑을 낀 손에 형광 잉크를 적당히 바르고 흐르지 않도록 잘 말린다.

❷ 10분 동안 교실에서 일상적인 행동을 한다.

❸ 교실을 어둡게 한 후 자외선 손전등을 비추어 형광 물질이 묻어 있는 곳을 확인해 보자.

→ 형광 물질이 교실 손잡이, 창틀, 선풍기, 전등 스위치 등 여러 곳에 묻어 있다.

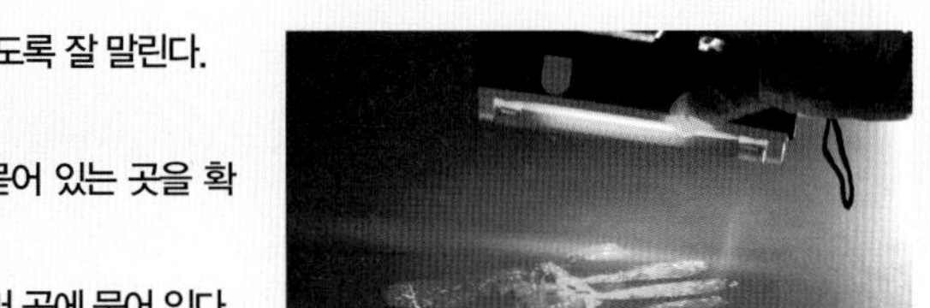

결과 해석 및 정리

1. 감염성 질병에 걸린다면 손으로 눈, 코, 입을 만지는 것을 피하고, 수시로 손을 씻어서 병원체가 몸으로 전염되는 것을 막아야 한다.
2. 사람들이 자주 만지는 곳은 주기적으로 소독해야 한다.
3. 기침을 할 때는 침방울이 손에 묻어 퍼지지 않도록 휴지나 옷소매 등에 한다.

같은 주제 다른 탐구

과학적 원리를 이용하여 병원체가 직 · 간접적으로 전파되는 것을 알 수 있다.

과정

❶ 4개의 컵 중 하나의 컵에는 구연산 수용액을, 나머지 컵에는 증류수를 각각 넣는다.

❷ 컵의 순서를 바꾼 후, 1~4로 번호를 쓴다.

❸ 1번 컵의 용액 $\frac{1}{5}$ 정도를 2번 컵에 붓고, 같은 방법으로 2번 컵의 용액을 3번 컵에, 3번 컵의 용액을 4번 컵에 붓는다.

❹ 각각의 용액에 푸른색 리트머스 종이를 대어서 색이 어떻게 변하는지 관찰한다.

푸른색 리트머스 종이

결과 및 정리 과정 ❸에서 구연산 수용액의 일부가 증류수만 들어 있던 컵으로 이동한다. → 구연산 수용액이 감염성 질병을 일으키는 병원체라고 가정한다면, 감염성 질병은 최초의 감염자가 침이나 신체 접촉 등을 통해 비감염자를 감염시키고, 이들이 또 다른 비감염자와 직 · 간접적으로 접촉하여 감염시키면서 점점 확산된다.

탐구 확인 문제

정답과 해설 101쪽

1 세균이나 바이러스 등과 같은 병원체에 감염되어 나타나는 재해 · 재난은?

① 지진 ② 태풍
③ 가뭄 ④ 감염성 질병의 확산
⑤ 운송 수단 사고

2 (적용) 감염성 질병이 확산될 때의 대처 방안으로 옳지 않은 것은?

① 손을 자주 씻는다.
② 기상 정보를 주의 깊게 듣는다.
③ 기침을 할 때는 휴지나 옷소매 등에 한다.
④ 사람들이 자주 만지는 곳은 주기적으로 소독한다.
⑤ 감염성 질병에 걸렸을 때 손으로 눈을 만지지 않는다.

개념 확인 문제

01. 재해 · 재난과 안전

01 중요 **재해 · 재난에 대한 설명으로 옳지 않은 것은?**

① 인간의 생명과 생활을 위협하는 재난으로 발생하는 피해이다.
② 재해 · 재난은 자연 재해 · 재난과 사회 재해 · 재난으로 구분할 수 있다.
③ 자연 재해 · 재난은 상대적으로 넓은 지역에 걸쳐 발생한다.
④ 사회 재해 · 재난에는 지진, 대설, 화산 활동 등이 있다.
⑤ 사회 재해 · 재난은 주로 인간의 활동에 의해 발생한다.

02 자연 재해 · 재난을 보기에서 모두 고른 것은?

보기
ㄱ. 폭풍　　ㄴ. 대설
ㄷ. 운송 수단 사고　　ㄹ. 화학 물질 유출

① ㄱ, ㄴ　② ㄱ, ㄷ　③ ㄴ, ㄷ
④ ㄴ, ㄹ　⑤ ㄷ, ㄹ

03 다음은 한 신문 기사 내용이다.

강원, 충청 지역에 하루 최고 1000 mm의 기록적인 비가 쏟아져 막대한 피해를 입었다. 하천이 범람하고 도시 저지대의 침수 피해가 있었으며, 강한 바람에 의해 수확 직전의 과일들이 떨어져 과수농가의 피해가 컸다. 해변에서는 수산 양식 시설이 피해를 입어 재산 피해가 발생했다.

이와 같은 피해를 일으키는 재해 · 재난은?

① 대설　② 가뭄　③ 지진
④ 태풍　⑤ 냉해

04 다음과 같은 재해 · 재난은 무엇인지 쓰시오.

• 지구 내부의 에너지가 지표로 나와 땅이 갈라지며 흔들리는 현상이다.
• 해저에서 발생하는 경우에는 바닷물이 해안 지역을 덮치기도 한다.

05 지진이 일어났을 때 대처하는 방안으로 옳지 않은 것은?

① 문을 열어 둔다.
② 책상 아래에서 머리를 보호한다.
③ 계단을 통해 건물 옥상으로 올라간다.
④ 가스를 잠그고 전기 차단기를 내린다.
⑤ 진동이 멈추면 재빨리 밖으로 대피한다.

06 중요 **그림은 지진이 발생한 후, 강한 진동이 멈춘 후의 행동 요령을 나타낸 것이다.**

가스와 전기를 차단하고, 출구를 확보한다.　머리를 보호하고, 대피 장소로 피한다.

이에 대한 설명으로 옳은 것을 보기에서 모두 고른 것은?

보기
ㄱ. 대피할 때 엘리베이터가 작동하고 있다면 재빨리 엘리베이터로 이동한다.
ㄴ. 가스와 전기를 차단하는 것은 가스로 인한 폭발과 화재를 막기 위한 것이다.
ㄷ. 낙하물이 떨어질 때 다치는 것을 예방하기 위해 머리를 보호한다.

① ㄱ　② ㄴ　③ ㄷ
④ ㄱ, ㄷ　⑤ ㄴ, ㄷ

07 기상 재해 중 태풍에 대한 설명으로 옳지 않은 것은?

① 매년 일정한 시기에 발생한다.
② 우리나라에는 대개 10~12월에 영향을 준다.
③ 저위도 지역에서 발생하는 열대성 저기압이다.
④ 강한 바람으로 농작물이나 시설물에 피해를 주기도 한다.
⑤ 집중 호우를 동반하는 경우 집이나 건물이 침수되는 피해를 주기도 한다.

중요
08 기상 재해를 대처하기 위한 방안으로 옳은 것을 모두 고르면? (정답 2개)

① 기상 정보를 주의 깊게 듣는다.
② 강풍을 대비해 유리창에 테이프나 안전 필름을 붙인다.
③ 황사가 오거나 미세먼지가 많은 날에는 가급적 외부로 나간다.
④ 집중 호우가 올 때 침수에 대비하여 가재도구는 낮은 곳에 둔다.
⑤ 태풍은 언제 일어날지 예측하기 어려우므로 대처를 할 수가 없다.

09 오른쪽 그림은 어떤 재해·재난에 대처하기 위해 건물 옥상에 설치한 피뢰침이다. 피뢰침을 설치하여 예방하는 재해·재난은 무엇인지 쓰시오.

중요
10 감염성 질병에 대한 설명으로 옳지 않은 것은?

① 세균이나 바이러스와 같은 병원체로 인해 생기는 질병이다.
② 사람과 사람이 접촉할 때 쉽게 전파된다.
③ 공기나 물, 동물, 음식물 등을 통해 간접적으로 전파되기도 한다.
④ 비교적 넓은 지역으로 퍼지기 어려워 예방하기가 쉽다.
⑤ 증상이나 감염 경로를 정확히 파악하여 대처해야 한다.

11 다음과 같은 재해·재난이 일어날 때 대처할 수 있는 방안으로 옳은 것은?

> 2012년, 우리나라의 한 공장에서 독성 물질인 플루오린화 수소 기체가 유출되어 사상자가 발생하였으며, 인근의 동식물이 죽거나 가스 중독 현상을 보였다.

① 유리창에 테이프와 안전 필름을 붙인다.
② 외부로 대피할 때 문과 창문은 모두 열어놓아야 한다.
③ 화학 물질이 유출된 장소에서 최대한 멀리 벗어나야 한다.
④ 바람의 방향과 상관없이 넓은 공간으로 대피하여야 한다.
⑤ 유독 가스는 대부분 공기보다 밀도가 크므로 낮은 곳으로 대피해야 한다.

12 다음은 어떤 재해·재난에 대한 설명이다.

> • 사회 재해·재난이다.
> • 주로 안전 관리 소홀, 안전 규정 무시, 기기 자체의 결함 때문에 발생한다.
> • 재해·재난이 일어났을 때는 안내 방송을 잘 듣고 대처해야 한다.

이 재해·재난으로 옳은 것은?

① 지진　② 태풍
③ 화산　④ 운송 수단 사고
⑤ 감염성 질병의 확산

실력 강화 문제

01. 재해 · 재난과 안전

정답과 해설 102쪽

01 **재해 · 재난의 종류가 다른 것은?**

① 지진이 발생하여 건물이 붕괴되었다.
② 폭설로 눈이 쌓여 마을이 고립되었다.
③ 화산이 폭발하여 주민들이 대피하였다.
④ 화학 물질이 유출되어 주민들이 대피하였다.
⑤ 가뭄으로 공업 용수가 부족한 문제가 생겼다.

02 **다음은 지진이 발생할 때 대처 방안에 대해 세 학생의 의견을 나타낸 것이다.**

- 민수: 먼저 튼튼한 벽에 붙는 것이 안전해.
- 혜영: 가구가 쓰러지면 다칠 수 있으니 먼저 책상 아래로 대피해야 하지 않을까?
- 정화: 강한 진동이 멈추면 계단을 통해서 건물 밖으로 나가야 해.

지진에 대한 대처 방안을 옳게 제시한 학생을 모두 고른 것은?

① 민수　② 혜영
③ 민수, 정화　④ 혜영, 정화
⑤ 민수, 혜영, 정화

03 **강력한 태풍이 예상된다는 기상청의 발표를 듣고 대비해야 할 사항으로 옳은 것을 보기에서 모두 고른 것은?**

보기
ㄱ. 넓은 공간으로 대피한다.
ㄴ. 음식은 충분히 익혀서 먹는다.
ㄷ. 선박은 항구에 결박해 놓는다.
ㄹ. 바람에 날릴 수 있는 물건은 없는지 확인한다.

① ㄱ, ㄴ　② ㄱ, ㄷ　③ ㄴ, ㄷ
④ ㄴ, ㄹ　⑤ ㄷ, ㄹ

04 **황사에 대한 설명으로 옳지 않은 것은?**

① 우리나라에는 봄철에 주로 나타난다.
② 정밀한 공정이 필요한 산업에 피해를 준다.
③ 황사 경보가 발령되면 밖으로 대피하는 것이 좋다.
④ 자연 재해 · 재난으로 비교적 넓은 지역에 걸쳐 발생한다.
⑤ 황사를 장시간 들이마실 경우 호흡기 질환을 일으킬 수 있다.

05 **감염성 질병의 확산과 그 대처 방안에 대한 설명으로 옳은 것을 보기에서 모두 고른 것은?**

보기
ㄱ. 감염성 질병은 악수와 같은 신체 접촉으로도 옮겨진다.
ㄴ. 기침을 할 때 손으로 입을 가린다면 손에 병원체가 묻을 수 있다.
ㄷ. 기침을 할 때 휴지나 옷소매로 입과 코를 가리면 감염성 질병의 확산을 완벽하게 예방할 수 있다.

① ㄱ　② ㄴ　③ ㄱ, ㄴ
④ ㄴ, ㄷ　⑤ ㄱ, ㄴ, ㄷ

06 **다음은 화학 물질이 유출되었을 때의 대처 방안이다.**

화학 물질이 유출되었을 때는 대피할 비옷이나 큰 비닐 등으로 몸을 감싸고 코와 입을 가린다.

이와 같이 대처하는 까닭으로 옳은 것은?

① 강한 진동이 계속 일어나기 때문이다.
② 낙하물과의 충돌로 다칠 위험이 있기 때문이다.
③ 다른 사람과의 접촉으로 감염될 수 있기 때문이다.
④ 기온이 갑자기 낮아지므로 체온을 유지해야 하기 때문이다.
⑤ 화학 물질이 피부에 접촉하면 수포가 생기거나 호흡하면 폐에 손상을 줄 수 있기 때문이다.

서술형 문제

01. 재해 · 재난과 안전

정답과 해설 102쪽

☞ 제시된 Keyword를 이용하여 문제를 해결해 보자.

1 오른쪽 그림과 같이 지진이 일어날 때는 튼튼한 책상이나 식탁 아래로 몸을 피해야 한다. 그 까닭을 설명하시오.

Keyword 낙하물, 머리

2 오른쪽 그림은 우리나라의 태풍의 이동 경로를 나타낸 것이다.

(1) 우리나라에 태풍이 주로 영향을 주는 시기를 설명하시오.

Keyword 태풍의 이동 경로

(2) 태풍이 주로 영향을 끼치는 때와 관련하여 태풍, 황사, 집중 호우와 같은 기상 재해가 발생할 때의 특징을 설명하시오.

Keyword 기상 재해, 시기

3 그림은 화학 물질이 유출되었을 때 대피하는 방법을 나타낸 것이다.

사고 발생 지역으로 바람이 불 때는 바람이 불어오는 방향으로 대피한다.

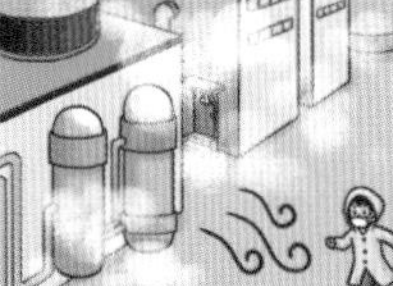

사고 발생 지역에서 바람이 불어올 때는 바람의 수직인 방향으로 대피한다.

대피하는 방법에서 공통점을 찾아 설명하시오.

Keyword 사고 발생 지역, 바람

4 다음은 우리나라에서 발생했던 재해 · 재난에 대한 설명이다.

> 중동 호흡기 증후군(MERS, 메르스)는 코로나 바이러스에 의한 질병으로 최초로 발견된 곳은 2012년 사우디아라비아였다. 우리나라에는 2015년에 처음으로 발생하여 30여 명이 사망하고, 수천 명이 격리되는 안타까운 피해를 입었다. 이 질병은 중동 지역에서 낙타와의 접촉을 통해 감염될 가능성이 높고, 사람 사이의 접촉에 의해 전파된다.

이러한 감염성 질병이 확산되는 경로를 두 가지 쓰시오.

Keyword 직접 접촉, 간접적인 전파

부록
HIGH TOP

과학 용어 사전

영양소

본문 개념 학습 015쪽

영양소는 생물이 외부로부터 받아들인 물질 중에서 몸을 구성하거나 에너지원으로 사용되거나 생리 작용을 조절하는 역할을 하는 물질이다. 탄수화물, 단백질, 지방, 무기염류, 비타민, 물이 있다.

- 몸의 구성 성분: 물, 단백질, 지방, 탄수화물, 무기염류
- 에너지원: 탄수화물, 단백질, 지방
- 생리 작용 조절: 단백질(효소, 호르몬), 비타민, 무기염류

기질
생성물
효소 → 효소 → 효소

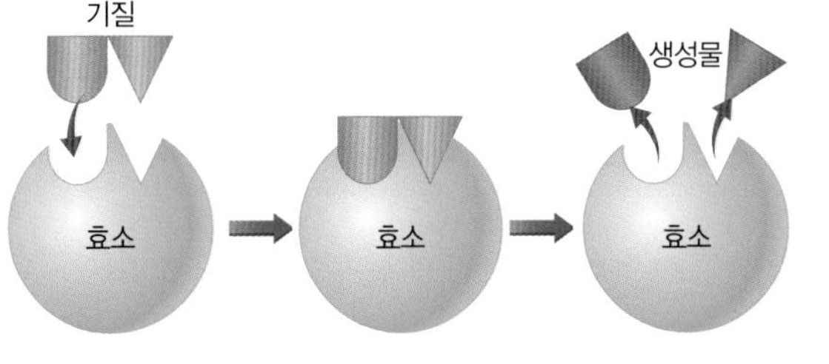

효소

본문 개념 학습 024쪽

효소는 생물체 안에서 일어나는 각종 화학 반응에서 자기 자신은 변하지 않고 반응 속도를 빠르게 하는 촉매이다. 효소를 구성하는 단백질은 입체 구조가 독특하므로 효소는 각각의 입체 구조에 잘 들어맞는 물질(기질)하고만 결합하여 반응을 촉매한다. 소화 효소도 효소의 특성을 나타내므로 아밀레이스는 녹말에만, 펩신과 트립신은 단백질에만, 라이페이스는 지방에만 작용할 수 있다. 또한, 단백질은 열이나 산에 의해 입체 구조가 변하는데, 효소는 입체 구조가 변하면(변성) 기질과 결합하지 못해 반응을 촉매하지 못한다. 침을 끓이면 침 속의 아밀레이스가 녹말을 분해하지 못하는 것도 이 때문이다.

융털

본문 개념 학습 027쪽

융털은 소장의 안쪽 벽에 있는 구조물로 작은 손가락처럼 삐죽삐죽 솟아 있는 털 같은 구조이다. 융털은 소장 안쪽 벽의 표면적을 증가시켜 소화된 영양소가 효율적으로 흡수되도록 하는 역할을 한다. 융털 표면에는 미세 융털(microvillus)이 덮여 있어 소장 벽의 표면적을 더욱 증대시킨다. 융털에서 흡수된 영양소 중 포도당, 아미노산, 무기염류, 비타민 B군과 C와 같은 수용성 영양소는 모세 혈관으로, 지방, 비타민 A, D, E와 같은 지용성 영양소는 암죽관(림프관)으로 흡수된다.

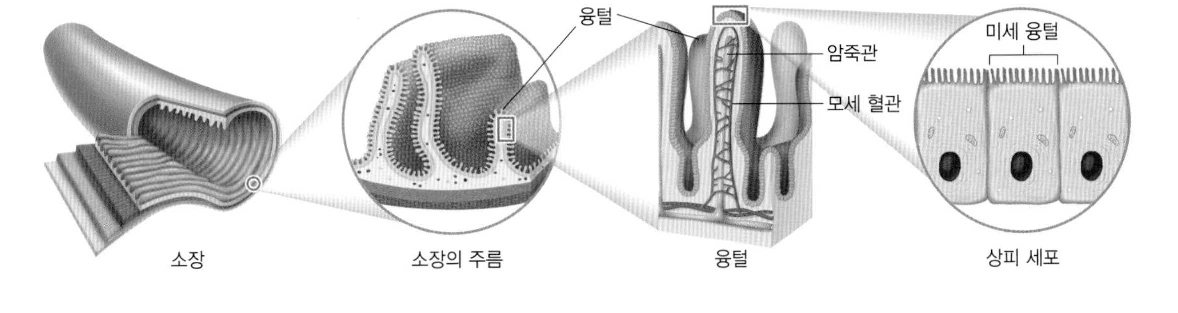

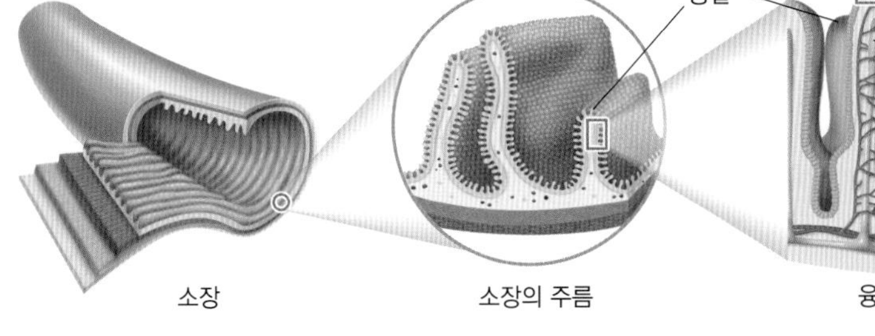

순환과 순환계

본문 개념 학습 029쪽

물, 영양소, 산소, 노폐물, 호르몬 등의 물질을 몸의 여러 부분으로 운반하는 것을 순환이라고 한다. 혈액과 림프를 생성하고 물질을 운반하는 데 관여하는 여러 기관들의 모임을 순환계라고 하며, 순환계는 혈액, 심장, 혈관, 골수, 림프관 등으로 구성된다. 사람의 혈액과 림프가 순환하는 원동력은 심장 박동에 의해 생긴다. 심장은 박동원이 심장 자체에 있어 스스로 박동할 수 있다. 사람의 심장은 2심방 2심실로 이루어져 있으며, 심방에는 정맥이, 심실에는 동맥이 연결되어 있다.

혈액

본문 개념 학습 029쪽

혈관을 흐르는 액상의 물질로, 세포 성분인 혈구(적혈구, 백혈구, 혈소판)와 액체인 혈장으로 구성된다. 혈액이 붉은색을 띠는 것은 혈구 중 가장 많은 비율을 차지하는 적혈구 때문이다. 적혈구는 붉은색 색소 단백질인 헤모글로빈을 포함하고 있어 붉은색을 띤다. 헤모글로빈은 산소가 많은 곳에서는 산소와 결합하고 산소가 적은 곳에서는 산소와 해리되어 산소를 운반한다. 혈액은 혈관을 통해 온몸을 돌면서 산소와 영양소 등을 공급해 주고 노폐물을 운반하여 콩팥을 통해 배설될 수 있도록 한다. 또한, 호르몬을 운반하고, 외부의 병원체에 대한 방어 작용과 체온 조절을 담당한다.

판막

본문 개념 학습 030쪽

혈액의 역류를 막기 위해 심장과 정맥에 있는 막이다. 심장의 심방과 심실 사이, 심실과 동맥 사이에는 판막이 있어 혈액이 거꾸로 흐르는 것을 막아 준다. 또, 혈압이 낮은 정맥에도 곳곳에 판막이 있어 혈액이 거꾸로 흐르는 것을 막는다. 판막이 충분히 열리지 않아 혈액이 원활하게 흐르지 못하거나(협착) 잘 열리지만 완전히 닫히지 않아 혈액의 일부가 역류하는 경우(폐쇄 부전), 질환이 나타날 수 있다.

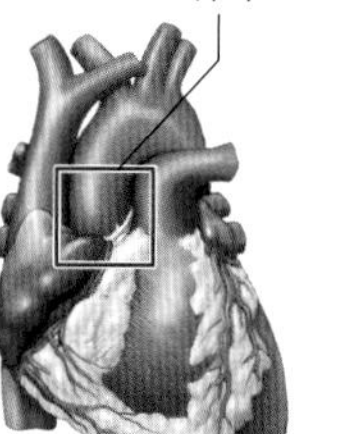

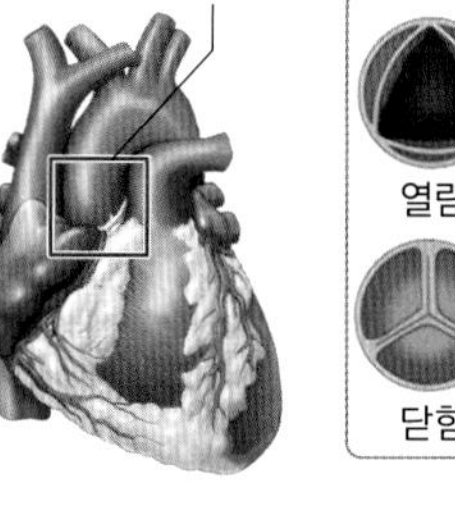

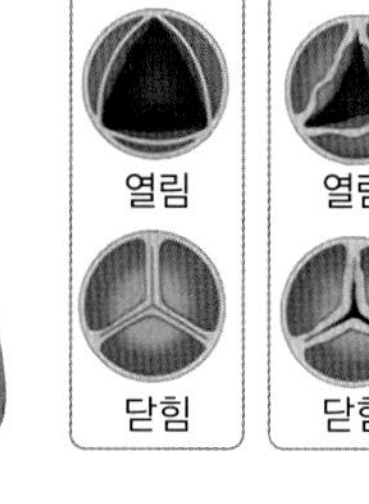

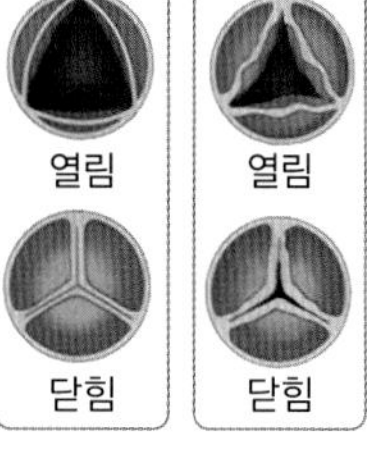

기체 교환

본문 개념 학습 048쪽

기체 성분이 서로 반대 방향으로 이동하는 것으로, 기체의 분압 차이에 의한 확산으로 일어난다. 분압(부분 압력)은 혼합 기체에서 각각의 성분 기체가 나타내는 압력으로, 각 기체는 분압이 높은 쪽에서 낮은 쪽으로 확산한다. 폐와 조직 세포에서는 주변의 모세 혈관을 흐르는 혈액과의 사이에서 기체 교환이 일어난다.

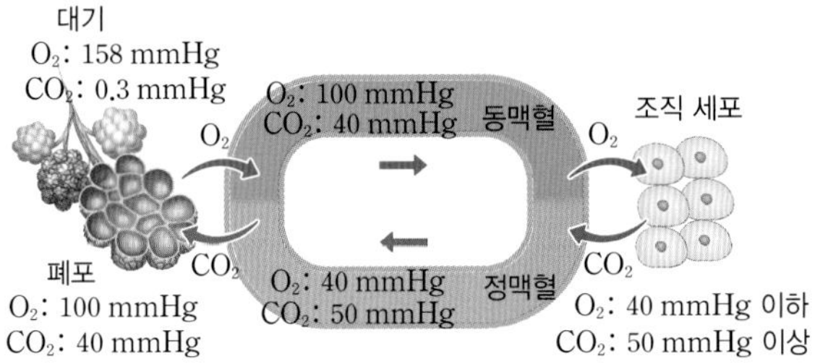

네프론

본문 개념 학습 049쪽

콩팥에서 오줌을 만드는 가장 작은 기능적 단위로, 사구체, 보먼주머니, 세뇨관으로 구성된다. 사구체는 네프론을 구성하는 핵심 구조물로서 모세 혈관이 털실 뭉치처럼 꼬여서 형성된 것이다. 보먼주머니는 컵과 같은 주머니 모양으로 사구체를 둘러싸고 있다. 세뇨관은 보먼주머니와 연결되어 있는 실처럼 가느다란 관이다.

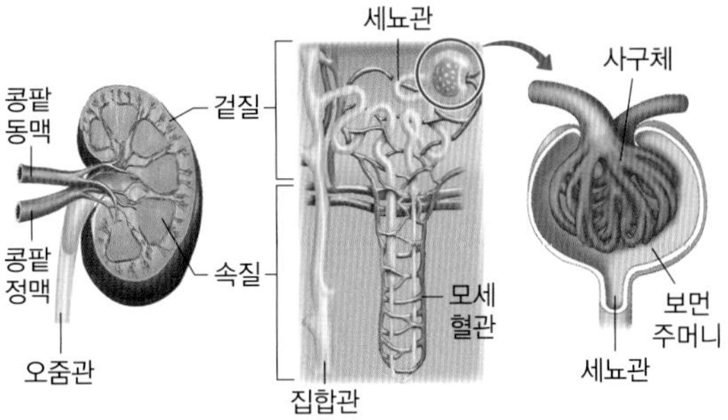

여과

본문 개념 학습 050쪽

여과는 액체나 기체 속의 입자를 걸러 내는 것으로, 동물에서는 모세 혈관 벽을 통한 혈액의 여과가 일어난다. 콩팥에서는 사구체를 흐르는 혈액 성분의 일부가 보먼주머니로 여과된다. 사구체로 들어가는 혈관은 굵고, 사구체에서 나가는 혈관은 가늘어서 사구체의 혈압은 일반적인 모세 혈관보다 훨씬 높으므로 혈장 성분 일부가 사구체의 모세 혈관 벽을 통과하여 여과된다. 이때 혈장 성분 중 분자량이 작은 물, 포도당, 요소, 이온 등이 여과되며, 보먼주머니로 여과된 액체를 여과액이라고 한다. 일반적으로 사구체를 흐르는 혈장의 20 % 정도가 여과된다.

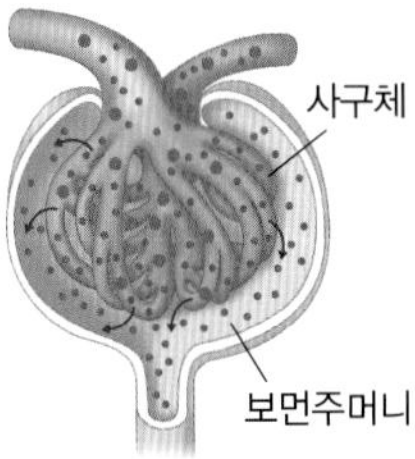

세포 호흡

본문 개념 학습 052쪽

세포에서 영양소와 산소의 반응으로 생명 활동에 필요한 에너지를 얻는 과정이다. 탄수화물, 지방, 단백질은 세포 호흡에 사용되기 때문에 에너지원이라고 하며, 공통적으로 탄소, 수소, 산소로 구성되어 있어 세포 호흡 결과 이산화 탄소와 물이 생성된다. 세포 호흡 과정에서 영양소에 저장되어 있던 에너지 중 일부는 ATP(아데노신 3인산)라는 물질에 저장되고 나머지는 열로 방출된다. ATP에 저장된 에너지는 물질 합성, 물질 이동, 근육 운동, 두뇌 활동 등의 생명 활동에 쓰인다. 즉, 생명 활동에 직접 사용되는 에너지원은 ATP이고, 세포 호흡은 영양소에 저장된 에너지로부터 ATP를 합성하는 과정인 것이다.

순물질

본문 개념 학습 078쪽

한 종류의 물질로만 이루어진 물질을 순물질이라고 하며, 질량의 많고 적음에 관계없이 물질의 특성이 일정하다. 순물질은 구리, 드라이아이스, 다이아몬드, 수은, 산소 기체처럼 한 종류의 원소로 이루어진 홑원소 물질과 물, 염화 나트륨, 이산화 탄소 등과 같이 두 종류 이상의 원소로 이루어진 화합물이 있다.

혼합물

본문 개념 학습 078쪽

두 종류 이상의 순물질이 섞여 있는 물질을 혼합물이라고 하며, 혼합물은 각 성분 물질들이 섞여 있을 뿐이므로 성분 물질 각각의 성질을 그대로 가지고 있다. 두 가지 이상의 성분 물질이 고르게 섞여 있는 균일 혼합물에는 식초, 소금물, 탄산음료, 공기 등이 있고 두 가지 이상의 순물질이 고르지 않게 섞여 있는 불균일 혼합물에는 흙탕물, 우유, 암석, 콘크리트 등이 있다.

겉보기 성질

본문 개념 학습 079쪽

물질의 색깔, 냄새, 맛, 굳기, 결정 모양과 같이 감각 기관을 이용하여 구별할 수 있는 물질의 성질이다. 예를 들어 소금과 설탕은 색깔과 모양은 비슷하지만, 소금은 짠맛이 나고 설탕은 단맛이 난다. 또, 황철석과 금은 밝은 금색을 띠기 때문에 눈으로만 보면 두 물질을 구별하기 어렵지만, 서로 긁어서 굳기를 비교하거나 결정 모양을 비교하면 구별할 수 있다.

황철석

금

물질의 겉보기 성질은 물질을 구별하는 데 유용할 때도 있지만, 독성이 있거나 위험한 물질도 있으므로 함부로 냄새를 맡거나, 맛을 보거나, 만져 보는 것이 위험할 수 있다.

코르크 마개와 추의 밀도 비교 물보다 밀도가 작은 코르크 마개는 위로 뜨고, 물보다 밀도가 큰 추는 아래로 가라앉는다.

밀도

본문 개념 학습 080쪽

어떤 물질의 부피에 대한 질량의 비, 즉 단위 부피당 질량이다. 밀도는 물질마다 고유한 값을 갖는 물질의 특성이다. 밀도의 단위는 질량을 부피로 나눈 것이므로 g/cm^3, g/mL, kg/m^3 등이 사용된다. 물의 밀도는 1 g/cm^3(또는 1 g/mL)이며, 물에 녹지 않는 고체 물질 중 물보다 밀도가 작은 물질은 물 위로 뜨고, 물보다 밀도가 큰 물질은 물 아래로 가라앉는다. 이렇게 물질의 밀도를 비교하면 물질이 물에 뜨거나 가라앉는 것을 설명할 수 있다.

용해도

본문 개념 학습 094쪽

물에 최대로 녹을 수 있는 물질의 양을 비교할 때, 물의 양이 달라지면 녹을 수 있는 물질의 양도 비례해서 달라지므로 용매에 대한 용질의 용해 정도는 용매 100 g에 최대로 녹을 수 있는 용질의 g 수로 나타내며, 이를 용해도라고 한다. 용해도는 용매 100 g이 기준이므로 물질의 양에 따라 변하지 않으며, 물질마다 다른 물질의 특성이다. 또, 고체의 용해도는 온도가 높아질수록 커지며, 기체의 용해도는 온도가 낮아질수록, 압력이 높아질수록 커진다.

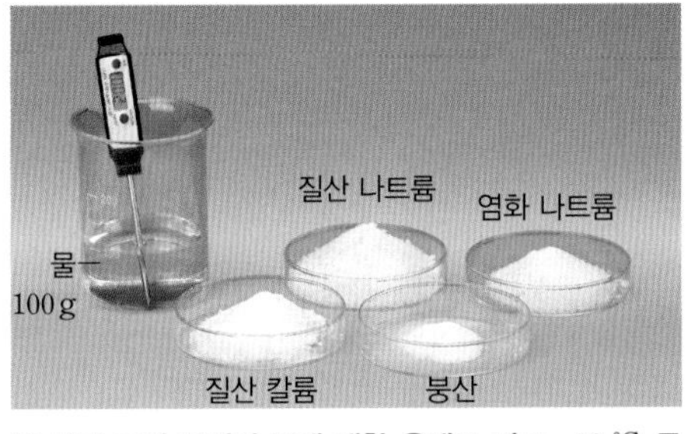

몇 가지 고체 물질의 물에 대한 용해도 비교 20 ℃ 물 100 g에 최대로 녹을 수 있는 양이 질산 나트륨은 88.0 g, 염화 나트륨은 36.0 g, 질산 칼륨은 31.6 g, 붕산은 5.0 g이다.

재결정

본문 개념 학습 118쪽

바닷물을 증발시켜 얻은 천일염에는 여러 가지 염류가 섞여 있다. 천일염을 물에 녹여 거른 후, 용액을 냉각하는 과정을 반복하면 순도가 높은 꽃소금을 얻을 수 있다. 이처럼 온도에 따른 용해도 차이가 큰 고체와 용해도 차이가 작은 고체가 섞인 혼합물을 높은 온도의 용매에 녹인 후 냉각시킬 때 석출되는 결정을 걸러서 분리하는 방법을 재결정이라고 한다. 이때 온도에 따른 용해도 차이가 큰 고체가 결정으로 석출되며, 한 번의 재결정으로 불순물이 완전히 제거되기는 어렵고 보통 여러 번의 재결정을 거쳐 순도가 높은 물질을 얻는다.

꽃소금

증류

본문 개념 학습 116쪽

소금물을 끓이면 소금은 끓지 않고 물만 끓어 수증기가 되므로 이 수증기를 냉각하면 순수한 물을 얻을 수 있다. 증류는 끓는점 차이가 큰 두 가지 이상의 물질이 섞여 있는 액체 혼합물을 가열할 때 나오는 기체 물질을 냉각시켜 순수한 액체를 얻는 방법이다. 우리 조상들은 발효주를 순도가 높은 증류주로 만드는 데 증류를 이용하였다. 물과 에탄올이 섞여 있는 발효주를 소줏고리 아래쪽에 넣고 가열하면 물보다 끓는점이 낮은 에탄올이 먼저 끓어 나온다. 이 기체가 찬물이 담긴 그릇에 닿으면 액화하여 소줏고리의 가지로 흘러나오는데, 이것이 증류주이다.

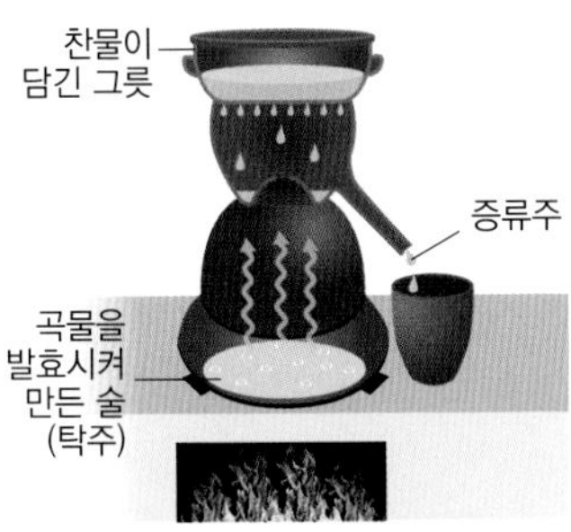

소줏고리를 이용한 증류주 만들기

크로마토그래피

본문 개념 학습 119쪽

식물의 잎에는 여러 가지 색소들이 들어 있다. 1906년 러시아 식물학자 츠베트는 식물의 색소를 분리하기 위해 잎의 색소 혼합물을 석유 에테르에 녹인 다음, 석회석을 비롯한 여러 물질로 채워진 유리관에 그 용액을 통과시켰다. 그 결과 유리관에는 몇 가지의 색소의 띠가 나타났으며, 이를 통해 잎의 색소를 분리하는 데 성공하였다. 츠베트는 이 실험 방법을 색깔을 의미하는 '크로마'와 기록한다는 뜻의 '그래프'를 합쳐 '크로마토그래피'라고 하였다. 크로마토그래피는 혼합물을 이루는 각 성분 물질이 용매를 따라 이동하는 속도 차를 이용하여 혼합물을 분리하는 방법으로, 매우 적은 양의 혼합물이나 성질이 비슷한 물질이 섞인 혼합물도 분리할 수 있다.

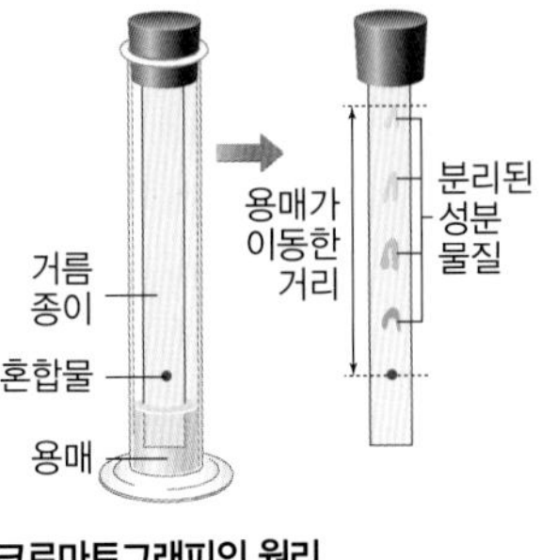

크로마토그래피의 원리

지하수

본문 개념 학습 144쪽

땅 위에 내린 빗물이나 눈의 일부가 땅속으로 스며들어 모래, 자갈 등으로 이루어진 지층이나 암석의 틈을 메우고 있는 물이다. 지하수는 이산화 탄소를 포함하여 약한 산성을 띠고 있으며, 암석과 토양 사이를 흐르면서 물질을 녹여 여러 가지 광물 성분이 포함되어 있다.

지하수는 전 세계 담수의 약 30 %를 차지하며, 담수 중 두 번째로 많은 양을 차지하기 때문에 물이 부족할 때 수자원으로서 중요한 가치가 있다. 따라서 수자원의 안정적인 확보를 위해서는 지하수 개발이 중요하다. 수질이 우수한 곳에서는 지하수를 식수로 이용하며, 지하수의 열을 지하수 난방 시스템에 이용하기도 한다. 또, 지하수를 모아 농업용수, 공업용수 등으로도 많이 이용하고 있다. 지하수가 아주 깊은 곳에서 뜨거운 화성암체나 지열 등에 의해 데워진 후 상승하면 지표면에서 온천이나 간헐천의 형태로 나타날 수 있다.

수자원

본문 개념 학습 145쪽

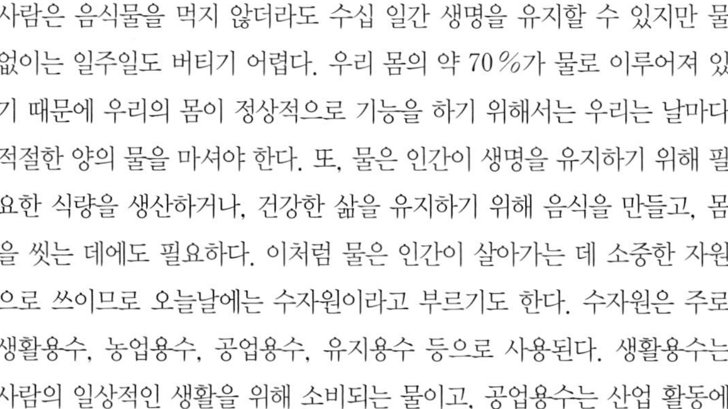

사람은 음식물을 먹지 않더라도 수십 일간 생명을 유지할 수 있지만 물 없이는 일주일도 버티기 어렵다. 우리 몸의 약 70 %가 물로 이루어져 있기 때문에 우리의 몸이 정상적으로 기능을 하기 위해서는 우리는 날마다 적절한 양의 물을 마셔야 한다. 또, 물은 인간이 생명을 유지하기 위해 필요한 식량을 생산하거나, 건강한 삶을 유지하기 위해 음식을 만들고, 몸을 씻는 데에도 필요하다. 이처럼 물은 인간이 살아가는 데 소중한 자원으로 쓰이므로 오늘날에는 수자원이라고 부르기도 한다. 수자원은 주로 생활용수, 농업용수, 공업용수, 유지용수 등으로 사용된다. 생활용수는 사람의 일상적인 생활을 위해 소비되는 물이고, 공업용수는 산업 활동에서 제품을 생산하거나 생산 시설을 유지하고 관리하기 위해 사용된다. 또, 농업용수는 농사를 짓거나 가축을 키우는 데 쓰이는 물을 말하며, 하천이 정상적인 기능을 할 수 있도록 하는 하천 유지용수로도 쓰인다.

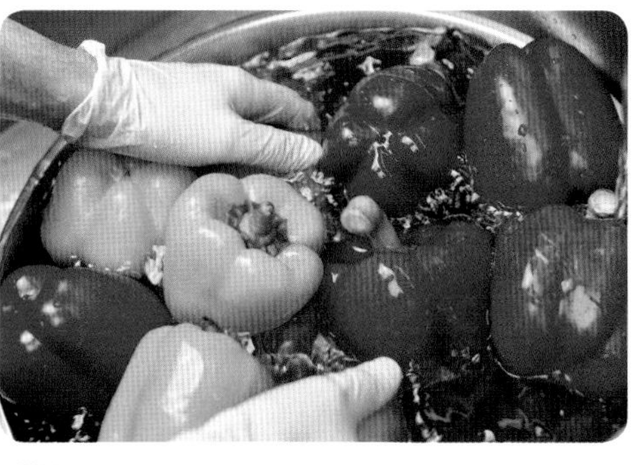

생활용수

농업용수

공업용수

유지용수

본문 개념 학습 147쪽

실용염분단위 [practical salinity unit]

해수 1 kg에 녹아 있는 염류의 총량을 g 수로 나타낸 것을 염분이라고 하는데, 염분의 단위는 psu(실용염분단위) 또는 ‰(퍼밀)을 사용한다. 그중 psu는 전기전도도로 측정한 해수의 염분을 나타내는 단위이다. 1981년에 과학자들은 염분의 국제적 표준 단위를 ‰에서 psu로 바꾸었다. psu는 15 ℃, 1 기압에서 해수 표본의 전기 전도도를 측정하여 구하며, psu와 ‰은 거의 같은 값을 가진다. 최근에는 대부분 염분을 측정할 때 해수의 전기 전도도를 이용하여 측정하며, 이는 해수 중에 포함된 염분의 양에 따라 전기 전도도가 다르게 나타나는 성질을 이용한 것이다. 전 세계 바다의 평균 염분은 약 35 psu이다.

본문 개념 학습 160쪽

사리(대조)와 조금(소조)

조차는 태양과 달이 일직선상에 놓일 때인 삭이나 망일 때 가장 크게 나타나고, 태양과 달이 직각을 이루는 상현이나 하현일 때 가장 작게 나타난다. 이처럼 조차가 가장 클 때를 사리(대조)라고 하고, 조차가 가장 작을 때를 조금(소조)이라고 한다.

삭이나 망일 때는 태양, 달, 지구가 일직선상에 위치하여, 달에 의한 해수면 상승과 태양에 의한 해수면 상승이 같은 방향이므로 만조와 간조 때 해수면의 높이 차이가 크다. 상현이나 하현일 때는 지구를 중심으로 태양과 달이 서로 수직인 위치에 놓인다. 이때는 태양에 의한 해수면 상승과 달에 의한 해수면 상승의 방향이 달라 삭이나 망과 비교했을 때 만조와 간조 때 해수면의 높이 차이가 작다.

따라서 보름달을 볼 수 있는 음력 15일경과 달을 볼 수 없는 음력 29일경에는 조차가 가장 커지는 사리가 나타나고, 반달이 뜨는 음력 7일경과 음력 22일경에는 조차가 가장 작아지는 조금이 나타난다.

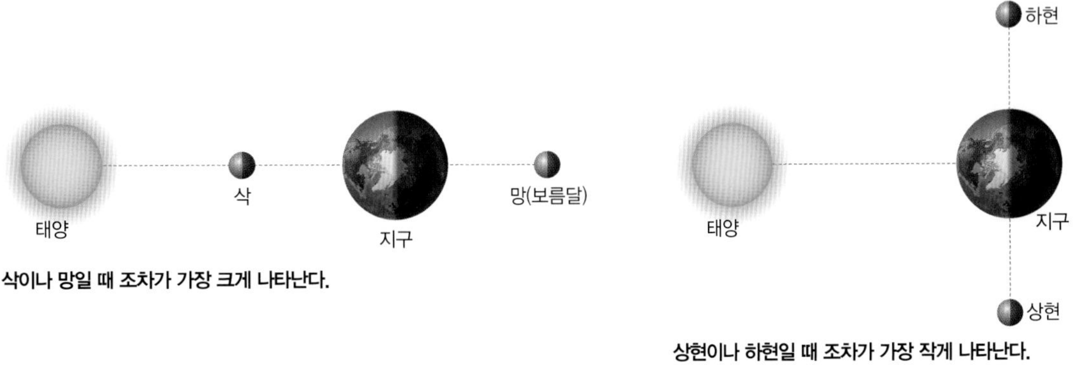

삭이나 망일 때 조차가 가장 크게 나타난다.

상현이나 하현일 때 조차가 가장 작게 나타난다.

열의 전도

본문 개념 학습 183쪽

두 물체가 접촉하였을 때 온도가 높은 물체를 이루는 입자는 큰 운동 에너지를 갖고 있으므로 빠른 속력으로 운동하면서 온도가 낮은 물체를 이루는 입자와 충돌을 한다. 이와 같이 물체를 이루는 입자가 이웃한 입자에 입자 운동을 전달하면서 열이 이동하는 방법을 전도라고 한다. 열이 전도되는 빠르기는 물질의 종류에 따라 차이가 있다. 구리나 철과 같은 도체인 물질은 열이 빠르게 전달되지만, 플라스틱과 같은 부도체(절연체)인 물질은 도체에 비해 열이 매우 느리게 전달된다. 뜨거운 냄비를 들어 올릴 때 오븐용 장갑을 사용하는 것은 오븐용 장갑이 열을 잘 전달하지 않는 부도체이기 때문이다.

단열

본문 개념 학습 183쪽

물체 사이에서 열이 이동하는 것을 막는 것을 단열이라고 하며, 전도, 대류, 복사에 의한 열의 이동을 모두 막아야 효율적인 단열이 된다. 주택 등에서 열의 손실을 막기 위해 사용하는 단열재는 열을 잘 전달하지 못하는 물질을 사용한다. 예를 들어 진공 상태나 공기는 전도에 의한 열의 이동을 효과적으로 차단하며, 빛과 같은 전자기파를 반사하는 장치는 복사에 의한 열의 이동을 차단할 수 있다. 보온병의 경우 내부의 진공층과 반사층이 전도와 복사에 의한 열의 이동을 차단시켜 준다. 또한 이중창 사이의 공기나 이중벽 사이의 스타이로폼은 전도에 의한 열의 이동을 막아 주는 역할을 한다.

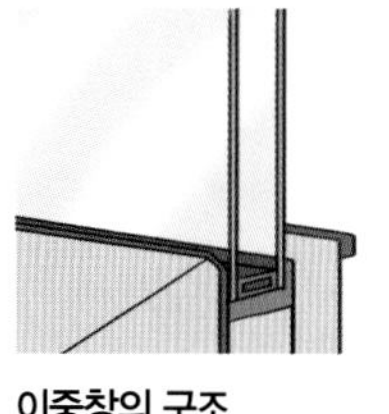

보온병의 구조

이중창의 구조

열의 복사

본문 개념 학습 183쪽

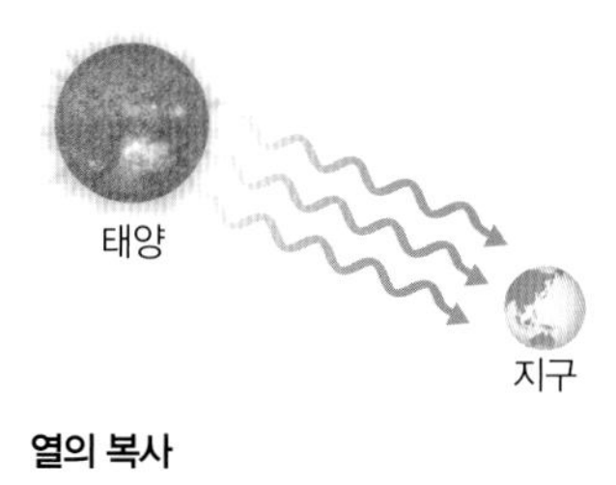

열이 물질의 도움 없이 빛과 같은 전자기파의 형태로 직접 이동하는 방법을 복사라고 한다. 복사에 의한 열의 이동은 물질과 관계없이 이루어지므로 진공 속에서도 열이 이동하게 된다. 따라서 복사에 의한 열의 이동을 막기 위해서는 물체의 표면에서 전자기파가 흡수되거나 방출되는 것을 막아야 한다. 예를 들어 보온병의 내부를 은도금하면 전자기파가 많이 반사되어 복사에 의한 열의 이동을 줄일 수 있다. 또한 물체의 표면이 검은색인 경우 물체가 빛과 같은 전자기파를 잘 흡수하고 방출한다. 그래서 주택의 지붕이나 외투가 검은색이면 여름에는 태양 복사 에너지를 더 많이 흡수하고, 겨울에는 더 많은 열을 잃게 되므로 에너지 측면에서 효과적이지 않다. 따라서 여름에 서늘하고 겨울에 따뜻하게 유지하기 위해 지붕이나 벽을 흰색이나 밝은 색으로 한다.

태양

지구

열의 복사

사우나에서 화상을 입지 않는 까닭

본문 개념 학습 192쪽

물의 온도가 60 ℃를 넘으면 우리 몸은 화상을 입는다. 대중목욕탕 온탕의 온도는 약 40 ℃ 정도이고, 건식 사우나는 70~100 ℃, 습식 사우나는 50~60 ℃ 정도이다. 그러나 사우나에서 화상을 입지 않는 까닭은 바로 물, 수증기, 공기의 비열 때문이다. 물의 비열은 1 kcal/(kg·℃)이고 수증기의 비열은 물의 약 $\frac{1}{2}$배, 공기의 비열은 물의 약 $\frac{1}{4}$배이다. 비열에 질량을 곱하면 어떤 물체의 온도를 1 ℃ 올리는 데 필요한 열량인 열용량이 되는데, 같은 열량을 공급할 때 열용량이 클수록 온도 변화가 작다. 따라서 건식 사우나는 온도가 높아도 열용량이 작기 때문에 화상을 입을 염려가 없는 것이다. 여름철에 습도가 높으면 더 덥게 느껴지는 까닭도 바로 열용량 때문이다.

기체의 열팽창

본문 개념 학습 194쪽

온도는 물체를 이루는 입자의 운동이 활발한 정도로, 온도가 낮을수록 입자의 운동이 둔하고, 온도가 높을수록 입자의 운동이 활발하다. 따라서 물체의 온도가 낮아지면 물체를 이루는 입자의 운동이 둔해지면서 입자 사이의 거리가 가까워져 물체의 부피가 줄어든다. 반대로 물체의 온도가 높아지면 물체를 이루는 입자의 운동이 활발해지면서 입자 사이의 거리가 멀어져 물체의 부피가 늘어난다. 기체는 입자 사이에 인력이 거의 작용하지 않기 때문에 고체나 액체에 비해 매우 활발하게 움직인다. 따라서 온도가 변할 때 부피 변화가 가장 크다. 풍선을 액체 질소에 넣으면 액체 질소의 낮은 온도에 의해 풍선 안의 기체 입자의 운동이 둔해지므로 입자 사이 거리가 가까워져 부피가 줄어든다. 기체의 경우 물질에 관계없이 온도가 높아질 때 부피가 늘어나는 정도는 같다.

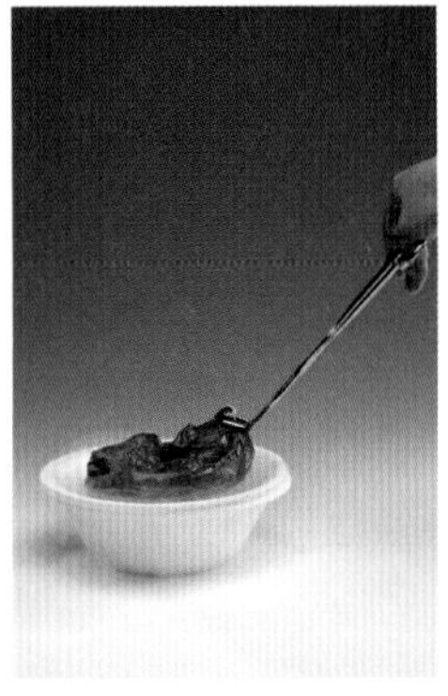

풍선을 액체 질소에 넣었을 때 풍선의 부피 변화

기체의 온도 변화에 따른 기체의 압력과 부피

본문 개념 학습 194쪽

온도가 올라가면 기체의 부피가 일정하게 증가한다. 이와 같은 현상이 나타나는 까닭은 기체 분자가 온도가 높아질수록 활발하게 움직이기 때문이다. 기체 분자가 활발하게 움직일수록 용기의 벽면에 충돌하는 분자의 충돌 횟수가 증가할 뿐만 아니라 분자가 용기의 벽면에 충돌하는 힘이 커져서 용기 내부의 압력이 높아진다. 따라서 용기 내부의 압력과 외부 압력이 같아질 때까지 용기 내부의 부피가 증가하게 된다.

1787년 프랑스의 과학자 샤를은 실험을 통해 '모든 기체는 압력이 일정할 때 온도가 높아지면 기체의 부피가 일정한 비율로 증가한다.' 는 것을 밝혀내었다. 그래서 기체의 온도와 부피 사이의 관계를 나타낸 이 법칙을 샤를 법칙이라고 한다.

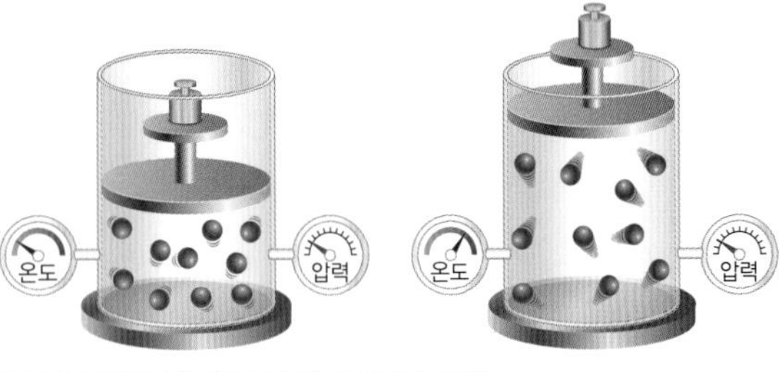

온도와 기체의 부피 변화를 나타낸 분자 모형

찾아보기